Anton Čechov

Briefe

1889–1892

Herausgegeben
und übersetzt von
Peter Urban

Diogenes

Umschlagfoto: Anton Čechov, Moskau, 1893

10/98/4/1
ISBN 3 257 06192 7

Inhalt

Briefe
März 1889 bis März 1892

»Eine langweilige Geschichte«
»Der Waldschrat«

1889

201) AN N. N. OBOLONSKIJ MOSKAU, 29. 3. 1889

29. März.

Verehrter Nikolaj Nikolaevič!

Seien Sie so gut und fahren Sie zu meinem kranken Bruder, dem Maler Nikolaj Pavlovič Čechov: er wohnt nahe Krasnyja vorota, Kalančevskaja, Haus Bogomolov, Wohnung (Nr. 42) Ipatjeva. Er hat pn. cruposa. Wenn Sie mit mir zu ihm fahren wollen, dann geben Sie mir Bescheid, wann ich Sie zu Hause antreffen kann, oder kommen Sie morgen zu mir. Ich erdreiste mich zu dieser Bitte, eingedenk Ihres Versprechens, mich besuchen zu wollen (Sie erinnern sich an unser Gespräch während des Essens bei Korš). Es wäre schön, wenn Sie mich durch ein Telegramm benachrichtigen würden. Ich wohne in der Kudrinskaja Sadovaja im Haus Ja. A. Korneev.

Wenn Sie solo zu meinem Bruder fahren, hier ein unerläßlicher Hinweis. Mein Bruder hat ein echtes Künstlerleben geführt, hat vor zwei Monaten aber vollkommen aufgehört zu trinken. Sein Puls war immer schlecht. Ich habe angeordnet, ihm 8 Schröpfköpfe anzusetzen, ihm eine wärmende Kompresse verschrieben. Verzeihen Sie um Gottes willen, daß ich ohne alle Umstände einen solchen Anschlag auf Ihre Zeit und Arbeit verübe.

Ich wünsche Ihnen alles Gute.

Hochachtungsvoll A. Čechov.

202) AN N. N. OBOLONSKIJ MOSKAU, ANFANG APRIL 1889

Der Gesundheitszustand des berühmten Malers N. P. Čechov.

Gestern abend 39,4.

Heute morgen 38,3.

Keine Schmerzen. Husten unbedeutend. Heute morgen geruhte er, bis zum Kopf zugedeckt, zu schwitzen. Ist munter. Hat Appetit. *Der Leibmedikus Hirš.*

P.S. Morgen fahre ich um 10 Uhr zu ihm.

203) AN A. S. SUVORIN MOSKAU, 8. 4. 1889

8. April

Ich wünsche Ihnen, Anna Ivanovna, Nastjuša und Borja zu den Feiertagen Glück, wünsche Ihnen Reichtum, Ruhm, Ehrungen, Frieden und Frohsinn fürs ganze Leben.

Das Wetter in Moskau ist hundsgemein: Schmutz, Kälte, Regen. Der Maler ist ein Dickkopf und hat nach wie vor 39°. Ich fahre zweimal täglich zu ihm. Meine Stimmung ist dem Wetter vergleichbar. Ich arbeite nicht, sondern lese und gehe im Zimmer auf und ab. Übrigens bedaure ich nicht, Zeit zum Lesen zu haben. Lesen ist lustiger als Schreiben. Ich glaube, wenn ich noch 40 Jahre leben und während dieser vierzig Jahre lesen, lesen und lesen und mit Talent schreiben lernen könnte, so würde ich in 40 Jahren aus einer solch dicken Kanone auf Sie alle schießen, daß der Himmel erbebt. Heute dagegen bin ich ein Liliputaner wie alle anderen auch.

Meine Familie räumt auf, putzt, bäckt, brät, wischt Staub, läuft die Treppen auf und ab. Mordio! Ich fahre zu dem Maler. Bleiben Sie gesund. Kommen Sie, wir fahren an die Volga oder nach Poltava. *Ihr A. Čechov.*

204) AN A. N. PLEŠČEEV MOSKAU, 9. 4. 1889

9. April.

Christ ist erstanden, lieber und teurer Aleksej Nikolaevič! Ich wünsche Ihnen und allen Ihren Angehörigen Glück und alles, alles Gute, und vor allem – daß die Wünsche guter Menschen in Erfüllung gehen. Ich habe Ihnen schon lange nicht geschrieben! Ich wartete die ganze Zeit, daß Sie nach Moskau kommen würden – davon hatte Svobodin mir geschrieben, aber Sie sind nicht gekommen und haben meine Erwartungen enttäuscht. Ich hätte mich so gern mit Ihnen unterhalten. Und es gäbe so manchen Gesprächsstoff. In meinem Kopf hat sich in letzter Zeit ein derartiger Kuddelmuddel angesammelt, und in meinem Innern herrscht derartige Perturbation, daß es für hundert Gespräche reichen würde. Ich würde Ihnen auf die Nerven fallen, Sie ermüden – Sie haben das geahnt und sind nicht gekommen.

Ich praktiziere. Den Mittelpunkt dieser unglückseligen, überaus unangenehmen und ermüdenden Praxis bildet das Krankenlager meines Bruders, des Malers, der an Unterleibstyphus leidet.

Ich bin ein kleinmütiger Mensch, kann den Umständen nicht gerade in die Augen sehen, und deshalb werden Sie mir glauben, wenn ich Ihnen sage, daß ich buchstäblich außerstande bin zu arbeiten. Seit drei Wochen schon habe ich keine Zeile geschrieben, habe alle meine Sujets vergessen und denke an nichts, was für Sie von Interesse sein könnte. Ich bin geradezu unverschämt langweilig.

Der Roman ist ein beträchtliches Stück vorangekommen und sitzt jetzt auf Sand in Erwartung der Flut. Ich werde ihn Ihnen widmen – das habe ich Ihnen bereits geschrieben. Zu Grunde lege ich dem Roman das Leben guter Menschen, ihre Gesichter, Taten, Worte, Gedanken und Hoffnungen; mein Ziel ist – zwei Fliegen mit einer Klappe zu schlagen: das Leben wahrheitsgetreu zu zeichnen und dabei zu zeigen, wie weit dieses Leben von der Norm abweicht. Die Norm kenne ich nicht, niemand von uns kennt sie. Wir alle wissen, was eine ehrlose Handlung ist, aber was Ehre ist, wissen wir nicht.

Ich werde mich an den Rahmen halten, der dem Herzen nähersteht und der bereits von Menschen erprobt worden ist, die stärker und klüger waren als ich. Dieser Rahmen ist – die absolute Freiheit des Menschen, die Freiheit von Gewalt, von Vorurteilen, von der Unbildung, vom Teufel, die Freiheit von Leidenschaften usw.

Übrigens, das ist langweilig. Wohin fahren Sie im Sommer? Georginka Lintvarëv wäre ich überaus verbunden, wenn er seine ganze Beredtsamkeit zusammennähme und Sie dazu überreden würde, wenigstens für eine Woche nach Sumy zu kommen. Diesmal wird das Leben dort bequemer als im vergangenen Jahr. Im Seitenflügel ist alles instandgesetzt, und es verspricht ein warmer Sommer zu werden.

Am Montag ist Vollversammlung der dramatischen Schriftsteller. Man will mich ins Komitee wählen. Ich habe von den Geschäften des Komitees keine Ahnung und werde dort nichts Vernünftiges tun können. Wenn man wenigstens zur Kenntnis nähme, daß ich 9 Monate des Jahres nicht in Moskau lebe. Allem Anschein nach wird es eine unruhige Sitzung. Ich werde auf 500–600 R. für Jurjevs Witwe bestehen statt der 300, die Petersburg ausballotiert hat. Eine Gesellschaft, die für ihre Kanzlei mehr als 15 Tausend ausgibt, sollte sich schämen, der Witwe ihres Vorsitzenden 300 Rubel zu zahlen. Überhaupt kribbelt mir die Zunge und ich hätte Lust zu plaudern.

Einen Gruß von meiner Familie an die Ihre. Meine Schwester grüßt, wünscht Ihnen Glück und lädt Sie nach Luka ein.

Das Wetter in Moskau ist hundsgemein: kalt, schmutzig und bewölkt. Sonne sehen wir keine.

Bleiben Sie gesund, glücklich und ruhigen Gemüts.

Ihr herzlich ergebener A. Čechov.

Grüßen Sie Anna Michajlovna. Burenins Feuilleton ist stellenweise komisch, aber im ganzen kleinlich. Mir geht die Kritik auf die Nerven. Wenn ich Kritiken lese, bin ich einigermaßen entsetzt: gibt es auf dem ganzen Erdball tatsächlich so wenig kluge Menschen, daß es nicht wenigstens ein paar gibt, die Kritiken schreiben können? Es ist alles erstaunlich dumm, kleinlich und persönlich bis zur Trivialität. Und die Kritik am »Severnyj vestnik« würde ich gar nicht beachten. Manchmal kommt es mir sogar so vor, als hätten wir deshalb keine Kritik, weil wir keine brauchen, wie wir auch keine Belletristik brauchen (moderne, natürlich).

205) AN AL. P. ČECHOV MOSKAU, 11. 4. 1889

11. Apr.

Neuer Viktor Krylov!

Ich habe dir einfach aus Unschlüssigkeit so lange nicht geschrieben. Ich wollte dir eine unangenehme Neuigkeit nicht mitteilen. Am Horizont sind Wolken aufgezogen; ob es ein Gewitter geben wird oder nicht – Gott allein weiß es. Die Sache ist die, daß unser Schiefer um den 25. März herum an Unterleibstyphus erkrankt ist, in leichter Form, aber kompliziert durch einen Lungenprozeß. Auf der rechten Seite ist eine unheilverkündende Dämpfung, und man hört ein Rasseln. Ich habe den Schiefen zu mir geholt und behandle ihn. Heute hatten wir eine Beratung unter Kollegen, die zu dem Ergebnis kam: die Krankheit ist ernst, aber bestimmte Voraussagen zu machen ist unmöglich. Alles ist von Gott.

Er müßte auf die Krim, hat aber weder Paß noch Geld.

Du hast ein Stück geschrieben? Wenn du eine Meinung dazu hören willst, die Wert besitzt, dann gib es Suvorin zu lesen. Noch heute werde ich ihm von deinem Stück schreiben, und du zier dich nicht und bring es ihm. Gib es nicht zur Zensur, bevor du die Korrekturen vorgenommen hast, die du unbedingt vornehmen wirst, wenn du dich mit erfahrenen Leuten unterhalten hast. Suvorin allein reicht vollkommen. Mein Rat: bemühe dich, in deinem Stück originell zu sein und so klug wie möglich, aber hab keine Angst davor, dumm zu erscheinen; Freidenkerei ist notwendig, aber nur der ist ein Freidenker, der keine Angst davor hat, Dummheiten zu schreiben. Glätte nicht, poliere nicht, sondern sei ungeschlacht und frech. Kürze ist die Schwester des Talents. Denk im übrigen daran, daß Liebeserklärungen, Ehebruch von seiten des Mannes wie der Frau, Witwentränen, Waisentränen und andere Tränen längst beschrieben worden sind. Das Sujet muß neu sein, eine Fabel kann fehlen. Und vor allem – Papaša und Mamaša missen essen. Schreib. Fliegen reinigen die Luft, Theaterstücke die Sitten.

Deinen Hauptleuten Küken und Natalja Aleksandrovna meinen herzlichen Gruß. Ich bedaure sehr, daß ich ihnen zu den Feiertagen keine Freude habe machen können. Ich habe ein merkwürdiges Schicksal. Ich verlebe 300 im Monat, ich bin kein böser Mensch, aber mache weder mir noch irgendjemandem eine Freude.

Bleib gesund. *Tuus magister bonus*
Antonius XIII.

206) AN A. S. SUVORIN MOSKAU, 11. 4. 1889

11. April.

Euer Exzellenz! Fürst Potëmkin führt durchaus kein so lustiges Leben, wie es Ščeglov Ihnen und all seinen anderen Neidern erscheinen mag. Urteilen Sie selbst. Den Maler habe ich zu mir genommen. Heute habe ich zwei erfahrene und sachkundige Kollegen zu mir eingeladen und eine Beratung mit ihnen veranstaltet, die zu dem definitiven Ergebnis gelangte, daß der Maler Unterleibstyphus hat, kompliziert durch einen Lungenprozeß, will sagen Schwindsucht, wozu Sie mir gratulieren können.

Was tun? Mit dem Kranken in warme Länder fahren? Meinetwegen, ich fahre. Aber wo sind die warmen Länder, in denen man nicht nach dem Paß gefragt wird und in denen man mit einem Kranken leben kann, ohne befürchten zu müssen, in Schulden zu geraten, aus denen man nie wieder herauskommt? Oh, Marcus Aurelius Antonius! Oh, Epiktet! Ich weiß, es ist kein Unglück, es ist nur meine Meinung; ich weiß, den Maler verlieren, heißt, ihn zurückgeben, aber ich bin doch mehr Potëmkin denn Philosoph, und ich bin absolut unfähig, dem Schicksal tapfer ins Auge zu blicken, wenn ich nichts von Tapferkeit im Herzen habe.

Gestern war die Sitzung. Gewählt wurde Boborykin, aber dank den 36 Petersburger Stimmen behielt Majkov die Oberhand. Die Sitzung zu beschreiben ist unmöglich, man kann sie nur auf der Bühne nachspielen. Majkov ist ein großer Esel, der dauernd geprügelt worden ist und nichts daraus gelernt hat. Es hatte etwas Merkwürdiges, Abgeschmacktes und zutiefst Asiatisches, als Majkov, Hofmeister, Geheimrat und ein alter Mann, auf die Rufe: »Nieder! Nein! Pssst! Tsss! Den wollen wir nicht!« – statt darauf zu pfeifen, nach Hause zu gehen und sich schlafen zu legen – demütig mit den Augen klapperte und sagte: »Meine Herren, ich hatte den Vorsitz abgelehnt, aber, meine Herren, ich nehme meine Worte zurück... ich will Vorsitzender sein...« Als man ihn nämlich gewählt hatte, hatte er auf einmal erklärt, er wolle nicht Vorsitzender sein; als alle sich darüber freuten, als er sah, daß niemand ihn bat, seine Ablehnung zurückzunehmen, nahm er seine Worte selber zurück... So ein Blödsinn! Giftige Worte fielen millionenfach.

Was ist daran angenehm, Vorsitzender zu sein? Was ist daran angenehm, seinem Nachbarn das Leben sauer zu machen? Was ist daran angenehm, jemanden der Fehler zu überführen? Ich würde alle diese Annehmlichkeiten liebend gern gegen die Möglichkeit eintauschen, in die Steppe zu fahren, von der ich gestern geträumt habe.

Sie haben einen Sohn namens Michail Alekseevič. Grüßen Sie ihn und sagen Sie ihm, daß ich eine Dame kenne, klug, gebildet, gewandt, geschäftstüchtig, zum Juriskonsult wie zum Hofmakler tauglich, durch Feuer, Wasser und Hölle gegangen. Wenn Michail Alekseevič auf einer der Strecken im Süden eine freie Stelle haben sollte, könnte er mir dann nicht Bescheid sagen? Ich bin dieser Dame verpflichtet (nicht Erinnerungen, nicht süße Augenblicke) und würde gern eine Stelle für sie finden, worum sie mich gebeten hat. Für ihre Tüchtigkeit verbürge ich mich, für ihre Ordentlichkeit in finanziellen Dingen ebenfalls. Die Adresse der Dame habe ich.

Ich habe einen Bruder namens Aleksandr. Dieser Mensch hat

mir in einem Brief gestanden, daß ihn Ihre und meine Lorbeeren nicht schlafen lassen. Er hat ein Stück geschrieben. Wenn Sie mit ihm über dieses Stück sprechen werden, dann enttäuschen Sie ihn, falls es Ihnen nicht gefällt, nicht auf einen Schlag, sondern schrittweise. Er würde den Mut verlieren und würde wieder, das wär doch was, zu halluzinieren anfangen. Stücke zu schreiben, schadet ihm schließlich nicht.

Nemirovič-Dančenko sagte, er werde Ihnen das Protokoll der Sitzung schicken.

In den »Novosti dnja« steht etwas über den »Kranich am Himmel«, das neue Stück Ščeglovs. Vorgestern las ich im »Novoe vremja« wieder etwas über meinen »Heiratsantrag«.

Geben Sie das Sendschreiben Vladimir Monomachs heraus. Ein Bändchen der »Billigen Bibliothek« mit den zwei Texten, dem kirchenslavischen und dem russischen, und am Schluß des Bandes Anmerkungen. Geben Sie auch das »Igorlied« heraus, als Schulbuch. Geben Sie den »Domostroj« heraus.

An Anna Ivanovna, Nastjuša und Borja sowie an den Freund Ašinovs und Vater Paisijs, A. A. Suvorin, meinen herzlichen Gruß und alle guten Wünsche. Habe die Ehre, in meinem strahlenden Ruhm zu verbleiben *Potëmkin.*

Und die »Erzählungen« auf Velinpapier? Lassen Sie mir bei der Gelegenheit auch zehn Exemplare »Dämmerungen« schicken, zusammen mit der »Medea«.

Vor ein paar Tagen habe ich Veročka Mamyševa behandelt. Die Behandlung werde ich mir von Vulf bezahlen lassen, in 2–3 Jahren.

207) AN A. S. SUVORIN MOSKAU, 17. 4. 1889

17. April.

Sie beneiden mich um meine Jugend, und ich beneide Sie, daß Sie nach Tirol fahren. Tauschen wir doch.

Wir werden uns im Sommer also nicht sehen. Bis Anfang November werde ich weder Sie noch Anna Ivanovna sehen und auch nicht in Feodosija baden. Schade, der Sommer wird also furchtbar langweilig werden. Ich habe geträumt, ich hätte den Stanislav 3. Klasse bekommen. Meine Mutter sagt, das bedeute, daß ich bald mein Kreuz werde auf mich nehmen müssen. Der Traum wird wahrscheinlich in Erfüllung gehen, denn die Sache mit dem Maler sieht böse aus.

Ich bin ins Komitee der Gesellschaft der dramatischen Schriftsteller gewählt worden. Erwarten Sie keine Neuerungen. Erwarten Sie so lange keine Neuerungen, solange in der Gesellschaft jene am lautesten reden und protestieren, die an den Geschäften der Gesellschaft am wenigsten Interesse haben. Ich schicke Ihnen eine kleine Dummheit, gerichtet gegen die Aufrührer, die, wenn es nach ihnen ginge, die Gesellschaft ruinieren würden. Wenn sie taugt, drucken Sie sie zusammen mit der Samstagsbeilage oder wie Sie wollen, wenn sie nicht taugt, schicke ich sie an die »Pet.gaz.«

Gestern habe ich von Aleksej Alekseevič aus Kursk ein »Bulletin des Frühlings« bekommen, das, unter anderem, diesen Satz enthält: »Wärme, Frische und Zärtlichkeit liegen in der Luft...«

Da ich nicht die Möglichkeit hatte, an dem Roman weiterzuarbeiten, habe ich aus Langeweile mit dem »Waldschrat« begonnen. Er wird langweilig wie »Nathan der Weise«. Dennoch kann ich Sie versichern, daß ich die Direktion früher oder später um 5-6 Tausend erleichtern werde, in einer einzigen Saison. Ach, wie ich dann auf Sie herabsehen werde.

Ihre »Tatjana« wird in Moskau mit Änderungen gespielt. Medvedev tritt danach im III. Akt nicht auf.

Soll ich nicht heiraten? Oder mich als Arzt zur Freiwilligen Flotte melden?

Sprechen Sie mit Ščeglov über die Ermordung der Šaršavina durch Bunakov. Ein interessanter Fall, und es wird darüber auch interessante Feuilletons geben. Ščeglov schreibt mir nicht. Offenbar ärgert er sich wegen des »Kranichs am Himmel«.

Bleiben Sie gesund.

Das Wirkliche Mitglied in Fragen der Dramatik
Ihr Vorgesetzter Čechov.

208) AN N. N. OBOLONSKIJ MOSKAU, 23. 4. 1889

23. Apr., Sonntag.

Sire! Wenn Sie aus Petersburg zurückkommen, werden ich und die Mächte der Lina Salomonskaja bereits im Sommerhaus sitzen und zuhören, wie die Nachtigallen schlagen und die Frösche quaken. Sie dürfen uns beneiden. Über den Gesundheitszustand des Malers werde ich Sie in Bulletins informieren.

Meine Familie, die wohlauf ist, überlegt zur Zeit, mit welchem Stanislav sie Sie auszeichnen könne für die Behandlung unseres Ministers der Künste. Wenn es in meiner Macht stünde, ich würde Ihnen den Weißen Adler anstecken; ich bin Ihnen sehr, sehr dankbar; da ich die Macht aber nicht habe, werde ich Ihnen auch den Weißen Adler nicht anstecken, sondern Sie nur flehentlich bitten, meiner Familie das Vergnügen nicht abschlagen zu wollen, Ihnen den Stanislav darzubringen, sollte sie sich auf einen geeinigt haben.

Ich wollte Ihnen weicher und freundlicher schreiben, aber mir brummt der Schädel wie einem Hundesohn. Ich habe keine Lust zu schreiben. Gestern war bis ein Uhr nachts Komitee. Nach dem Komitee bin ich von der Suchareva zu Fuß bis nach Kudrino gegangen und habe mit Vl. Aleksandrov über Theaterstücke und Branntweinfabriken geredet. Dann, nachdem ich mich von ihm verabschiedet hatte, habe ich lange vor dem Tor gestanden und ins Morgengrauen geschaut, dann bin ich spazierengegangen, dann war ich in einer wüsten Kaschemme, wo ich in einem gerammelt vollen Billardsaal zwei Spieler ganz hervorragend Billard spielen sah, dann bin ich zu den verruchten Stätten, wo ich mich mit einem Mathematikstudenten und den Musikern unterhalten habe, dann bin ich nach Hause zurück, habe Vodka getrunken, etwas gegessen, mich dann (um 6 Uhr früh) hingelegt, bin zu früh geweckt worden und jetzt leide ich, denn ich fühle mich am ganzen Körper wie zerschlagen und habe keine Lust zu packen.

Gott beschütze Sie. Ich drücke Ihnen freundschaftlich die Hand und danke Ihnen 1000mal. Heute habe ich der Zeitung entnommen, daß Tolstoj krank ist – jetzt begreife ich, weshalb Sie in Piter sind.

Nikolaj und meine Schwester lassen grüßen.

Ihr A. Čechov.

Diesen Brief sind Sie berechtigt, in 50 Jahren in der »Russkaja starina« zu veröffentlichen und 500 Rubel dafür zu kassieren.

209) AN A. S. SUVORIN SUMY, ANFANG MAI 1889

Sumy, Gut Lintvarëva.

Ich traue meinen Augen nicht. Vor kurzem noch Schnee und Kälte, und jetzt sitze ich bei offenem Fenster und höre, wie im grünen Garten die Nachtigallen, Wiedehopfe, Goldamseln und anderen Geschöpfe singen ohne Unterlaß. Der Psël ist majestätisch liebevoll, die Farben des Himmels und der Ferne sind warm. Die Apfel- und Kirschbäume blühen. Die Gänse gehen mit ihren Jungen spazieren. Mit einem Wort, Frühling mit allem, was dazugehört.

Stiva hat die Boote nicht geschickt, ich habe nichts, um hinauszurudern. Die Boote unserer Wirtsleute sind im Wald beim Waldhüter. Darum muß ich mich darauf beschränken, am Ufer entlangzugehen und neiderfüllt den Fischern zuzusehen, die in ihren Kähnen auf dem Psël auf und ab fahren. Ich stehe früh auf, gehe früh schlafen, esse viel, schreibe und lese. Der Maler hustet und ist böse. Seine Sache steht schlecht. – Da ich keine neuen Bücher habe, käue ich die alten durch, lese, was ich schon gelesen habe. Unter anderem lese ich Gončarov und staune. Ich staune über mich selbst: wieso habe ich Gončarov bis heute für einen erstrangigen Schriftsteller gehalten? Sein »Oblomov« ist eine ganz unbedeutende Sache. Ilja Iljič, eine utrierte Figur, ist jedenfalls nicht so groß, als daß es sich lohnte, seinetwegen ein ganzes

Buch zu schreiben. Ein aufgedunsener Faulpelz, wie es viele gibt, unkompliziert von Natur, durchschnittlich, klein; ihn zu einem Typus der Gesellschaft zu erheben, das ist zu viel der Ehre. Ich frage mich: wenn Oblomov kein Faulpelz wäre, was wäre er dann? Und ich antworte: nichts. Und wenn das so ist, dann soll er doch weiterschlafen. Die übrigen Personen sind klein, riechen nach Lejkin, sind nachlässig ausgewählt und zur Hälfte erfunden. Weder charakterisieren sie die Epoche, noch vermitteln sie irgendetwas Neues. Štolc flößt mir kein Vertrauen ein. Der Autor sagt, er sei ein feiner Kerl, ich glaube ihm das aber nicht. Er ist eine durchtriebene Bestie, die viel von sich hält und mit sich selbst zufrieden ist. Er ist zur Hälfte erfunden und zu drei Vierteln affektiert. Olga ist erfunden und an den Haaren herbeigezogen. Und das Schlimmste – im ganzen Roman – Kälte, Kälte, Kälte... Ich streiche Gončarov von der Liste meiner Halbgötter.

Wie unmittelbar, wie stark ist dafür Gogol, und was ist er für ein Künstler! Allein seine »Kalesche« ist zweihunderttausend Rubel wert. Das ist einfach begeisternd und nichts weiter. Er ist der größte russische Schriftsteller. Im »Revisor« ist der erste Akt der beste, in der »Heirat« der III. Akt der schwächste. Ich werde ihn meiner Familie vorlesen.

Wann fahren Sie? Wie gern würde ich jetzt irgendwohin fahren nach Biarritz, wo Musik spielt und viele Frauen sind. Wenn der Maler nicht wäre, würde ich Ihnen hinterdreinfahren, wirklich. Geld würde ich schon auftreiben. Ich gebe Ihnen mein Wort, daß ich im nächsten Jahr, wenn ich gesund und munter bleibe, unbedingt Europa bereisen werde. Ich muß der Direktion nur dreitausend Rubel abknöpfen und den Roman abschließen.

An Ihrem Buchkiosk auf dem Bahnhof von Sumy gibt es weder die »Dämmerungen« noch die »Erzählungen«, und zwar schon lange nicht mehr. Dabei bin ich in Sumy ein Modeautor – ich wohne in der Gegend. Wenn Michail Alekseevič ein halbes Hundert schicken würde, sie würden sämtlich verkauft.

Nachts heulen die Hunde und lassen einen nicht schlafen.

Mein »Waldschrat« tanzt sich ein.

An Anna Ivanovna, Nastja und Borja meinen herzlichen Gruß. Heute nacht habe ich von m-lle Emily geträumt. Warum? Ich weiß nicht.

Bleiben Sie glücklich und schließen Sie mich in Ihre heiligen Gebete ein. *Ihr Akakij Tarantulov.*

210) AN A.S. SUVORIN SUMY, 4. 5. 1889

4. Mai.

Ich schreibe Ihnen, lieber Aleksej Sergeevič, von der Jagd zurückgekehrt – ich war Krebse fangen. Das Wetter ist herrlich. Alles singt, blüht, strahlt in Schönheit. Der Garten ist bereits über und über grün, sogar die Eichen haben schon ausgeschlagen. Die Stämme der Apfel-, Birnen-, Kirschen- und Pflaumenbäume sind weiß gekalkt gegen die Würmer, alle diese Bäume stehen in weißer Blüte, was sie Bräuten während der Trauung verblüffend ähnlich macht: die weißen Kleider, die weißen Blüten und ein so unschuldiges Aussehen, als schämten sie sich, daß man sie ansieht. Jeden Tag werden Milliarden von Lebewesen geboren. Die Nachtigallen, Rohrdommeln, Kuckucke und anderen gefiederten Geschöpfe rufen ohne Unterlaß, Tag und Nacht, und die Frösche begleiten sie. Jede Tages- und Nachtstunde hat ihre Besonderheit. So ist die neunte Abendstunde im Garten buchstäblich erfüllt vom Brausen der Maikäfer. Die Nächte sind mondhell, die Tage klar. Deshalb bin ich sehr guter Stimmung, und wenn der hustende Maler nicht wäre und die Mücken, gegen die nicht einmal die Rezepte von Ėlpe helfen, dann wäre ich wahrlich Potëmkin. Die Natur ist ein sehr gutes Beruhigungsmittel. Sie stimmt friedlich, d. h. sie macht den Menschen gleichgültig. Und man muß auf dieser Welt unbedingt gleichgültig sein. Nur die Gleichgültigen sind imstande, die Dinge klar zu sehen, gerecht zu sein und zu arbeiten – das bezieht sich natürlich nur auf die klugen und anständigen Menschen; Egoisten und Hohlköpfe sind ohnehin schon gleichgültig genug.

Sie schreiben, ich sei faul geworden. Das kann nicht bedeuten, daß ich fauler geworden wäre als ich immer war. Ich arbeite heute genau so viel wie vor 3–5 Jahren. Zu arbeiten und den Anschein eines arbeitenden Menschen zu erwecken in der Zeit von 9 Uhr morgens bis zum Mittagessen und vom abendlichen Tee bis zum Schlafengehen – das ist mir zur Gewohnheit geworden, und in dieser Beziehung bin ich ein Beamter. Wenn bei meiner Arbeit monatlich keine zwei Novellen herauskommen oder 10 Tausend Jahreseinkommen, so liegt das nicht an meiner Faulheit, sondern an meinen psychisch-organischen Eigenschaften: für die Medizin liebe ich das Geld zu wenig, für die Literatur fehlt es mir an Leidenschaft, also an Talent. Das Feuer in mir brennt gleichmäßig und träge, ohne aufzulodern und zu prasseln, deshalb kommt es auch nicht vor, daß ich in einer Nacht drei-vier Bogen schreibe oder daß ich, von der Arbeit besessen, nicht ins Bett gehe, wenn ich schlafen will; darum vollbringe ich weder aufsehenerregende Dummheiten noch bemerkenswert kluge Dinge. Ich fürchte, in dieser Beziehung bin ich Gončarov sehr ähnlich, den ich nicht liebe und der mich an Talent um 10 Köpfe überragt. Leidenschaft habe ich wenig; fügen Sie alledem noch eine Art Psychopathie hinzu: auf einmal, wie aus heiterem Himmel, mag ich meine Werke nicht mehr gedruckt sehen, bin gleichgültig geworden gegenüber Rezensionen, gegenüber Gesprächen über die Literatur, gegenüber Gerüchten, Erfolgen, Mißerfolgen, gegenüber hohen Honoraren – mit einem Wort, ich bin ein Riesenidiot geworden. In meinem Herzen herrscht eine Art Stillstand. Ich erkläre dies mit dem Stillstand in meinem persönlichen Leben. Ich bin weder enttäuscht noch müde noch deprimiert, es interessiert mich alles nur irgendwie weniger. Ich muß mir Feuer unter den Hintern machen.

Stellen Sie sich vor, ich habe den ersten Akt des »Waldschrat« fertig. Er ist ganz gut geworden, wenn auch zu lang. Ich fühle mich bei weitem stärker als zu der Zeit, als ich den »Ivanov« schrieb. Anfang Juni wird das Stück fertig sein. Sieh dich vor, Direktion! Fünftausend gehören mir. Das Stück ist furchtbar merkwürdig, und mich wundert, daß unter meiner Feder solch merkwürdige Dinge entstehen. Nur habe ich Angst, daß die Zensur es nicht durchläßt. Ich schreibe auch an dem Roman, der mir sympathischer ist und meinem Herzen näher steht als der »Waldschrat«, wo ich mich verstellen und den Dummkopf spielen muß. Gestern abend fiel mir ein, daß ich Varlamov versprochen hatte, ein Vaudeville für ihn zu schreiben. Heute habe ich es geschrieben und schon an ihn abgeschickt. Da sehen Sie, wie schnell bei mir das Dreschen geht! Und Sie schreiben, ich sei faul geworden.

Endlich schenken Sie dem Salomo Beachtung. Als ich Ihnen von ihm erzählte, haben Sie immer nur gleichgültig genickt. Meiner Meinung nach hat der »Ekklesiast« Goethe darauf gebracht, den »Faust« zu schreiben.

Mir hat der Ton Ihres Briefes an Lichačëv außerordentlich gut gefallen. Meiner Meinung nach kann dieser Brief als Muster für jede Art von Polemik dienen.

Ich war in Sumy im Theater und habe mir die »Zweite Jugend« angesehen. Die Schauspieler hatten solche Hosen an und spielten in solchen Salons, daß statt der »Zweiten Jugend« ein »Dienstbotenzimmer« herauskam. Im letzten Akt hat man hinter der Bühne die Trommel gerührt. Man will »Tatjana Repina« und »Ivanov« inszenieren. Da gehe ich hin! Ich kann mir vorstellen, was das für einen Adašëv gibt!

Schicken Sie mir meine »Tatjana Repina«, wenn sie schon aus dem Druck ist.

Mein Bruder schreibt mir, er habe sich zu Tode gequält mit seinem Stück. Das freut mich sehr. Soll er sich ruhig ein bißchen damit abquälen. Er hat sich ungeheuer herablassend »T. Repina« und den »Ivanov« im Theater angesehen, in den Pausen Kognak getrunken und gnädig Kritik geübt. Alle Leute sprechen in einem Ton über Stücke, als sei es kinderleicht, sie zu schreiben. Sie haben also keine Ahnung davon, daß es schwer ist, ein gutes Stück zu schreiben, ein schlechtes zu schreiben dagegen doppelt so schwer und unheimlich. Ich wünschte mir, daß das ganze Publikum zu einem einzigen Menschen verschmölze und ein

Stück schriebe, und daß Sie und ich dann in der Loge »Lit. 1« säßen und das Stück auspfiffen.

Aleksandr leidet an der Vielzahl seiner Umarbeitungen. Er ist sehr unerfahren. Ich fürchte, er hat eine Menge falscher Effekte in dem Stück, er kämpft gegen sie und reibt sich auf in einem fruchtlosen Kampf.

Bringen Sie mir aus dem Ausland verbotene Bücher und Zeitungen mit. Wenn der Maler nicht wäre, würde ich mit Ihnen fahren.

Gott ist weise: er hat Tolstoj und Saltykov ins Jenseits geholt und auf diese Weise miteinander versöhnt, was uns unversöhnlich schien. Jetzt verfaulen sie beide, und sind sich beide gleichermaßen gleichgültig. Ich höre, wie man sich über den Tod Tolstojs freut, und mir erscheint diese Freude als große Barbarei. Ich glaube nicht an die Zukunft jener Christen, die Gendarmen hassen und gleichzeitig einen fremden Tod begrüßen und im Tod den Engel des Erlösers sehen. Sie können sich nicht vorstellen, wie widerlich es ist, mitanzusehen, wenn Frauen sich über diesen Tod freuen.

Ich werde doch nicht bis zum Herbst am Ufer des Psël sitzen müssen? Oh, das wäre schrecklich! Der Frühling dauert doch nicht mehr lange.

Lenskij lädt mich ein, ihn auf eine Gastspielreise nach Tiflis zu begleiten. Ich würde mitfahren, wenn der Maler nicht wäre, dessen Sache nicht gerade zum besten steht.

Sagen Sie Anna Ivanovna, daß ich ihr von ganzem Herzen eine sehr glückliche Reise wünsche.

Wenn Sie Roulette spielen sollten, so setzen Sie für mich auf mein Glück 25 Franken.

Gott schenke Ihnen Gesundheit und alles Gute.

Ihr A. Čechov.

211) AN I. L. LEONTJEV-ŠČEGLOV SUMY, 6. 5. 1889

6. Mai. St. Sumy, Gut Lintvarëva.

Lieber Jean, ich schreibe Ihnen aus dem Schoße der Natur, akkompagniert von den Singvögeln, die vor meinem Fenster singen. Schon längst hatte ich vor, ein Wort mit Ihnen zu wechseln, aber nie war die geeignete Zeit dazu. Ich wohne wie im vergangenen Jahr, es ist weder besser noch schlechter. Übrigens waren die Lebensumstände des vergangenen Jahres viel attraktiver, denn der Psël hatte für mich den Reiz des Neuen, den er jetzt nicht mehr hat; außerdem wohnt bei mir der kranke Maler, der unaufhörlich hustet und mich mutlos macht durch die Ungewißheit seiner Zukunft. Er ist ernstlich krank, und es gibt Augenblicke, in denen ich ehrlich bedaure, Arzt zu sein und kein Laie.

Und Sie, mein Freund, wie geht es Ihnen? Was gibt es Neues? Was machen Ihre Theaterpläne? Haben Sie etwas Neues geschrieben? Wenn ja, dann was? Seien Sie nicht faul, mein Lieber, und verzagen Sie nicht, sondern schreiben Sie aus Leibeskräften Novellen und Erzählungen und Dramen, ohne Rücksicht auf irgend etwas und irgendwen.

Wenn Sie im Sommer ein Drama schreiben, wollen Sie es dann nicht auf die Bühne des Moskauer Kleinen Theaters bringen? Wenn ja, so bitte ich, sollten Sie einen Bevollmächtigten brauchen, über mich zu verfügen. Ich bin mit einigen Schauspielern bekannt, mit Lenskij zum Beispiel. Wir sind befreundet und durch unsere Familien bekannt. Wenn Sie wollen, daß er Ihr Stück liest, so werden wir es gemeinsam in kürzester Zeit tun.

Ach, Jean, warum sind wir nicht in Paris, zum Teufel? Was zum Waldschrat hocken wir dauernd an ein und demselben Fleck? Ach, Jean, Jean!

Ich schreibe eher wenig. Ich habe was hingekritzelt, sogar was ziemlich Wertvolles (von der materiellen Seite). Im Herbst bringe ich es zum Verkauf nach Piter mit. Ich denke auch im Schoße der Natur an sündige Dinge wie zum Beispiel ein Drama. A propos, Hauptmann. Vor ein paar Tagen fiel mir ein, daß ich im Winter Varlamov das Versprechen gegeben hatte, eine meiner

Erzählungen zu einem Stück für ihn umzuarbeiten. Es fiel mir wieder ein, ich setzte mich hin und tat es, ehe schlecht als recht. Aus einer Erzählung zum alten Thema des Hin und Herfahrens zwischen Stadtwohnung und Sommerhaus wurde ein alter und flacher Schwank. Er heißt »Tragöde wider Willen«. Ich habe ihn an die Zensur geschickt mit der Bitte, das genehmigte Exemplar Bazarov zur Vervielfältigung zu geben. Wenn Sie Bazarov sehen, berichten Sie ihm davon oder geben Sie ihm sogar schriftlich Bescheid – ich würde ihm auch selbst schreiben, kenne ihn aber nicht. (Hat er für den »Ivanov« an die Hilfsgenossenschaft der Bühnenbeschäftigten gezahlt?)

Warum kommen Sie nicht zu uns?

In Sumy gibt es ein Theater. Die Schauspieler wollen 16 Stücke aus dem neuen Repertoire inszenieren, von den alten ganz zu schweigen. Habe die »Zweite Jugend« gesehen. Schuster.

Werden Ihre »Herren Theaterfreunde« in der Provinz gespielt? Das müssen sie, denn in der Provinz, besonders an Liebhaberbühnen liebt man einaktige Stücke, die noch dazu lang sind.

Ich bin ins Komitee der Gesellschaft der dramatischen Schriftsteller gewählt worden. Ich war bereits auf zwei Sitzungen und habe die Autorenrechte verteidigt und Papiere unterschrieben. Da gibt es zu tun. Viel sogar. Was die Geschäfte der Gesellschaft betrifft, so kann ich nur sagen: Gott sei Dank.

Meine Angehörigen lassen grüßen, und ich warte auf einen Brief von Ihnen. Ich las, daß im Künstl. Zirkel die Schauspieler »In den Bergen des Kauk.« gespielt hätten wie die Schuster; ich habe an Sie gedacht und mich geärgert, daß Sie mit Schustern zu tun haben müssen. Schuster sind gute und nützliche Menschen, aber wenn sie sich einmischen in Literatur oder Theater, dann ist das schlimm.

Bleiben Sie gesund und gottbefohlen. Ich wünsche Ihnen alles, alles Gute. *Potëmkin.*

Eine Empfehlung an Ihre Frau.

212) AN A.S. SUVORIN SUMY, 7. 5. 1889

7. Mai.

Ich habe den »Schüler« von Bourget in Ihrer Darlegung und in der russischen Übersetzung gelesen (»Sev. vestnik«). Mir stellt sich die Sache so dar. Bourget ist ein talentierter, sehr kluger und gebildeter Mann. Er ist mit der Methode der Naturwissenschaften so sehr vertraut und hat sie so tief empfunden, als hätte er mit Erfolg eine naturwissenschaftliche oder medizinische Fakultät absolviert. Er ist kein Fremder auf dem Gebiet, das er bewirtschaften will – ein Verdienst, das russische Schriftsteller nicht kennen, weder die neuen noch die alten. Was dagegen die wissenschaftliche, die Lehrbuchpsychologie betrifft, so kennt er sie genausowenig wie die besten Psychologen. Es ist auch egal, ob man sie kennt oder nicht, denn sie ist keine Wissenschaft, sondern eine Fiktion, etwas wie die Alchimie, die man allmählich zu den Akten legen sollte. Darum will ich auch nicht über Bourget als – guten oder schlechten – Psychologen sprechen. Der Roman ist interessant. Ich habe ihn gelesen und begriffen, warum er Sie so gefesselt hat. Er ist klug, interessant, stellenweise scharfsinnig, teilweise phantastisch... Will man von seinen Mängeln sprechen, so ist sein Hauptmangel – der prätentiöse Feldzug gegen die materialistische Richtung. Derartige Feldzüge, verzeihen Sie, verstehe ich nicht. Sie finden nirgends ein Ende und tragen in den Bereich des Denkens nur nutzlose Verwirrung. Gegen wen ist dieser Feldzug und wofür? Wo steht der Feind, und worin liegt dessen Gefährlichkeit? Vor allem ist die materialistische Richtung keine Schule und keine Richtung im engen Zeitungssinne; sie ist nichts Zufälliges, Vorübergehendes; sie ist notwendig und unausweichlich und steht nicht in der Macht des Menschen. Alles, was auf Erden lebt, ist notwendigerweise materialistisch. An Tieren, an Wilden, an den Moskauer Kaufleuten ist alles Höhere, Nichttierische bedingt durch den unbewußten Instinkt, alles andere an ihnen ist materialistisch und steht selbstverständlich nicht in ihrem Willen. Wesen höherer Ordnung, denkende Menschen sind ebenfalls notwendigerweise Materialisten. Sie suchen die

Wahrheit in der Materie, denn anderswo suchen können sie gar nicht, weil sie nichts anderes sehen, hören und wahrnehmen als die Materie. Notwendigerweise können sie die Wahrheit nur dort suchen, wo ihre Mikroskope, Sonden und Messer anwendbar sind... Dem Menschen die materialistische Richtung zu verbieten, ist gleichbedeutend mit dem Verbot, die Wahrheit zu suchen. Außerhalb der Materie gibt es weder Erfahrung noch Wissen, gibt es also auch keine Wahrheit. Vielleicht ist es schlecht, daß Hr. Sixte, der, wie es den Anschein haben könnte, seine Nase in ein fremdes Gebiet steckt, die Frechheit besitzt, das Innere des Menschen, ausgehend von der Zellenlehre, zu studieren? Aber ist es denn seine Schuld, daß psychische Erscheinungen den physischen so verblüffend ähnlich sind, daß man nicht zu entscheiden vermag, wo die einen beginnen und wo die anderen aufhören? Ich glaube, wenn man eine Leiche seziert, wird sich auch dem eingefleischtesten Spiritualisten *notwendigerweise* die Frage stellen: wo ist hier die Seele? Und wenn man weiß, wie groß die Ähnlichkeit zwischen körperlichen und seelischen Krankheiten ist, und weiß, daß die einen wie die anderen Krankheiten mit ein und denselben Medikamenten behandelt werden, dann vergeht einem unwillkürlich die Lust, die Seele vom Körper zu trennen.

Was die »psychologischen Versuche«, die Entwicklung der Kinder zum Laster und die Figur des Sixte betrifft, so ist das alles unmöglich übertrieben.

Spiritualisten – das ist kein akademischer, sondern ein Ehrentitel. Als Wissenschaftler werden sie nicht gebraucht. In allem, was sie tun und worauf sie hinarbeiten, sind sie notwendigerweise ebensolche Materialisten wie Sixte selbst. Wenn sie, was unmöglich ist, die Materialisten besiegen und vom Erdboden vertilgen sollten, so erwiesen sie sich schon allein durch diesen Sieg als die größten Materialisten, denn sie hätten einen ganzen Kult, beinahe eine Religion zerstört.

Von der Schädlichkeit und Gefährlichkeit der mater. Richtung zu sprechen, oder sie gar zu bekämpfen, ist zumindest verfrüht.

Wir haben nicht genügend Indizien für die Aufstellung einer Anklageschrift. Theorien und Hypothesen gibt es viele, aber keine Fakten, und unsere ganze Antipathie ist nicht viel mehr als ein phantastisches Schreckgespenst. Dieses Gespenst ist den Kaufmannsfrauen zuwider, aber warum? weiß man nicht. Die Popen berufen sich auf Unglauben, Sittenverderbnis usw. Unglauben gibt es keinen. An irgendetwas glaubt jeder, sogar jener Sixte. Was die Sittenverderbnis betrifft, so gelten als die raffiniertesten Sittenverderber, Hurenböcke und Trunkenbolde nicht die Sixtes und Mendeleevs, sondern Dichter, Äbte und Personen, die regelmäßig die Kirche besuchen.

Mit einem Wort, Bourgets Feldzug ist mir unverständlich. Wenn Bourget, während er zu seinem Feldzug aufbrach, sich gleichzeitig bemüht hätte, die Materialisten auf einen immateriellen Gott zu verweisen und zwar so, daß sie ihn sehen, dann wäre das etwas anderes gewesen, dann könnte ich seinen Exkurs verstehen.

Verzeihen Sie die Philosophie. Ich fahre auf die Post. Einen Gruß an die Ihren, und bleiben Sie gesund. *Ihr A. Čechov.*

213) AN AL. P. ČECHOV SUMY, 8. 5. 1889

8. Mai, Sumy, Gut Lintvarëva.

Pseudodramatiker, den mein Lorbeer nicht schlafen läßt! Ich beginne mit Nikolaj. Er hat einen chronischen Lungenprozeß, eine Krankheit, die unheilbar ist. Bei dieser Krankheit gibt es zeitlich begrenzte Besserungen, Verschlimmerungen und in statu, die Frage muß daher so gestellt werden: wie lange wird der Prozeß dauern? Nicht: wann wird er wieder gesund? Nikolaj ist in besserer Verfassung als früher. Er geht draußen spazieren, ißt und knurrt Mutter an. Er ist schrecklich launisch und mäkelig.

Wir haben ihn erster Klasse hierhergebracht und schlagen ihm bis jetzt nichts ab. Er bekommt alles, was er will und was er braucht. Alle nennen ihn General, und wie es scheint, glaubt er selbst daran, General zu sein. Würdenträger.

Du fragst, womit du Nikolaj helfen kannst. Hilf, womit du willst. Die beste Hilfe ist finanzielle. Ohne Geld läge Nikolaj heute in einem Armenkrankenhaus herum. Die Hauptsache ist also Geld. Wenn du kein Geld hast, dann gilt: wo nichts ist, da hat auch der Kaiser sein Recht verloren. Außerdem wird viel Geld gebraucht, mit 5–10 Rubel kommt man nicht weit.

Ich habe dir schon einmal aus Sumy geschrieben. Unter anderem hatte ich dich gebeten, mir den »Novorossijskij telegraf« zu schicken. Diesmal möchte ich dich um den Gefallen bitten, mir die Kiever Zeitungen vom 1. bis 15. Mai zu schicken. Schick zuerst die vom 1. bis 7., dann die vom 7. bis 15. Als eingeschriebenes Streifband. Weiter werde ich dich nicht belästigen.

Jetzt zu deinem Stück. Du hast dir zum Ziel gesetzt, einen Menschen darzustellen, der nicht jammert, und hast es dann mit der Angst zu tun bekommen. Die Aufgabenstellung ist mir klar. Nur der jammert nicht, der gleichgültig ist. Gleichgültig sind entweder Philosophen oder kleine egoistische Naturen. Zu letzteren muß man sich negativ, zu den ersteren positiv verhalten. Von solch gleichgültigen Stumpfsinnsnaturen, denen nicht einmal mit glühendem Eisen verbrannt zu werden Schmerz bereitet, kann natürlich nicht die Rede sein. Wenn du unter einem Menschen, der nicht jammert, jemanden verstehst, dem seine Umwelt nicht gleichgültig ist, der tapfer und geduldig die Schicksalsschläge erträgt und voll Hoffnung in die Zukunft blickt, so ist auch hier die Aufgabe klar. Die vielen Änderungen sollen dich nicht verwirren, je mosaikartiger die Arbeit, desto besser. Dadurch gewinnen nur die Charaktere im Stück. Hüte dich vor allem vor dem Element des Persönlichen. Dein Stück wird dann nichts taugen, wenn alle handelnden Personen dir selbst ähneln. In dieser Hinsicht ist deine »Sparbüchse« unverschämt und erweckt ein ärgerliches Gefühl. Wozu denn Nataša, Kolja, Tosja? Gibt es außer dir etwa kein Leben?! Und wer interessiert sich für mein und dein Leben, meine und deine Gedanken! Gib den Menschen Menschen, und nicht dich selbst.

Hüte dich vor gesuchter Sprache. Die Sprache muß einfach

und elegant sein. Die Lakaien müssen einfach sprechen, ohne »möge denn« und ohne »jetzig«. Pensionierte Hauptleute mit roten Nasen, trinkende Reporter, hungernde Schriftsteller, schwindsüchtige Damen, die sich um das Wohl der Allgemeinheit sorgen, ehrenhafte junge Leute ohne einen einzigen Makel, erhabene Jungfrauen, gutmütige Ammen – all das ist bereits beschrieben worden und ist ausgetreten wie ein alter Schuh. Noch einen Rat: geh zwei, dreimal ins Theater und sieh dir das Bühnengeschehen genau an. Du wirst Vergleiche anstellen, und das ist wichtig. Der erste Akt kann meinetwegen eine ganze Stunde dauern, die übrigen nicht länger als 30 Minuten. Nagel des Stücks ist der III. Akt, aber Nagel nicht so weit, daß er den letzten Akt erschlägt. Schließlich und endlich denk an die Zensur. Sie ist streng und vorsichtig.

Für Theaterstücke würde ich dir ein Pseudonym empfehlen: Chruščov, Serebrjakov, etwas in der Art. Das ist bequemer für dich, und in der Provinz wird man dich nicht mit mir verwechseln, und du unterbindest damit auch die Vergleiche mit mir, die mir über alle Maßen zuwider sind. Du bist jemand für dich, ich bin jemand für mich, aber die Leute scheren sich einen Dreck drum, sie dulden es nicht. Wenn dein Stück gut wird, bekomme ich es ab, wenn es schlecht wird, du.

Beeil dich weder mit der Zensur noch mit der Aufführung. Wenn es dir nicht gelingt, es an einem Staatstheater aufzuführen, führen wir es bei Korš auf. Die Aufführung sollte nicht vor November sein.

Wenn es mir gelingen sollte, etwas für die Bühne zu schreiben, dann träfe sich das gut: du bringst dein Stück zusammen mit meinem weg. Mich kennt man bei der Zensur und wird es darum nicht lange dabehalten. Für meine Stücke braucht man gewöhnlich nicht länger als 3–5 Tage, Zufallsstücke liegen meist Monate lang herum.

Den Hauptleuten Küken und N. A. meinen herzlichsten Gruß. Dir wünsche ich Gesundheit und Seelenfrieden.

Dein A. Čechov.

214) AN A.S. SUVORIN SUMY, 14. 5. 1889

14. Mai.

Danke, ich habe meine »Tatjana Repina« bekommen. Das Papier ist sehr schön. Meinen Familiennamen hatte ich in der Fahne gestrichen, mir ist unverständlich, wie er dies überstanden hat. Gestrichen, d. h. verbessert hatte ich auch viele Druckfehler, die ebenfalls stehengeblieben sind. Übrigens ist das alles Unsinn. Um die Illusion zu verstärken, hätte man auf den Umschlag nicht Petersburg drucken sollen, sondern Leipzig.

Mein Maler wird nie wieder gesund werden. Er hat Schwindsucht. Die Frage stellt sich so: wie lange wird die Krankheit dauern? Und bei dieser Fragestellung werden Sie zugeben, daß ich ihn nicht alleinlassen kann. Außerdem, wenn ich wegführe, bliebe meine Familie in einer schweren Situation zurück, die Sie sich vorstellen können, wenn Sie sich folgende Gruppe vor Augen führen: Mutter, Schwester und der jeden Augenblick hustende, nörgelnde und unablässig herumkommandierende Maler. Ich kann sie unmöglich alleinlassen[...][1])

Ščeglov ist für mich kein Konkurrent. Ich kenne sein Drama nicht, aber ich ahne, daß ich in meinen ersten beiden Akten 10mal mehr geschafft habe als er in all seinen fünfen. Sein Stück kann größeren Erfolg haben als meins, aber derartige Konkurrenz fürchte ich nicht. Ich sage Ihnen dies, um zu zeigen, wie zufrieden ich mit meiner Arbeit bin. Das Stück ist langweilig, mosaikartig, aber es vermittelt trotzdem den Eindruck von Arbeit. Es sind mir völlig neue Personen gelungen; in dem ganzen Stück gibt es einen einzigen Lakaien, keine einzige komische Introduktionsfigur, keine einzige junge Witwe. Hand. Personen sind es insgesamt acht, und davon nur drei Episodenfiguren. Überhaupt habe ich mich bemüht, Überflüssiges zu vermeiden, und das ist mir, glaube ich, gelungen. Mit einem Wort – ein kluger Junge, was soll man da noch sagen. Wenn mir die Zensur keins auf die

[1]) Lücke im Manuskript.

Mütze haut, dann steht Ihnen im Herbst ein größerer Genuß bevor, als auf dem Eiffelturm zu stehen und auf Paris hinabzuschauen. Sagen Sie Burenin, daß ich ihm auch diesmal keine Karte geben werde, und Bežeckij sagen Sie, daß er mein Stück wieder nicht sehen kann, sooft er will. Wenn mir die Zensur eins auf die Mütze haut, dann soll es so sein, dann warten wir bis nächsten Sommer und schreiben ein neues Stück, und Burenin gebe ich trotzdem keine Karte.

Ihr gelehrter Elpe empfiehlt, ein Glas Milch schluckweise innerhalb von fünf Minuten zu trinken. Wie bequem für einen Menschen, der arbeitet. [...][1]) Klug, sehr klug unsere gelehrten Gänse. Im November komme ich nach Piter, um meinen Roman zu versteigern. Ich werde ihn verkaufen und dann in die Pyrenäen fahren.

Svobodin versprach, auf Besuch zu kommen. Er wird wieder entsetzt darüber sein, daß ich Lessing nicht gelesen habe.

Der Schluß von Bourgets neuem Roman gefällt mir nicht. Man hätte ihn besser machen können. Das ist kein Schluß für einen klugen Roman, sondern eine Schleppe, die man Gaboriau abgerissen und mit Stecknadeln einem klugen Roman angesteckt hat. Rechtspflege, »offizielle Unvoreingenommenheit« der Richter usw. – all das rührt niemanden mehr. Ein Sixte, der das »Vater unser« liest, wird einen Evgenij Kočetov in Rührung versetzen, mich ärgert er. Wenn man mutig von Anfang bis Ende die Wahrheit sagen will, dann muß ein so fanatischer Wissenschaftler wie Sixte, nachdem er das »Vater unser« gelesen hat, aufspringen und wie Galilei rufen: »Und sie bewegt sich doch!« Das Kapitel, in dem Charlotte kommt um sich hinzugeben, ist großartig gemacht und rührt.

Sie möchten wissen, ob die Doktorin Sie nach wie vor haßt. O weh! Sie ist dicker geworden und hat sich mit vielem versöhnt, was mir außerordentlich mißfällt. Ärztinnen gibt es wenige auf Erden. Sie verschwinden und sterben aus wie die Wisente in der Belovežer Heide. Die einen sterben an Schwindsucht, die andern verfallen dem Mystizismus, andere heiraten verwitwete Schwadronskommandeure, wieder andere halten die Stellung, verlieren aber spürbar den Mut. Wahrscheinlich sind auch die ersten Schneider, die ersten Astrologen schnell ausgestorben... Überhaupt haben alle ein schweres Leben, die die Kühnheit besitzen, als erste unbekannte Wege zu beschreiten. Die Avantgarde hat es immer schwer.

Wie geht es Evgenija Konstantinovna? Aleksej Alekseevič wird doch nicht kneifen? Gott steh ihnen bei, es ist eine gute Sache. Grüßen Sie sie.

Im Dorf herrscht Diphtherie. Ich fange Krebse. Mit mir zusammen geht der Schuster Miška, 12–13 Jahre alt, ein schreckliches Lügenmaul.

Bleiben Sie gesund und seien Sie 1000mal gegrüßt.

Ihr Potëmkin.

215) AN A.S. SUVORIN SUMY, 15. 5. 1889

15. Mai.

Wenn Sie noch nicht ins Ausland gefahren sind, antworte ich auf Ihren Brief über Bourget. Ich werde mich kurz fassen. Sie schreiben unter anderem: »Möge die Wissenschaft von der Materie ihren Weg gehen, möge aber auch etwas bleiben, wo man sich vor dieser allgegenwärtigen Materie verbergen kann.« Die Wissenschaft von der Materie geht ihren Weg, und die Orte, wo man sich vor der allgegenwärtigen Materie verbergen kann, existieren ebenfalls, und wie mir scheint, hat es niemand auf sie abgesehen. Wenn einer etwas abbekommt, dann nur die Naturwissenschaften, nicht jene heiligen Orte, an denen man sich vor diesen Wissenschaften versteckt. In meinem Brief ist die Frage richtiger und harmloser gestellt als in Ihrem, und ich bin dem »Leben des Geistes« näher als Sie. Sie sprechen von der Daseinsberechtigung dieses oder jenes Wissens, ich dagegen spreche nicht von Rechten, sondern vom Frieden. Ich will nicht, daß Menschen Krieg sehen, wo keiner ist. Das Wissen war immer im Frieden zu Hause. Anatomie und schöngeistige Literatur haben den gleichen vornehmen Ursprung, ein und dieselben Ziele, ein und denselben Feind – den Teufel, und sie haben keinerlei Grund, sich gegenseitig zu bekriegen. Für sie gibt es keinen Kampf ums Dasein. Wenn der Mensch die Lehre vom Blutkreislauf kennt, so ist er reich; wenn er außerdem noch Religionsgeschichte studiert und die Romanze »Ein Augenblick ist mein gewesen« lernt, so wird er dadurch nicht ärmer, sondern reicher, – wir haben es folglich nur mit Pluspunkten zu tun. Darum haben Genies nie Krieg geführt, und in Goethe hat sich der Dichter mit dem Naturwissenschaftler ausgezeichnet vertragen.

Krieg gegen die Anatomie führen doch nicht das Wissen, nicht die Poesie, sondern die Irrtümer, d. h. die Menschen. Wenn der Mensch etwas nicht versteht, empfindet er Unsicherheit; die Gründe für diese Unsicherheit sucht er nie bei sich selbst, wie es nötig wäre, sondern außerhalb, daher auch der Krieg gegen das, was er nicht versteht. Das gesamte Mittelalter hindurch wurde die Alchimie auf friedliche Weise, Schritt für Schritt zur Chemie weiterentwickelt; die Astrologie zur Astronomie; die Mönche haben das nicht verstanden, Krieg gesehen und von sich aus Krieg dagegen geführt. Genauso ein kriegerischer spanischer Mönch war in den Sechz. Jahren unser Pisarev.

Krieg führt auch Bourget. Sie sagen, er führe keinen Krieg, ich sage, er tut es doch. Stellen Sie sich vor, sein Roman fiele einem Menschen in die Hände, dessen Kinder die naturwissenschaftliche Fakultät besuchen, oder einem Erzbischof, der nach einem Sujet für seine Sonntagspredigt sucht. Kann dabei im Endeffekt etwas herauskommen, was nach Frieden aussieht? Nein. Stellen Sie sich vor, der Roman käme einem Mediziner unter die Augen, einem Anatomen, Physiologen usw. In niemandes Seele wird er Frieden tragen, die Wissenden wird er reizen, die Nichtwissenden in falschen Vorstellungen bestärken – und Schluß.

Vielleicht werden Sie sagen, er führe Krieg nicht gegen das Wesentliche, sondern gegen die Abweichung von der Norm. Einverstanden, gegen die Abweichung von der Norm muß jeder Schriftsteller Krieg führen, aber weshalb dabei das Wesentliche kompromittieren? Sixte ist ein Adler, aber Bourget hat eine Karikatur aus ihm gemacht. Die »Psychologischen Versuche« sind eine Verleumdung des Menschen und der Wissenschaft. Wäre etwa, wenn ich einen Roman schriebe, in dem ein Anatom um der Wissenschaft willen seine Frau und die Säuglinge bei lebendigem Leibe seziert oder eine gelehrte Doktorin an den Nil fährt, um sich zu wissenschaftlichen Zwecken mit einem Krokodil und einer Klapperschlange zu paaren, – wäre solch ein Roman etwa keine Verleumdung? Und doch könnte ich ihn so schreiben, daß er interessant und klug klingt.

Bourget ist dem russischen Leser willkommen wie das Gewitter nach der Dürre, und das ist verständlich. Der Leser sieht in dem Roman Helden und einen Autor, die klüger sind als er, und ein Leben, das reicher ist als sein eignes; die russischen Belletristen sind dümmer als der Leser, ihre Helden sind blaß und unbedeutend, das von ihnen abgehandelte Leben ist dürftig und uninteressant. Der russische Schriftsteller lebt in einem Abflußrohr, ernährt sich von Kellerasseln, liebt schamlose Weiber und Waschfrauen, er kennt weder Geschichte noch Geographie noch Naturwissenschaften noch die Religion seines Heimatlandes, kennt weder Administration noch Strafprozeßordnung... mit einem Wort, er hat von nichts auch nur den blassesten Schimmer. Im Vergleich zu Bourget ist er ein Schlitzohr und nichts weiter. Es ist verständlich, warum Bourget gefallen muß, aber daraus folgt nicht, daß Sixte recht hätte, wenn er das »Vater unser« liest, oder daß er in diesem Moment glaubwürdig wäre.

So, länger will ich Ihnen mit Bourget nicht auf die Nerven fallen. Was Ihr Talent betrifft, in gedrängter Form Romane wiederzugeben wie den »Disciple«, so habe ich mich beim Lesen für Sie gefreut. Sehr gut. Sie sind mit dem philosophischen und wissenschaftlichen Teil des Romans großartig zurechtgekommen, ich wußte nicht, daß Sie so etwas können. Bei mir wäre alles durcheinandergegangen und noch länger geworden als bei Bourget.

Ich langweile mich. Pleščeev wird mich nicht besuchen kommen, es wäre schön, wenn er doch käme. Er ist ein sehr guter alter Herr.

Bald werde ich Ihnen einen Brief in französisch und deutsch schicken. Einen Gruß an Anna Ivanovna, Nastja und Borja.

Ihnen eine glückliche Reise. *Ihr A. Čechov.*

216) AN I. M. KONDRATJEV SUMY, 18. 5. 1889

18. Mai, Sumy.

Sehr verehrter
Ivan Maksimovič!

Vor vierzehn Tagen habe ich mein neues einaktiges Stück an die Zensur geschickt, das inzwischen wahrscheinlich bereits genehmigt worden ist, »Tragöde wider Willen (aus dem Leben der Sommerfrischler)«, ein Schwank. Wenn es möglich ist, in den Katalog auch Stücke aufzunehmen, die noch nicht durch die Zensur gegangen sind, so nehmen Sie, damit ich Sie diesen Sommer nicht noch einmal belästigen muß, bei dieser Gelegenheit auch mein Stück »Der Waldschrat« auf, eine Komödie in 4 Akten, die im Herbst an einem Staatstheater gespielt werden wird. Mit guten Wünschen für Sie habe ich die Ehre, mit aufrichtiger Hochachtung zu verbleiben *A. Čechov.*

217) AN N. N. OBOLONSKIJ SUMY, 4. 6. 1889

4. Juni 1889.

Ich grüße Sie, lieber Doktor! Richten Sie mich nicht wegen meines Schweigens, lassen Sie mich erst ausreden. Ich habe Ihnen aus sehr achtbaren Gründen so lange nicht geschrieben: 1. wußte ich nicht genau, wo Sie sind, in Moskau oder im Kaukasus; 2. hatten meine Schwester und ich vor, selbst in den Kaukasus zu kommen; 3. habe ich jeden Tag darauf gewartet, daß Nikolaj sich endlich aufrafft, Ihnen das versprochene curriculum vitae zu schreiben. Ja, und außerdem ist es furchtbar bedrückend und langweilig zu schreiben, wenn man weiß, daß man nichts Schönes und Lustiges zu schreiben hat. Die Sache des Malers steht sehr schlecht. Die Tage sind heiß, Milch trinkt er viel, aber die t° ist unverändert, er verliert mit jedem Tag Gewicht. Der Husten läßt ihm keine Ruhe. Im ersten Monat des Sommeraufenthalts hat er (nicht der Husten, sondern der Maler) den halben Tag an der Luft verbracht, jetzt liegt er fest im Zimmer, geht nur für eine halbe Stunde hinaus, und auch das nur unwillig, träge; er schläft viel und phantasiert im Traum; er zieht es vor, in sitzender Stellung zu dämmern, nicht im Liegen, da ihm das seit der zweiten Maihälfte Husten verursacht. Appetit mäßig. Ich gebe ipec., Chinin, atrop. usw.

Mit einem Wort, erlauben Sie, daß ich nicht weiter fortfahre. Außer Niedergeschlagenheit könnte ich Ihnen nichts mitteilen. Wie geht es Ihnen? Was treiben Sie? Existiert der »Klub der seligen Idioten«? Gibt es in Kislovodsk viele schöne Frauen? Gibt es was im Theater? Überhaupt, wie verbringen Sie den Sommer? Schreiben Sie mir. Wenn man kein Huhn im Topf hat, kann man sich mit Bouillon begnügen; wenn man nicht die Möglichkeit hat, in den Kaukasus zu fahren, kann man seinen Durst mit Briefen aus dem Kaukasus lindern. Sie versprechen mir ein ganzes Poem. In Ordnung. Ich werde Ihnen mit einer Novelle antworten.

Vielleicht komme ich nach Kislovodsk, aber nicht vor August. Aus begreiflichen Gründen. Aber wenn ich komme, dann schreibe ich unbedingt ein 3-aktiges Stück für Korš. Ich hatte ein großes Stück fürs Staatstheater angefangen, zwei Akte geschrieben und es dann sein lassen. Ich kann jetzt nicht schreiben. Dabei müßte ich es fertigschreiben, denn das Stück ist Svobodin und Lenskij für deren Benefiz versprochen, und alle Zeitungen haben es bereits ausposaunt.

Bei mir hat die »Gästesaison« eingesetzt. Eine Woche lang war Suvorin zu Gast; zur Zeit ist Svobodin zu Gast; morgen kommt der Cellist aus Moskau und noch jemand. Überhaupt, wenn der Husten im Nachbarzimmer nicht wäre, dann wäre das Leben gar nicht so traurig. Wenn ich groß bin und ein eigenes Sommerhaus besitze, dann baue ich drei Seitenflügel an, speziell für Gäste beiderlei Geschlechts. Ich liebe das laute Treiben mehr als das Honorar.

Noch einmal zum Maler. Als ich ihn von Moskau hierherbrachte, bekam er unterwegs Anfälle von Brechreiz. Dieser Brechreiz hält an. Noch eine bemerkenswerte Einzelheit: es sind Symptome aufgetregen, die auf eine Erkrankung des Kehlkopfs hindeuten. Und das ist sehr schlimm, weil ich in Kehlkopfkrankheiten schwach bin und es im ganzen Landkreis offenbar kein einziges Laryngoskop gibt. Können Sie nicht irgendwelche Inhalationen empfehlen? Ein hiesiger Arzt empfiehlt mir mit Nachdruck Kreosot.

Bei uns herrscht Dürre. Kein Regen, das Getreide steht schlecht, das Obst ist von Würmern zerfressen. Es wird eine große Mißernte geben. Der Fisch beißt schlecht.

Der Maler redet jeden Tag von Ihnen und holt sich jeden Tag Briefpapier von mir, um Ihnen zu schreiben. Aus Langeweile hat er sich ein Kätzchen angeschafft und spielt mit ihm wie ein kleiner Junge. Er grundiert das Zifferblatt der Wanduhr, will ein Frauenporträt daraufmalen.

Meine Familie läßt Sie grüßen und übermittelt Ihnen nochmals ihren Dank. Ich gehe jetzt gleich zu Nikolaj und setze ihn auf zum Schreiben. Seinen Brief schicke ich mit separater Post.

Ich warte auf das Poem und drücke Ihnen bis dahin fest die Hand, wünsche Ihnen viele Patienten, viele Romane mit den schönsten Houris von Kislovodsk und bleibe Ihr herzlich ergebener *A. Čechov.*

218) AN N. N. OBOLONSKIJ SUMY, 17. 6. 1889

17. Juni 89.

Der Maler ist gestorben. Einzelheiten brieflich oder wenn wir uns sehen, und einstweilen verzeihen Sie den Bleistift.

Ich drücke Ihnen fest die Hand. *Herzlich Ihr*
A. Čechov.

219) AN F. O. ŠECHTEL SUMY, 18. 6. 1889

18. Juni, Sumy.

Gestern, am 17. Juni, ist Nikolaj an Schwindsucht gestorben. Er liegt jetzt aufgebahrt im Sarg mit einem sehr schönen Gesichtsausdruck. Gott schenke ihm das Himmelreich und Ihnen, seinem Freund, Gesundheit und Glück... *Ihr A. Čechov.*

220) AN A. N. PLEŠČEEV SUMY, 26. 6. 1889

26. Juni

Seien Sie gegrüßt, mein lieber und teurer Aleksej Nikolaevič! Ihr Brief kam am neunten Tage nach dem Tod Nikolajs, d. h. als wir alle bereits wieder zur Norm zurückzukehren begonnen haben; jetzt antworte ich Ihnen und spüre, daß das normale Leben tatsächlich eingesetzt hat und daß mich von nun an nichts mehr daran hindert, korrekt mit Ihnen zu korrespondieren.

Der Maler, der Ärmste, ist gestorben. In Luka schmolz er dahin wie Wachs, und es gab für mich keinen einzigen Augenblick, in dem ich mich vom Bewußtsein der nahenden Katastrophe hätte befreien können. Es war unmöglich zu sagen, *wann* Nikolaj sterben würde, aber daß er *bald* sterben würde, war mir klar. Die Lösung des Knotens geschah unter folgenden Umständen. Svobodin war bei mir zu Gast. Ich wollte die Ankunft meines älteren Bruders, der mich ablösen konnte, nutzen, wollte ausruhen, vier, fünf Tage andere Luft atmen; ich überredete Svobodin und die Lintvarëvs und fuhr mit ihnen ins Gouv. Poltava zu den Smagins. Zur Strafe, daß ich weggefahren war, blies die ganze Fahrt über ein so kalter Wind und war der Himmel so finster, daß man sich vorkam wie in der Tundra. Auf halber Strecke fing es in Strömen an zu regnen. Bei den Smagins kamen wir nachts an, durchnäßt, kalt, legten uns in die kalten Betten, schliefen ein beim Rauschen des kalten Regens. Am nächsten Morgen war noch immer dasselbe empörende Tundrawetter; mein Leben lang werde ich weder die schmutzige Straße noch den grauen Himmel noch die Tränen an den Bäumen vergessen; ich sage – nicht vergessen, weil am Morgen aus Mirgorod ein Bäuerlein kam und ein durchnäßtes Telegramm brachte: »Kolja gestorben.« Sie können sich meine Stimmung vorstellen. Ich mußte also im Wagen zurück zur Bahnstation, dann mit der Eisenbahn und auf den Stationen bis zu 8 Stunden warten... In Romni wartete ich von 7 Uhr abends bis 2 Uhr nachts. Aus Langeweile ging ich durch die Stadt. Ich erinnere mich, ich sitze im Park; es ist dunkel, schrecklich kalt, furchtbar langweilig, und hinter der braunen Wand, an der ich sitze, proben Schauspieler irgendein Melodram.

Zu Hause begegnete ich der Trauer. Unsere Familie kannte den Tod noch nicht, und einen Sarg sahen wir zum ersten Mal bei uns.

Die Beerdigung, die wir dem Maler ausrichteten, war sehr schön. Er wurde auf Schultern getragen, Kirchenfahnen usw. Beerdigt wurde er auf dem Dorffriedhof unter Honigkraut; das Kreuz ist weithin sichtbar. Ich glaube, er liegt sehr gemütlich.

Wahrscheinlich werde ich irgendwohinfahren. Wohin? Ich weiß nicht.

Suvorin lädt mich ein, ins Ausland zu kommen. Es ist durchaus möglich, daß ich ins Ausland fahre, obwohl es mich überhaupt nicht lockt. Ich bin jetzt nicht aufgelegt zu körperlicher Arbeit, ich will ausruhen, und Gänge durch Museen, das Ersteigen von Eiffeltürmen, das Hasten von einem Zug zum andern, die täglichen Begegnungen mit dem redseligen Dmitrij Vasiljevič, die Mittagessen, von denen man halb hungrig wieder aufsteht, das Weintrinken und Jagen nach aufregenden Eindrücken – all das ist schwere körperliche Arbeit. Ich würde lieber irgendwohin auf die Krim fahren, an einen Ort, wo ich arbeiten kann.

Mein Stück liegt auf Eis. Ich habe keine Zeit, es abzuschließen, und sehe auch keine besondere Notwendigkeit dafür. Ich schreibe ein bißchen an meinem Roman, wobei ich mehr streiche als schreibe.

Sie schreiben an einem Stück? Nichts sollte Sie hindern, eine originelle kleine Komödie darzustellen. Schreiben Sie und bevollmächtigen Sie mich, sie in Moskau auf die Bühne zu bringen. Ich werde auf die Proben gehen, das Honorar in Empfang nehmen, und alles mögliche tun.

Wenn ich irgendwohinfahren sollte, schicke ich Ihnen von jeder größeren Bahnstation eine Postkarte, und aus jeder großen Stadt einen Brief.

Den Lintvarëvs geht es gut. Sie sind großartig. Sie bessern und bessern sich mit jedem Tag, und ich weiß nicht, wie weit sie es in dieser Richtung noch bringen werden. An Großzügigkeit und Güte haben sie im ganzen Gouv. Charkov nicht ihresgleichen. Den Smagins geht es ebenfalls gut, sie vervollkommnen sich ebenfalls.

Ich beglückwünsche den »Severnyj vestnik« zur Rückkehr von Protopopov und Korolenko. Von Protopopovs Kritiken wird niemandem heiß oder kalt, weil alle unsere derzeitigen Hrrn. Kritiker keinen Kupfergroschen wert sind – sie sind im höchsten Maße nutzlos, die Rückkehr Korolenkos dagegen ist ein erfreuliches Faktum, denn dieser Mensch wird noch viel Gutes schaffen. Korolenko ist ein bißchen konservativ; er hält fest an veralteten Formen (in der Ausführung) und denkt wie ein 45-jähriger Jounalist; ihm fehlen Jugend und Frische; aber alle diese Mängel sind nicht so wichtig und scheinen mir erträglich, für Außenstehende; mit der Zeit wird er sich davon freimachen können. Meine Schwester dankt für die Grüße und läßt ihrerseits grüßen. Meine Mutter ebenfalls. Und ich küsse, umarme Sie und wünsche Ihnen alles Gute. Bleiben Sie glücklich und gesund.

Ihr A. Čechov.

221) AN M.P. ČECHOVA JALTA, 18. 7. 1889

18. Juli.

Ich wohne in Jalta (Haus Farbštejn). Dich und Natalija Michajlovna zu bitten hierher zu kommen, kann ich mich nicht entschließen, weil ich absolut keine Ahnung habe, wie lange ich hier bleiben und wann ich von hier abreisen werde. Es ist furchtbar langweilig, möglich, daß ich schon morgen oder übermorgen hier abreise. Dann fahre ich nach Sumy und von Sumy nach Moskau, ohne den September abzuwarten. Der Sommer ist mir zuwider wie ein Radieschen.

Ich wohne in einem sehr ordentlichen Haus, zahle für 1 1/2 Zimmer 1 Rubel pro Tag. Das Meer zwei Schritte vorm Haus. Die Flora von Jalta ist jämmerlich. Die vielgepriesenen Zypressen wachsen nicht höher als die Pappel, die im kleinen Garten der Lintvarëvs links des Seitenflügels steht; sie sind dunkel, hart und staubig.

Unter dem Publikum überwiegen die Schmuuls und die glattrasierten Fratzen der Operettenschauspieler. Die Frauen riechen nach Sahneeis.

Leider habe ich viele Bekannte. Ich bin selten allein. Ich muß mir allen möglichen klugen Quatsch anhören und lange Antworten geben. Die Studenten kommen zu mir und bringen mir ihre gewichtigen Manuskripte. Ich habe die Gedichte satt. Alles prätentiös, klug, edelmütig und unbegabt.

Sergeenko ist nicht hier, er ist in Odessa, worüber ich sehr froh bin.

Das Baden ist großartig.

Als ich von Sevastopol nach Jalta fuhr, war das Meer unruhig. Damen und Herren übergaben sich. Mir war übel, aber nur leicht; ich besaß sogar die Frechheit zu essen, obwohl ich während des ganzen Essens Angst hatte, meiner Nachbarin, der Tochter des Stadthauptmanns von Odessa, auf den Teller zu kotzen.

Das Essen ist miserabel. Langweilige Kohlsuppe, Entrecôte aus Schuhsohle, Kompott – Preis 1 Rubel. Gestern abend im Park habe ich mich laut über das schlechte Essen in Jalta beschwert; der hiesige Steuereinnehmer, ein sehr sympathischer und gutmütiger Mensch, erhörte meine Stimme und lud mich schüchtern zum Essen ein. Heute gehe ich zu ihm.

Ich möchte ins Ausland fahren, habe Suvorin aber aus den Augen verloren.

Ich komme spätestens am 10. August – das ist sicher.

Eine Woche nach Erhalt dieses Briefes kommt auf deinen Namen von Kondratjev Geld. Nimm es in Empfang und mach es auf. Wenn du irgendwohinfahren willst, fahr.

Allein kann ein Mensch in Jalta für 60–75 Rub. im Monat herrlich leben. Das Gerede, daß alles so teuer sei, ist übertrieben.

Ich habe Sehnsucht nach Luka. Bei Sturm rollen am Ufer die Steine und Kiesel rasselnd, aneinanderstoßend mal dahin, mal dorthin – ihr schallendes Rollen erinnert an das Lachen von Natalja Michajlovna; das Rauschen der Wellen gleicht dem Gesang der sympathischen Doktorin. Ganze Stunden sitze ich am Ufer, lausche gierig den Geräuschen und bilde mir ein, ich wäre in Luka.

Gib meine schwarze Jacke in die Reinigung. Miša soll sie in die Färberei bringen. Wenn mein Herbstmantel Flecken hat, ihn auch. Bügeln würde nicht schaden.

Wo ist Aleksandr?

In Jalta kann man arbeiten. Wenn die guten Leute nicht wären, die sich darum kümmern, daß ich mich nicht langweile, hätte ich viel geschrieben.

An Aleksandra Vasiljevna, die Doktorin, Natalja Michajlovna, den Komponisten, Semašečka und alle unsrigen meinen herzlichen Gruß. Wenn möglich, langweil dich nicht. Spare nicht, zum Teufel mit dem Geld.

Bleib gesund. *Dein A. Čechov.*

Einen Gruß an die Gräfin Lida und ihren ungesitteten Oberst.

222) AN I. L. LEONTJEV-ŠČEGLOV SUMY, 29. 8. 1889

29. Aug.

Lieber Jeančik, am Samstag fahre ich nach Moskau und bitte Sie, nun wieder die Winteradresse zu benutzen, d. h. Kudrinskaja-Sadovaja, Hs. Korneev. Wenn Sie im September nach Moskau kommen, werden Sie mich bereits zur Gänze und nach allen Seiten eingerichtet sehen.

Ich freue mich sehr, daß Sie gegenüber Melpomene erkaltet und zurückgekehrt sind in den heimischen Schoß der Belletristik. Jetzt werden Sie regelmäßig in 1–2 Jahren ein Stück schreiben, Erfolg haben und dennoch nicht als Dramatiker gelten, sondern als Belletrist. So soll es auch sein. Ich persönlich hätte das Theater schon aus Berechnung sein lassen: Dramatiker gibt es 300, Belletristen so gut wie gar keine. Ja, und unter uns gesagt, bringt das Theater auch nicht so viel Geld wie unsere Prosa. Ihre »Famočka« und der »Hahn« haben Ihnen sicher doppelt so viel eingebracht wie die »Theaterfreunde« und der »Ehemann«.

In dieser Saison habe ich nichts fürs Theater, weil ich so gut wie nichts getan habe. Ich hatte den »Waldschrat« angefangen (im Mai und Juni), habe ihn dann aber liegenlassen.

Ich schreibe zur Zeit an einer kleinen Novelle, die das Publikum nicht vor November im Druck sehen wird. In dieser Novelle habe ich mich bei der Darstellung eines jungen Mädchens teilweise der Züge des lieben Jean bedient.

Wo ist Barancevič? Wenn Sie ihm begegnen, bitten Sie ihn, mir seine Adresse zu schicken.

Meiner ganzen Familie geht es gut, sie läßt grüßen. Wenn Sie in Moskau sind, kommen Sie zum Tee, zum Essen und Abendessen. Wir werden über Ihre femme fatale sprechen, Ihr tragisches Lachen und Ihre verteufelt melodramatische Handschrift.

Man schreibt mir, daß in meinem »Heiratsantrag«, als er in Krasnoe Selo gespielt wurde, Svobodin unvergleichlich gewesen sei; er und Varlamov hätten aus diesem schlechten kleinen Stück etwas gemacht, das sogar den Zaren dazu bewogen haben soll, ein Kompliment an meine Adresse zu äußern. Ich erwarte jetzt den Stanislav und meine Beförderung zum Mitglied des Staatsrats.

Sehen Sie Bilibin? Er ist ein netter und talentierter Junge, aber unter dem Druck schicksalhafter Umstände und des Petersburger Nebels verwandelt er sich anscheinend in einen Zwieback-Beamten.

Das Wetter ist großartig. Ich müßte arbeiten, aber Sonne und Fischfang ziehen mich vom Tisch fort.

Grüßen Sie Ihre Frau und seien Sie glücklich wie Salomo in seiner Jugend. *Ihr A. Čechov.*

223) AN F. A. KUMANIN MOSKAU, 5. 9. 1889

5. September.

Sehr verehrter Fëdor Aleksandrovič, verzeihen Sie, daß ich mit solcher Verspätung auf Ihren Brief antworte. Ich bin erst heute nach Moskau zurückgekehrt.

Mein »Heiratsantrag« ist bereits im »Novoe vremja« Nr. 4732 veröffentlicht, ein Versprechen noch aus vergangenem Jahr. Was den Druck dieses Stückes im »Artist« betrifft, so wird dies kaum möglich sein. Es steht nicht in meiner Macht, etwas zum Druck zu genehmigen, was bereits einmal in einer Zeitung gedruckt worden ist und wofür ich bereits Geld bekommen habe. Es wäre peinlich. Wenn Suvorin den Nachdruck genehmigt mit dem entsprechenden Vermerk, dies und dies Stück sei erstmals im »Novoe vremja« veröffentlicht worden, so hätte ich natürlich nichts dagegen.

Von meinen wenigen Stücken kann nur eins veröffentlicht werden, und zwar der »Schwanengesang« (»Kalchas«), eine dramatische Etüde in einem Akt, die früher einmal bei Korš gespielt worden ist und vielleicht am Kleinen Theater gespielt werden wird. Dieses Stück ist schon einmal in Kičeevs »Sezon« veröffentlicht worden, aber nicht ganz, sondern in gekürzter Gestalt; der »Sezon« hatte ich nur einen Teil des ersten Monologs gegeben. Diesen »Schwanengesang« können Sie von Rassochin bekommen. Ich habe ihn auch hier, wenn Ihnen das lieber ist.

Heute bekam ich einen Brief von V. S. Lichačëv, dem Autor des Stücks »In den Umarmungen der Verwandtschaft« und Übersetzer des »Tartuffe«. Er schreibt mir: »Heute entnahm ich der Zeitung die Ankündigung des Erscheinens der Moskauer Zeitschrift ›Artist‹, und der Zufall will es, daß ich gerade ein fünfaktiges Originalstück fertighabe.« Weiter trägt er, Lichačëv, mir auf, mich bei Ihnen nach den Bedingungen zu erkundigen usw. Wenn Sie nichts dagegen haben, sein Stück in Ihrer Zeitschrift zu veröffentlichen, würde ich Sie bitten, mich möglichst eingehend zu informieren: ich werde ihm schreiben.

Und damit erlauben Sie mir, mit guten Wünschen zu verbleiben hochachtungsvoll *A. Čechov.*

224) AN V. S. LICHAČËV MOSKAU, 5. 9. 1889

5. September.

Bester Kollege Vladimir Sergeevič!

Heute bin ich nach Moskau zurückgekehrt, und 1/2 Stunde nach meiner Ankunft bekam ich Ihren Brief. Von der Existenz des »Artist« habe ich, wie Sie, ebenso aus der Zeitung erfahren. Irgendwann einmal im Winter war ich mit dem Herausgeber Kumanin zusammengetroffen, wir hatten ein Gespräch über eine Zeitschrift, er, Kumanin, bat mich um ein Stück, aber was für eine Zeitschrift es sein und wozu sie erscheinen und wie sie heißen sollte, wußte ich nicht. Ich weiß auch jetzt so gut wie nichts.

Übrigens fand ich auf meinem Tisch einen Brief von eben diesem Kumanin. In meiner Antwort schrieb ich ihm unter anderem von Ihnen und Ihrem Stück und bat ihn, mir möglichst bald und möglichst eingehend zu antworten. Seine Antwort werde ich Ihnen zur gegebenen Zeit übermitteln. Wenn Sie nichts dagegen haben, Vorahnungen zu glauben, so kann ich Ihnen noch mehr sagen: ich ahne, daß mich dieser Kumanin in ein paar Tagen aufsuchen wird. Wenn meine Ahnung mich nicht trügt, so werde ich Ihnen unser Gespräch umgehend schriftlich übermitteln.

Und damit erlauben Sie mir, Ihnen allen Gute zu wünschen.

Ihr herzlich ergebener

Gevatter (laut Akademie) A. Čechov.

Den »Ivanov« habe ich als Einzelausgabe nicht erscheinen lassen. Ich habe vom »Sev. vestn.« hundert Exemplare bekommen, aber die sind so rasch verflogen wie Rauch.

225) AN V.S. LICHAČËV MOSKAU, 8. 9. 1889

8. September.

Hier, bester Vladimir Sergeevič, einen Auszug aus einem Brief von Kumanin, den ich heute morgen bekam: »Herrn Lichačëv zu unseren Mitarbeitern zählen zu dürfen, würden wir uns sehr freuen. Das Honorar, das wir für Theaterstücke zahlen, ist allgemein niedrig und bewegt sich überdies in direkter Abhängigkeit davon, ob und wo das Stück gespielt worden ist, denn davon hängt insbesondere der Verkauf ab. Für 4- und 5-aktige Stücke, die an Kaiserl. Theatern gespielt worden sind, zahlen wir 100–150 R. pro Stück, für Stücke, die auf Privatbühnen gespielt wurden, nicht über 75 R., für Stücke, die nirgends aufgeführt worden sind, zahlen wir kein Honorar, allenfalls einige Exemplare.«

Das ist, was Sie über den »Artist« wissen wollten. Was meine Bereitschaft betrifft, Ihnen von Nutzen zu sein, so hoffe ich, unterlag sie für Sie nie einem Zweifel. Ich freue mich zu dienen, und wenn Sie sich mit irgendeinem Auftrag an mich wenden wollen, so tun Sie dies zu jedem Tag und jeder Stunde, ohne sich mit Entschuldigungen aufzuhalten oder von Belästigung zu sprechen, die, à propos, mein Herz nur selten empfindet, wenn ich Aufträge von guten Menschen auszuführen habe.

Bleiben Sie gesund und grüßen Sie unsere gemeinsamen Bekannten. *Ihr herzlich ergebener A. Čechov.*

226) AN F. A. KUMANIN MOSKAU, 9. 9. 1889

9. Sept.

Sehr geehrter

Fëdor Aleksandrovič!

Suvorin ist zur Zeit im Ausland und kehrt wahrscheinlich Ende Oktober zurück. Lichačëv habe ich geschrieben, und den »Schwanengesang« schicke ich.

Hochachtungsvoll A. Čechov

227) AN V. A. TICHONOV MOSKAU, 13. 9. 1889

13. Sept.

Seien Sie gegrüßt, reußischer Sardou! Ich rufe zurück: ich bin da!! Es freut mich sehr, daß Sie gesund und munter sind und daß ich bald das Vergnügen haben werde, Sie und die »Strahlen und Wolken« zu sehen, von denen ich bei Korš gehört habe. Neues rein gar nichts. Alles ist alt und ausgezeichnet, wohlbehalten und ekelhaft wie zuvor (die zähe Mischung von Optimismus und Pessimismus).

Korš sagte, daß Ihr »Ohne Steuer und Ruder« weiter bei ihm laufen werde; ich werde es mir ansehen, denn ich habe es noch nicht gesehen. Was soll ich Ihnen noch schreiben? Über das Wetter? Nein, das ist gut.

Ich habe eine lange Novelle abgeschlossen. Eine so schwergewichtige Sache, daß man einen Menschen damit erschlagen kann. Schwergewichtig nicht, was die Quantität der Bogen betrifft, sondern die Qualität. Plump und schwerfällig. Das Motiv, das ich anrühre, ist neu.

Ich erwarte Sie. Bleiben Sie gesund. *Ihr A. Čechov.*

228) AN A. N. PLEŠČEEV MOSKAU, 14. 9. 1889

14. Sept.

Himmelsdonner und Krokodilszähne mögen herniederfallen auf die Häupter Ihrer Feinde und Gläubiger, lieber und teurer Aleksej Nikolaevič! Nach dieser orientalischen und graziösen Begrüßung antworte ich auf Ihren Brief wie folgt. Auf Anna Michajlovnas Telegramm habe ich mit einem Brief geantwortet, in dem ich sie anflehte, bis zum Novemberheft zu warten; ich bekam zur Antwort: »Ihr Wille geschehe. Wir verschieben.« Sie werden den ganzen Wert und Reiz dieser Antwort ermessen können, wenn Sie sich Hrn. Čechov vorstellen, wie er schreibt, schwitzt, korrigiert und sieht, daß die Novelle von all den revolutionären Umwälzungen und Schrecken, die sie unter seiner Feder erleidet, nicht um einen Sous besser wird. Das kann man nicht mehr Schreiben nennen, das sind Perturbationen. In solch einer Verfassung, werden Sie zugeben, ist es nicht gerade angebracht, sich mit der Veröffentlichung zu beeilen.

In meiner Novelle gibt es nicht zwei Richtungen, sondern ganze fünfzehn; es ist leicht möglich, daß Sie sie auch als Mist bezeichnen. Sie ist tatsächlich Mist. Aber ich schmeichle mir in der Hoffnung, daß Sie zwei, drei neue Personen in ihr erkennen werden, die interessant sind für jeden intellektuellen Leser; Sie werden zwei, drei neue Situationen erkennen. Ich schmeichle mir ferner in der Hoffnung, daß mein Mist ein wenig furore machen und Geschimpfe im feindlichen Lager hervorrufen wird. Und ohne dieses Geschimpfe geht es nicht, denn in unserem Zeitalter, dem Zeitalter des Telegraphen, des Theaters der Goreva und der Telephone ist das Geschimpfe die leibliche Schwester der Reklame.

Was Korolenko betrifft, so sind irgendwelche Schlüsse auf seine Zukunft zumindest verfrüht. Er wie ich sind zur Zeit in eben der Phase, in der Fortuna entscheidet, wohin sie uns führen wird: nach oben oder die schiefe Bahn abwärts. Schwankungen sind vollkommen natürlich. Sogar ein zeitweiliger Stillstand wäre in der Ordnung der Dinge.

Ich möchte glauben, daß Korolenko als Sieger hervorgehen und einen festen Halt finden wird. Er hat eine starke Gesundheit auf seiner Seite, Nüchternheit, Standhaftigkeit der Ansichten und einen klaren, guten Verstand, dem zwar vorgefaßte Meinun-

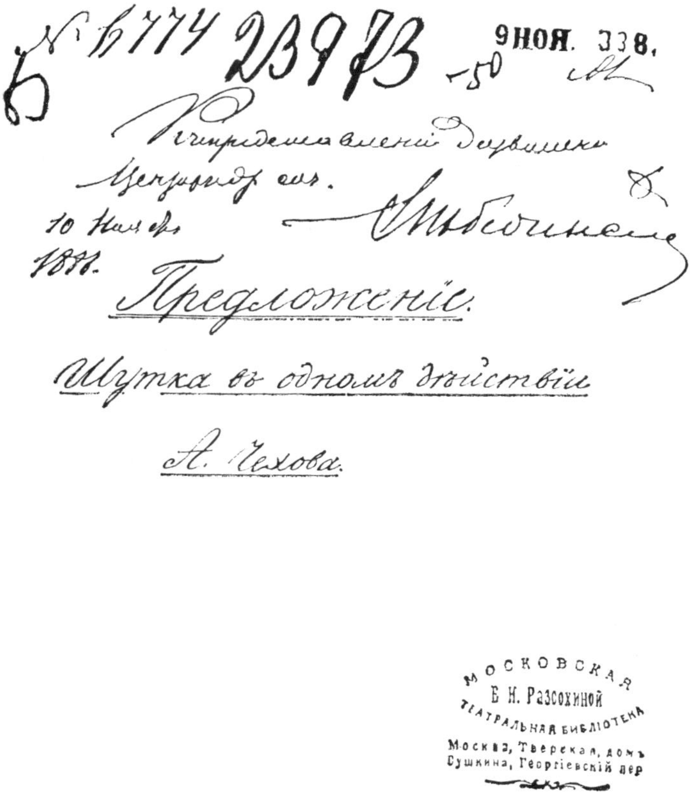

»Der Heiratsantrag«.
Titelblatt des Textbuchs in der Theaterbibliothek E. N. Rassochina, das der Zensur vorgelegt worden war. Oben Vermerk des Zensors: »Zur Aufführung von der Zensur genehmigt, 10. November 1888.«

gen nicht fremd sind, der dafür aber frei ist von Vorurteilen. Ich werde mich der Fortuna ebenfalls nicht lebend ausliefern. Wenn ich auch nichts von dem habe, was Korolenko hat, habe ich dafür etwas anderes. Ich habe in der Vergangenheit eine Masse von Fehlern begangen, die Korolenko nicht begangen hat, aber wo Fehler sind, da ist auch Erfahrung. Außerdem ist mein Schlachtfeld weiter und meine Auswahl größer; außer einem Roman, Gedichten und Denunziationen habe ich alles ausprobiert. Ich habe Novellen geschrieben, Erzählungen, Vaudevilles, Leitartikel, Humoristisches, allen möglichen Unsinn, einschließlich der Mücken und Fliegen für die »Strekoza«. Wenn ich eine Novelle abbreche, kann ich mich an ein Vaudeville begeben, und so immer weiter, bis zum verrecktesten Tod. So daß ich beim besten Willen, mich und Korolenko mit den Augen des Pessimisten zu sehen und die Nase hängen zu lassen, keinen Augenblick verzage, weil ich die Fakten noch nicht sehe, die dafür oder dagegen sprächen. Warten wir noch fünf Jahre, dann werden wir sehen.

Gestern war P. N. Ostrovskij bei mir, der bei mir den Petersburger Gutsbesitzer Sokovnin traf. Pëtr N. ist ein kluger und guter Mensch; es ist angenehm, sich mit ihm zu unterhalten, aber mit ihm zu streiten ist ebenso schwer wie mit einem Geist. Seine Ansichten über Moral, über Politik usw. – sind wie ein verfitzter Draht; man wird daraus nicht schlau. Schaut man ihn von rechts an – ist er Materialist, kommt man ihm von links – ist er Freimaurer. Ein solcher Wirrwarr ist bei den meisten Menschen zu beobachten, die viel denken, aber wenig Bildung haben, die nicht an präzise Definitionen und an jene Kunstgriffe gewöhnt sind, die dem Menschen helfen sich klarzuwerden, worüber sie denken und sprechen.

Das Theater der Goreva ist so ein Blödsinn! Ein reines Nichts. Die Talente, die sich dort bewegen, sind genauso kahl wie der Kopf Boborykins, der noch vor einer Woche eine Größe für mich war, mir heute aber vorkommt wie ein komischer Kauz, den als Kind die Amme zu Boden hat fallen lassen. Nachdem ich mich mit ihm unterhalten und mir seiner Hände Arbeit näher angesehen hatte, war ich enttäuscht wie der Bräutigam, dessen Braut sich erlaubt hat, in Gesellschaft einen unanständigen Laut von sich zu geben.

Man sagt, bei der Abramova liefen die Geschäfte gut. Ich bin bereits Genies begegnet, die es fertiggebracht haben, sich an ihrer Brieftasche die Hände zu wärmen. Sie zahlt Vorschüsse.

Was macht Jean? Lebt er noch? Hat man ihn noch nicht irgendwo hinter den Kulissen erwürgt? Ist er nicht vor Schreck gestorben, als er erfuhr, daß in seinem »Ehemann« statt Frau Pyžikova Frau Dymskaja-Stulskaja II. spielen wird? Wenn Sie ihn sehen und sein tragisches Lachen hören sollten, dann erinnern Sie ihn an meine Existenz und grüßen Sie ihn bei der Gelegenheit.

Allen Ihren Angehörigen meinen herzlichen Gruß.

Bleiben Sie gesund. Gott schenke Ihnen Glück und alles Gute.

Ihr Antoine, alias Potëmkin.

Adresse: Taur. Palais, Schlafgemach Katherina II.

225) AN I. L. LEONTJEV-ŠČEGLOV MOSKAU, 18. 9. 1889

18. Sept.

Hr. Theaterfreund!

Ich antworte auf Ihren verehrten Brief. Der Bearbeitung des »Gordischen Knotens« applaudiere ich, aber unwillig, denn ich liebe diesen Roman und kann nicht zulassen, daß er durch eine Bühnenbearbeitung gewinnt. Ihre Besetzung erscheint mir verfrüht. Die Truppe von Korš hat sich ein wenig erneuert, und Sie sollten, bevor Sie die Besetzung machen, unbedingt erst die neuen Leute kennenlernen. Ich habe bisher nur Medvedev (ein gutmütiger alter Mann) gesehen und die Potockaja, ein nettes Fräulein mit Feuer und edlen Absichten, das Anspruch auf große dramatische Rollen erhebt. Neu sind da weiter noch Ljudvigov und die Krasovskaja, aber die habe ich noch nicht gesehen.

Wie Solonin in meinem »Ivanov« war, weiß ich nicht, da ich ihn noch nicht habe sehen können. Am Mittwoch, wenn mein

»Ivanov« läuft, gehe ich hin und schaue ihn mir an und nehme den Theaterzettel für Sie mit. Ich glaube, in Ihrem Stück wäre er nicht übel.

Ich plage mich mit einer Novelle herum, doch diese Plagerei geht zu Ende. In vier, fünf Tagen geht eine schwere gewichtige Narrenposse an die Druckerei Demakov nach Piter ab. Es ist keine Novelle, sondern eine Dissertation. Sie ist nur nach dem Geschmack von Liebhabern schwerfälliger, langweiliger Lektüre, und ich tue schlecht daran, sie nicht an die »Zeitschrift für Artillerie« zu schicken.

Mit meinen Vaudevilles gibt es wahre Revolutionen. Der »Heiratsantrag« ist bei der Goreva gelaufen – ich habe ihn absetzen lassen; wegen des »Bären« zanken sich Korš und die Abramova: der erste pocht auf sein Exklusivrecht an diesem Stück, und Solovcov, jetzt bei der Abramova, sagt, der »Bär« gehöre ihm, weil er ihn schon 1817mal gespielt habe. Der Teufel werde daraus schlau! Das Kleine Theater ist beleidigt, daß der »Ivanov« bei Korš läuft, und Lenskij war bis heute noch nicht bei mir – er ist sicher böse. Es ist ein Elend mit euch, ihr Herren Theaterschaffenden!

Nun denn, bleiben Sie gesund. Ich erwarte Sie in Moskau. Bedingung: über das Theater sprechen wir nicht länger als eine Stunde pro Tag. Oder so: ich werde darüber sprechen, aber Sie nicht. Abgemacht? *Ihr A. Čechov.*

230) AN A. M. EVREINOVA MOSKAU, 24. 9. 1889

24. September.

Sehr verehrte

Anna Michajlovna!

Ich schicke Ihnen die Erzählung – »Eine langweilige Geschichte« (aus den Aufzeichnungen eines alten Mannes). Die Geschichte ist tatsächlich langweilig, und erzählt ist sie wenig kunstvoll. Um Aufzeichnungen eines alten Mannes schreiben zu können, müßte man alt sein, aber was kann ich dafür, daß ich noch jung bin?

Meiner Novelle (oder Erzählung – egal) füge ich dieses Bittgesuch bei:

1) 25 Sonderdrucke.

2) Schicken Sie mir die Korrektur – unbedingt. Ein paar Dinge werde ich in den Fahnen bereinigen: Vieles entgeht einem im Manuskript und kommt erst ans Licht, wenn man es gedruckt sieht. Ich werde die Fahnen nicht länger als einen Tag behalten.

3) Es wäre überaus wünschenswert, wenn die Erzählung in *ein* Heft käme. Sie in zwei Teile aufzuspalten, würde bedeuten, daß sie doppelt so schlecht wird.

Die Zensur wird sie wahrscheinlich wohlbehalten passieren. Wenn die Zensur auf der ersten Seite das Wort »Ikonenwand« streicht, kann man es durch »Sternbild« oder etwas in der Art ersetzen.

Jetzt zum Honorar. Geld habe ich zur Zeit viel. Wenn es Ihrem Kontor lieber ist, mir das Honorar in Raten zu schicken, nicht gleich, so schlagen Sie vor, daß man es in 4–5 Raten aufteilt und mir monatlich schickt. Wenn ich noch irgendwelche Schulden habe, so lassen Sie die Schuld tilgen.

Und was macht die Sibirjakova?

Alle meine Angehörigen lassen grüßen, ich grüße Sie ebenfalls und wünsche Ihnen alles Gute. Grüßen Sie Marija Dmitrievna, und an Aleksej Nikolaevič schreibe ich jetzt gleich.

Ihr herzlich ergebener A. Čechov.

Die medizinischen Titel, die zur Besprechung an die Redaktion geschickt werden, werfen Sie nicht weg, sondern heben Sie, wenn das möglich ist, auf für Ihren ergebenen Diener. Ich sehe immer neiderfüllt auf Ihren Tisch, wo diese Bücher liegen, auf einem Haufen mit allem möglichen Zeug.

231) AN A. N. PLEŠČEEV MOSKAU, 24. 9. 1889

24. Sept.

Dieser Brief, lieber Aleksej Nikolaevič, geht zusammen mit der

Erzählung zur Post, ich habe nun endlich von ihr abgelassen und zu ihr gesagt: weiche von mir, Verfluchte, fahr ins Feuer der langweiligen Kritik und Gleichgültigkeit der Leser! Ich habe es satt, mich mit ihr herumzuschlagen. Sie heißt: »Eine langweilige Geschichte« (aus den Aufzeichnungen eines alten Mannes). Das Langweiligste an ihr sind, wie Sie sehen werden, die langen Erörterungen, die ich leider nicht habe rauswerfen können, da mein Held, der Aufzeichnungen schreibt, ohne sie nicht auskommen kann. Diese Erörterungen sind fatal und unumgänglich wie die schwere Lafette für die Kanone. Sie charakterisieren den Helden, seine Verfassung und seine Winkelzüge vor sich selbst. Die Sprünge und Lücken können Sie besser erkennen, weil Ihnen die Erzählung noch nicht bis obenhin steht und die Augen verdorben hat wie mir.

Boborykin hat die Goreva verlassen und hat gut daran getan. Für jemanden mit einer solchen literarischen Reputation wie ihn ist an diesem Theater kein Platz, er darf sich nicht zur Zielscheibe machen für das Gespött und Gerede der verschiedensten Müllkutscher und Nullen. Er ist mir nach wie vor sympathisch; ich schrieb Ihnen, er wäre mir als komischer Kauz erschienen, und er ist auch tatsächlich einer. Seine Zeit bei der Goreva, seine von Schustern gespielten »Don Carlosse« und »Misanthropen«, wenn das kein Mutwillen war, dann war es Kauzigkeit.

Ostrovskij ist durchaus kein Konservativer. Er ist einfach ein Spießbürger, der ein zurückgezogenes Leben führt, böse ist auf seine Gegenwart, seine Vergangenheit liebt und nicht weiß, woran er seinen Ärger auslassen soll. Er ist ein guter und wohlanständiger Mensch; aber mit ihm zu streiten ist schwer. Schwer, nicht weil er entgegengesetzte Ansichten verträte, sondern weil seine Art zu streiten aus Očakovs Zeiten stammt.

Ich gehe jetzt zu einer Sitzung des Komitees – es ist die erste Sitzung dieser Saison.

Alle sagen und schreiben mir, ich solle ein großes Stück schreiben. Die Schauspieler des Kleinen Theaters nehmen mir das Versprechen ab, unbedingt eins zu schreiben. Ach, wenn ich nur

Zeit hätte! Ich würde zwar kein gutes Stück schreiben, aber doch einiges Geld zusammenscharren.

Komisch, der »Ivanov« und die Bücher haben mich zum Rentier gemacht. Wenn ich allein wäre, könnte ich ohne Sorgen zwei, drei Jahre leben, auf dem Divan liegen und an die Decke spucken.

Schreiben Sie mir. Haben Sie Grigorovič gesehen?

Bleiben Sie gesund, glücklich, ich wünsche Ihnen Frieden und Reichtum. Ich umarme Sie fest und küsse Sie. Den Ihren meinen herzlichen Gruß. *Ihr A. Čechov.*

232) AN A. P. LENSKIJ — MOSKAU, 27. 9. 1889

Lenskij A. P.
Der Bühnen Moskaus Hamlet und Othello,
Lear im Salon, und unter Freunden Masagnello.

Was bedeutet »Masagnello«?

Wir bedauern sehr, daß wir am Sonntag abend nicht zu Hause waren: wir waren in der »Rusalka«.

Meine Novelle habe ich bereits abgeschickt. Das Stück begonnen und bereits die Hälfte des ersten Akts geschrieben. Wenn nichts dazwischenkommt und wenn sich meine Berechnungen als richtig erweisen sollten, werde ich bis zum 20. Oktober fertig sein. Sieben Männer- und vier Frauenrollen, nicht eingerechnet Dienstboten und Gäste.

Morgen gehe ich mir das »Dorf Znamenskoe« ansehen und träume davon, Ihnen zu begegnen.

Einen Gruß an Lidija Nikolaevna und den gottesfürchtigen selbstherrscherlichen Aleksandr Aleksandrovič, genannt Sasik.

Ihr A. Čechov.

233) AN A. N. PLEŠČEEV MOSKAU, 30. 9. 1889

30. Sept.

Seien Sie gegrüßt, lieber Aleksej Nikolaevič! Riesigen Dank für den Brief und die Hinweise, deren ich mich ganz bestimmt bedienen werde, wenn ich Korrektur lese. Nicht Ihrer Meinung bin ich nur in sehr wenigem. So z. B. sollte der Titel der Novelle nicht geändert werden – die Müllkutscher, die Ihrer Voraussicht nach über die »Langweilige Geschichte« Witze reißen werden, sind so geistreich nicht, als daß man sie zu fürchten bräuchte; wenn jemand einen guten Witz machen sollte, werde ich mich freuen, den Anlaß dazu gegeben zu haben. Der Professor kann über Katjas Ehemann nichts schreiben, weil er ihn nicht kennt und Katja über ihn schweigt; außerdem verhält sich mein Held – und das ist einer seiner Hauptzüge – viel zu sorglos gegenüber dem Innenleben der ihn umgebenden Menschen, und er doziert auch, während man um ihn herum weint, irrt, lügt, seelenruhig weiter über Theater, über Literatur; wäre er aus anderem Holz, würden Liza und Katja wohl nicht zugrundegehen.

Ja, das über Katjas Vergangenheit ist lang und langweilig geworden. Aber anders ist es doch nicht zu machen. Wenn ich mich angestrengt und diese Stelle interessanter gemacht hätte, dann wäre, wie Sie zugeben werden, meine Novelle doppelt so lang geworden.

Was den Brief von Michail Fëd. betrifft mit dem Wortfetzen »leidensch ...«, so ist das nicht aus der Luft gegriffen.

Eine Novelle hat wie die Bühne ihre Bedingungen. So sagt mir mein Gespür, daß ich im Finale einer Novelle oder Erzählung beim Leser künstlich den Eindruck der ganzen Novelle konzentrieren muß und ihm dazu, sei es auch nur flüchtig, andeutungsweise alle diejenigen in Erinnerung rufen muß, von denen zuvor die Rede war. Vielleicht irre ich mich auch.

Sie bekümmert, daß die Kritiker mich beschimpfen werden. Ja nun? Der Schuldige muß Haare lassen. Mein Professor zieht doch auch über sie her!

Ich ruhe mich zur Zeit aus ... Für meine Bummeleien habe ich den geräuschvollen Bereich Melpomenes gewählt, in den ich einen Ausflug unternehme. Stellen Sie sich vor, ich schreibe an einer großen Roman-Komödie und habe bereits auf einen Schlag 2½ Akte hingehauen. Nach einer Novelle schreibt sich eine Komödie sehr leicht. Ich zeige in der Komödie gute, gesunde Menschen, die zur Hälfte sympathisch sind; das Ende ist gut. Der Grundton – die reine Lyrik. Sie heißt – »Der Waldschrat«.

Darum, mir das Honorar in Raten zu schicken, bat ich weniger aus Feingefühl, von dem Sie eine übertrieben hohe Meinung haben, als vielmehr aus Berechnung. Wenn mir alles auf einmal geschickt würde, würde ich alles auf einmal ausgeben. Ich verspüre dann ein bestimmtes Jucken und werde übermütig wie Nozdrëv, wenn ich weiß, daß Geld in meiner Tischschublade liegt. Wenn Sie im Kontor sind, sagen Sie, daß ich den ersten Teil des Honorars am ersten Oktober erwarte, den zweiten – am ersten November usw. Am Monatsersten bezahle ich meine Rechnungen beim Kaufmann und beim Fleischer.

Den Meinen geht es allen gut. Sie lassen Sie grüßen. Den »Waldschrat« werde ich bis zum 20. Oktober abschließen und nach Piter schicken, dann eine Woche lang ausruhen und mich an die Fortsetzung meines Romans begeben.

Auf der Sitzung des Komitees, von der ich schrieb, wurden viele Dinge beredet, aber lauter kleine, wenig interessante, wenn auch kuriose. Die Wirtschaft wird hervorragend geführt, Kondratjev ist unersetzlich. Aleksandrov macht eine gute Figur. Er ist Jurist, und das hilft uns bei der Lösung der verschiedensten Dinge strittigen Charakters.

Einen Gruß an die Ihren. Bleiben Sie gesund und nochmals vielen Dank. *Ihr A. Čechov.*

234) AN A.P. LENSKIJ MOSKAU, 7./8. 10. 1889

Das Stück ist fertig und wird bereits ins Reine geschrieben. Wenn es taugt, so wäre ich froh und überaus geschmeichelt, wenn mein Kind die Kulissen des Kleinen Theaters erblicken sollte. Sie haben eine große und, wie ich hoffe, schwierige Rolle. Gut sind auch die Rollen, die ich Gorev, Sadovskij, Južin, Rybakov und Muzil anzubieten gedenke.

Das Stück wird am 31. Oktober in Piter als Benefizvorstellung gespielt. Am 25.–28. werde ich also nach Piter fahren müssen. Ich habe gar keine Lust.

Einen Gruß an Lidija Nikolaevna und Sasik.

Ein Exemplar des Stückes bringe ich Ihnen in 2–3 Tagen vorbei, sobald ich mit dem Abschreiben fertig bin.

Ihr A. Čechov.

235) AN F. A. KUMANIN MOSKAU, 10. 10. 1889

10. Okt.

Mein Stück heißt: »Der Waldschrat«, Komödie in 4 Akten. Sie fragen, ob ich überzeugt sei, daß es auf der Bühne des Kleinen Theaters gespielt wird? Bevor es nicht durch die Zensur und das Liter.-Theaterkomitee gegangen ist und die Schauspieler des Kleinen Theaters es nicht gelesen haben, kann ich Ihnen mit Überzeugung nichts sagen. Was den »Kalchas« betrifft, so hatte ich darüber in der vergangenen Saison ein Gespräch mit Lenskij; sie wollten ihn aufführen und haben es immer wieder verschoben. Jetzt allerdings würde ich bis zu einem gewissen Zeitpunkt weder schriftlich noch mündlich daran erinnern wollen. Die Pasternakzeichnung ist sehr schön. Verzeihen Sie, daß ich sie so lange behalten habe. *Ihr A. Čechov.*

236) AN P. I. ČAJKOVSKIJ MOSKAU, 12. 10. 1889

Sehr verehrter
Pëtr Iljič!

In diesem Monat werde ich einen neuen Band meiner Erzählungen in Druck geben, die Erzählungen sind langweilig und stumpfsinnig wie der Herbst, gleichförmig im Ton, und die künstlerischen Elemente darin sind stark vermischt mit medizinischen, doch nimmt mir das nicht den Mut, mich mit einer ergebenen Bitte an Sie zu wenden: erlauben Sie mir, dieses Buch Ihnen zu widmen. Ich möchte von Ihnen sehr gern eine positive Antwort bekommen, weil mir diese Widmung erstens große Freude bereiten und, zweitens, wenn auch nur ein wenig, dem tiefen Gefühl der Verehrung Genüge leisten würde, das mich täglich an Sie denken läßt. Der Gedanke, das Buch Ihnen zu widmen, hat sich noch an dem Tage in meinem Kopfe festgesetzt, als wir gemeinsam bei Modest Ivanovič frühstückten und ich von Ihnen erfuhr, daß Sie meine Erzählungen gelesen haben.

Wenn Sie mir mit der Erlaubnis noch eine Photographie von sich schicken würden, so bekäme ich mehr als ich wert bin und wäre zufrieden bis in alle Ewigkeit. Verzeihen Sie, daß ich Sie belästige, und erlauben Sie mir, Ihnen alles Gute zu wünschen.

Ihr herzlich ergebener *A. Čechov.*

12. Okt. 89.

237) AN A. S. SUVORIN MOSKAU, 13. 10. 1889

13. Oktober (kein gutes Datum für den Anfang).

Herzlich willkommen!!

Die Einladung, bei Ihnen abzusteigen, werde ich natürlich sehr gern annehmen. Ich danke Ihnen tausendmal. Kommen werde ich allerdings sehr viel später als Oktober oder November.

Bei mir steht alles zum besten. Ich bin beinahe gesund, meine Familie ebenfalls, die Stimmung ist gut, Geld ist vorhanden, es wird wohl bis zum Neuen Jahr reichen, Faulheit ist vorläufig nicht zu verspüren. Den Sommer über habe ich nichts getan, in den letzten Monaten dagegen mehr, als man von solch einem literarischen Walroß wie mir hätte erwarten können. Erstens habe ich eine Novelle von 4½ Bogen geschrieben; ich habe mir absichtlich eine Aufgabe aufgebrummt, die über meine Kräfte ging, ich habe Tage und Nächte mit ihr verbracht, viel Schweiß vergossen, wäre fast verrücktgeworden vor Anstrengung – es war zugleich ein Vergnügen und eine Disziplinarstrafe für die sommerliche Untätigkeit. Gedruckt wird die Novelle im Nov.-heft des »Sev. vestnik«.

Zweitens habe ich, kaum daß ich die Novelle abgeschlossen und mich erschöpft hatte, Anlauf genommen und, der Trägheit folgend, den »Waldschrat« in vier Akten geschrieben, ich habe ihn neu geschrieben, nachdem ich alles vernichtet hatte, was ich im Frühjahr geschrieben hatte. Ich habe mit großem Vergnügen daran gearbeitet, sogar mit Genuß, obwohl mir vom vielen Schreiben der Ellbogen anfing wehzutun und mir der Teufel weiß was vor den Augen zu flimmern anfing. Svobodin kam zu mir, um sich das Stück für sein Benefiz zu holen (zum 31. Oktober). Gelesen worden ist das Stück von Vsevoložskij, Grigorovič & Co. Über sein weiteres Schicksal können Sie, wenn Sie Lust haben, von Svobodin hören, einer interessierten Person, und von Grigorovič, dem ehemaligen Vorsitzenden jenes Militärtribunals, das mich und meinen »Waldschrat« verurteilt hat. Das Stück ist abgelehnt. Ob abgelehnt nur für Svobodins Benefiz (da kommen die Großfürsten) oder überhaupt für Staatstheater, weiß ich nicht, mich darüber zu informieren hat man nicht für nötig gehalten.

Drittens bereite ich sorgfältig das Material für den dritten Erzählungsband vor. Natürlich werde ich mich damit wieder an Sie wenden – am 1. oder 2. November, vorher nicht. Zur Zeit, während ich mich ausruhe, überarbeite ich die Erzählungen, manches schreibe ich ganz neu.

Das ist alles. Interessantes gibt es nicht.

Soll ich sagen, wieso ich nicht ins Ausland gekommen bin? Wenn es Sie nicht langweilt, bittesehr. Am 1. Juli ging ich, mit dem Ziel Ausland, auf die Reise in einer hundsgemeinen Stimmung, und in derselben Stimmung ließ ich meine Familie zurück. Die Stimmung war völlig unentschlossen: sollte ich nach Tirol fahren, nach Berdičev, nach Sibirien – es war alles egal. Da ich wußte, daß Sie in Tirol einen ganzen Monat verbringen wollten, beschloß ich unterwegs, in Odessa Station zu machen, wohin Lenskij mich telegraphisch eingeladen hatte. In Odessa traf ich die Truppe des Kleinen Theaters. Träge philosophierend und ohne zu wissen, wohin vor der Hitze, begann ich mir klarzumachen, daß mir für eine Reise das Geld nicht reichen würde, beschloß aber dennoch, nach Tirol zu fahren. Was mir aber einen Schlag versetzte und mich unsicher machte, war dies: ich bekam zwar Ihre Telegramme, meine dagegen erreichten Sie nicht, ich bekam zur Antwort (die Dokumente sind heil und unversehrt): »Souvorin inconnu Dépêche en dépôt-direction.« Und da gingen alle möglichen Verlockungen, finanziellen Überlegungen und so weiter zum Teufel, alles zusammen warf mich endgültig um, verwirrte mich, und ich fuhr von Odessa, mit weniger als 400 Rub. in der Tasche, nach Jalta. Hier blieb ich hängen. Meine Abenteuer auf der Krim werde ich nicht beschreiben, dazu bräuchte man das Talent des englischen Humoristen Bernard, über das ich nicht in ausreichendem Maße verfüge.

Ich bedaure, nicht im Ausland gewesen zu sein, ich schäme mich vor mir selbst und vor Ihnen, dem ich so viele Scherereien gemacht habe, gleichzeitig bin ich darüber aber auch ein bißchen froh. Wenn ich nämlich gefahren wäre, so hätte ich mich bis über beide Ohren in Schulden gestürzt, wäre erst jetzt zurückgekommen, hätte nichts getan, und all das ist für einen Feigling wie mich schlimmer als Igors Tod.

Ich denke oft an Sie. Wie ist Ihr Befinden? Was haben Sie Neues geschrieben oder geplant? Was mitgebracht?

Bei mir steht noch der von Ihnen vergessene Balzac, den Elizaveta Zacharovna aus der Bibliothek entliehen hatte. Was soll ich damit machen? Das mit den Booten und Obolenskij ist eine Geschichte für sich. Darüber später.

Übermitteln Sie Anna Ivanovna meinen herzlichen Gruß. Nastja und Borja desgleichen.

Bleiben Sie gesund und zürnen Sie nicht

Ihrem A. Čechov.

Ich trinke Lebertran und Obersalzbrunnen. Ekelhaft!

238) AN P. I. ČAJKOVSKIJ MOSKAU, 14. 10. 1889

89 $\frac{14}{x}$

Ich bin sehr, sehr gerührt, lieber Pëtr Iljič, und danke Ihnen unendlich. Ich schicke Ihnen die Photographie, das Buch und würde Ihnen sogar die Sonne schicken, wenn sie mir gehörte.

Sie haben Ihr Zigarettenetui bei mir vergessen. Ich schicke es Ihnen. Drei Zigaretten darin fehlen: der Cellist, der Flötist und der Pädagoge haben sie geraucht.

Ich danke Ihnen nochmals und verbleibe mit Ihrer Erlaubnis Ihr herzlich ergebener *A. Čechov.*

239) AN A. S. SUVORIN MOSKAU, 17. 10. 1889

17. Okt.

Was die medizin. Abteilung des Kalenders betrifft, so habe ich Ihnen gestern geschrieben. Heute hat Ostrovskij, von dem ich ebenfalls gestern schrieb, einen ganzen Ballen Erzählungen von seiner Schwester angeschleppt.

Die Goreva wird geprügelt und beschimpft, das ist natürlich nicht recht, weil man nur für etwas Böses öffentlich Prügel austeilen und schimpfen soll, und auch das nicht wahllos. Aber die Goreva ist furchtbar schlecht. Ich war einmal in ihrem Theater und wäre beinahe gestorben vor Langeweile. Die Truppe grau, die Prätentionen niederschmetternd.

Freuen Sie sich nicht zu früh, in mein Stück geraten zu sein. Vögel, die morgens singen. Sie sind noch nicht an der Reihe. Wenn ich am Leben bleibe, werde ich die Nächte von Feodosija beschreiben, die wir gemeinsam im Gespräch verbrachten, und das Fischefangen, als Sie über die Pfähle der Lintvarëvschen Mühle schritten, – mehr brauche ich von Ihnen einstweilen nicht. In dem Stück kommen Sie nicht vor und können Sie nicht vorkommen, auch wenn Grigorovič mit dem ihm eigenen Scharfsinn das Gegenteil sieht. In dem Stück ist die Rede von einem stumpfsinnigen, eitlen, hölzernen Menschen, der 25 Jahre lang Vorlesungen über die Kunst gehalten und von Kunst keine Ahnung hat; einem Menschen, der alle anderen in Verzweiflung und Langeweile stürzt, kein Lachen, keine Musik um sich duldet usw. usf. und der bei alledem ungewöhnliches Glück hat. Glauben Sie um Gottes willen nicht all diesen Herrschaften, die überall vor allem nur das Böse suchen, die alles an ihrem eigenen Maßstab messen und anderen ihre eigenen fuchs- und dachsähnlichen Züge zuschreiben. Ach, wie freut sich dieser Grigorovič! Und wie würden sich alle freuen, wenn ich Ihnen Arsen in den Tee schütten oder mich als Spitzel der III. Abteilung erweisen würde. Sie werden natürlich sagen, das seien alles Lappalien. Nein, das sind keine Lappalien. Wenn mein Stück gespielt würde, würde das Publikum mit der Leichtfertigkeit verlogener Herumtreiber auf die Bühne sehen und wie aus einem Munde sagen: »So einer ist also dieser Suvorin! Und so ist seine Frau! Hm... Sagen Sie, das haben wir ja noch gar nicht gewußt.«

Eine Kleinigkeit, einverstanden, aber an solchen Kleinigkeiten geht die Welt zugrunde. Vor ein paar Tagen bin ich im Theater einem Petersburger Literaten begegnet. Wir kamen ins Gespräch. Als er von mir erfuhr, daß im Sommer zu verschiedenen Zeiten Pleščeev, Barancevič, Sie, Svobodin und andere bei mir waren, seufzte er mitfühlend und sagte:

– Glauben Sie nicht, daß das eine gute Reklame für Sie wäre. Sie irren, wenn Sie auf die setzen.

Das heißt, ich habe Sie zu mir eingeladen, damit jemand über mich schreibt, und Svobodin habe ich eingeladen, damit ich jemandem mein Stück andrehen konnte. Und nach dem Gespräch mit dem Literaten hatte ich einen Geschmack im Mund, als hätte ich statt Vodka ein Glas Tinte mit toten Fliegen ausgetrunken. Das sind alles Kleinigkeiten, Lappalien, aber wären diese Kleinigkeiten nicht, so bestünde das ganze Leben aus eitel Freude, so aber ist es zur Hälfte einfach widerwärtig.

Wenn man Ihnen Kaffee serviert, dann bemühen Sie sich nicht, Bier darin zu sehen. Wenn ich Ihnen die Gedanken eines Professors darbringe, so glauben Sie mir doch und suchen Sie darin keine Gedanken von Čechov. Ergebensten Dank. In der ganzen

Novelle gibt es nur einen einzigen Gedanken, den ich teile und der dem Schwiegersohn des Professors, dem Gauner Gnekker im Kopf sitzt, das ist – »Der Alte ist übergeschnappt!« Alles übrige ist erfunden und gemacht... Wo haben Sie Publizistik gefunden? Schätzen Sie etwa Meinungen gleich welcher Art so hoch ein, daß Sie nur in ihnen das Zentrum der Schwerkraft sehen, und nicht in der Art und Weise, wie sie gesagt werden, nicht in ihrem Ursprung usw.? Ist demnach auch der »Disciple« von Bourget Publizistik? Für mich als Autor besitzen alle diese Meinungen eigentlich keinerlei Wert. Es geht nicht um ihre Aussage, die ist veränderlich und nicht neu. Das Wesentliche liegt in der Natur dieser Meinungen, in ihrer Abhängigkeit von äußeren Einflüssen usw. Man muß sie betrachten wie Dinge, wie Symptome, absolut objektiv, ohne zu versuchen, sie zu teilen oder zu bestreiten. Wenn ich den Veitstanz beschreibe, dann betrachten Sie das doch nicht vom Gesichtspunkt des Choreographen? Nein? Das Gleiche gilt auch für die Meinungen. Ich erhebe durchaus nicht den Anspruch, Sie mit meinen erstaunlichen Ansichten über Theater, Literatur usw. zu verblüffen; ich wollte nur mein Wissen benutzen und jenen Zauberkreis darstellen, in dem ein guter und kluger Mensch, wenn er einmal hineingeraten ist, beim besten Willen, das Leben von Gott anzunehmen wie es ist und wie ein Christ zu denken, nolens-volens murrt, nörgelt wie ein Sklave und Schlechtes von den Menschen sogar dann sagt, wenn er sich zwingt, gut von ihnen zu sprechen. Er will für die Studenten eintreten, aber außer Heuchelei und dem Geschimpfe eines Žitel kommt nichts... Übrigens ist das eine lange Geschichte.

Ihre Söhne geben zu großen Hoffnungen Anlaß. Den Preis für den »Stoglav« haben sie heraufgesetzt, den Umfang dagegen verringert. Sie hatten mir für die Erzählungen ein Fäßchen Wein versprochen und mich auf dem Trockenen sitzen lassen, und damit ich ihnen deswegen nicht böse bin, haben sie mein Bild vis-à-vis mit dem des Schahs von Persien gebracht. A propos Schah. Ich las neulich ein Gedicht, »Politisches Konzert«, wo über den Schah ungefähr dies gesagt war: und der Schah von Persien, der unverbesserliche Kauz, fuhr nach Paris, um seinen [...] mit dem Eiffelturm zu vergleichen. Kommen Sie nach Moskau. Wir gehen zusammen ins Theater. *Ihr A. Čechov.*

240) AN A. N. PLEŠČEEV MOSKAU, 21. 10. 1889

21. Oktober.

Ich grüße Sie, lieber Aleksej Nikolaevič! Großen Dank für den Brief. Was meine Gesundheit und Stimmung betrifft, nach denen Sie fragen, so kann man unmöglich sagen, sie wären schlecht. Mein Leben ist erträglich, manchmal ergeben sich gute Momente, aber im allgemeinen, um mich der Sprache der Börsianer zu bedienen, Tendenz lustlos.

Ein Arzt, ein sehr netter Mensch (entweder hat mit Neid der Böse ihn geschlagen, oder es schmeckt ihm nicht mehr seine Medizin), hat mich beauftragt, koste es was es wolle, zwei Gedichte an den »Sev. vestn.« zu schicken, die ich beilege. Er will, daß diese Gedichte unbedingt und noch vor Dezember veröffentlicht werden. Aber da Sie sie aus dem allen Dichtern eigenen Konkurrenzdenken nicht werden veröffentlichen wollen, schreiben Sie mir bitte, daß die Gedichte gut seien, aber daß sie aus Termin- und anderen Gründen nicht vor August veröffentlicht werden könnten, ich werde ihm das vorlesen.

Svobodin ist absolut unschuldig. Wenn das Stück tatsächlich nichts taugt und wenn die Verantwortlichen es verbieten, was ist da schon zu machen? Schuld ist er nur an seiner ökonomischen Unfähigkeit: die Reise nach Moskau hat ihn mindestens hundert Rubel gekostet.

Über mein Stück – kein Sterbenswort. Ob es die Mäuse gefressen haben, ob die Direktion es der Öffentlichen Bibliothek geschenkt hat, ob es verbrannt ist vor Scham über die Lüge Grigorovičs, der mich liebt wie seinen eigenen Sohn, – es kann alles sein, aber ich weiß *nichts.* Ich habe von niemandem eine Nachricht oder Begründung bekommen, ich weiß nichts, und ich richte auch keinerlei Anfragen an auch nur irgendjemanden, um zu vermeiden, daß meine Anfrage als Bitte interpretiert wird oder als dringender Wunsch, mit alexandrinischem Lorbeer bekränzt zu werden. Ich bin doch eitel wie ein Schwein.

Das hartnäckige Schweigen der Hrrn. Mitglieder jenes Militärtribunals, das meinen »Waldschrat« verurteilt hat, kann ich mir durch nichts anderes erklären als durch heißes Mitgefühl für mein Talent und durch den Wunsch, den paradiesisch-süßen Genuß, den mir die angenehme Ungewißheit bereitet, zu verlängern. Wer weiß? Vielleicht wird mein Stück für genial befunden... Ist es nicht süß, sich Vermutungen hinzugeben?

Die »Peterb. gazeta« gibt bekannt, mein Stück sei für eine »sehr schöne dramatisierte Novelle« befunden worden. Ergebensten Dank. Also eines von beidem: entweder bin ich ein schlechter Dramatiker, was ich gern unterschreibe, oder es sind alle diejenigen Herrschaften Heuchler, die mich wie ihren eigenen Sohn lieben und mich anflehen, in meinen Theaterstücken um Gottes willen ich selbst zu sein, die Schablone zu meiden und eine komplizierte Konzeption vorzulegen.

Južakov ist weggegangen? Macht nichts, er kommt wieder. Wenn Michajlovskij, Južakov & Co. nicht endlich Minister in Bulgarien werden, kommen sie früher oder später zum »Severnyj vestnik« zurück. Ich wette. Der Weggang Južakovs ist ein großer, unersetzlicher Verlust für jene Leser, die im Sommer von Fliegen heimgesucht werden. Als Betäubungsmittel sind Južakovs Aufsätze wirkungsvoller als Fliegenpilz.

Lassen Sie Stasov nicht gehen. Er wird viel gelesen und liefert Gesprächsstoff. Und sein Aufsatz über die Pariser Ausstellung war sehr ordentlich.

Bei der Neigung, die selbst bei sehr guten Menschen zum Klatsch existiert, ist nichts vor schmutzigen Verdächtigungen sicher. Das ist meine Antwort auf Ihre Frage nach den mißverstandenen Beziehungen Katjas zum Professor. Wenn man schon an Freundschaft, an Verehrung, an die grenzenlose Liebe nicht mehr glaubt, die bei Menschen jenseits der sexuellen Sphäre existiert, so hätte man mir zumindest keinen schlechten Geschmack zuschreiben sollen. Denn wenn Katja in einen halbtoten alten Mann verliebt wäre, so werden Sie mir zugeben, wäre das *sexuelle Perversion,* ein Kuriosum, das nur einen Psychiater interessieren könnte, und auch ihn nur als leichtfertige, unglaubwürdige Anekdote. Wenn da nur diese sexuelle Perversion gewesen wäre, hätte es sich dann gelohnt, eine Novelle zu schreiben?

Das Wetter in Moskau ist miserabel, schlimmer als sexuelle Perversion. Ich werde bald ein neues Buch veröffentlichen. Stelle die Erzählungen dafür zusammen und habe einige Tage damit verloren, daß ich ein paar Sachen *ganz neu* bearbeite.

Einen Gruß an Ihre Angehörigen. Bleiben Sie glücklich, und der Himmel beschütze Sie. *Herzlich Ihr A. Čechov.*

241) AN A. S. SUVORIN MOSKAU, 23. 10. 1889

23. Okt.

Schon wieder über Geschäfte.

Ostrovskij, der Bruder des Ministers, war bei mir. Er hat Ihnen einen Packen Erzählungen und ein Bündel mit Zeichnungen geschickt. Die Zeichnungen sind schlecht, aber erträglich. Einige hat er auf meinen Rat aussortiert; sortieren auch Sie einige aus – das macht das Buch billiger. Als ich ihn nach den Bedingungen fragte, sagte er: »Zu den normalen Bedingungen, wie bei Ihnen... Wir wollen, was alle anderen auch bekommen, d.h. 30%.« Danach rauchte er eine schlechte Zigarre, parfümierte damit das gesamte Mobiliar, verräucherte die Luft und ging... Er ist ein sehr guter Mensch.

Bei uns in Moskau erscheint eine neue Zeitschrift, »Artist«, die Stücke des laufenden Repertoires veröffentlicht, äußerlich sehr anständig aufgemacht und langweilig innen drin. Sie hat mich schon an die 20mal um die Vaudevilles gebeten, die im »Novoe vremja« veröffentlicht waren. Ich habe jedesmal empfohlen, sich mit dieser Bitte an Sie zu wenden. Der »Artist« will sich aber nicht an Sie wenden, sondern will, daß ich dies selbst tue. Was sagen Sie dazu? Wenn Sie nicht damit einverstanden sein sollten, würde mich das um keinen Centime ärmer machen, denn Vaudevilles werden dort honorarfrei abgedruckt; wenn Sie einverstanden sind, dann nur, wenn die Vaudevilles mit dem Vermerk erscheinen: »Dieses Vaudeville wird aus der und der Nr. des ›Novoe vremja‹ nachgedruckt.« Anders fände ich es nicht gut – das ist meine Meinung. Antworten Sie mir, und ich schicke Ihre Antwort an den »Artist«. Der »Artist« ist gegen einen solchen Vermerk. Das ist seine Sache. Soll er dagegen sein, aber soll er dann endlich aufhören mit seinen ständigen Anfragen, mit denen er mich überschüttet.

Ich freue mich sehr für Ežov, daß er im »Novoe vremja« veröffentlicht wird. A propos: er schickt Ihnen die Erzählungen ohne mein Wissen; ich lese sie weder im Manuskript noch im Druck. Wenn ich in Petersburg leben würde, dann würde ich mich bei Ihnen um die Redaktion der belletristischen Abteilung bewerben. Ich würde alle von Ihnen und Burenin angenommenen Erzählungen säubern und feilen und mich für diejenigen Sachen verwenden, die niemand für geeignet hält, aus denen man aber mittels Kürzung um etwa die Hälfte und mittels Korrektur durchaus erträgliche Erzählungen machen kann. Ich habe inzwischen einiges Geschick im Korrigieren und Einstreichen von Manuskripten. Wissen Sie was? Wenn die Entfernung und die Langeweile Sie nicht schrecken, dann schicken Sie mir als eingeschriebenes Streifband alle die belletristischen Sachen, die Sie zur Hand haben und die Sie abgelehnt haben. Schicken Sie sie mir selbst, geben Sie sie niemandem mit, sonst wird daraus nichts. Ich lese schnell. Ich erinnere mich, im Winter, eines Nachts, als ich bei Ihnen saß, habe ich aus einer schlechten abgelehnten Erzählung von Koni eine Samstagsbeilage gemacht, die am andern Tag vielen gefallen hat.

Ihr Aufsatz über die »Macht des Herzens« ist sehr gut, er hat mir gefallen, nur hätten Sie »Tatjana Repina« nicht erwähnen sollen und die Vorwürfe, die Ihnen irgendjemand einmal gemacht hat. Caesars Frau ist über jeden Verdacht erhaben; so soll auch ein Schriftsteller wie Sie über Vorwürfe erhaben sein. Es ist auch unvorsichtig. Wenn Sie eingangs »T. Repina« erwähnt haben, so fordern Sie schon allein damit den Vergleich zur »Macht des Herzens« heraus, die Sie schlecht finden.

Ich habe Ščeglov geschrieben, daß ich mich über seinen Kummer freue. Recht geschieht ihm! Das Stück, über das er weint, ist doch eine Bearbeitung seines Romans, des »Gordischen Knotens«. Also kein Stück, sondern eine Schweinerei. Der Roman ist gut, wozu ihn verhunzen? Und was ist das für eine Armut? Als gäbe es keine Sujets.

Wegen einer Frau sollte man sich natürlich nicht erschießen; man muß nicht, aber man kann. Die Liebe ist kein Scherz. Wenn man sich ihretwegen erschießt, so nimmt man sie also ernst, und das ist wichtig.

Ich habe Ihnen nicht geschrieben, daß meine Novelle gut oder schlecht sei, sondern daß die Meinungen, die von den handelnden Personen geäußert werden, unmöglich zum status eines Werks gemacht werden können, denn das Wesentliche liegt nicht in den Meinungen, sondern in ihrer Natur. Zum Teufel mit ihr, der Novelle! Mag sie keinen Groschen wert sein, es geht nicht um sie.

Am 24. Dezember feiere ich das 10. Jubiläum meiner literarischen Tätigkeit. Kann ich nicht den Kammerherrn bekommen?

Miša könnte einen histor. Roman für Kinder schreiben.

Er will heiraten.

Ich habe Veročka Mamyševa gesehen. Sie ist sehr glücklich.

Grüßen Sie Anna Ivanovna. *Ihr A. Čechov.*

Sagen Sie Gej, er solle möglichst schnell gesundwerden, und kommen Sie nach Moskau.

242) AN A.S. SUVORIN MOSKAU, 28. 10. 1889

28. Okt.

Wieder über Geschäfte.

Fürst Sumbatov-Južin bittet Sie dringend, ihm auf seinen Brief zu antworten. Er will zu seinem Benefiz »Macbeth« spielen und hat Ihnen etwas zur Inszenierung geschrieben, um Hinweise gebeten usw.

Ostrovskij war wieder da. Er bittet Sie, mit dem Buch seiner Schwester so zu verfahren, wie Sie es für nötig und am besten halten. Er und sie sind mit allem einverstanden, wenn nur der Name Ostrovskaja durch ganz Europa schallt.

V.S. Mamyšëv war bei mir, der Lecocq von Zvenigorod. Er ist sehr abgemagert, gealtert und irgendwie gebrochen. Er hat Schmerzen in den Beinen, die leicht paralysiert sind; offenbar geht da etwas Schlimmes in seinem Rückenmark vor.

Sie schreiben, man könne sich nichts Verächtlicheres vorstellen als unsere liberale Opposition... Nun, und diejenigen, die keine Opposition bilden? Sind die vielleicht besser? Die Mutter aller Übel in Rußland ist die grobe Unbildung, und die ist allen Parteien und Richtungen im gleichen Maße eigen. Für Ihr Lob der deutschen Kultur und daß Sie allgemeine Elementarschulbildung unterstreichen, kommen Sie ins Paradies, und ich verehre Sie dafür zutiefst.

Den »Waldschrat« gebe ich Ihnen nicht zu lesen, aus Angst, daß Sie mit Grigorovič darüber sprechen. Vor einem Monat (oder 20 Tagen – ich weiß nicht mehr) hat es mich große Anstrengung gekostet, Ihnen nichts über mein Stück zu schreiben, heute dagegen bin ich vollkommen ruhig und kann in aller Ruhe darauf verzichten, darüber zu schreiben. Es gibt heutzutage sehr viele jammernde, für die Wahrheit leidende Dramatiker. Sie gehen mir so auf die Nerven und kommen mir als solche alten Weiber vor, daß es mir geradezu leidtut, daß ich mich in ihren Brei gestürzt und ein Stück geschrieben habe, das ich durchaus nicht hätte schreiben müssen.

Sie schrieben mir irgendwann im Sommer von der allgemeinen Höflichkeit, die Sie in Tirol beobachtet haben. Schreiben Sie darüber in der Zeitung.

Auch über Frankreich haben Sie nur wenig geschrieben. An die Stange, die Sie zum Schwimmen empfahlen, erinnere ich mich mit Grausen. In Jalta hätte man mich beinahe damit erschlagen.

Ich grüße die Ihren.

Bitten Sie Žitel, in seinen Feuilletons das Wort »Appetit« zu meiden. *Ihr A. Čechov.*

243) AN A. S. LAZAREV-GRUZINSKIJ MOSKAU, 1. 11. 1889

1. November.

Bester Aleksandr Semënovič! Ihr Vaudeville habe ich bekommen und sofort gelesen. Es ist sehr schön geschrieben, aber seine Architektur ist unerträglich. Diese widerspricht der Bühne total. Urteilen Sie selbst. Dašas erster Monolog ist völlig unnötig, denn er ragt hervor wie ein Auswuchs. Er wäre am Platz, wenn Sie aus Daša nicht einfach eine Statistenrolle hätten machen wollen und wenn er, der Monolog, der dem Zuschauer viel verspricht, irgendeinen Bezug hätte zum Inhalt oder den Effekten des Stücks. Man kann nicht ein geladenes Gewehr auf die Bühne stellen, wenn niemand die Absicht hat, einen Schuß daraus abzugeben. Dann soll Daša ganz schweigen – das ist besser.

Gorškov redet viel, so viel, daß Kašalotov 1000mal die Zeit hätte, ihn beiseite zu nehmen und ihm zuzuflüstern: »Halt endlich den Mund, du Rindvieh! Deine Frau ist hier!« Aber er tut das nicht... Wieso ist er so unvorsichtig? Ein Charakterzug? Wenn ja, dann hätte man das erklären müssen... Dann, die Ehefrau ist, wenn man sie als Frauenrolle betrachtet, sehr dürftig. Sie sagt wenig, so wenig, daß Daša und sie von stummen Schauspielerinnen dargestellt werden könnten. Gorškov ist gut, nur spürt man in der Art, wie er seinen Erinnerungen nachhängt, eine gewisse Einförmigkeit... Da müßte mehr Begeisterung sein und mehr Vielfalt. So spricht Kašalotov zum Beisp. von den Schauspielerinnen, denen er den Hof gemacht hat, im selben Ton wie von den Spielkarten und vom Gefängnis, dieselben Übergänge, wie in arithmetischer Progression... Er könnte aber auch so sprechen: »Ach, was es früher für Schauspielerinnen gegeben hat!

Nehmen wir zum Beispiel nur die Loporelova! Ein Talent, Würde, Schönheit, Feuer! Einmal, Gott laß mich nachdenken, komme ich zu dir ins Hotel, – du lebtest damals mit ihr zusammen, – und sie lernt ihre Rolle ... « Usw. Das wäre schon anders.

Ein ökonomisch denkender Mensch, der ein Stück mit vier Rollen schreibt, würde an Ihrer Stelle so vorgehen: er würde eine starke Männerrolle und eine starke Frauenrolle hinstellen, und die beiden übrigen nur als Accessoirs durchführen. Die starke Männerrolle haben Sie bereits fertig – Gorškov. Die Frauenrolle wäre die Frau, Ehemann und Daša im Hintergrund. Ich würde es so machen: der Ehemann kommt herein und stellt seiner Frau einen alten Freund vor, den er im »Livorno« getroffen hat. »Gib ihm eine Tasse Kaffee, Liebes, ich gehe nur rasch auf die Bank und bin gleich wieder zurück«; auf der Bühne bleiben die Frau und Gorškov; letzterer beginnt in Erinnerungen zu schwelgen und plappert drauflos; der zurückgekehrte Ehemann findet zerschlagenes Geschirr vor und seinen alten Freund, der sich aus Angst unter dem Tisch verkrochen hat; es endet damit, daß Gorškov voll Rührung, voll Begeisterung die wildgewordene Gattin anschaut und sagt: »An Ihnen, gnädige Frau, ist eine große Tragödin verlorengegangen! Sie sollten die Medea spielen!« Die Gatten zanken sich, und er spricht den schrecklichen Monolog aus dem »Lear« ›Blast, Wind‹ ... oder etwas in der Art... weiter geht es mich nichts an.

Das ist meine Meinung. Ich warte auf Ihren Brief. Wählen Sie: entweder gebe ich das Stück in seiner jetzigen Gestalt weg – es kann auch so gespielt werden, denn es ist besser als Hunderte von Vaudevilles, oder ich schicke es Ihnen zur Überarbeitung. Zur Eile besteht kein Grund. Sie und Ihre Frau werden den Applaus schon noch zu hören bekommen.

Haben Sie im Ernst Ihr Geld bei Zinger verloren? Treiben Sie damit keinen Scherz.

Ich freue mich, daß Sie eine Samstagsgeschichte schreiben wollen. Ich selbst werde es nicht mehr erleben, dafür aber meine Enkel – und auch dafür ist man schon dankbar.

Bleiben Sie gesund.

Wenn Sie mir keine Briefmarken geschickt hätten, wäre ich nicht daran zugrundegegangen, und auch die Literatur nicht. Welche Ritterlichkeit! Als wäre ich Pljuškin oder arm wie Diogenes. Wollen Sie mir nicht auch Briefpapier und Couverts schicken?

Ich lese Ihre Erzählungen. Stelle einen Riesenfortschritt fest. Hören Sie nur auf mit Kuzja, dem Namen Semën und dem spießig-kleinbürgerlichen Titularratston Ihrer Helden. Mehr Spitzen, Opopanaxe, Flieder, mehr Orchestermusik, klingende Reden... Will sagen, schreiben Sie mit mehr Farbe. Ihre Physiognomie als Autor wird klarer, wozu ich Ihnen gratuliere. Das ist schön, und ich freue mich über Ihre Erfolge.

Bleiben Sie gesund. Grüßen Sie Ihre Frau. *Ihr A. Čechov.*

Wann kommen Sie?

Schreiben Sie.

Eine Stadt Balagansk gibt es in Sibirien.

244) AN A. S. SUVORIN MOSKAU, 1. 11. 1889

1. November.

Hier schicke ich Ihnen 2 Erzählungen der Dame Orlova zurück. Ich schicke sie als eingeschriebenes Streifband – das ist billiger. Aus der »Taperša« habe ich nichts herausdestillieren können; es wäre gegangen, aber nicht ohne die Autorin zu beleidigen. Aus dem einen Schiff habe ich einen Nagel gemacht. Aus »Nataša« ist etwas im Stile Dostoevskijs geworden, was man, wie mir scheint, veröffentlichen kann, nur lesen Sie es noch einmal in der Korrektur. Die Dame Orlova ist nicht ohne Beobachtungsgabe, aber schon schrecklich grob, so, daß es einem wehtut. Sie flucht wie ein Kutscher, und das Leben der reichen Aristokraten sieht sie mit den Augen einer Waschfrau.

Ich freue mich, auch in Zukunft dienen zu können.

Gratuliere zur Familienfreude: a) Kurepin hat geheiratet, und

b) Ihr Mitarbeiter An. Čechov hat begonnen, eine Samstagsbeilage zur Welt zu bringen. Zur Zeit bin ich mit allem möglichen Quatsch beschäftigt, so daß ich sie vor nächster Woche nicht werde schicken können. Der Anfang ist ganz gut geworden.

Ich habe nur ein Expl. des »Waldschrats«, und auch das liegt bei Lenskij herum. Wenn Sie ihn lesen wollen, dann schicken Sie Andrej oder Vasilij zu Ihrem Nachbarn Lessing, wohnhaft M. Italjanskaja 37. Er hat ein Exemplar, sogar zwei. Dieser Lessing (will sagen Svobodin), der für gewöhnlich weise Reden führt und in den Klassikern wühlt, hat für sein Benefiz ein Stück gefunden: den »Studenten« von Griboedov. Lesen Sie meinen »Waldschrat«, wenn Sie mögen, aber sprechen Sie mit niemandem ein Wort darüber, weil jedes Wort von mir in Petersburg als Bitte, und jedes von Ihnen als Protektion verstanden wird. Zum Teufel mit denen!

Ein idiotisches Spiel, das da vor sich geht: die Leute wollen mir einen Gefallen tun, und sie warten, daß ich sie bitte, ich dagegen will zeigen, daß ich keinen Groschen auf mein Stück setze, und schreibe halsstarrig wie ein Rindvieh in meinen Briefen nur vom Wetter, ohne ein Wort über mein Stück zu verlieren. Dasselbe in Moskau.

Der »Waldschrat« ist also in seiner Konstruktion unerträglich. Für den Schluß hatte ich keine Zeit; ich werde ihn irgendwann machen, wenn ich Muße habe. Aber er ist besser als die »Strahlen und Wolken«, die ich gesehen habe und die Sie am Freitag sehen werden.

Wir werden uns nicht beeilen.

Miša hat Examen gemacht. Wenn ich Minister wäre, würde ich ihn zum Steuereinnehmer oder Akziseinspektor ernennen. Es zieht ihn hin zum grauen Spießerleben, und er möchte um jeden Preis heiraten, und sei es eine gesprungene Bratpfanne, nur schnell.

Ach, wie viele Stücke ich lesen muß! Man bringt sie mir, bringt mir immer neue, ohne Ende, und enden wird es damit, daß ich auf die Leute schieße.

Morgen schicke ich Ihnen das Material für das neue Buch. Oder soll ich warten? Gut, ich warte... Wenn die Druckerei gerade so viel Arbeit hat, kann ich ein oder zwei Monate warten...

Svobodin war im Sommer bei mir zu Gast. Ich versichere Sie, er ist ein sehr guter, aufrichtiger und kein langweiliger Mensch. Hauptsache – lassen Sie ihn nicht anfangen zu reden. Schauspieler darf man nicht reden lassen. Das ist sehr langweilig mitanzuhören. Aber sonst sind das durch und durch erträgliche Leute.

Bleiben Sie gesund. Wann kommen Sie nach Moskau?

Ich will in Jalta eine Buchhandlung aufmachen. Ich miete mir einen Platz im Stadtpark und werde die Stadt durch einen mauretanischen Pavillon zieren. Der Handel, den ich treiben werde, wird schwunghaft. *Ihr A. Čechov.*

245) AN A.P. LENSKIJ MOSKAU, 2. 11. 1889

2. Nov.

Ich danke Ihnen sehr, lieber Aleksandr Pavlovič, daß Sie mein Heidenstück gelesen haben. Dank auch für die Kommentare: ein zweites Mal werde ich kein großes Stück schreiben. Ich habe dazu weder Zeit noch Talent, wahrscheinlich auch nicht genügend Liebe zur Sache.

Ich stecke ebenfalls bis an den Hals in Arbeit. Den »Waldschrat« umarbeiten werde ich nicht, sondern ich werde ihn an einen der privaten Theatertempel verkaufen. Ich werde ihm einen anderen Titel geben, 500 Rubel dafür kassieren und – zum Teufel mit ihm.

Wenn es endlich schneit, sollten wir dann nicht gemeinsam zu Levitan fahren? Ich würde mich sehr freuen.

Heute werde ich nach Piter schreiben, daß man den »Waldschrat« dort nicht inszenieren solle. Und ich werde ihn auch in Piter an ein Privattheater geben. Möge er umherschleichen wie der Schatten eines reuelosen Sünders, von Höhle zu Höhle, von Finsternis zu Finsternis...

Ich schreibe an einer kleinen Erzählung. Nach dem 20. fahre ich wahrscheinlich nach Piter.

Eine Empfehlung an Lidija Nikolaevna. *Ihr A. Čechov.*

Noch einmal von Herzen Dank.

246) AN V. A. TICHONOV MOSKAU, 7. 11. 1889

7. November.

Ich antworte umgehend nach Erhalt Ihres Briefs. In der Redaktion des »Artist« war ich noch nicht und übermittle Ihnen deshalb einstweilen nur das, was mir bekannt ist. Die Stücke, die der »Artist« druckt, müssen *nur* von der Dramenzensur genehmigt worden sein; der allgemeinen Zensur unterliegt er nicht, er kommt ohne sie aus. Außerdem habe ich das Novemberheft bereits in den Korrekturfahnen gesehen, folglich können Ihre »Ruči-Puči« erst im Dez.- oder Januarheft erscheinen. Ich werde also zum »Artist« gehen, wenn ich das Exemplar von Ihnen bekommen habe, und Ihnen ausführlich erst dann antworten, wenn Kumanin Ihr Stück gelesen hat.

Ich gratuliere Ihnen zu Ihrem Erfolg, über den ich mich übrigens gar nicht freue. Professionelle Dramatiker müssen, solange sie jung sind, erbarmungslos ausgezischt werden, besonders für jene Stücke, die mit der linken Hand geschrieben worden sind. Sonst werdet ihr zu verwöhnt, meine Herrschaften, und bekommt eine zu hohe Meinung von euch. Wenn ich das Publikum wäre, so würde ich die Jugend nur finanziell ermuntern, den Lorbeer würde ich erst im Alter zuteilen.

Man sagt, Gnedičs »Männertreu« sei eine hübsche Sache. Man sollte sie sich ansehen. Ich habe große Sympathie für diesen Autor.

Bleiben Sie gesund, Sie Glücklicher, und möge Ihnen, während Sie auf Ihren Lorbeeren ausruhen, der gehörnte Teufel im Traum erscheinen. *Ihr A. Čechov.*

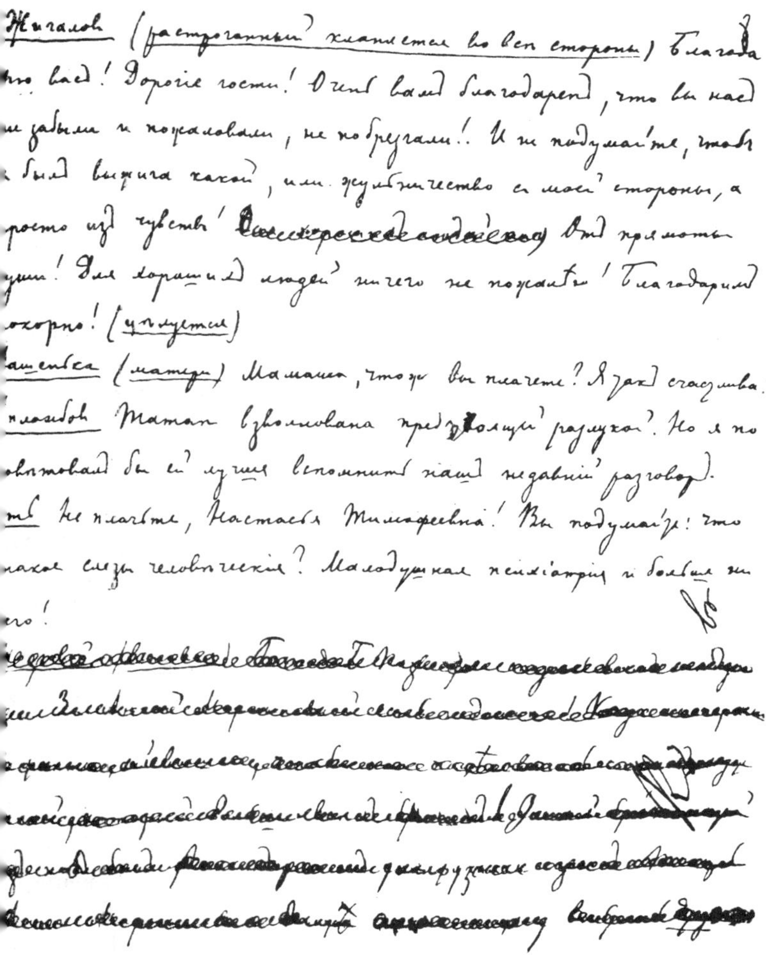
Жигалов (растроганный, кланяется во все стороны). Благодарю вас! Дорогіе гости! Очень вам благодарен, что вы нас не забыли и пожаловали, не побрезгали! И не подумайте, чтоб я был выжига какой, или жульничество с моей стороны, а просто из чувств! От простоты души! Для хороших людей ничего не пожалею! Благодарим покорно! (цалуется)
Дашенька (матери). Мамаша, что ж вы плачете? Я так счастлива!
Апломбов. Маман взволнована предстоящей разлукой. Но я посоветовал бы ей лучше вспомнить наш недавний разговор.
Ять. Не плачьте, Настасья Тимофеевна! Вы подумайте: что такое слезы человеческие? Малодушная психіатрия и больше ничего!
[illegible]

»Die Hochzeit«.
Seite aus dem Zensurmanuskript, unten mit Strich des Zensors.

247) AN A.S. SUVORIN MOSKAU, 12. 11. 1889

12. November.

Ich schicke Ihnen eine Erzählung für das Feuilleton. Eine unseriöse Lappalie aus dem Leben der Provinzmeerschweinchen. Verzeihen Sie mir die Albernheit... Übrigens hat diese Erzählung ihre komische Geschichte. Ich hatte sie so abschließen wollen, daß an meinen Helden kein gutes Haar mehr bleibt, aber der Satan hat mich geritten, sie meinen Angehörigen vorzulesen; alle fingen an zu betteln: verschone sie! verschone sie! Ich habe meine Helden also verschont, und darum ist die Erzählung auch so sauer geraten. Im Feuilleton kann sie stehen, wenn nicht, dann werde ich sie kürzen müssen...

Danke, daß Sie mein Stück gelesen haben. Ich wußte selbst, daß der IV. Akt nichts taugt, aber ich hatte das Stück doch aus der Hand gegeben unter dem Vorbehalt, daß ich einen neuen Akt machen würde. Mehr als die Hälfte Ihrer Anmerkungen sind so, daß ich mich ihrer unbedingt bedienen werde. Die Abramova will mir das Stück zu sehr vorteilhaften Bedingungen abkaufen. Ich werde es ihr wohl verkaufen. Wenn ich es auf die Bühne bringe, werde ich so viel verändern, daß Sie es nicht wiedererkennen werden.

Ich würde mit Vergnügen kommen, um Sie zu sehen, aber mich schreckt der Gedanke an die 343 Besuche, die ich in Petersburg zu machen hätte.

In meiner Wohnung wird pausenlos gelacht.

Ich eile, dieses Paket auf die Post zu bringen.

Bleiben Sie gesund. Wieso haben Sie Kopfschmerzen? Sicher ist das Wetter daran schuld.

Influenza ist eine Krankheit, die den Ärzten längst bekannt ist, weshalb es die Ärzte auch nicht für nötig halten, groß Geschrei darum zu machen. Es ist eine Form von Grippe; die bekommen sowohl Menschen als auch Pferde. *Ihr A. Čechov.*

Wenn es die Sache nicht erschwert, schicken Sie mir die Korrektur.

248) AN L.N. LENSKAJA MOSKAU, 15. 11. 1889

15. November.

Verehrte

Lidija Nikolaevna!

Seien Sie meine Wohltäterin, übersetzen Sie mir die beiliegende Rezension. Unsere jungen Damen haben sich zwei Stunden lang die Köpfe zerbrochen und, soweit ich verstand, nur ein einziges Wort entziffern können – »Antoine«. Eine vollständige Übersetzung wäre ein unverdienter Luxus; mir würde es völlig reichen, wenn Sie sich die Mühe machten, mir nur ein Stückchen vom Anfang, aus der Mitte und vom Schluß zu übersetzen; erfassen Sie den Grundton des Artikels – und schon dafür vielen Dank, die Einzelheiten sollen die Franzosen lesen. Nachdem Aleksandr Pavlovič die pseudoklassischen Fesseln bereits abgeschüttelt hat, von denen er schrieb, d. h. nicht mehr »Hernani« studiert, könnte ich ja kommen, ohne Gefahr zu laufen, ihn zu stören. Ich werde wegen der Übersetzung am Freitag oder Samstag kommen. Wenn die Übersetzung dann nicht fertig sein sollte, ist es nicht schlimm, damit hat es keine Eile.

Es ist mir doppelt peinlich: ich belästige Sie und kann keine Sprachen. Ach, wie gern würde ich mich durchprügeln! Ohne Sprachen fühlt man sich wie ohne Paß. Bringen Sie Sasik drei Sprachen bei – mindestens.

Ich möchte gern mit Aleksandr Pavlovič sprechen. Grüßen Sie ihn und wünschen Sie ihm alles Gute.

Verzeihen Sie die Belästigung durch Ihren Sie verehrenden und Ihnen ergebenen *A. Čechov.*

249) AN A.S. LAZAREV-GRUZINSKIJ MOSKAU, 23. 11. 1889

23. November.

Bester Aleksandr Semënovič!

Ihr Gorškov wird, wie ich auf einem consilium mit Ežov befunden habe, im Theater Abramova laufen. Heute oder morgen gebe ich ihn Solovcov.

»Wer ist der Sieger« ist zurückgekommen. Der »Artist« veröffentlicht Stücke nur, wenn sie bereits von der Dramatischen Zensur genehmigt und ins Repertoire aufgenommen worden sind. Schreiben Sie Ihr Stück also rasch in zwei Exemplaren ab und schicken Sie es zur Zensur. Zwei Marken zu 80 Kop. Bittgesuch: »An die Hauptverwaltung für Presseangelegenheiten. Gesuch von Hofrat A.S.L., wohnhaft dort und dort. Beiliegend überreiche ich zwei Exemplare meines Stückes ›Wer ist der Sieger‹ und habe hiermit die Ehre, die Hauptverwaltung zu bitten, es zur Aufführung auf dem Theater zu genehmigen. Der und der.«

Das von der Zensur genehmigte Exemplar schicken Sie mir, und ich gebe es Rassochin zur Vervielfältigung. Den »Artist« brauchen Sie überhaupt nicht. Wozu dort ein Stück veröffentlichen, wenn es nach dem Willen des Autors gar nicht auf die Bühne kommen soll? Was hat das für einen Sinn?

An allen Theatern gibt es haufenweise neue Stücke. Wenn ich Lust hätte, den Propheten zu spielen, ich würde Ihnen nichts Gutes voraussagen. Ich halte mich an die Regel: im Winter schreibe ich ein Stück, aber nicht für den Winter, sondern für nächsten Herbst. »Bär« und »Heiratsantrag« habe ich ein halbes Jahr vor Beginn der Saison geschrieben. Sonst ist es schwer, mit der Konkurrenz mitzuhalten. Und Ihnen gebe ich den Rat, murren Sie nicht über Ihr Schicksal, wenn Ihre Stücke in dieser Saison nicht gespielt werden. Wir werden darüber sprechen, wenn Sie nach Moskau kommen.

Bleiben Sie gesund. »Wer ist der Sieger« ist mir ein bißchen gesucht und prätentiös. Geben Sie ihm einen anderen Titel, mit nur *einem* Wort.

Schlagen Sie Alarm: Lejkin hat die Pariser Ausstellung nicht gefallen. Die armen Franzosen. *Ihr A. Čechov.*

250) AN N. S. TICHONRAVOV MOSKAU, 23. 11. 1889

23. November.

Wirkl. Mitglied A. P. Čechov.

Gnädiger Herr

Nikolaj Savvič!

In Beantwortung Ihres Briefes bezüglich der Änderungsvorschläge am Statut der Gesellschaft habe ich die Ehre, mein Einverständnis zu erklären.

Empfangen Sie die Versicherung der Hochachtung und Ergebenheit Ihres untertänigsten Dieners *A. Čechov.*

251) AN A. N. PLEŠČEEV MOSKAU, 27. 11. 1889

27. November.

Guten Tag, lieber und teurer Aleksej Nikolaevič! Verzeihen Sie, daß ich Ihnen so lange nicht geschrieben habe. In Trägheit schleppt' ich meine Tage, ich trank, ich aß, ich lachte ohne Sinn oder, um es erhabener auszudrücken, muthlos in sich zusammenbrach, von eitlem Erdentand bemeistert, der Dichter, er hat nichts getan und auch niemandem geschrieben.

Womit soll ich anfangen? Mit dem »Waldschrat« ... In eine dicke Zeitschrift zu kommen, ist für ein Stück eine sehr große Ehre; ich danke Ihnen, bitte aber um die Erlaubnis, diese Ehre ausschlagen zu dürfen, denn mein Stück besitzt, bevor es nicht auf dem Theater gegeben und nicht in den Rezensionen verrissen worden ist, für eine Zeitschrift keinerlei Wert, vielmehr würden in seiner Veröffentlichung viele zu Recht eine Parteinahme des »Sev. vestn.« für Čechov erblicken.

Man würde sagen: Čechovs Stück ist nirgends gelaufen und wird gedruckt, warum druckt man nicht die Stücke, die auf der Bühne gespielt worden sind und Erfolg gehabt haben? Das zum einen. Zweitens sehe ich das Stück als nicht fertig für den Druck an, bevor es nicht auf den Proben korrigiert worden ist. Warten Sie, mein Lieber, die Stunde hat noch nicht geschlagen. Wenn das Stück auf den Proben korrigiert worden ist, werde ich mich an Sie wenden, ohne auf eine Aufforderung von Ihnen zu warten.

Was ist mit dem »Sev. vestnik«? In Moskau hält sich hartnäkkig das Gerücht, er werde an Čujko übergehen. Ich glaube das natürlich nicht. Dicke Zeitschriften gibt es in Rußland weniger als Theater und Universitäten; an ihrem Schicksal ist das gesamte lesende und denkende Publikum interessiert; man beachtet sie, erwartet etwas von ihnen usw. usf. Wir müssen sie auf jede Weise vor der Zerstörung bewahren – das ist unsere ureigenste Pflicht. Sie schrieben mir: wir werden uns halten. Ich antworte: das werden wir.

Ich möchte schrecklich gern nach Piter kommen; ich möchte Sie sehen, Suvorin, Jean, aber mich schreckt die Million Besuche, die ich machen müßte. Es wäre schön, incognito zu reisen. Suvorin schrieb mir, er wolle bald nach Moskau kommen. Wenn das stimmt, dann fahren wir gemeinsam nach Petersburg zurück.

Bei uns war drei Wochen lang Nataša Lintvarëva zu Gast. Die Wände unseres kommodenähnlichen Hauses haben gebebt von ihrem dröhnenden Gelächter. Eine beneidenswerte Gesundheit und eine beneidenswerte Verfassung. Solange sie bei uns war, spürte man in unserer Wohnung sogar in der Luft die Anwesenheit von etwas Gesundem und Lebensfrohem.

Sie haben ein Stück von Daudet übersetzt und wollen es bei der Abramova aufführen lassen? Man sagt, die Abramova leite das Theater nicht mehr, die Schauspieler hätten eine Genossenschaft gegründet. Wie weit das stimmt, weiß ich nicht. Das Daudetstück wird gleichfalls bei der Goreva und bei Korš gespielt.

Nemirovič Vladimir sagte, er habe sich mit Ihnen getroffen. Ich glaube, dieser Nemirovič ist ein sehr netter Mensch, und mit der Zeit wird aus ihm ein echter Dramatiker werden. Zumindest schreibt er von Jahr zu Jahr besser. Er gefällt mir auch äußerlich: er benimmt sich anständig und bemüht sich um Takt. Anscheinend arbeitet er an sich.

In meinem Kopf häufen sich die Sujets. Es hat sich so viel Unsinn aller Art angehäuft, daß in Bälde eine Explosion zu erwarten ist.

Wie geht es Ihnen? Hat die allgemeine influenza Sie verschont?

Alle meine Angehörigen lieben Sie wie eh und je und erinnern sich jeden Tag an Ihren Besuch bei uns in Luka. Sie lassen grüßen. Meine Schwester läßt auch Elena Alekseevna grüßen.

Ich grüße ebenfalls, umarme Sie fest und bleibe in Erwartung eines Briefes von Ihnen Ihr herzlich ergebener *A. Čechov.*

252) AN A.S. SUVORIN MOSKAU, 27. 11. 1889

Euer Exzellenz! Heute war der Redakteur des »Artist« bei mir und bat mich, mich mit folgenden Vorschlägen an Sie zu wenden:

1) Die Redaktion jener Zeitschrift möchte eine eigene Abteilung in Ihren Buchhandlungen in Petersburg, Odessa und Charkov eröffnen – zur Aufnahme von Abonnementsbestellungen wie zum Verkauf einzelner Nummern an Privatpersonen und an Buchhändler. Dafür wäre der »Artist« bereit, einen höheren Rabatt zu gewähren. Er möchte bei Ihnen denselben Status genießen wie der »Selskij chozjain« und, so wie dieser, montags Anzeigen der neu erschienenen Bücher bringen.

2) Die Redaktion möchte aus der Moskauer Buchhandlung die bei Ihnen angebotenen Stücke und Bücher zu demselben Rabatt beziehen, den Sie Buchhändlern und Pharisäern gewähren; dieser Rabatt ist notwendig, da der »Artist« selbst Stücke verkauft, die die Theater und Salons bei ihm bestellen. Dafür verspricht er, Anzeigen aller Stücke und Bücher über Kunst in die Zeitschrift zu setzen, die bei Ihnen angeboten werden, und sie zusammen mit den Stücken zu drucken, die von der Redaktion angeboten werden.

Man bittet um rasche Antwort, um eine positive natürlich. Wenn Sie nach Moskau kommen, werden Sie Kumanin, den Redakteur des »Artist« kennenlernen. Das Geschäft läuft solide, aber nicht auf großem Fuße. Man bereitet schon eine zweite Auflage der ersten Hefte vor.

Bei uns herrscht Frost, aber Schnee liegt noch keiner. Ich erwarte Sie voller Ungeduld und nenne Sie absichtlich Euer Exzellenz, um Ihnen den »Slavjanskij bazar« in Erinnerung zu rufen. In der Kudrina nennen mich die Droschkenkutscher jetzt auch schon Exzellenz.

Der »Artist« erscheint ohne Konzept. Es fehlt ein Redakteur. Geld gibt man sehr viel aus, aber auf die Idee, mich als Redakteur zu engagieren (für 1000 R. im Monat), ist noch niemand gekommen. Als erste Amtshandlung würde ich meine Pranke auf Golcev und Storoženko legen. Ich habe die Professoren dick, auch wenn ich weiß, daß es sehr gute Menschen sind. Als Autoren haben sie keinen Mut und ein furchtbar wichtiges Gehabe.

Denken Sie daran, daß ich auf Sie warte. Am Tag Ihrer Ankunft telegraphieren Sie, ich komme dann in den »Slav.bazar«.

Wegen der Kopfschmerzen. Wollen Sie in Moskau nicht Zacharjin konsultieren? Er wird Ihnen einhundert Rubel abnehmen, Ihnen aber für eintausend m i n i m u m Nutzen bringen. Sein Rat ist viel wert. Wenn er die Kopfschmerzen nicht ausheilt, so wird er Ihnen doch so viele gute Ratschläge und Verhaltensmaßregeln geben, daß Sie 20–30 Jahre länger leben. Und es ist auch interessant, ihn kennenzulernen. Ein Typ.

Zacharjins Vorlesungen sind erschienen. Ich habe sie mir gekauft und gelesen. Oh weh! Ein Libretto, aber keine Oper. Da fehlt die Musik, die ich hörte, als ich Student war. Woraus ich schließe, daß talentierte Pädagogen und Redner nicht immer erträgliche Schriftsteller zu sein brauchen. Wenn ich eine Rezension über seine Vorlesungen schriebe und sie im »Novoe vremja« veröffentlichte, würde Sie der Besuch bei ihm nichts kosten. Aber das werde ich nicht tun. Weshalb Sie verwöhnen?

Bleiben Sie gesund und munter, die Engel des Himmels mögen Sie beschützen.

Anna Ivanovna meinen herzlichen Gruß. Ich möchte furchtbar gern mit ihr reden. *Ihr A. Čechov.*

253) AN N. N. OBOLONSKIJ MOSKAU, 29./30. 11. 1889

Die influenza, die sich meines ganzen Wesens bemächtigt hat, beraubt mich der Möglichkeit, Sie zu besuchen und Ihnen zu empfehlen, möglichst bald Nr. 4940 des »Novoe vremja« zu erwerben (vom Dienstag), wo die Erzählung veröffentlicht ist, die die Initialen Ihres Namens zieren.

Nieder mit der influenza, es leben die großen Männer, darunter auch Sie und ich! Und in welchem Stadium befindet sich Ihre Liebe? *A. Čechov.*

254) AN A. S. SUVORIN MOSKAU, 5. 12. 1889

5. Dez.

Endlich hat es geschneit.

Seien Sie so gut, sagen Sie telephonisch Bescheid, daß mir das Kontor das Honorar für die »Spießbürger« schickt. Der Teufel solls holen, ich habe kein Geld. Der »Severn. vestn.« leidet offensichtlich Not, denn er hat mir die Hälfte des Honorars für meine Erzählung noch nicht geschickt – das unter uns. Schade.

Ich weiß nicht, wohin ich fahren soll: nach Piter oder aufs Land.

Bleiben Sie gesund. *Ihr A. Čechov.*

Sie haben über die »Alten Jahre« geschimpft. Aber die sind vorher doch bei Ihnen gelobt worden. Wissen Sie, wie die Schauspielerinnen Špažinskij nennen? Den ausgebrannten Feuerwehrturm und Siegellack in Trauer. Das eine wie das andere paßt gleichermaßen.

255) AN A. I. SUMBATOV-JUŽIN MOSKAU, 14. 12. 1889

14. Dezember.

Lieber Aleksandr Ivanovič, ich schicke Ihnen das Stück, über das wir gesprochen haben. Ich bekam es gestern von der Zensur zurück, habe es durchgelesen und finde jetzt, daß nach »Macbeth«, nachdem das Publikum auf Shakespeare eingestimmt ist, dieses Stück Gefahr läuft, unbescheiden zu erscheinen. Wirklich, nach den herrlichen Shakespeareschen Bösewichtern dieses kleine Groschengelichter zu sehen, das ich darstelle, das ist alles andere als geschmackvoll.

Lesen Sie es. Ich glaube nicht, daß es nach dem Geschmack der Fedotova ist.

Bleiben Sie gesund. *Ihr A. Čechov.*

256) AN A.S. SUVORIN MOSKAU, ca. 20. 12. 1889

... [1]) Skizzen, Feuilletons, Dummheiten, Vaudevilles, langweilige Geschichten, eine Unmasse von Fehlern und Ungereimtheiten, pudweise beschriebenes Papier, der Preis der Akademie, Potëmkin – und bei alledem keine einzige Zeile, die in meinen Augen ernsthafte literarische Bedeutung besäße. Da war eine Masse Arbeit unter extremen Bedingungen, aber keine Minute ernsthafter Arbeit. Als ich neulich Bežeckijs »Familientragödie« las, weckte diese Erzählung in mir so etwas wie ein Gefühl des Mitleids mit dem Autor; genau dasselbe Gefühl habe ich, wenn ich meine Bücher ansehe. In diesem Gefühl steckt Wahrheit von der Größe einer Mücke, aber mein Argwohn und Neid auf die Arbeiten anderer blasen sie auf zur Größe eines Elefanten. Ich möchte mich leidenschaftlich gern irgendwo für fünf Jahre verkriechen und mich mit mühevoller ernsthafter Arbeit befassen. Ich muß lernen, muß alles ganz von vorn lernen, denn als Literat bin ich ein enormer Ignorant; ich muß gewissenhaft schreiben, mit Gefühl, mit Sinn und Verstand, ich darf nicht fünf Bogen in einem Monat schreiben, sondern einen Bogen in fünf Monaten. Ich muß von Hause weggehen, muß anfangen, mit 700–900 R. im Jahr auszukommen und nicht, wie jetzt, mit 3–4 Tausend, ich muß auf vieles pfeifen, aber in mir steckt mehr kleinrussische Trägheit als Mut.

---

[1]) Der Anfang des Briefs ist verloren.

Meinen »Waldschrat« habe ich an die Abramova verkauft – und hätte es nicht tun sollen. Aber, so meint meine träge Seele, jetzt wird das Geld für 3–4 Monate reichen. Da haben Sie meine kleinrussische Logik. Ach, was sind die jungen Leute heutzutage verdorben!

Die Gesundheit meiner Hausgenossen hat sich gebessert. Ich huste auch nicht mehr. Ich möchte Sie furchtbar gern sehen. Ich komme wahrscheinlich Anfang Januar.

Die Tage werden länger. Es geht auf den Frühling zu, dabei ist noch gar kein Winter gewesen.

Im Januar werde ich 30 Jahre alt. Eine Gemeinheit. Und ich bin in einer Stimmung, als wäre ich 22.

Werden Sie bitte nicht krank, und sagen Sie Anna Ivanovna, sie soll ihre Krankheiten irgendjemand anderem schenken.

Soll ich nicht zu Neujahr nach Piter kommen?

Ihr A. Čechov.

257) AN A. N. PLEŠČEEV — MOSKAU, 25. 12. 1889

25. Dez.

Seien Sie gegrüßt, lieber Aleksej Nikolaevič, ich wünsche Ihnen Glück zu Weihnachten und zum Neuen Jahr!

Übrigens will ich von vorn anfangen. Ich war neulich in der Redaktion des »Artist« und traf dort den Redakteur, in Ihrer Übersetzung des »Kampfs ums Dasein« blätternd. Neben dem Redakteur saß noch jemand, irgendein Iks von der Art eines Redaktionssekretärs oder Golcev. Beide saßen da und sprachen darüber, daß die Übersetzung nicht veröffentlicht werden würde. Aus Angst, daß sie Ihnen irgendetwas vorlügen könnten, bat ich um Erlaubnis, mich setzen und Ihnen das Schicksal Ihrer Übersetzung selbst mitteilen zu dürfen; veröffentlicht wird die Übersetzung von Mattern, dem man das längst versprochen hatte, und ich wundere mich über diese verantwortungslose Redaktion, die Ihnen eine solche Arbeit macht und dabei *mit Sicherheit* weiß, daß Ihre Übersetzung nicht veröffentlicht werden wird.

Ich habe sie beschimpft. Jetzt zum Theater Abramova. Soweit ich Solovcov & Co. verstanden habe, werden sie den »Kampf« überhaupt nicht inszenieren, auch wenn sie lügen und sagen, sie würden es nach den Feiertagen tun. Kurzum, die beste Übersetzung des »Kampfs« bleibt unbeachtet, was mich furchtbar empört. Außer Ihrer Übersetzung kenne ich noch drei, die bereits in der Provinz in Umlauf sind; schlechte Übersetzungen, sprachlich plump ... Man sagt, die Übersetzung, die bei Korš läuft, sei geradezu lachhaft schlecht. Zustände sind das, der Teufel solls holen!

»Struensee« habe ich bekommen. Herzlichen Dank. Ich habe es gelesen. Ein gutes Stück, aber es hat viele Farben, die an deutsche Tafelbilder erinnern. Zum Beispiel die Szenen mit dem Pastor ... Der Schluß hat mich nicht befriedigt. Aber im ganzen hat mir das Stück gefallen. Rußland braucht seinen Struensee, wie es einmal Speranskij gebraucht hat ... Herren von der Art Rantzaus gibt es bei uns manchmal unter den Adelsmarschällen, im Zemstvo, bei der Armee, aber in Petersburg gibt es sie nicht. Dafür viele Kellers und Hofdamen, die überall gleich schädlich und farblos sind, an allen Höfen und in allen Theaterstücken.

Ich werde zu Ihnen nach Petersburg eilen, aber ich kann es nicht vor der Mitgliederversammlung der Ges. d. dramat. Schriftsteller, auf der ich als Mitglied des Komitees anwesend sein muß. Wann diese Versammlung sein wird, ist noch ungewiß. Wahrscheinlich Anfang Januar. Ihre Petersburger Versammlung hat vieles mißverstanden und vieles durcheinandergeworfen, so daß es schwer ist, das alles zu entwirren. Ich bedaure, damals nicht nach Petersburg gekommen zu sein; es hätte jemand vom Komitee anwesend sein und Erläuterungen geben sollen. Wenn wir uns sehen, werde ich Ihnen erzählen, worum es geht.

Mein »Waldschrat« wird am 27. Dezember im Theater Abramova gespielt.

Ich war auf einer Probe. Die Männer haben mir im allgemeinen gefallen, die Damen habe ich mir noch nicht angesehen. Es läuft anscheinend ganz flott. Den Schauspielern gefällt das Stück. Über die Veröffentlichung reden wir ebenfalls, wenn wir uns sehen. Soweit man es nach den Proben beurteilen kann, wird das Stück in der Provinz Furore machen, denn es hat viel Komisches, und die Menschen sind alle aus dem Leben gegriffen, in der Provinz wohl bekannt.

Der Winter in Moskau – zum Ausspucken. Kein Schnee.

Alle meine Angehörigen sind gesund, ich desgleichen. Die Influenza ist bei allen vorüber. Und wie geht es Ihnen? Sehen Sie Jean Ščeglov?

Ich habe Kopfschmerzen. Ich mache eine Spazierfahrt, frische Luft schnappen.

Alle Meinigen lassen grüßen. Meine Schwester sendet Ihnen Gruß und Glückwunsch. Ich grüße alle Ihre Angehörigen und bete zum Himmel, daß er Ihr Haus bewahren möge vor jeglichem Feind und Widersacher. Gott schenke Ihnen alles Gute!

Ihr A. Čechov.

258) AN A. S. SUVORIN MOSKAU, 27. 12. 1889

27. Dez.

Jungfrauen und keusche Mägdelein bringen mir ihre Werke; aus dem Haufen Mist habe ich eine kleine Erzählung gewählt, darin herumgestrichen und schicke sie Ihnen. Lesen Sie sie. Sie ist klein und anspruchslos. Und taugt wahrscheinlich für die Samstagsbeilage. Sie heißt: »Ein Morgen des Notarius Gorškov.«

Im Tone Jean Ščeglovs, wenn er Sie bittet, mit ihm über das Theater zu sprechen, bitte ich: »Erlauben Sie mir, mit Ihnen über die Literatur zu sprechen!« Als ich Ihnen in einem meiner letzten Briefe über Bourget und Tolstoj geschrieben habe, dachte ich am allerwenigsten an schöne Odalisken oder daran, daß der Schriftsteller nur die stillen Freuden schildern solle. Ich habe nur sagen wollen, daß die besten der modernen Schriftsteller, die ich liebe, dem Bösen dienen, weil sie zerstören. Die einen, wie Tolstoj, sagen: »Benütze keine Frauen, weil sie Leukorrhöe haben; die Frau ist ekelhaft, weil sie aus dem Munde riecht; das Leben ist die reine Heuchelei, ist der reine Betrug, denn der Mensch führt morgens die Klistierspritze ein, und vor dem Tode sitzt er mühevoll auf dem Topf und sieht seine abgemagerten Schenkel.« Die anderen dagegen, die noch nicht impotent, noch nicht vom Körper übersättigt sind, dafür aber schon vom Geist, überanstrengen ihre Phantasie bis zu den grünen Teufeln und erfinden einen nichtexistenten Halbgott Sixte und »psychologische« Versuche. Bourget hat zum Schluß zwar einen guten Ausgang angehängt, aber diesen banalen Schluß vergißt man rasch, im Gedächtnis bleiben nur Sixte und die »Versuche«, die hundert Fliegen auf einen Streich erschlagen: sie kompromittieren in den Augen der Menge die Wissenschaft, die, gleich Caesars Frau, über jeden Verdacht erhaben sein muß, und sie behandeln aus der Höhe schriftstellerischer Größe Gewissen, Freiheit, Liebe, Ehre, Moral, indem sie der Menge die Überzeugung vermitteln, daß alles, was das Tier in ihnen im Zaume hält und sie von einem Hund unterscheidet und was der Natur in jahrhundertelangem Kampf abgerungen worden ist, mit Leichtigkeit durch »Versuche« diskreditiert werden könne, wenn nicht heute, so in der Zukunft. Ist es denn wahr, daß solche Autoren »zwingen, das Beste zu suchen, zwingen, nachzudenken und zuzugeben, daß das Schlechte tatsächlich schlecht ist«? Zwingen sie denn wirklich zu einer »Erneuerung«? Nein, sie zwingen Frankreich zu degenerieren, und in Rußland helfen sie dem Satan bei der Vermehrung jener Würmer und Kellerasseln, die wir Intellektuelle zu nennen gewohnt sind. Die träge, apathische, faul vor sich hin philosophierende, kalte Intelligenz, die nicht einmal fähig ist, ein anständiges Muster für Banknoten zu entwerfen, die unpatriotisch, deprimiert und farblos ist, die von einem Glas betrunken wird und Fünfzigkopeken-Bordelle besucht, die herumnörgelt und gern *alles* ablehnt, was ein träges Hirn leichter ablehnen als bestätigen kann; die nicht heiratet und es ablehnt, Kinder aufzuziehen usw. Träges Herz, träge Muskeln, Mangel an Bewegung, Unbeständigkeit des Denkens – und all das nur, weil das Leben keinen Sinn habe, die

Frauen Leukorrhöe haben und das Geld etwas Böses sei. Wo Degeneration und Apathie herrschen, da herrschen auch sexuelle Perversion, Unzucht, Abtreibungen, frühes Alter, nörglerische Jugend, da herrschen Niedergang der Kunst, Gleichgültigkeit gegenüber der Wissenschaft; da herrscht *Ungerechtigkeit* in jeder Form. Eine Gesellschaft, die nicht an Gott glaubt, aber Angst hat vor bösen Vorzeichen und dem Teufel, die *alle* Ärzte ablehnt und die gleichzeitig Trauer um Botkin heuchelt und sich kniefällig verneigt vor Zacharjin, darf nicht einmal im Traum daran denken zu sagen, sie wisse, was Gerechtigkeit sei.

Deutschland kennt keine Autoren wie Bourget und Tolstoj, und darin liegt sein Glück. In Deutschland gibt es Wissenschaft, Patriotismus, gute Diplomaten, alles, was Sie nur wollen. Es wird Frankreich schlagen, und seine Verbündeten werden die französischen Autoren sein.

Man hat mich beim Schreiben gestört, sonst hätte ich heute fünf Bogen an Sie vollgeschrieben. Irgendwann später.

Heute wird der »Waldschrat« gespielt. Der IV. Akt ist vollkommen neu. Seine Existenz verdankt er Ihnen und Vlad. Nemirovič-Dančenko, der mir, nachdem er das Stück gelesen hatte, einige überaus praktische Hinweise gegeben hat. Die Männer können ihre Rollen nicht und spielen nicht übel; die Damen können ihre Rollen und spielen miserabel. Über die Aufführung meines Stückes wird Ihnen der stumpfsinnige Filippov schreiben, der mich vor ein paar Tagen um ein Sujet für einen Brief an Sie gebeten hat. Langweilig sind die Leute.

Ich wünsche Ihnen glückliche Feiertage. *Ihr A. Čechov.*

Allen Ihren Angehörigen einen Gruß von ganzem Herzen.

259) AN I. M. KONDRATJEV MOSKAU, 28. 12. 1889

28. Dezember.

Verehrter

Ivan Maksimovič!

Das Theaterstück »Der Waldschrat« habe ich bis zum 15. Februar 1890 an das Theater Abramova gegeben. Mit dem Alexandratheater in Petersburg habe ich Verträge über folgende meiner Stücke geschlossen:

»Ivanov«

»Der Bär« bis zum 25. Januar 1891.

»Der Heiratsantrag« – bis September 1891.

»Schwanengesang« – bis 28. Dezember 91.

Heute fahre ich aufs Land, und von dort nach Petersburg, wo ich in der Redaktion des »Novoe vremja« absteigen werde. Ich werde in Petersburg bleiben, bis ich Nachricht von Ihnen bekommen habe.

Ich wünsche Ihnen glückliche Feiertage und alles Gute.

Ihr aufrichtig ergebener A. Čechov.

1890

260) AN A.A. KISELËVA PETERSBURG, 8. 1. 1890

8. Januar.

Hochverehrte Gnädige Frau

Vasilisa Pantelevna!

Ich habe die Ehre, Ihnen zum Tage Ihres Engels zu gratulieren und Ihnen Viele Künftige in Guter gesundheit und wohlbefinden zu wünschen, und Gleichfalls Ihren eltern.

Ich Schicke Ihnen aus Tiefstem herzen folgende Geschenke:

1) eine Schere um den Mäusen und Spatzen die Schwänze abzuschneiden.

2) Zwei Federn zum Gedichteschreiben: eine Feder für schlechte Gedichte, Und eine andere für gute.

3) Einen Bilderrahmen für das Porträt irgendeiner Fresse.

4) Eine Berlocke aus Reinem silber, die ich von der bekannten kinderschriftstellerin Als Geschenk bekommen habe.

5) Einen Großen karton briefpapier mit Veilchen zum Briefeschreiben an Tyšečka mit Mütze, tyšečka ohne Mütze und andere Säugethiere beiderlei Geschlechts.

6) Sachet, das ich Sie eindringlich Bitte, zwischen Das briefpapier zu legen, damit es dufte.

7) Eine Nummer Der slavjanskaja Gazeta zum lesen auf Nüchternen Magen.

8) die Geschichte des Altertums mit illustrationen; aus dieser geschichte Geht hervor, daß auch im alterthum Dummköpfe, esel und schurken gelebt haben.

9) Weitere geschenke giebt es Nicht.

Da ich Mich für die geschenke verausgabt und mich darum Ohne jegliche mittel befinde um zu Existieren, Bitte Ich Sie Mir geld zu schicken. Wenn Sie kein Geld haben, stehlen Sie Welches bei ihrem Papa und schicken Sie Es mir.

Mit Aufrichtiger hochachtung habe ich die Ehre zu Verbleiben ihr Ergebener diener *Vasilij Makaryč.*

Verzeihung daß der Brief so nachlässig geschrieben ist. Das kommt Von der aufregung.

261) AN F. A. KUMANIN PETERSBURG, 8. 1. 1890

8. Jan.

Bester Fëdor Aleksandrovič, ich habe Ihren Brief bekommen und antworte Ihnen vor allem mit guten Wünschen zum Neuen Jahr, ich wünsche Ihnen Glück und fünftausend neue Abonnenten.

Als ich abreiste, bat ich meinen Bruder, den *ganzen* zensierten »Waldschrat« von Solovcov zu holen. Jetzt werden wir es bis zum Januarheft natürlich nicht mehr schaffen. Wenn Sie die Fahnen noch nicht abgeschickt haben, warten Sie damit bis zu meiner Rückkehr; ich komme am 12.–13. Januar, lese dann Korrektur, verbessere und schicke das Ganze dann von Moskau aus zur Zensur.

Jetzt eine Bitte: veröffentlichen Sie den »Waldschrat« nicht!! Der »Waldschrat« hat für den »Artist« absolut keinen Wert: dem Moskauer Publikum hat er nicht gefallen, die Schauspieler hat er verwirrt, die Zeitungsschreiber verärgert... Geben Sie ihn mir zurück: im »Artist« wird er unbeachtet bleiben, niemandem Nutzen bringen, und Ihre 200 Rubel sind sozusagen zum Fenster hinausgeworfen. Ich wiederhole, mein »Waldschrat« hat für den »Artist« keinerlei Wert.

Wenn Sie meine Bitte erhören, werde ich Ihnen danken bis in alle Ewigkeit und so viele Erzählungen für Sie schreiben, wie Sie nur wollen, und seien es zwei Millionen.

Ich bitte Sie *im Ernst.* Für den Fall Ihres Einverständnisses antworten Sie mir so bald wie möglich. Ihre Ablehnung würde mich ins Herz treffen und mir einigen Kummer bereiten, weil ich damit der Möglichkeit beraubt wäre, weiter am »Waldschrat« zu arbeiten. Wenn Sie mit dem Satz bereits begonnen haben, bezahle ich Ihnen die Satzkosten, gehe ins Wasser, hänge mich auf... was Sie wollen.

In Piter ist widerliches Wetter. Man fährt im Schlitten, aber ohne Schnee. Das ist kein Wetter, sondern eine Art Onanie.

Bleiben Sie gesund. *Ihr A. Čechov.*

262) AN M.P. ČECHOVA PETERSBURG, 14. 1. 1890

14. Jan.

Unvorhergesehene Umstände haben mich einige Tage länger aufgehalten. Ich bin gesund und munter. Neuigkeiten gibt es keine. Übrigens habe ich neulich die »Macht der Finsternis« von Tolstoj auf der Bühne gesehen. Bin bei Repin im Atelier gewesen. Sonst noch was? Sonst nichts. Im Ganzen ist es langweilig.

Heute bin ich auf die Hundeausstellung gegangen; ich bin mit Suvorin dorthin gegangen, der, während ich diese Zeilen schreibe, neben mir steht und bittet:

– Schreiben Sie, daß Sie auf die Hundeausstellung gegangen sind zusammen mit dem berühmten Hund Suvorin.

Aleksandr und seine Kinder sind gesund.

Gruß an die Bekannten. Mehr ist nicht zu schreiben.

Dein A. Čechov.

In Petersburg faulenzt George Lintvarëv.

Ich warte auf einen Brief von Miša über »Artist« und »Waldschrat«.

263) AN M.N. GALKIN-VRASKIJ PETERSBURG, 20. 1. 1890

Euer Exzellenz

Gnädiger Herr

Michail Nikolaevič!

Da ich im Frühjahr dieses Jahres zu wissenschaftlichen und literarischen Zwecken nach Ostsibirien zu reisen beabsichtige und, unter anderem, den Wunsch habe, die Insel Sachalin zu besuchen, sowohl ihren zentralen als auch den südlichen Teil, habe ich die Kühnheit, Euer Exzellenz ergebenst zu bitten, mir nach Möglichkeit bei der Erreichung vorgenannter Ziele Unterstützung zu gewähren.

Mit aufrichtiger Hochachtung und Ergebenheit habe ich die Ehre, Euer Exzellenz untertänigster Diener zu sein.

Anton Čechov.

20. Januar 1890.

Malaja Italjanskaja, 18, Wohn. A.S. Suvorin.

264) AN M.V. KISELËVA PETERSBURG, 26. 1. 1890

Verehrte Marija Vladimirovna, ich bin nicht abgereist, kann Sie aber heute nicht besuchen kommen. Man hat mir den Registerband zum »Morskoj sbornik« von 1862 bis 82 gebracht und gebeten, ihn morgen früh zurückzugeben. Im Augenblick schreibe ich mir die Sachalin & Co. betreffenden Artikel heraus, schimpfe wie ein Rohrspatz und habe furchtbar schlechte Laune.

Morgen gegen 2–3 Uhr werde ich bei Ihnen sein. Einen Gruß an alle Ihren und Vasilisa Pantelevna. *Ihr Heuchler.*

90 $\frac{26}{I}$

Ich muß eine *sehr* wichtige Sache mit Ihnen besprechen.

265) AN M.P. ČECHOV PETERSBURG, 28. 1. 1890

28. Jan.

Miša, an welchem Tag verfällt mein Los? Serie 9145, Nr. 17?

Wenn die Frist am 2. oder 3. Februar abläuft, dann hole dir von Mama Geld und verlängere sie um ein weiteres halbes Jahr. Da die Quittung in meinem Schreibtisch eingeschlossen ist, bitte Volkov, das Geld ohne die Quittung in Empfang zu nehmen,

Дозволено цензурою Москва 1 Мая 1890 г.

Лѣшій.

Комедія въ 4-хъ дѣйствіяхъ

А. П. Чехова.

Литографія Коммиссіонера Общества Русскихъ Драматическихъ Писателей С. Ѳ. Разсохина. Москва, Тверская ул. Близъ Газетнаго пер, домъ Сушкина 2-й подъѣздъ изъ Георгіевскаго переулка.

»Der Waldschrat«.
Titelblatt des Textbuchs in der Theaterbibliothek S.F. Rassochin, oben der Vermerk: »Von der Zensur genehmigt am 1. Mai 1890.«

einfach so, aufgrund seiner Bücher, in denen er nachsehen kann. Die Quittung schicke ich ihm, wenn ich zurückbin.

Ich komme sicher nicht vor dem 4. oder 5. Februar. Habe schreckliche Sehnsucht.

Mit Galkin-Vraskij ist bereits fast alles geregelt. Die Reiseroute: die Kama entlang, Perm, Tjumen, Tomsk, Irkutsk, den Amur abwärts, Sachalin, Japan, China, Colombo, Port Said, Konstantinopel und Odessa. Ich werde auch nach Manila kommen. Abreise aus Moskau Anfang April.

Einen Gruß an alle Unsrigen und die Versicherung, daß ich Sehnsucht habe. Wenn du keine Zeit hast, zu Volkov zu gehen, bitte Maša darum.

Ich sehe oft Marija Vladimirovna und Vasilisa.

Aleksandr und seiner Familie geht es gut.

Dein A. Čechov.

266) AN A.N. PLEŠČEEV MOSKAU, 10. 2. 1890

10. Februar.

Lieber Aleksej Nikolaevič, endlich habe ich mich, nach allen Höllen und Fegefeuern, wieder in Moskau eingerichtet und sitze still und friedlich an meinem Tisch. Ich denke an die Sünden, die ich begangen, an die tausend Fässer Wein, die ich getrunken, an meine Besuche bei Galkin usw. usf. In dem einen Monat, den ich in Piter verbrachte, habe ich so viele große und kleine Dinge erledigt, daß man mich zum General befördern und gleichzeitig aufhängen müßte.

Ich bereite mich auf Sachalin vor und lese allen möglichen Unsinn, der sich darauf bezieht. Ich werde fahren – das ist beschlossen und steht unumstößlich fest. Ich fahre im April, wenn die Kama aufmacht; bis zu meiner Abreise werde ich also noch Gelegenheit genug haben, Ihnen mit meinen Briefen auf die Nerven zu fallen.

Ich habe meinen »Waldschrat« gelesen... Hier mein Entschluß. Der »Waldschrat« wird noch einmal gelesen, korrigiert und an den »Severnyj vestnik« geschickt. Ihr Wille geschehe! Ich schicke das Stück um den 20. Februar mit der dringenden Bitte – wenn es Ihnen nicht gefällt, schicken Sie es mir zur Vernichtung zurück.

In Moskau sind Suvorin und Grigorovič zu Gast. Ersterer um sich zu erholen, der andere hat irgend einen Marschbefehl in der Tasche.

Ich habe »Phädra« gesehen. Gut, aber langweilig. Überhaupt ist es langweilig in Moskau.

Die Meinen senden Ihnen einen herzlichen Gruß. Ich umarme Sie fest und danke Ihnen für Aufnahme und Gastlichkeit. Teilen Sie diesen Dank unter Ihre gesamte Familie auf, die ich herzlich grüße. Bleiben Sie glücklich und gesund. *Ihr A. Čechov.*

267) AN A. N. PLEŠČEEV MOSKAU, 15. 2. 1890

15. Febr.

Ich antworte Ihnen, lieber Aleksej Nikolaevič, sofort nach Erhalt Ihres Briefes. Sie hatten Namenstag? Ja, und ich hatte es vergessen!! Verzeihen Sie, Lieber, und nehmen Sie meinen verspäteten Glückwunsch entgegen.

Ihnen hat die »Kreutzersonate« nicht gefallen? Ich will nicht sagen, das sei eine geniale, bleibende Sache – da bin ich kein Richter, aber meiner Meinung nach kann man in der Masse dessen, was heute bei uns und im Ausland geschrieben wird, kaum etwas finden, das an Wichtigkeit der Grundidee und Schönheit der Ausführung von gleicher Stärke wäre. Um von den künstlerischen Qualitäten zu schweigen, die stellenweise verblüffend sind, ist man für die Novelle schon deshalb dankbar, weil sie ganz extrem zum Nachdenken anregt. Wenn man sie liest, kann man sich kaum enthalten zu rufen: »Das ist wahr!« oder »Das ist Unsinn!« Es ist wahr, sie hat sehr ärgerliche Mängel. Außer dem, was Sie aufzählen, hat sie noch etwas, was man ihrem Autor nicht verzeihen mag, und zwar – die Kühnheit, mit der Tolstoj von Dingen handelt, die er nicht kennt und die er in seiner Starrköpfigkeit nicht begreifen will. So können seine Ansichten über Syphilis, Erziehungshäuser, über den Ekel der Frauen am Beischlaf usw. nicht nur bestritten werden, sondern sie entlarven geradezu einen ungebildeten Menschen, der sich im Laufe seines langen Lebens nicht ein Mal die Mühe gemacht hat, zwei, drei Bücher von Spezialisten zu lesen. Aber trotzdem verfliegen diese Mängel wie die Spreu im Wind; angesichts der Qualitäten der Novelle bemerkt man sie einfach nicht, und wenn man sie bemerkt, so ärgert man sich nur darüber, daß die Novelle dem Schicksal aller menschlichen Werke nicht entgangen ist, die alle unvollkommen und nicht frei von Flecken sind.

Meine Petersb. Freunde und Bekannten sind mir böse? Warum? Weil ich ihnen so wenig auf die Nerven gefallen bin mit meiner Anwesenheit, die mir selbst schon so lange auf die Nerven fällt! Beruhigen Sie die Gemüter, sagen Sie ihnen, daß ich in Petersburg zu vielen Essen und Diners eingeladen war, aber *keine einzige* Dame betört habe, daß ich jeden Tag fest davon überzeugt war, noch am selben Abend mit dem Kurierzug abzureisen, daß Freunde und der »Morskoj sbornik« mich aufgehalten haben, den ich ganz durchblättern mußte, angefangen von 1852. In Petersburg habe ich in einem Monat so viel getan, wie meine jungen Freunde in einem ganzen Jahr nicht tun. Übrigens, sollen sie doch böse sein!

Daß ich mit Ščeglov im Pferdewagen nach Moskau abgereist sei, hatte der junge Suvorin meinen Angehörigen im Scherz telegraphiert, und die Meinen habens geglaubt; was die 35 000 Kuriere betrifft, die von den Ministerien zu mir gesprengt kamen, um mich zum Generalgouverneur von Sachalin einzuladen, so ist das einfach Quatsch. Mein Bruder Miša hatte den Lintvarëvs geschrieben, ich täte alles, um nach Sachalin zu kommen, und sie haben das offenbar mißverstanden. Wenn Sie Galkin-Vraskij sehen, so sagen Sie ihm, er möge unbesorgt sein wegen der Besprechung seiner Berichte. Ich werde seine Berichte in meinem Buch ausführlich behandeln und seinen Namen verewigen; diese Berichte sind wenig ergiebig: herrliches, reichhaltiges

Material, aber die Beamten-Schreiber haben es nicht zu nutzen vermocht.

Ich sitze den ganzen Tag, lese und exzerpiere. Im Kopf und auf dem Papier nichts anderes als Sachalin. Wahnsinn. Mania Sachalinosa.

Neulich war ich bei der Ermolova zum Essen. Ein Blümlein, wild, vom Feld, in einen Nelkenstrauß geraten, duftet auf einmal stärker als seine ganze Nachbarschaft. So verspürte auch ich, zwei Tage nach dem Essen bei dem Stern, einen Strahlenkranz um mein Haupt.

Habe die »Symphonie« von M. Čajkovskij gelesen. Sie hat mir gefallen. Man gewinnt beim Lesen einen sehr bestimmten Eindruck. Das Stück muß Erfolg haben.

Leben Sie wohl, mein Lieber, kommen Sie. Einen Gruß an die Ihren. Meine Schwester und Mutter lassen grüßen.

Ihr A. Čechov.

268) AN M.I. ČAJKOVSKIJ MOSKAU, 16. 2. 1890

16. Februar.

Lieber Modest Iljič, Ihre »Symphonie« hat mir sehr gefallen, die szenischen Schönheiten des Stückes kann ich beurteilen, nachdem ich eben erst dem Theater den Rücken gekehrt habe, erlauben Sie mir daher, darüber nicht zu sprechen. Die literarischen Qualitäten unterliegen nicht dem geringsten Zweifel. Das ist ein kluges, intelligentes Stück, in ausgezeichneter Sprache geschrieben, das einen sehr bestimmten Eindruck vermittelt. Ungeachtet dessen, daß mir die Hälfte der handelnden Personen als nicht typisch erscheint, daß Figuren wie Miločka nur flüchtig berührt werden, das Milieu wird klar umrissen, und ich habe jetzt, dank Ihrem Stück, eine Vorstellung von einem Lebenskreis, den ich vorher nicht kannte. Es ist ein nützliches Stück. Ich bedaure, kein Kritiker zu sein, sonst hätte ich Ihnen einen langen Brief geschrieben und bewiesen, daß Ihr Stück gut ist.

Sie sagten, glaube ich, das Publikum werde Ihr Stück nicht verstehen, weil das Stück ein zu spezielles Milieu zeige. Als ich das Stück las, hatte ich, zugegeben, zu viel des Guten erwartet, aber außer »Symphonie«, »Oper« und »Motiv« habe ich nichts Spezielles finden können und erlaube mir daher, Ihre Befürchtung nicht zu teilen.

Elena ist gut gemacht, auch wenn sie stellenweise wie ein Mann redet. Die Stelle, wo sie sich an die Sängerin in Monheim erinnert, ist nicht warmherzig genug, gerade wegen dieser Manier des männlichen Ausdrucks. Die Interpunktionszeichen würde ich an dieser Stelle anders setzen, zum Beispiel nach den Worten »mit einem Ridikül in den Händen« würde ich drei Punkte setzen, das folgende Wort »sie« würde ich streichen. Wenn allerdings Sängerinnnen wie Elena so männlich sind, dann habe ich unrecht. Das sind alles Kleinigkeiten.

Jadrincev ist Suvorins Adašëv ähnlich. Chodykov ist großartig gemacht, der Onkel ein sehr liebes Rindvieh... Am besten haben mir der I., II. und IV. Akt gefallen, weniger der III. Akt, wo Miločka keinen einzigen saftigen langen Satz hat, sondern nur irgendwelche Schluchzer. Der Schluß ist geistreich, besser kann man ihn sich gar nicht denken.

Den Chodykov sollte Svobodin spielen.

Ich kann mir vorstellen, wie schön man Ihre »Symphonie« bei uns im Kleinen Theater spielen würde. Unsere Moskauer Schauspieler können sprechen auf der Bühne – das ist wichtig. Den zweiten Akt würden sie wunderschön inszenieren.

Verzeihen Sie, ich schreibe, der Teufel weiß wie, kunterbunt durcheinander. Ich kann meine Meinungen nicht formulieren, obwohl ich mich Literat nenne.

Nach Sachalin fahre ich im April. Wenn Sie bis dahin nach Moskau kommen sollten, so bitte ich Sie dringend, mich zu besuchen. Bleiben Sie gesund und vergessen Sie nicht Ihren Verehrer und ein bißchen auch Saufkumpan *A. Čechov.*

269) AN A.S. SUVORIN MOSKAU, 19./21. 2. 1890

Danke für Ihre Mühen. Den Atlas von Kruzenštern brauche ich jetzt oder bei meiner Rückkehr von Sachalin. Besser jetzt. Sie schreiben, seine Karte sei schlecht. Deshalb brauche ich sie ja, weil sie schlecht ist, eine gute habe ich mir bereits bei Iljin gekauft für 65 Kop.

Den lieben langen Tag lese ich und schreibe, lese und schreibe... Je mehr ich lese, desto fester bin ich davon überzeugt, daß in den zwei Monaten nicht einmal ein Viertel dessen zu schaffen ist, was ich mir vorgenommen habe, und ich kann doch nicht länger als zwei Monate in Sachalin hocken bleiben: die verdammten Dampfer warten nicht! Die Arbeit ist vielfältig, aber stumpfsinnig... Man muß Geologe sein, Meteorologe, Ethnologe, und ich bin das nicht gewöhnt, es langweilt mich. Über Sachalin lesen werde ich bis März, solange ich Geld habe, danach setze ich mich an die Erzählungen.

Ich erinnere mich nicht mehr, weshalb ich mich in meinem Brief an Pleščeev aufgehängt habe. Wahrscheinlich wegen der Trinkerei. Ich schrieb ihm das natürlich in scherzhafter Form, und zwar, wie ich glaube, so: »... weshalb man mich aufhängen und gleichzeitig zum General befördern müßte.« Letzteres habe ich absolut verdient, denn ich habe in Piter so viel getrunken, daß ganz Rußland auf mich stolz sein kann! Ich erinnere mich auch, schrieb ich Pleščeev, daß ich in Piter in einem Monat so viel erledigt hätte, wie meine jungen Freunde, die mir aus irgendeinem Grunde böse sind, in einem ganzen Jahr nicht schaffen würden; und das ist nicht gelogen, denn jeder meiner Freunde ist 12mal fauler als ich.

Während ich bei Ihnen wohnte, habe ich viel gelesen, viel gesehen und gehört, habe nicht nur den Brei mit Galkin angerührt – und dies alles, die Weintrinkerei nicht eingerechnet und die Spaziergänge von Zimmerecke zu Zimmerecke.

M-me Lenskaja hat sich das Gesicht mit Talg eingeschmiert. Mamyšev war da und hat sich geärgert, daß man ihm den Kragen mit der Garantie auf 30 Jahre nach Zvenigorod und nicht nach

Volokolamsk geschickt hat, wo er lebt. Ich sagte ihm, daran seien Sie schuld.

Wenn Sie in Ihrer Bibliothek die »Skizzen mit Feder und Bleistift« von Vyšeslavcev haben, schicken Sie sie mir. Mein Dank ist Ihnen gewiß.

Ostrovskij war bei mir und fragte nach dem Schicksal des Buches seiner Schwester. Ich sagte ihm, Sie und Neupokoev seien unzufrieden mit den Zeichnungen und dem Format. Er antwortete: »Wenn ihnen die Zeichnungen nicht gefallen, so kann man sie wegwerfen und neue in Auftrag geben, das Format ist wie alles andere Sache der Druckerei.« Kann man ihm nicht schreiben, daß sein Buch im Sommer erscheinen werde? Ach, was raucht er nur für stinkige Zigarren! Jeder Besuch von ihm versetzt mich in Schrecken wegen dieser Zigarren. Er sagte, sein Bruder, der Minister, sei an Diabetes erkrankt.

In Moskau hat die »Kreutzersonate« Erfolg.

Weshalb schicken Sie keine Erzählungen? Ich schicke Ihnen heute oder morgen eine Erzählung von Lazarev (Gruzinskij). Die Honorarerhöhung und die Nachricht, daß er die Zeitung von nun an regelmäßig bekommen werde, haben meinen Protégé Ežov gerührt, er dankt Ihnen unter Tränen und mit bebender Stimme, die Hände zum Himmel ausgestreckt, auf daß der Ihnen und Ihrer gesamten Familie alle Güter dieser Erde schenke in Ewigkeit Amen.

In meiner Sachalinarbeit werde ich als ein derart gelehrter Hundesohn auftreten, daß Sie nur so die Hände zusammenschlagen werden. Ich habe aus fremden Büchern schon viel an Gedanken und Kenntnissen gestohlen, die ich als meine eigenen ausgebe. In unserem praktischen Zeitalter geht es nicht anders. Sagen Sie Aleksej Alekseevič, er solle an das Murgabufer fahren.

Ich las, die rumänische Königin habe ein Theaterstück aus dem Volksleben (?) geschrieben und wolle es im Bukarester Theater aufführen lassen. Ein Autor, den man nicht auszischen kann. Aber ich würde mit Vergnügen zischen.

Lenskij sagte, man wolle, »wie es scheint«, das Stück von Mas-

lov inszenieren. Mehr habe ich von seinem Stück nicht gehört.
Bleiben Sie gesund. Gott schenke Ihnen alles Gute.

Mit Hochachtung Genrich Blokk & Co.

Wie ist das Befinden Ihrer hochverehrten gnädigen Pferde? Es wäre schön, jetzt eine Spazierfahrt irgendwohin zu machen.

270) AN AL. P. ČECHOV MOSKAU, 25. 2. 1890

25. Febr.

Infusorium!

Ich muß die Zeitungsliteratur über Sachalin unbedingt genauestens kennenlernen, denn sie interessiert mich nicht allein wegen der durch sie vermittelten Informationen. Die Informationen an sich sind natürlich schön und gut, aber, Ganter, nötig ist auch die historische Beleuchtung der Fakten, die das Wesentliche dieser Informationen darstellt. Die Aufsätze sind entweder von Leuten geschrieben, die nie auf Sachalin waren und von der Sache keine Ahnung hatten, oder von interessierten Personen, die an der Sachalinfrage sowohl ein Vermögen verdient als auch ihre Unschuld gewahrt haben. Die Tapferkeit der einen und die Winkelzüge der zweiten müssen, als verdunkelnde und hemmende Elemente, dem Forscher wertvoller sein als alle Informationen, die in ihrer Mehrzahl überdies zufällig und falsch sind; diese Elemente charakterisieren denkbar genau das Verhältnis unserer Gesellschaft zur Sache allgemein und zum Strafvollzug im besonderen. Einen Autor und seine Beweggründe versteht man aber erst dann, wenn man seinen Aufsatz ganz gelesen hat.

Erlöse auf jeden Fall die Öffentliche Bibliothek von deinen Besuchen. Was du getan hast, reicht schon. Das Übrige wird unsere Schwester abschreiben, die ich eingestellt habe und die ihre Gänge zur Rumjancev-Bibliothek in der 3. Fastenwoche aufnehmen wird. Für dich, Dummkopf, finde ich schon eine andere Arbeit. Verneige dich bis zur Erde und bitte um Verzeihung. Alles, was du in Zukunft zu tun hast, findest du in einem Brief, den du in der 4. und 5. Fastenwoche bekommen wirst... Und was die Läuse betrifft, so kann ich nur das eine sagen: es sterbe mein sündiges Fleisch! Oblomovs Zachar und Aleksandr Čechov sagen, ohne Läuse und Wanzen ginge es eben nicht – das ist sehr wissenschaftlich; ich dagegen, stell dir vor, habe mehr als einmal Familien kennengelernt, die von diesen Geschöpfen nicht mal eine Ahnung haben. Gegen Läuse hilft sehr vieles. Frag in der Apotheke nach Sabadillsud.

Den Unseren geht es allen gut. Einen Gruß an Natalja Aleksandrovna, Kuka und den Patensohn.

Dein Wohltäter A. Čechov.

271) AN A.S. SUVORIN MOSKAU, 9. 3. 1890

9. März. Vierzig Märtyrer
und 10 000 Lerchen

Was Sachalin betrifft, so täuschen wir uns beide, Sie sich aber wahrscheinlich mehr als ich. Ich fahre in der festen Überzeugung, daß meine Reise weder für die Literatur noch für die Wissenschaft einen wertvollen Beitrag erbringen wird: dazu reichen weder meine Kenntnisse, noch meine Zeit, noch meine Ambitionen. Ich habe nicht die Pläne eines Humboldt, noch weniger die eines Kennan. Ich will, wenn es geht, 100–200 Seiten schreiben und damit ein wenig an meine Medizin entrichten, der gegenüber ich, wie Ihnen bekannt ist, ein Schwein bin. Vielleicht werde ich gar nicht imstande sein etwas zu schreiben, trotzdem verliert diese Reise für mich nicht ihren Reiz: indem ich lese, mich umsehe und umhöre, erfahre und lerne ich vieles. Ich bin noch nicht gefahren, aber dank den Büchern, die ich jetzt unbedingt habe lesen müssen, habe ich vieles erfahren, was jeder unter Androhung von 40 Peitschenhieben wissen müßte und was ich vorher in meiner Unbildung nicht gewußt habe. Außerdem glaube ich, diese Reise ist eine ununterbrochene Arbeit von einem halben Jahr, physisch und geistig, und ich brauche das, weil ich ein Kleinrusse bin und schon anfange, faul zu werden. Man muß sich trainieren.

Meinetwegen ist meine Reise eine Lappalie, Eigensinn, Laune, aber überlegen Sie und sagen Sie mir, was verliere ich schon, wenn ich fahre? Zeit? Geld? Ich werde Entbehrungen erleiden? Meine Zeit kostet nichts, Geld habe ich sowieso nie, und was die Entbehrungen betrifft, so werde ich 25–30 Tage im Pferdewagen fahren, mehr nicht, die ganze übrige Zeit werde ich an Deck eines Dampfers oder im Zimmer sitzen und Sie ununterbrochen mit Briefen bombardieren. Meinetwegen mag mir diese Reise gar nichts bringen, aber sollte es wirklich während der ganzen Reise nicht die 2–3 Tage geben, an die ich mein Leben lang denken werde mit Begeisterung oder Bitterkeit? Usw. usw. So ist das, mein Herr. All das ist wenig überzeugend, aber Sie schreiben doch genausowenig überzeugend. Zum Beispiel, Sie schreiben, Sachalin brauche niemand und sei auch für niemanden von Interesse. Sollte das wahr sein? Sachalin nicht brauchen und uninteressant finden kann nur eine Gesellschaft, die Menschen nicht zu Tausenden dorthin verbannt und nicht Millionen dafür ausgibt. Nach Australien in der Vergangenheit und Cayenne ist Sachalin der einzige Ort, wo man Kolonisation durch Verbrecher studieren kann; ganz Europa interessiert sich dafür, und wir brauchen das nicht? Vor nicht mehr als 25–30 Jahren haben unsere russischen Landsleute bei der Erforschung Sachalins unerhörte Heldentaten vollbracht, um derentwillen man einen Menschen vergöttern kann, und wir brauchen das nicht, wir wissen nicht, was das für Menschen sind, wir sitzen nur in unseren vier Wänden und beklagen, daß Gott den Menschen unvollkommen erschaffen hat. Sachalin, das ist ein Ort der unerträglichsten Leiden, deren ein freier und unfreier Mensch überhaupt fähig ist. Die mit Sachalin zu tun und dort gearbeitet haben, haben schrecklich verantwortungsvolle Aufgaben gelöst und lösen sie noch jetzt. Ich bedaure, daß ich nicht sentimental bin, sonst würde ich sagen, daß man nach Orten wie Sachalin wallfahren müßte wie die Türken nach Mekka, und daß besonders die Seeleute und Gefängnisaufseher auf Sachalin schauen müßten wie das Militär auf Sevastopol. Aus den Büchern, die ich gelesen habe und lese, geht hervor, daß wir in den Gefängnissen *Millionen* von Menschen haben verfaulen lassen, umsonst verfaulen, ziellos, barbarisch; wir haben die Menschen in Ketten Zehntausende von Verst durch die Kälte getrieben, sie mit Syphilis infiziert, demoralisiert, Verbrecher vermehrt und all das auf die rotnasigen Gefängnisaufseher abgewälzt. Heute weiß das gesamte gebildete Europa, daß nicht die Aufseher schuld sind, sondern wir alle, aber uns geht das nichts an, für uns ist das nicht von Interesse. Die gepriesenen Sechziger Jahre haben für die Kranken und die Häftlinge *nichts* getan und damit das wichtigste Gebot der christlichen Zivilisation verletzt. In unserer Zeit wird für die Kranken einiges getan, für die Häftlinge dagegen nichts; der Strafvollzug interessiert unsere Juristen absolut nicht. Nein, ich versichere Sie, Sachalin ist interessant, wir brauchen es, und zu bedauern ist nur, daß ich es bin, der dorthin fährt, und nicht ein anderer, der von der Sache mehr versteht und besser in der Lage ist, das Interesse der Gesellschaft zu wecken. Ich persönlich fahre doch nur wegen Lappalien.

Was meinen Brief bezüglich Pleščeev betrifft, so schrieb ich Ihnen, daß ich bei meinen jungen Freunden Unmut ausgelöst habe durch mein Nichtstun, und zu meiner Rechtfertigung habe ich Ihnen geschrieben, daß ich, ungeachtet meines Nichtstuns, mehr getan habe als meine Freunde, die überhaupt nichts tun. Ich habe immerhin den »Morskoj sbornik« durchgelesen und bin bei Galkin gewesen, sie dagegen – nichts. Das wäre, glaube ich, alles.

Bei uns sind grandiose Studentenunruhen. Begonnen hatte es mit der Peters-Akademie, wo die Leitung verboten hatte, in die fiskalischen Wohnräume Mädchen mitzunehmen, weil man letztere nicht allein der Prostitution verdächtigte, sondern auch politischer Umtriebe. Von der Akademie griff es auf die Universität über, wo jetzt die Studiosi, umringt von schwerbewaffneten Hektors und Achills zu Pferde und mit Piken, folgendes fordern:

1. Volle Autonomie der Universitäten.
2. Volle Freiheit der Lehre.
3. Freien Zugang zur Universität ohne Unterschied des Glau-

bensbekenntnisses, der Nationalität, des Geschlechts und der ges. Stellung.

4. Zugang zur Univers. für die Juden ohne jede Einschränkung und ihre rechtliche Gleichstellung mit den übrigen Studenten.

5. Versammlungsfreiheit und Anerkennung der stud. Korporationen.

6. Einrichtung eines Univers.- und Stud.-Gerichts.

7. Abschaffung der Inspektionsfunktion der Polizei.

8. Herabsetzung der Studiengebühren.

Das habe ich mir mit einigen Kürzungen von der Proklamation abgeschrieben. Ich glaube, der Wald lodert vor allem in der Masse der kleinen Juden und jenes Geschlechts, das darauf brennt, auf die Universität zu kommen, aber 5mal schlechter darauf vorbereitet ist als der Mann, und schon der Mann ist miserabel vorbereitet und studiert an der Universität, mit wenigen Ausnahmen, widerwärtig schlecht.

Geschickt habe ich Ihnen: Kraševinnikov, Chvostov und Davydov, das »Russische Archiv« (Jg.79, III) und die Vorträge in der »Archäologischen Gesellschaft« (Jg.75, 1. und 2).

Von Chvostov und Davydov seien Sie so gut, mir die Fortsetzung zu schicken, wenn sie da ist, vom »Russischen Archiv« brauche ich nicht Band III, sondern V, 1879. Die übrigen Bücher schicke ich morgen oder übermorgen.

Mit G. habe ich Mitleid von ganzem Herzen, aber es ist Unfug, daß er sich so anstellt. Syphilis ist heutzutage leicht zu behandeln und ist heilbar – das steht außer Zweifel.

Mit den Büchern schicken Sie mir mein Vaudeville »Die Hochzeit«. Sonst nichts. Kommen Sie sich das Stück von Maslov ansehen. Bleiben Sie gesund und munter. An Ihr Alter glaube ich ebenso gern wie an die vierte Dimension. Erstens sind Sie noch kein Greis; Sie denken und arbeiten für zehn, und Ihre Art zu denken ist bei weitem nicht greisenhaft; zweitens haben Sie, außer Migräne, keinerlei Krankheiten, das bin ich bereit zu beschwören, und drittens ist das Alter böse nur bei bösen Greisen und schwer nur für die Schweren, Sie dagegen sind ein guter und kein schwerer Mensch. Viertens schließlich ist der Unterschied zwischen Jugend und Alter äußerst relativ und bedingt. Und damit erlauben Sie mir, mich aus Verehrung für Sie in einen tiefen Abgrund zu stürzen und mir den Schädel einzuschlagen.

Ihr A. Čechov.

Ich hatte Ihnen zu Ostrovskij geschrieben. Er war wieder bei mir. Was soll ich ihm sagen?

Fahren Sie nach Feodosija! Das Wetter ist herrlich.

272) AN M. I. ČAJKOVSKIJ MOSKAU, 16. 3. 1890

16. März.

Erlauben Sie, daß ich die dreizehnte Schwalbe durchstreiche, lieber Modest Iljič: eine Unglückszahl. Vor ein paar Tagen war der Redakteur der Zeitschrift »Artist« bei mir und bat mich, alle meine Überredungskünste aufzubieten, daß Ihre »Symphonie« zu Beginn der nächsten Saison in seiner Zeitschrift erscheint. Ich fragte: »Wieviel zahlen Sie?« Er antwortete: »Nicht viel, wir haben kein Geld.« Behalten Sie für den Fall Ihres Einverständnisses unbedingt im Auge, daß der »Artist« für ein Originalstück, das an einem Staatstheater gespielt wird, zwischen 150 und 250 Rubel zahlt (nicht für den Bogen, sondern fürs Ganze: das sind solche Schweine!). Da die »Symphonie« schon bei Rassochin war und dort ihre Jungfräulichkeit verloren hat, werden sie keine 250 zahlen. Schreiben Sie mir, ob Sie einverstanden sind oder nicht, aber geben Sie kein festes Versprechen, weil Ihre Pläne sich bis Herbst noch ändern können, ich empfehle eine ausweichende Antwort. Etwa, ich werde das im Auge behalten. Das reicht für die.

Ich sitze unablässig zu Hause und lese, wieviel im Jahre 1863 die Tonne Kohle von Sachalin gekostet hat und wieviel die aus Schanghai; lese über Amplituden und NO, NW und SO und andere Winde, die mich anwehen werden, wenn ich an den Küsten von Sachalin meine eigene Seekrankheit beobachten werde. Ich lese über Böden, Untergrund, über sandigen Lehm und lehmigen Sand. Übrigens, verrücktgeworden bin ich noch nicht und habe gestern sogar eine Erzählung ans »Novoe vremja« geschickt, werde bald den »Waldschrat« an den »Severnyj vestnik« schicken – letzteres sehr ungern, weil ich meine Stücke nicht gern gedruckt sehe.

In 1 1/2–2 Wochen erscheint mein neues Buch, das Pëtr Iljič gewidmet ist. Ich wäre bereit, Tag und Nacht vor dem Hause Ehrenwache zu halten, in dem Pëtr Iljič wohnt, – so sehr verehre ich ihn. Wenn man es in Rängen ausdrücken wollte, so nimmt er in der russischen Kunst heute den zweiten Platz ein, hinter Lev Tolstoj, der schon seit langem auf dem ersten sitzt. (Den dritten gebe ich Repin, mir selbst nehme ich den achtundneunzigsten.) Ich hegte schon lange den dreisten Traum, ihm irgendetwas zu widmen. Diese Widmung, meinte ich, wäre ein fragmentarischer, minimaler Ausdruck jener langen kritischen Würdigung, die ich, ein Schreiber, über sein großartiges Talent verfaßt habe und die ich in Ermangelung musikalischer Bildung nicht zu Papier zu bringen vermag. Leider mußte ich meinen Traum an einem Buch verwirklichen, das ich nicht für mein bestes halte. Es besteht aus besonders düsteren, psychopathischen Skizzen und trägt einen düsteren Titel, so daß die Verehrer Pëtr Iljičs und er selbst an meiner Widmung alles andere als Geschmack finden werden.

Sie sind Čechist? Ergebensten Dank. Nein, Sie sind kein Čechist, sondern einfach ein nachsichtiger Mensch. Bleiben Sie gesund, ich wünsche Ihnen alles Gute. *Ihr A. Čechov.*

Moskau, Kudrino – das ist die ganze Adresse.

273) AN I. L. LEONTJEV-ŠČEGLOV MOSKAU, 16. 3. 1890

16. März.

Seien Sie gegrüßt, lieber Jean, – lang, lang ists her! Meine arme Muse hat, dem launischen Schicksal folgend, eine dunkle Brille aufgesetzt, die Lyra weggeworfen und befaßt sich mit Ethnographie und Geologie... Vergessen sind die süßen Klänge, der Ruhm... alles, alles ist vergessen! Das ist der Grund, weshalb ich Ihnen so lange nicht geschrieben habe, Freund und ehemaliger Kollege mein (ich sage – ehemaliger, weil ich zur Zeit kein Schriftsteller bin, sondern ein Sachalingefangener).

Wie geht es Ihnen, wie fühlen Sie sich? In welcher Verfassung befinden sich Ihre Nerven, Theaterstücke, die Großmutter? Schreiben Sie mir doch wenigstens eine Zeile in Ihrer tragischen Handschrift und verlassen Sie mich nicht... Im April fahre ich doch weg, und wiedersehen werden wir uns kaum vor Januar!

Meine Reiseroute ist die: Nižnij, Perm, Tjumen, Tomsk, Irkutsk, Sretensk, den Amur abwärts bis Nikolaevsk, zwei Monate auf Sachalin, Nagasaki, Schanghai, Hongkong, Manila, Singapur, Madras, Colombo (auf Ceylon), Aden, Port-Said, Konstantinopel, Odessa, Moskau, Piter, Cerkovnaja ul.

Wenn mich auf Sachalin nicht die Bären und Sträflinge fressen, wenn ich nicht durch Taifune in Japan umkomme, oder vor Hitze in Aden, dann werde ich im Dezember zurückkehren und mich dann auf den Lorbeeren ausruhen, in Erwartung des Alters, und ohne irgend etwas mehr zu tun. Wollen Sie nicht mitkommen? Am Amur werden wir Sterlet fressen, und in der Castrie-Bai Austern schlucken, fette, riesengroße, wie man sie in Europa nicht kennt; auf Sachalin kaufen wir uns Bärenfelle für 4 R. pro Stück für Pelzmäntel, in Japan schnappen wir uns einen japanischen [...], und in Indien schreiben wir jeder eine exotische Erzählung oder ein Vaudeville »Ach, die Tropen!«, oder »Der Tourist wider Willen«, oder »Hauptmann von Natur«, oder »Der Theater-Albatros« usw. Fahren wir!

Schreiben Sie mir e i n w e n i g. Bleiben Sie gesund, grüßen Sie Ihre gastliche und freundliche Frau und nehmen Sie einen herzlichen Gruß meiner ganzen Familie entgegen. *Ihr A. Čechov.*

274) AN A. N. PLEŠČEEV MOSKAU, 17. 3. 1890

17. März.

Lieber Aleksej Nikolaevič, mit gleicher Post schicke ich Ihnen meinen »Waldschrat«. Verzeihen Sie, daß ich ihn nicht direkt an die Redaktion adressiere, sondern Sie damit behellige. Ich habe trotz allem noch die Hoffnung, daß Sie, nachdem Sie das Stück gelesen haben, möglicherweise meine Zweifel teilen werden, die mich das Stück so unschlüssig an die Redaktion schicken lassen. Möglicherweise werden Sie nicht so nachsichtig sein wie Merežkovskij und Fürst Urusov und ein rotes Kreuz auf mein Stück setzen.

Vor meiner Abreise will ich mich bemühen, Ihnen eine Erzählung zu schicken. Auf jeden Fall wird die Erzählung sehr viel früher in der Redaktion sein, als ich von Sachalin zurückkehre. Wenn ich sie jetzt nicht abschließe, so werde ich es unterwegs tun. Ein Thema habe ich.

Was gibt es Neues und Schönes? Richten Sie Elena Alekseevna aus, daß es nicht schön ist, wohlanständige Leute so grausam zu enttäuschen. Sie hatte uns versprochen, an dem Abend zu uns zu kommen, und ist nicht gekommen. Und ich hatte mich in Unkosten gestürzt, 2 Flaschen Wein gekauft, Zakuski, hatte junge Damen eingeladen, Musiker... Stellen Sie sich die Situation vor! Es wird gesungen, getanzt, getrunken, die Musik spielt, die Standarte flattert, und die Benefiziantin ist nicht da. Erteilen Sie Ihrer Tochter einen Verweis... Es ist zwar langweilig bei uns, aber wo ist es heutzutage schon lustig? Sogar im Zensurkomitee ist es langweilig, und dort sitzen doch glaube ich ganz lustige Burschen!

Bei mir auf dem Divan liegt eine Novelle, die mir der Schauspieler Grekov geschickt hatte, damit ich sie an den »Severn. vestnik« weiterleite. Ich habe angefangen, sie zu lesen, und werde und werde nicht fertig damit. Ich schicke sie Ihnen in ein paar Tagen.

Ich las, das Theater-Literatur-Komitee soll neu geboren werden. Ich verstehe überhaupt nichts mehr, und wenn man diesen ganzen Wirrwarr betrachtet, hat man auch gar keine Lust mehr, irgendetwas zu verstehen.

Meinen Hausherrn Korneev will man zum Inspektor der Mosk. Universität machen anstelle von Dobrov, der wegen der Studentenunruhen entfernt werden soll. Ein Generalsamt, und darum triumphiert mein Hausherr auch. Offenbar hat er Puškin nicht gelesen, der da schreibt: »Oh, Krone Monomachs, wie drückst du schwer!« Wir hatten grandiose Unruhen; ich habe die Proklamationen gelesen: sie enthalten nichts Aufrührerisches, aber redigiert sind sie miserabel und insofern besonders schlecht, als man aus ihnen nicht die Studenten heraushört, sondern die kleinen Juden und... Hebammen. Die haben mit Sicherheit nicht die Studenten verfaßt. Die Universitätsverwaltung hängt Papiere aus und verteilt sie an die Studenten zur Unterschrift, die noch schlechter redigiert sind. Es riecht nur so nach unserem Amtsdiener Micheič! Wenn mein Hausherr ebensolche Papiere zu verfassen beginnt, werde ich mir eine andere Wohnung suchen.

Über den Tag meiner Abreise und meine sibirischen Adressen werde ich Sie rechtzeitig informieren. Ein Versprechen: wenn der Dampfer, wie es im Fahrplan steht, in Manila anlegt, dann bringe ich Ihnen 99 von den besten Zigarren mit (für 100 müßte man Zoll zahlen).

Bleiben Sie gesund, mein Lieber, und wohlbehalten. Grüßen Sie alle Ihre Angehörigen. Die Meinen lassen grüßen.

Ihr A. Čechov.

Was macht Jean Ščeglov?

275) AN A.S. SUVORIN — MOSKAU, 17. 3. 1890

17. März. Alexistag.

Haben Sie heute nicht Namenstag? Wenn ja, dann gratuliere ich.

Über Epilepsie kann man in jedem beliebigen Lehrbuch für Nervenkrankheiten nachlesen, auch (der Forscher muß das sogar) im entsprechenden Kapitel für Gerichtsmedizin, aber Sie als Nichtfachmann werden sich nicht zurechtfinden in dem medizinischen Chaos. Ich werde mir also ein Stück Papier nehmen und kurz das skizzieren, was Sie wissen müssen, und es Ihnen erklären, so gut ich kann. Der Junge hat sich schneiden können. Weiß man, was er für ein Messer in Händen hatte? Aber die Hauptsache – die Epilepsie, die er hatte, war vererbt, er hätte sie bis ins Alter gehabt, wenn er am Leben geblieben wäre. Also war der Usurpator tatsächlich ein Usurpator, denn er hatte keine Epilepsie. Wenn Sie gelegentlich darüber schreiben, dann sagen Sie, daß dieses Amerika der Arzt Čechov entdeckt hat, – mehr will ich nicht von Ihnen.

Ihr Feuilleton über die Belletristen hat mir tatsächlich gefallen, und damit es sehr gut würde, hatte ich Ihnen gesagt, man müsse die Frage weiter fassen, d. h. nicht nur von den Belletristen sprechen, sondern von der Ungebildetheit der gesamten russischen Gesellschaft. Es war absolut kein Falsch in meiner Rede, weder habe ich Ihnen schmeicheln noch Sie trösten wollen, und darum werde ich Ihnen nie wieder vorher etwas über Ihre Werke sagen. Argwohn, das ist Egoismus von 84 Karat.

Jetzt eine Bitte:

1) Ich schrieb Ihnen von einer Dissertation. »Dr. Grjaznov, Topographie des Kreises Čerepovec.« Ein Stapel dieser Ausgabe lag bei Ihnen in der Buchhandlung. Fragen Sie per Telephon, ob man sie nicht bekommen kann?

2) Schicken Sie mir mit den Büchern mein Vaudeville zurück.

3) Antworten Sie mir wegen Ostrovskij.

4) Antworten Sie mir wegen Filippov.

5) Ich habe Svobodin gebeten, mein Geld bei der Theaterdirektion in Empfang zu nehmen und es Ihnen auszuhändigen. Lassen Sie es bei sich liegen, bis ich es brauche, ich kann es nirgendwo aufheben und habe auch Angst, es auf den Kopf zu hauen. Verzeihen Sie, daß ich Sie mit Lappalien behellige, aber warten Sie nur – bald wird die Stunde schlagen, da alle Gerechten ins Ausland oder nach Feodosija fahren, und die Sündigen zu Gene-

ral Kononovič und seinen Teufeln, dann ist meinen Belästigungen ein Ende gesetzt.

Fahren Sie tatsächlich ins Ausland? An welche Adresse soll ich dann schreiben? Das ist nicht gut.

Von der Gesellschaft der dramat. Schriftsteller habe ich über 600 R. bekommen, für die »Bunten Erzählungen« noch nichts und werde wohl auch kaum etwas bekommen, obwohl ich ihnen eine Frist gesetzt habe. Vom »Sev. vestn.« bekomme ich 200–300 R., und wahrscheinlich haben die Mädchen in Ihren Buchhandlungen für die Bücher noch einmal dasselbe zusammengescharrt, wenn nicht sogar noch mehr. Kurz gesagt, wenn die Reise nach Sachalin nicht wäre, dann könnte ich im Sommer ein Leben führen, daß sogar den Teufeln davon schlechtwürde. Und hier mache ich, ausgerechnet jetzt, jeden Tag neue und neue Bekanntschaften, immer mehr junge Damen, und zwar solche, daß, wenn ich die alle zu mir aufs Sommerhaus einlüde, ein lustiges und mit Folgen gebauchtes Durcheinander herauskäme.

Medvedev, über dessen Berufung ans Theater die Zeitungen schreiben, ist ein guter und kluger Mensch, ein talentierter Schauspieler, aber für ein anständiges Theater ist er nicht intelligent genug und schon ziemlich vom Schimmel der Provinz befallen.

Ich weiß nicht, was ich mit Aleksandr machen soll. Nicht genug damit, daß er trinkt. Das wäre an sich gar nichts, aber er ist so ausweglos in Lebensumstände verstrickt, in denen man buchstäblich nichts anderes tun kann als trinken. Unter uns: seine Gattin trinkt ebenfalls. Es ist so grau, miserabel, triste... Und diesen Menschen hat es 14 Jahre lang regelrecht zum Heiraten getrieben! Und sein Leben lang hat er nichts anderes getan als zu heiraten und zu schwören, nie wieder zu heiraten.

Auf Sachalin gibt es ein Dorf, das so heißt: Chuj-ė.

In Maslovs Stück spielt, soviel ich gehört habe, die Ermolova nicht. Ich sollte auf die Proben gehen, aber ich habe keine Zeit.

Ich las heute in den Telegrammen der »Russkie vedomosti«, daß Jack Vinogradov Ober-Jack geworden ist. Ich stelle mir vor, wie glücklich seine Elizaveta Zacharovna ist, die ihn auf einem zu kurzen Divan schlafen läßt, und wie viele Heiratsanträge er gemacht hat anläßlich seiner Ernennung! Er ist ein herzensguter Kerl, ich wünsche ihm von Herzen alles Gute.

Bleiben Sie glücklich. *Ihr A. Čechov.*

Haben Sie meine Erzählung bekommen?

Meine Schwester und ihre jungen Damen schreiben für mich in der öffentlichen Bibliothek Material ab.

276) AN I. L. LEONTJEV-ŠČEGLOV MOSKAU, 22. 3. 1890

22. März.

Seien Sie gegrüßt, lieber Jeančik, danke für Ihren langen Brief und das Wohlwollen, das ihn von oben bis unten erfüllt. Ich freue mich darauf, Ihre Soldatenerzählung zu lesen. Erscheint sie in der Osternummer? Ich habe schon lange nichts mehr gelesen, weder von Ihnen noch von mir.

Sie schreiben, Sie hätten Lust, hart mit mir ins Gericht zu gehen »in Sonderheit in Fragen des Moralischen und des Künstlerischen«, sprechen undeutlich von irgendwelchen Verbrechen, die ich begangen haben soll und die freundschaftlichen Tadel verdienten, und drohen gar mit der »einflußreichen Zeitungskritik«. Wenn ich die Worte »des Künstlerischen« streiche, so wird der ganze in Anführungsstrichen stehende Satz klarer, aber er erhält eine Bedeutung, die mich, um die Wahrheit zu sagen, ziemlich verwirrt. Jean, was soll das? Wie soll ich das verstehen? Weiche ich etwa in meinen Moralbegriffen so weit von Menschen wie Ihnen ab, so weit, daß ich Tadel verdiene und die besondere Aufmerksamkeit der einflußreichen Zeitungskritik? Es so verstehen, daß Sie irgendeine ausgeklügelte höhere Moral im Auge haben, kann ich nicht, weil es keine niedrigere, keine höhere und auch keine mittlere Moral gibt, sondern nur eine einzige, und zwar die, die uns dereinst Jesus Christus gegeben hat und die heute mich, Sie und Barancevič daran hindert zu stehlen, zu beleidigen, zu lügen usw. Ich habe aber in meinem ganzen Leben, wenn ich meinem ruhigen Gewissen glauben darf, weder in Worten noch in Taten noch in Gedanken, weder in Erzählungen noch in Vaudevilles meines Nächsten Weib begehrt oder Diener, Vieh oder alles, was sein ist, habe nicht gestohlen, nicht geheuchelt, den Mächtigen nicht geschmeichelt und nichts von ihnen gewollt, habe niemanden erpreßt und mich von niemandem aushalten lassen. Es ist wahr, in Trägheit lebt' ich meine Tage, ich lacht' ohn' Sinn, ich aß und trank und buhlte, aber all das ist doch meine Privatangelegenheit und all das nimmt mir nicht das Recht zu meinen, daß ich in puncto Moral weder im Positiven noch im Negativen über das Normale hinausrage. Keine Heldentaten, keine Gemeinheiten – ich bin wie die meisten anderen Menschen; ich habe viel gesündigt, aber mit der Moral bin ich quitt, denn ich bezahle für diese Sünden mit Zins und Zinseszins, nämlich mit jenen Unannehmlichkeiten, die diese nach sich ziehen. Wenn Sie nun hart mit mir ins Gericht gehen wollen, weil ich kein Held bin, dann werfen Sie Ihre Härte zum Fenster hinaus und vertauschen den Ton des Richters mit Ihrem lieben tragischen Lachen – das ist besser.

Das Wort »künstlerisch« fürchte ich wie die Kaufmannsfrau das Schreckgespenst. Wenn man mit mir über das Künstlerische und Antikünstlerische spricht, über das, was der Bühne entspreche und was nicht, über Tendenz, Realismus usw., dann werde ich verlegen, sage unschlüssig ja und antworte mit banalen Halbwahrheiten, die keinen Kupfergroschen wert sind. Ich teile alle Werke in zwei Sorten ein: die, die mir gefallen, und die, die mir nicht gefallen. Ein anderes Kriterium habe ich nicht, und wenn Sie mich fragen, warum mir Shakespeare gefällt und Zlatovratskij nicht, so wüßte ich keine Antwort. Vielleicht werde ich mir mit der Zeit, wenn ich klüger werde, Kriterien aneignen, einstweilen aber ermüden mich nur alle Gespräche über das »Künstlerische« und kommen mir vor wie die Fortsetzung all jener scholastischen Streitgespräche, mit denen sich die Menschen im Mittelalter ermüdet haben.

Wenn die Kritik, auf deren Autorität Sie sich berufen, das weiß, was wir beide nicht wissen, warum schweigt sie dann bis heute, weshalb entdeckt sie uns dann nicht die Wahrheit und die unabänderlichen Gesetze? Wenn sie sie wüßte, glauben Sie mir, dann hätte sie uns längst den rechten Weg gewiesen, dann wüßten wir, was wir zu tun hätten, dann säße Fofanov nicht im Irrenhaus, Garšin wäre noch am Leben, Barancevič litte nicht unter Depressionen, und wir würden uns nicht so stumpfsinnig langweilen, wie wir es jetzt tun, und Sie würde es nicht zum Theater und mich nicht nach Sachalin ziehen. Die Kritik schweigt aber beharrlich oder spult müßiges, erbärmliches Geschwätz ab. Wenn sie Ihnen einflußreich erscheint, dann nur, weil sie dumm ist, unbescheiden, dreist und schreierisch, weil sie das hohle Faß ist, das man hört, ob man will oder nicht...

Übrigens, pfeifen wir auf all das und singen wir aus einer anderen Oper. Setzen Sie bitte keine literarischen Hoffnungen in meine Sachalinreise. Ich fahre nicht um der Beobachtungen und der Eindrücke willen, sondern einfach um ein halbes Jahr nicht so zu leben, wie ich bisher gelebt habe. Zählen Sie nicht auf mich, Onkel; wenn ich es schaffe und irgendetwas schreiben sollte, dann wollen wir Gott danken, wenn nicht, dann strafen Sie mich nicht.

Ich fahre nach Ostern. Meine Sachaliner Adresse und genaue Instruktion schicke ich Ihnen beizeiten.

Meine Familie läßt Sie grüßen, und ich grüße Ihre Frau.

Bleiben Sie, lieber schnurrbärtiger Stabshauptmann, gesund und munter. *Ihr A. Čechov.*

277) AN A. S. SUVORIN MOSKAU, 22. 3. 1890

22. Martober.

Gestern habe ich Ihnen den Fischer geschickt, einen »Vestnik Evropy« und 2 Bände Golicinskij. Das beiliegende Blatt Papier lassen Sie bitte in die Buchhandlung schicken; wenn es Ihnen bereits auf die Nerven fallen sollte, sich mit mir und den Büchern herumzuschlagen, dann werfen Sie das Blatt unter den Tisch, obwohl ich Ihnen nicht rate, dies zu tun, weil die Buchhandlung davon, daß sie Bücher für mich erwirbt, großen Nutzen hat, und der Junge, der mir die Bücher aus der Dependance bringt und schon drei Paar Stiefel abgetragen hat, von mir bereits zwei Rubel bekommen hat.

Ich würde ihm mehr geben, fürchte aber, daß er sich an den Luxus gewöhnt.

Haben Sie nicht in Ihrer Bibliothek Voejkovs »Klima verschiedener Länder«? Ein sehr gutes Buch. Wenn Sie es haben, schicken Sie es mir, wenn nicht, muß es nicht sein, denn es kostet 5 Rub. – das ist mir zu teuer. Schicken Sie mir Maksimovs »Sibirien und die Katorga«.

Von Pleščeev habe ich einen Trauerbrief bekommen: Der »Severnyj vestnik« hat seinen Geist aufgegeben. Der Alte ist seinen Verdienst los und schimpft auf die Evreinova mit dem Feuer eines jungen Dichters. Aber was bin ich erst hereingefallen! Erstens, was zum Teufel habe ich mich selbst bestohlen, was zum Teufel habe ich einen Verlag »unterstützt«, der verreckt? Wenn ich hätte wissen können, daß dies geschieht, dann hätte ich für den »Vestnik Evropy« gearbeitet, wo man mir nicht 150 R. pro Bogen gezahlt hätte und nicht in Raten. Zweitens hatte ich damit gerechnet, daß die verstorbene Zeitschrift mir 200–300 Rubel auf die Reise mitgeben und meiner Familie den ganzen Sommer über 50 R. monatlich zahlen würde, – und auf einmal krach! Keine Aktien haben je so niedrig gestanden wie meine Sachalinaktien. Übrigens, zum Teufel damit... Gestern sagte mir ein junges Mädchen, Prof. Storoženko habe ihr folgende Anekdote erzählt. Dem Herrscher hat die »Kreutzersonate« gefallen; Pobedonoscev, Ljubimov und die anderen Cherubime und Seraphime beeilten sich, um ihr Verhältnis zu Tolstoj zu rechtfertigen, dem Herrscher den »Nikolaj Palkin« zu zeigen. Nachdem er ihn gelesen hatte, soll der H. so böse geworden sein, daß er befahl, Maßnahmen zu ergreifen. Dies wurde dem Fürsten Dolgorukov zur Kenntnis gebracht. Und so erscheint eines schönen Tages Dolgorukovs Adjutant bei Tolstoj und fordert ihn auf, sich unverzüglich zum Fürsten bemühen zu wollen. Der antwortet:

– Richten Sie dem Fürsten aus, ich pflege nur mir bekannte Häuser zu betreten.

Der verwirrte Adjutant fährt weg und bringt dem Grafen am andern Tag ein offizielles Papier, in dem dem Grafen angeblich eine Erklärung abverlangt wird anläßlich seines »N. Palkin«. Tolstoj las das Papier durch und sagte:

– Richten Sie Seiner Durchlaucht aus, daß ich schon seit langem nichts mehr für die Presse schreibe; ich schreibe nur für meine Freunde, und wenn meine Freunde meine Werke verbreiten, so sind sie daran schuld, nicht ich. Richten Sie ihm das aus.

– Aber das kann ich ihm nicht ausrichten! – entsetzte sich der Adjutant. – Der Fürst wird mir nicht glauben!

– Der Fürst glaubt seinen Untergebenen nicht? Das ist nicht schön.

Am dritten Tag kommt der Adjutant wieder mit einem neuen Papier und erfährt, daß Tolstoj nach Jasnaja Poljana abgereist ist. Damit endet die Anekdote.

Jetzt zu den neuen Tendenzen. Auf unseren Polizeirevieren wird geschlagen; die allgemein übliche Taxe: dem Bauern nimmt man für die Schläge 10 Kop. ab, den Kleinbürgern 20 Kop. – für die Ruten und die Mühen. Auch Frauen werden geschlagen. Neulich hat man, weil es so schön war, gleich auch zwei Rechtsanwälte verprügelt, worüber heute sehr vage etwas in den »Russkie vedomosti« steht. Man hat eine Untersuchung eingeleitet.

Noch eine Tendenz. Die Droschkenkutscher billigen die Studentenunruhen. »Die empören sich darüber, erklären sie einem, daß sie keine Armen zum Studium lassen. Nicht nur die Herren sollen studieren.« Es wird erzählt, daß am Strastnoj Kloster, als nachts eine Gruppe Studenten ins Gefängnis gebracht wurde, die Plebs einen Angriff auf die Gendarmen verübt hat, um die Studenten zu befreien. Die Plebs soll dabei gebrüllt haben: »Ihr habt euch für uns Prügel ausgedacht, und sie treten für uns ein.«

Natürlich bin ich nicht Schopenhauer und nicht Pascal, da haben Sie recht; aber Sie sind es auch nicht, entschuldigen Sie... Kann man Briefe denn so mißverstehen? Natürlich ist jeder Meister argwöhnisch und mißtrauisch gegenüber seinen Werken; das muß auch so sein. In dieser Beziehung billige ich sogar den Pessimismus. Ich habe Ihnen aber doch über einen ganz anderen Argwohn geschrieben, der doch tatsächlich Egoismus von 84 Karat ist. Ich hatte Ihnen über den Argwohn geschrieben, der Sie bei jedem, der Ihre Werke lobt, unlautere Absichten vermuten läßt, etwa Schmeichelei oder den Wunsch, Sie zu trösten...

Mein Onkel ist ein furchtbar frommer Mann.

Grüßen Sie die verehrte Ente. Ich habe von ihr geträumt.

Neuigkeiten gibt es keine. *Votre A. Čechov.*

278) AN A. N. PLEŠČEEV MOSKAU, 27. 3. 1890

27. März.

Lieber Aleksej Nikolaevič, die Nachricht vom Ende des »Severnyj vestnik« hat bedrückend auf mich gewirkt. Ungut ist das alles. Merkwürdig, überall ist bei uns davon die Rede, daß es in Rußland so wenig Zeitschriften gebe, und dabei wird gleichzeitig, am hellichten Tage, in der Hauptstadt, in Gegenwart einer Vielzahl Schreibender, erbarmungslos und für nichts und wieder nichts eine Zeitschrift zugrundegerichtet.

Den »Waldschrat« bringen Sie bitte mit, denn weiter an einer Zeitschrift mitzuarbeiten, die geplatzt ist oder in einem Monat platzen wird, ist unmöglich.

Jetzt zur Gesellschaft der dramatischen Schriftsteller. Die Frage nach dem Vorschuß habe ich im Komitee aufgeworfen. Das Komitee fiel unisono über Majkov her, der eine ungläubige Fratze schnitt und anfing uns zu versichern, er habe keinen Brief von Ihnen bekommen. Daraufhin beschloß das Komitee, daß ich von mir aus einen Brief an Majkov schreibe und daß Majkov Ihnen darauf antwortet. Haben Sie seine Antwort bekommen? Jedenfalls ist der Kassierer noch nicht geboren, der Ihnen eine solch läppische Gefälligkeit wie einen Vorschuß von hundert Rubel ausschlüge.

Bald sind die Wahlen. Wenn Sie zu der Sitzung kommen, erklären Sie, mein Lieber, daß ich damit vorübergehend meine Rechtsfähigkeit verliere. Soll man mich nicht ins Komitee wählen. Beehrt man mich dennoch mit meiner Wahl, so werde ich danken und die Wahl ablehnen. Soll man sich die Mühe also sparen. Was die künftige Zusammensetzung des Komitees betrifft, so ist meine Meinung die. Nemirovič und Sumbatov, sogar Aleksandrov müssen wiedergewählt werden, nach Möglichkeit einstimmig, weil ein zu häufiger Wechsel in der Administration der Gesellschaft für die Gesellschaft selbst nichts bringen kann als Schaden. Es ist nicht gut, wenn die Mitglieder des Komitees jährlich wechseln: bei einer solchen Ordnung der Dinge wird das Komitee nie aus Leuten bestehen, die Erfahrung und eine Ahnung von der Sache haben.

Gestern war die Sitzung der Kommission. Mir ist die Niederschrift des Protokolls übertragen worden. Gleich setze ich mich hin und schreibe es. Bleiben Sie gesund. Auf Wiedersehen.

Ihr A. Čechov.

279) AN A.S. SUVORIN MOSKAU, 29. 3. 1890

29. März.

Gestern habe ich Ihnen drei Bände »Russkaja starina« geschickt: 78/XII, 79/XXIV und 81/XXXII. Bücher, die Ihnen gehören, habe ich nur noch wenige. Ich sitze jetzt da und repetiere die »Hygiene« (Kleidung, Wohnräume, Ventilation usw.), die ich zur Hälfte vergessen habe. Ich habe ein wenig geschrieben, schreibe aber meistens Fremdes ab.

Übermüdung hat ihre Bedingungen. Sie schreiben, Sie hätten bis zu 20 Stunden am Tag gearbeitet und seien nie müde gewesen. Aber man kann doch müdewerden, auch wenn man den ganzen Tag auf dem Divan liegt. Sie haben 20 Stunden lang geschrieben, aber während dieser Zeit hatten Sie doch Ihr ungebrochenes

Selbstgefühl, hatten die Anregung durch den Erfolg, den Eifer, das Gefühl des Talents, hatten Liebe zur Sache, sonst hätten Sie nicht geschrieben. Ihr Infant dagegen kann nächtelang nicht schlafen, nicht weil er kein publizistisches Talent oder keine Liebe zur Sache hätte, sondern weil sein Vater Herausgeber der Zeitung ist. Das ist ein großer Unterschied. Er sollte Arzt sein, Anwalt, von 2 Tausend im Jahr leben und seine Artikel nicht im »Novoe vremja« und nicht im Geiste des »Novoe vremja« veröffentlichen. Nur die Jugend kann man gesund nennen, die sich mit den alten Zuständen nicht abfindet und die, auf dumme oder kluge Weise, dagegen ankämpft – so will es die Natur und darauf baut sich der Fortschritt, Aleksej Alekseevič dagegen hat damit begonnen, daß er sich den alten Zuständen gefügt hat. Als wir enger miteinander befreundet waren, habe ich ihn nicht ein Mal auf Tatiščev oder Burenin schimpfen hören, und das ist ein schlechtes Zeichen. Sie sind hundertmal liberaler als er, es sollte aber genau umgekehrt sein. Wenn er protestiert, dann faul und träge, er senkt schnell die Stimme, ist schnell einverstanden, und im ganzen ergibt sich der Eindruck, als sei er an Kampf nicht interessiert, d. h. er nimmt an einem Hahnenkampf teil als Zuschauer, der keinen eigenen Hahn hat. Man muß aber seinen Hahn haben, sonst ist das Leben uninteressant. Zu allem Übel ist er auch noch ein kluger Mensch, und große Klugheit ist bei geringem Interesse am Leben wie eine große Maschine, die nichts produziert, aber viel Brennstoff verbraucht und unwirtschaftlich arbeitet.

Die Krankheit, von der Sie in Ihrem letzten Brief schrieben, ist an sich schlecht, aber ad vitam erlaubt sie eine gute Prognose, und Hauptsache – sie ist radikal heilbar. Was die Folgeerscheinungen betrifft, so muß man sich mit ihnen abfinden, denn sie sind unvermeidlich und notwendig. Und zwar notwendig, weil der Mensch außer schlechten Dingen von seinen Vorfahren auch sehr viel Gutes erbt. Einstweilen ist das Ernsteste, was A. A. hat, sein Schnupfen. Schnupfen laugt den Organismus aus wie ein Tripper. Um das aufzuarbeiten, was eine kranke Nase täglich verbraucht, muß der Organismus viel Material verbrennen. Außerdem befindet sich die Nase in direkter Verbindung mit allen Atmungsorganen, und nicht selten sind die Beispiele, wo man der Nase wegen hustet, die Verstopfung der Nase dann, zum Beispiel als Polyp, sogar zu Schwindsucht führt. Bekannt ist ferner, daß die Nase eine entfernte und bis heute noch ungeklärte Verbindung zur Sexualsphäre besitzt.

Wenn A. A. kommt, werde ich seine Nase als erstem Beljaev zeigen, der bei uns als der beste Spezialist gilt. Und über meine Nasenspitze hinaus sehe ich nichts. Zacharjin ist gut in der Behandlung jeder Form von Katarrh, Rheumatismus, überhaupt von Krankheiten, die einer objektiven Diagnose unterliegen, aber A. A. hat eine geistige, sozial-ökonomisch-psychologische Krankheit, die vielleicht überhaupt nicht existiert und die, wenn sie existiert, vielleicht gar nicht als Krankheit gelten sollte.

Sagen Sie Aleksej Alekseevič, daß ich seinen Brief vom 7. März und die beiden Erzählungen *erst heute* bekommen habe. Und daß ich, was den Wein betrifft, den er trinkt, nur abwinken kann. Außer Angeberei sehe ich darin nichts.

Ich habe Ihnen eben durch den Jungen von der Dependance den »Vestnik Evropy« 1875/6 und die »Russkaja starina« 1883, Bd. XXXVII zurückgeschickt.

Aber leben Sie wohl. Ich muß raus aus dem Haus. Das Wetter ist so schön. *Ihr A. Čechov.*

280) AN A. S. SUVORIN MOSKAU, 1. 4. 1890

1. April.

Christ ist erstanden! Ich wünsche Ihnen, mein Lieber, und allen Ihren Angehörigen glückliche Feiertage und auch weiterhin Glück. Ich fahre in der Woche nach Ostern oder etwas später, je nachdem, wann die Kama freigegeben wird. Bald beginne ich mit meinen Abschiedsbesuchen. Vor meiner Abreise werde ich Sie noch um einen Korrespondenten-Ausweis und um Geld bitten. Ersteren schicken Sie mir bitte, und wegen des zweiten sollten wir warten, weil ich noch nicht weiß, wieviel ich brauche. Ich sammle zur Zeit von allen Äckern die mir gehörenden Kapitalien ein, ich habe sie noch nicht alle beisammen, aber wenn das der Fall ist, werden wir sehen, was mir noch fehlt.

Meine Familie ist bis Oktober gesichert – in dieser Hinsicht kann ich beruhigt sein.

Ja, Ežov ist ein bißchen grob. Er ist ein Plebejer, sehr ungebildet, aber nicht dumm und anständig. Er schreibt von Jahr zu Jahr besser – das konstatiere ich. Sie schrieben, sein Feuilleton hätte Erfolg gehabt. Wenn es dasjenige ist, in dem von einem Popen die Rede ist, so beeile ich mich zu erklären, daß ich es nicht redigiert habe. Meiner Meinung nach ist Ežov als Arbeiter heute ein Fünfkopekenstück wert, aber in 5–10 Jahren, wenn er älter ist, wird er ein brauchbarer Mann sein. Hauptsache, er ist anständig und kein Trinker. Es gibt da noch einen, Lazarev, – auch ein guter Mann.

Gestern habe ich Ežov den Brief von Aleksej Alekseevič vorgelesen, der schreibt, daß Sie ihm, Ežov, einen Vorschuß in Höhe von 100 Rubel anbieten. Ežovs Frau ist krank, sie hat Schwindsucht, er müßte sie in den Süden bringen und wird den Vorschuß nicht ablehnen, der ihm sehr gelegen kommt. Er bittet Sie, ihm die 100 Rubel zu schicken und bittet Sie ferner, das Kontor möge bei der Verrechnung des Vorschusses nicht das ganze Honorar einbehalten, sondern nur die Hälfte. Das ist alles sehr schön, aber ich bitte um Erlaubnis, mich einmischen zu dürfen, und bitte, ihm diesen Vorschuß nicht jetzt zu geben, sondern erst am Tag vor seiner Abreise. Wenn Sie erlauben, werde ich ihm die hundert Rubel geben, wenn er zu mir kommt, um sich zu verabschieden. Sie ihm eher zu geben, ist unmöglich, denn er wird sie für irgendwelchen Unfug ausgeben, und seine kranke Frau muß dann 3. Klasse reisen.

Jetzt zu Ostrovskij. Antworten Sie mir irgendetwas. Sie haben versprochen, die Erzählungen seiner Schwester zu verlegen. Schreiben Sie doch, wann das Buch in Satz geht. Die gesamte Familie Ostrovskij schmachtet danach.

Wenn Aleksej Alekseevič tatsächlich Polypen hat, dann ist sein Schnupfen ebenso leicht zu heilen wie eine Zigarette zu rauchen. Aber Polypen hat er wohl kaum.

Schicken Sie mir mein Vaudeville »Die Hochzeit« zurück. Wenn Sie es verloren haben, dann soll es wohl so sein, dann singen wir für dieses Vaudeville die Seelenmesse.

Gestern war ein Schauspieler bei mir, der in Maslovs Stück mitspielt. Er schimpft nicht. Das Stück läuft also gut. Er hat mich versichert, der »Verführer von Sevilla« sei kein Originalstück, sondern eine Übersetzung.

Sie beschimpfen mich wegen meiner Objektivität, die Sie Gleichgültigkeit gegenüber Gut und Böse nennen, Fehlen von Idealen und Ideen usw. Sie wollen, daß ich, wenn ich Pferdediebe darstelle, sage: Pferdediebstahl ist etwas Böses. Aber das ist doch sowieso schon längst bekannt, auch ohne mich. Über sie zu Gericht sitzen sollen die Geschworenen, meine Sache ist es zu zeigen, was für Leute das sind. Ich schreibe: Sie haben es mit Pferdedieben zu tun, und dabei müssen Sie wissen, daß das keine Bettler sind, sondern Menschen, die satt zu essen haben, daß diese Menschen einen Kult daraus machen und daß Pferdediebstahl kein einfacher Diebstahl ist, sondern eine Leidenschaft. Natürlich wäre es angenehm, die Kunst mit der Predigt zu verbinden, aber mir persönlich fällt dies überaus schwer und ist es aus Gründen der Technik beinahe unmöglich. Um nämlich auf 700 Zeilen Pferdediebe darzustellen, muß ich die ganze Zeit in ihrem Ton sprechen und denken und fühlen wie sie, würde ich da Subjektives hinzufügen, so würden die Bilder verschwimmen und die Erzählung nicht so kompakt werden, wie es sich für alle kurzen Erzählungen gehört. Wenn ich schreibe, rechne ich fest auf den Leser, in der Annahme, daß er die in der Erzählung fehlenden subjektiven Elemente selbst hinzufügt. Bleiben Sie guten Muts.

Ihr A. Čechov.

10 Апр. 1 8

Вуколъ Михайловичъ! Въ мартовской книжкѣ Русской Мысли на 147 страницѣ библіогр. отдѣла я случайно прочелъ такую фразу: „Еще вчера, даже жрецы безпринципнаго писанія, какъ г.г. Ясинскій и Чеховъ, имена которыхъ" и т. д... На критики обыкновенно не отвѣчаютъ, но въ данномъ случаѣ рѣчь можетъ быть не о критикѣ, а просто о клеветѣ. Я, пожалуй, не отвѣтилъ бы и на клевету, но на дняхъ я надолго уѣзжаю изъ Россіи, быть можетъ, никогда уже не вернусь, и у меня нѣтъ силъ удержаться отъ отвѣта.

Безпринципнымъ писателемъ, или, что одно и то же, прохвостомъ я никогда не былъ.

Brief an V.M. Lavrov vom 10. April 1890 (vgl. Brief Nr. 281 dieser Ausgabe).

281) AN V.M. LAVROV MOSKAU, 10. 4. 1890

10. Apr.

Vukol Michajlovič! Im Märzheft der »Russkaja mysl« las ich zufällig auf Seite 147 des bibliogr. Teils diesen Satz: »Noch gestern sind selbst die Priester des prinzipienlosen Schreibens, wie die Herren Jasinskij und Čechov, deren Namen« usw. Man antwortet gewöhnlich nicht auf Kritiken, aber im gegebenen Fall kann von Kritik nicht die Rede sein, sondern einfach nur von Verleumdung. Ich hätte wohl auch auf die Verleumdung nicht geantwortet, aber ich verlasse in diesen Tagen Rußland für lange Zeit, vielleicht werde ich nie zurückkehren, und ich habe nicht die Kraft, mich einer Antwort zu enthalten.

Ein prinzipienloser Schriftsteller oder, was dasselbe ist, ein Halunke bin ich nie gewesen.

Es ist wahr, meine gesamte literarische Tätigkeit bestand aus einer ununterbrochenen Reihe von Fehlern, manchmal groben, aber dies findet seine Erklärung in den Dimensionen meiner Begabung, und durchaus nicht darin, daß ich ein guter oder schlechter Mensch wäre. Ich habe niemanden erpreßt, habe weder Schmähschriften noch Denunziationen geschrieben, habe niemandem geschmeichelt, niemanden belogen, niemanden beleidigt, kurz gesagt, ich habe viele Erzählungen und Leitartikel, die ich wegen ihrer Untauglichkeit gern wegwerfen würde, aber ich habe keine einzige Zeile geschrieben, derentwegen ich mich schämen müßte. Läßt man die Hypothese zu, daß Sie unter Prinzipienlosigkeit jenen traurigen Umstand verstehen, daß ich, ein gebildeter Mensch, der häufig veröffentlicht, nichts für diejenigen getan habe, die ich liebe, daß meine Tätigkeit spurlos vorübergegangen ist, zum Beispiel am Zemstvo, an der neuen Gerichtsbarkeit, der Freiheit der Presse, der Freiheit überhaupt usw., so müßte sich die »Russkaja mysl« mir gegenüber gerechterweise kollegial verhalten und dürfte keine Anschuldigungen gegen mich erheben, denn sie hat in besagter Richtung bisher nicht mehr getan als ich – und daran sind nicht wir schuld, weder Sie noch ich.

Beurteilt man mich als Schriftsteller, rein äußerlich, so verdiene ich auch da wohl kaum die öffentliche Anschuldigung der Prinzipienlosigkeit. Ich habe bisher ein zurückgezogenes Leben geführt, in meinen vier Wänden gelebt; wir begegnen einander ein, zweimal im Jahr. Herrn Mačtet zum Beispiel habe ich noch nie im Leben gesehen – daran mögen Sie ermessen, wie oft ich aus dem Haus gehe: ich habe mich immer beharrlich geweigert, an literarischen Abenden, Abendgesellschaften, Sitzungen usw. teilzunehmen, bin nie unaufgefordert in irgendeiner Redaktion erschienen, habe mich immer darum bemüht, daß meine Bekannten mehr den Arzt in mir sehen als den Schriftsteller, und der Brief, den ich jetzt schreibe, – ist die erste Unbescheidenheit während der ganzen Zeit meiner zehnjährigen Tätigkeit. Zu meinen Kollegen unterhalte ich sehr gute Beziehungen; ich habe mir nie die Rolle angemaßt, Richter zu sein über sie und die Zeitschriften und Zeitungen, an denen sie mitarbeiten, weil ich mich für inkompetent halte und finde, daß bei der heutigen abhängigen Situation der Presse jedes Wort gegen eine Zeitschrift oder einen Schriftsteller nicht nur unbarmherzig und taktlos wäre, sondern geradezu verbrecherisch. Bis heute habe ich mich immer wieder dazu entschlossen, nur denjenigen Zeitschriften und Zeitungen abzusagen, deren mangelhafte Qualität als offenkundig und erwiesen gelten kann, und wenn ich unter ihnen wählen mußte, so gab ich immer denen den Vorzug, die in materieller oder irgendeiner anderen Beziehung meiner Dienste am meisten bedurften, das ist auch der Grund, weshalb ich nicht bei Ihnen und nicht im »Vestnik Evropy« veröffentlicht habe, sondern im »Severnyj vestnik«, und weshalb ich halb so wenig bekommen habe als ich bei einer anderen Auffassung meiner Pflichten hätte bekommen können.

Ihre Anschuldigung ist – eine Verleumdung. Ich kann Sie nicht bitten sie zurückzunehmen, denn sie ist bereits in kraft gesetzt und mit keiner Axt mehr auszuroden; sie mit Fahrlässigkeit, Leichtsinn oder irgendetwas in der Art erklären kann ich ebenfalls nicht, da bei Ihnen in der Redaktion unbedingt anständige und guterzogene Menschen sitzen, die, wie ich hoffe, Aufsätze nicht unüberlegt lesen und schreiben, sondern im Bewußtsein ihrer Verantwortung für jedes einzelne Wort. Mir bleibt also nur, Sie auf Ihren Fehler hinzuweisen und zu bitten, an die Aufrichtigkeit des lastenden Gefühls zu glauben, das mich veranlaßt hat, Ihnen diesen Brief zu schreiben. Daß nach Ihrer Anschuldigung zwischen uns nicht nur geschäftliche Beziehungen, sondern auch die gewöhnliche Grußbekanntschaft unmöglich geworden sind, versteht sich von selbst. *A. Čechov.*

282) AN A.S. SUVORIN MOSKAU, 15. 4. 1890

15. April.

Also, mein Lieber, das heißt, ich fahre am Mittwoch oder allerspätestens am Donnerstag. Auf Wiedersehen bis Dezember. Glück den Zurückbleibenden. Das Geld habe ich bekommen. Vielen herzlichen Dank, obwohl anderthalbtausend zu viel sind, ich weiß nicht, wo ich sie hintun soll, und für die Einkäufe in Japan hätte es gereicht, denn ich habe genügend eingesammelt.

Ich fühle mich, als ob ich in den Krieg zöge, obwohl ich keinerlei Gefahren vor mir sehe, außer den Zahnschmerzen, die ich unterwegs bestimmt bekommen werde. Da ich, um von den Dokumenten zu sprechen, nur mit einem Paß ausgerüstet bin und nichts anderem, sind unangenehme Konflikte mit den allgewaltigen Behörden möglich, aber das ist ein vorübergehendes Übel. Wenn man mir irgendetwas nicht zeigen will, dann schreibe ich in meinem Buch ganz einfach, daß man es mir nicht hat zeigen wollen – und basta, aufregen werde ich mich darüber nicht. Im Falle eines Schiffbruchs oder etwas ähnlichem merken Sie sich, daß alles, was ich besitze und in Zukunft besitzen könnte, meiner Schwester gehört; sie wird meine Schulden bezahlen.

Telegraphieren werde ich unbedingt. Noch öfter werde ich schreiben. Telegrammadresse: Tomsk, Redaktion »Sibirskij vestnik«, für Čechov. Bis zum 25. Juli geschriebene Briefe werde ich bestimmt bekommen; später geschriebene werden mich auf

Sachalin nicht erreichen. Außer Briefen und Telegrammen haben Sie, gnädiger Herr, mir mit eingeschriebenem Streifband jeden veröffentlichten Unsinn zu schicken, angefangen von Broschüren bis hin zu Zeitungsausschnitten – das wird Medizin sein gegen die Langeweile von Sachalin; schicken Sie mir nur die Sachen, die Sie, nach Lektüre, zum Wegwerfen zu schade finden. Meine Adresse für Briefe und Streifbandsendungen: Fort Aleksandrovsk, I. Sachalin, oder Fort Korsakov. Schicken Sie an beide Adressen. Für all dies bringe ich Ihnen, im Abonnement nicht inbegriffen, eine nackte Japanerin aus Elfenbein mit oder etwas wie die hochverehrte Ente, die bei Ihnen in der Etagere vor dem Schreibtisch steht. In Indien werde ich eine exotische Erzählung für Sie schreiben.

Von unterwegs werde ich für das »Novoe vremja« nichts schreiben, außer Samstagsbeilagen. Ich werde an Sie persönlich schreiben; wenn irgendetwas von unterwegs, Ihrer Meinung nach, zur Veröffentlichung taugt, dann schicken Sie es an die Redaktion. Übrigens, wir werden ja sehen. Beiträge von 40–75 Zeilen zu schreiben, wäre nicht übel.

Meine Mutter nehme ich mit und setze sie in Troickaja lavra an Land, meine Schwester nehme ich ebenfalls mit und setze sie in Kostroma aus. Ich lüge ihnen vor, ich käme im September wieder.

In Tomsk werde ich die Universität besichtigen. Da es dort nur eine einzige Fakultät gibt – nämlich die medizinische, werde ich bei dieser Besichtigung nicht als Laie erscheinen.

Ich habe mir einen Halbpelz gekauft, einen wasserundurchlässigen Offiziersmantel aus Leder, hohe Stiefel und ein langes Messer zum Wurstschneiden resp. zur Tigerjagd. Ich bin bis an die Zähne bewaffnet.

Also, auf Wiedersehen. Ich werde Ihnen von der Volga und von der Kama schreiben. An Anna Ivanovna, Nastjuša und Boris meinen herzlichsten Gruß. *Ihr A. Čechov.*

283) AN A.P. LENSKIJ MOSKAU, 21. 4. 1890

Adieu, Lieber. Fahre heute. Jaroslavsk. Bahnhof, 8 h abends. Čechovs, Kuvšinn. und Levitan begleiten mich bis Troica. Laden Sie ein. Wünsche alles Gute. *Ihr Čechov.*

284) AN DIE FAMILIE ČECHOV 23. 4. 1890

Dampfer »Aleksandr Nevskij«, 23, früh morgens.

Meine tungusischen Freunde! War bei euch Regen, als Ivan aus Lavra zurückkam? In Jaroslavl schüttete es dermaßen, daß ich den Ledermantel anziehen mußte. Der erste Eindruck von der Volga war vergiftet vom Regen, von den verweinten Fenstern der Kajüte und der nassen Nase Gurljands, der auf den Bahnhof gekommen war, um mich abzuholen. Bei Regen wirkt Jaroslavl ähnlich wie Zvenigorod, und seine Kirchen erinnern an das Pererviner Kloster; viele analphabetische Ladenschilder, Schmutz, auf dem Pflaster gehen großköpfige Dohlen spazieren.

Auf dem Dampfer zollte ich als erstes meinem Talent Tribut, d. h. ich legte mich schlafen. Als ich aufwachte, sah ich die Sonne. Die Volga – nicht übel; Wiesen, sonnenbeschienene Klöster, weiße Kirchen; herrlich weites Land; wohin man schaut, überall möchte man sich hinsetzen und die Angel auswerfen. Am Ufer entlang flanieren Klassendamen und rupfen grüne Gräser, manchmal hört man die Hirtenflöte. Über das Wasser gleiten weiße Möwen, ähnlich der jüngeren Driška.

Der Dampfer ist nicht besonders. Das Beste an ihm ist – das Wasserklosett. Es steht erhöht, auf vier Stufen, so daß ein unerfahrener Mensch wie Ivanenko es leicht für einen Königsthron halten könnte. Das Schlechteste auf dem Dampfer ist das Essen. Hier das Menü in der Orthographie der Speisekarte: Kolsuppe, Sosiss m. Gemuse, Sevrjuga früsch, Brie überbacken; der Brie erwies sich als Brei. Da ich mein Geld im Schweiße meines Angesichts verdient habe, wünschte ich mir, es wäre umgekehrt, d. h. das Essen wäre besser als das Wasserklosett, um so mehr, als mir der Korneevsche Santuriner alle meine Eingeweide durcheinandergebracht hat und ich bis Tomsk ohne Wasserklo auszukommen habe.

Mit mir fährt die Kundasova. Wohin sie fährt und weswegen, weiß ich nicht. Immer wenn ich anfange, sie danach auszufragen, ergeht sie sich in irgendwelchen nebulosen Hypothesen über irgendeinen Menschen, mit dem sie ein Rendezvous in der Schlucht von Kinešma habe, dann bricht sie in ihr unbändiges Gelächter aus und fängt an, mit den Füßen zu stampfen oder mit den Ellbogen auf alles einzuhämmern, was ihr in die Quere kommt, ohne die [...] zu schonen. Wir fuhren an Kinešma vorbei, an der Schlucht, aber sie fährt weiter, worüber ich natürlich sehr froh bin. Übrigens: gestern habe ich zum ersten Mal im Leben gesehen, wie sie ißt. Sie ißt nicht weniger als andere, aber automatisch, als ob sie Hafer kauen würde.

Kostroma ist eine schöne Stadt. Ich habe Plës gesehen, wo der schmächtige Levitan gelebt hat, habe Kinešma gesehen, wo ich auf dem Boulevard spazierenging und die lokalen Stare beobachtet habe; ich bin hier in eine Apotheke gegangen, um mir Bertholletsalz zu kaufen für meine Zunge, die von dem Santuriner wie Saffianleder geworden war. Der Apotheker freute sich sehr, als er Olga Petrovna erblickte, und wurde ganz verlegen, sie – desgleichen; beide kennen sich offenbar seit langem und sind, dem Gespräch nach zu urteilen, das sie miteinander führten, mehr als einmal in den Schluchten von Kinešma spazierengegangen. Da hocken also die Stare! Der Apotheker heißt mit Nachnamen Kopfer.

Es ist kühl und langweilig, aber sonst ganz lustig.

Der Dampfer tutet jeden Augenblick; sein Tuten ist etwas zwischen Eselsgeschrei und Äolsharfe. In 5–6 Stunden werde ich in Nižnij sein. Die Sonne geht auf. Die Nacht habe ich künstlerisch geschlafen. Das Geld ist heil und unversehrt – weil ich mir so oft an den Bauch fasse.

Sehr schön sind die Bugsierschiffe, die 4–5 Barken hinter sich herschleppen; das sieht aus, als wollte ein junger eleganter Intellektueller davonlaufen, aber an seinen Rockschößen hängen: die schwergewichtige Ehefrau, die Schwiegermutter, Schwägerin und die Großmutter der Frau.

Papaša und Mamaša eine Verbeugung bis zur Erde; allen übrigen bis zum Gürtel. Ich hoffe, Semaško, Lidija Stachievna und Ivanenko benehmen sich anständig. Interessant zu wissen wäre, wer sich jetzt mit Lidija Stach. herumtreibt bis 5 Uhr in der Frühe? Ach, was bin ich froh, daß Ivanenko kein Geld hat!

Der Koffer, den Miša gekauft hat, reißt. Ergebensten Danck. Meine Gesundheit ist absolut. Halsschmerzen habe ich keine. Gestern habe ich keinen Tropfen getrunken.

Holt von Driška den Fofanov. Der Kundasova gebt den französischen Atlas und Darwins Reise zurück, die im Regal stehen. Das ist für Ivan.

Die Sonne hat sich hinter einer Wolke versteckt, es ist trüb geworden, und die breite Volga erscheint auf einmal düster. Levitan darf unmöglich an der Volga leben. Ihre Düsterkeit legt sich einem aufs Gemüt. Obwohl, ein kleines Gut am Volgaufer wäre so übel nicht.

Ich wünsche allen alles Gute. Herzliche Grüße und 1000 Küsse.

Miša, bring Lidija Stach. bei, eine Streifbandsendung aufzugeben und gib ihr das Billett für den Gogol. Denkt daran, daß Suvorin einen Band Gogol – das Bindemuster, zurückbekommen hat. Das heißt, ihr habt 3 Bände zu bekommen.

Wenn der Lakai wach wäre, würde ich mir Kaffee bestellen, so aber muß ich unlustig Wasser trinken. Einen Gruß an Marjuška und Olga.

Nun denn, bleibt alle gesund und munter. Ich werde regelmäßig schreiben.

In Sehnsucht der Volgareisende
Homo Sachaliensis
A. Čechov.

Einen Gruß an Babuška.

285) AN DIE FAMILIE ČECHOV 24. 4. 1890

24. abends.

Meine tungusischen Freunde! Ich fahre die Kama entlang, aber Ortschaften kann ich keine ausmachen; mir scheint, wir sind in der Nähe von Čistopol. Ich kann auch nicht die Schönheit der Ufer besingen, weil es höllisch kalt ist; die Birken haben noch nicht ausgeschlagen, hier und da noch Streifen von Schnee, Eisschollen treiben im Wasser – mit einem Wort, die ganze Ästhetik ist beim Teufel. Ich sitze in einem Loch, wo um den Tisch herum alle möglichen Leute sitzen und höre Gesprächen zu, während ich mich frage: »Wäre es nicht Zeit zum Teetrinken?« Wenn es nach mir ginge, dann würde ich von morgens bis abends nichts anderes tun als essen; da das Geld für Vollpension aber nicht reicht, schlafe ich und schlafe. An Deck gehe ich nicht – es ist zu kalt. Nachts regnet es, und tags weht ein unangenehmer Wind. Ach, der Kaviar! Ich esse, esse und kann einfach nicht aufhören. In dieser Beziehung ist er wie ein runder Käse. Schön, daß er nicht gesalzen ist.

Nicht schön ist, daß ich nicht auf die Idee gekommen bin, mir ein Säckchen für Tee und Zucker zu nähen. Ich muß den Tee glasweise bestellen, was teuer und langweilig ist. Ich wollte heute morgen in Kazan Tee und Zucker kaufen, habe aber verschlafen.

Freuet euch, oh Mutter! Ich werde in Ekaterinburg wohl einen ganzen Tag verbringen und die Verwandten besuchen. Vielleicht ist ihr Herz zu erweichen, und sie geben mir drei Rubel und ein Achtel Tee.

Aus den Gesprächen, die ich hier mitanhöre, schließe ich, daß ein ganzer Justizpalast mit mir unterwegs ist. Wenig begabte Leute. Dafür sind die Kaufleute, die ab und zu ein Wort einwerfen, anscheinend ziemlich klug. Es sind schrrecklich rreiche Leute darunter.

Sterlet ist billiger als Pilze, aber man hat ihn bald satt. Wovon soll ich noch schreiben? Ich weiß nichts mehr... Übrigens ist hier ein General und ein hagerer Blonder. Der erste rennt dauernd von seiner Kajüte an Deck und zurück und schenkt jedem ein Photo von sich, der zweite ist wie Nadson geschminkt und versucht jedem zu verstehen zu geben, daß er Schriftsteller sei; heute hat er beim Essen einer Dame vorgelogen, er habe ein Buch bei Suvorin veröffentlicht; ich habe natürlich gezittert im Gesicht...

Das Geld ist heil und unversehrt, ausgenommen das, das ich verzehrt habe. Die Schurken wollen mir nichts umsonst geben!

Mir ist weder froh noch langweilig, es ist mir einfach kalt ums Herz. Ich sitze gern unbeweglich da und schweige. Heute zum Beispiel habe ich kaum fünf Worte gesprochen. Übrigens ist das Unsinn. Ich habe mich an Deck mit einem Popen unterhalten.

Allmählich begegnet man Nichtrussen. Sehr viele Tataren: anständige und bescheidene Menschen.

Ein großer Komfort: wenn man seine Kajüte verläßt, schließt man sie ab; wenn man schlafengeht, desgleichen. So daß einem bis Perm nichts gestohlen werden kann.

Ich grüße alle. Papa und Mama bitte ich inständig, sich keine Sorgen zu machen und keine Gefahren zu sehen, wo keine sind. Ich grüße Semašečko nebst Violoncello, Ivanenko nebst Flöte und Ter-Mizinova nebst Babuška. Richtet Djukovskij mein Bedauern aus, daß wir uns vor meiner Abreise nicht mehr haben sehen können. Er ist ein guter Mensch. Einen Gruß an die Kuvšinnikovs. Wenn die Kundasova zurück ist, dann auch an sie.

Bleibt alle gesund und munter. *Euer A. Čechov.*

Entschuldigt, daß ich nur vom Essen schreibe. Wenn das Essen nicht wäre, müßte ich von der Kälte schreiben, sonstige Sujets gibt es nicht.

Der Justizpalast hat beschlossen: wir bestellen Tee. Man hat von irgendwoher zwei Kandidaten für den Gerichtsdienst eingeladen, die als Kanzlei mitfahren. Der eine von ihnen sieht aus wie der dichtende Schneider Belousov, der andere wie Ežov. Beide hören ehrerbietig den Herren Vorgesetzten zu; sie wagen es nicht, eine eigene Meinung zu haben, und erwecken den Anschein, als würden sie vom Anhören kluger Reden auch selbst klüger. Ich liebe musterhafte junge Menschen.

286) AN DIE FAMILIE ČECHOV EKATERINBURG, 29. 4. 1890

29. April.

Meine lieben Tungusen! Die Kama ist ein sehr langweiliger Fluß. Um seine Schönheit ermessen zu können, muß man ein Pečenege sein, regungslos auf einem Lastkahn neben einem Erdölfaß oder einem Sack Volgaplötzen sitzen und ununterbrochen Sivoldaj trinken. Kahl die Ufer, kahl die Bäume, braune Erde, Streifen von Schnee ziehen sich dahin, und ein Wind, nicht einmal der Teufel könnte so heftig und widerwärtig blasen. Wenn der kalte Wind weht und das Wasser aufrauht, das jetzt nach dem Hochwasser die Farbe von Kaffeespülicht hat, wird einem kalt, langweilig und unheimlich zumute; die Harmonikaklänge vom Ufer klingen triste, die Gestalten in den abgerissenen Bauernpelzen, die regungslos auf den entgegenkommenden Lastkähnen stehen, erscheinen erstarrt von einem Leiden ohne Ende. Die Kamastädte sind grau; es scheint, als beschäftigten sich ihre Bewohner einzig und allein mit der Herstellung von Wolken, Langeweile, nassen Zäunen und Straßenschmutz – mehr nicht. An den Anlegestellen drängelt sich die Intelligenz, für die die Ankunft eines Schiffes ein Ereignis ist. Es sind mehr und mehr Leute wie Ščerbanenko und Čuguevec, mit denselben Hüten, denselben Stimmen und demselben Ausdruck der »zweiten Geige« in ihrer ganzen Gestalt; offenbar bekommt keiner von ihnen mehr als 35 Rubel, und wahrscheinlich sind sie alle irgendwo krank.

Ich schrieb bereits, daß ein ganzer Justizpalast mit mir unterwegs war: ein Vorsitzender, ein Beisitzer und ein Staatsanwalt. Der Vorsitzende, ein gesunder, kräftiger alter Deutscher, zum orthodoxen Glauben übergewechselt, fromm, Homöopath und offenbar ein großer Weiberheld; der Beisitzer – ein Greis ähnlich denen, die der verstorbene Nikolaj so oft gemalt hat: er geht vornübergebeugt, hustet und hört gern pikante Geschichten; der

Staatsanwalt – ein Mann von 43 Jahren, unzufrieden mit dem Leben, ein Liberaler, Skeptiker und ein sehr guter Kerl. Die ganze Fahrt über tat der Justizpalast nichts anderes als – essen, wichtige Fragen klären, essen, lesen und essen. Auf dem Dampfer gibt es eine Bibliothek, und ich sah, wie der Staatsanwalt meine »Dämmerungen« las. Sie sprachen über mich. Am meisten gefällt in den hiesigen Gegenden Sibirjak-Mamin, der den Ural beschreibt. Über ihn wird hier mehr gesprochen als über Tolstoj.

Bis Perm fuhr der Dampfer 2½ Jahre – so kam es mir vor. Als ich ankam, war es 2 Uhr nachts. Der Zug fuhr um 6 Uhr abends. Ich mußte warten. Es regnete. Überhaupt: Regen, Schmutz, Kälte... brrr! Die Uraleisenbahn fährt gut. Stationen wie Boromli und Merčiki gibt es nicht, obwohl man ja das Uralgebirge überquert. Dies erklärt sich aus der Vielzahl der hier ansässigen Geschäftsleute, Gruben, Fabriken usw., für die Zeit Geld ist.

Als ich gestern morgen aufwachte und zum Zugfenster hinaussah, war ich angewidert von der Natur: die Erde weiß, die Bäume reifbedeckt, und hinter dem Zug her stob ein richtiger kleiner Schneesturm. Ist das nicht empörend? Sind das nicht Hundesöhne?... Ich habe keine Galoschen, zog also die hohen Stiefel an, und bis ich beim Buffet war, um mir Kaffee zu holen, hatte ich das gesamte Uralgebiet mit Teergeruch parfümiert. Und als ich in Ekaterinburg ankam – Regen, Schnee und Graupeln. Ich ziehe den Ledermantel an. Die Droschken sind etwas Unvorstellbares in ihrer Erbärmlichkeit. Schmutzig, durchnäßt, ohne Federung; die Vorderbeine der Pferde stehen so auseinander  die Hufe sind riesig, die Rücken mager... Die hiesigen Droschken sind eine plumpe Parodie auf unsere Kaleschen. Kaleschen, an denen man ein zerrissenes Verdeck angebracht hat, und Schluß. Und je genauer ich den hiesigen Droschkenkutscher mit seinem Gefährt zeichnen würde, desto mehr geriete er zur Karikatur. Man fährt nicht auf dem Straßenpflaster, wo es rüttelt, sondern an den Gräben entlang, wo der Schmutz liegt und wo es infolgedessen weich ist. Alle Droschkenkutscher sehen aus wie Dobroljubov.

In Rußland sind alle Städte gleich. Ekaterinburg ist genau wie Perm oder wie Tula. Es sieht aus wie Sumy und wie Gadjač. Die Kirchenglocken läuten herrlich, samtweich. Abgestiegen bin ich im »Hotel Amerika« (sehr anständig) und habe sofort A.M. Simonov über meine Ankunft informiert, ihm geschrieben, daß ich beabsichtige, zwei Tage lang in meinem Hotelzimmer sitzenzubleiben und Hunyadi zu mir zu nehmen, was ich auch tue, und zwar, ich sage das nicht ohne Stolz, mit großem Erfolg.

Die Leute hier flößen dem Ankömmling etwas wie Entsetzen ein. Hervorstehende Backenknochen, breite Stirnen, breite Schultern, kleine Augen, Riesenfäuste. Sie werden in den hiesigen Eisengießereien geboren, und bei ihrer Geburt assistiert kein Geburtshelfer, sondern ein Mechaniker. Kommt einer von denen mit dem Samovar zu dir ins Zimmer oder mit einer Karaffe, und hast du nicht gesehen, hat er dich erschlagen. Ich halte mich beiseite. Heute morgen kommt so einer herein – hervorstehende Backenknochen, breite Stirn, mürrisch, groß bis an die Decke, eine Sažen breit in den Schultern, und noch dazu im Pelz.

– Na, denke ich, der wird dich jetzt bestimmt erschlagen. – Wie sich herausstellte, war es A.M. S. Wir unterhielten uns. Er ist Mitglied der Zemstvoverwaltung, ist Direktor einer Mühle, die seinem Cousin gehört und elektrisches Licht hat, ist Redakteur der »Ekaterinb. nedelja«, die vom Polizeimeister Baron Taube zensiert wird, ist verheiratet, hat zwei Kinder, wird immer reicher, immer dicker und immer älter und lebt »gesetzt«. Sich zu langweilen, sagt er, habe er keine Zeit. Er gab mir den Rat, das Museum, die Fabriken, die Gruben zu besichtigen; ich dankte ihm für den Rat. Er lud mich für morgen abend zum Tee zu sich ein; ich lud ihn zu mir zum Essen ein. Mich lud er nicht zum Essen ein und beharrte auch nicht weiter darauf, daß ich ihn besuchen käme. Dem kann Mamaša entnehmen, daß das Herz der Verwandten sich nicht erweicht hat und daß wir beide, S. und ich, einander nicht brauchen. Praskovja Paramenovna, Nastasja

Tichonovna, Sobakij Semënyč und Matvej Sortiryč werde ich nicht besuchen, obwohl die Tante mich gebeten hatte ihnen auszurichten, daß sie ihnen schon zehnmal geschrieben und nie eine Antwort bekommen habe. Verwandte sind eine Sippe, die mir gleichgültig ist wie Frosja Artemenko.

Auf der Straße liegt Schnee, und ich habe den Vorhang absichtlich heruntergezogen, um diese asiatischen Zustände nicht sehen zu müssen. Ich sitze und warte auf die Antwort aus Tjumen auf mein Telegramm. Telegraphiert habe ich: »Tjumen. Dampfschiffahrt Kurbatov. Antwort bezahlt. Erbitte Mitteilung, wann Abfahrt Passagierdampfer Tomsk« usw. Von dieser Antwort hängt ab, ob ich mit dem Dampfer fahre oder ob ich die 1 1/2 Tausend Verst im Wagen durch den Morast sprenge.

Die ganze Nacht wird hier an Tafeln aus Gußeisen geschlagen, an allen Ecken und Enden. Man muß einen Kopf aus Gußeisen haben, um nicht verrückt zu werden von diesem ununterbrochenen Glockenspiel. Heute habe ich versucht, mir Kaffee zu kochen: es kam so etwas heraus wie Matrasiner Wein. Ich habe es getrunken und nur die Achseln gezuckt.

Fünf Bettlaken habe ich zu Hause um und um gewendet, und kein einziges mitgenommen. Heute fahre ich, um mir Galoschen zu kaufen.

Nun denn, bleibt alle gesund und munter, Gott beschütze euch. Meinen Gruß an alle Lintvarëvs, vor allem an Troša. Einen Gruß an Ivanenko, die Kundasova, Mizinova und die andern. Ich wünsche Luka so viele Stare wie möglich. Das Geld ist heil. Wenn Mamaša ein Gitter für Nikolaj machen läßt, so wiederhole ich, ich habe nichts dagegen. Es ist mein Wunsch.

Ob ich in Irkutsk einen Brief von euch finde?

Euer Homo Sachaliensis A. Čechov.

Ich schicke diesen Brief eingeschrieben – aus Angst, er kommt nicht an.

Bitte Lika, sie solle keine *großen leeren Felder* in ihren Briefen lassen.

287) AN DIE FAMILIE ČECHOV KRASNYJ JAR/TOMSK
14. Mai 90, Dorf Jar, 14./17. 5. 1890
45 Verst vor Tomsk.

Meine großartige Mamaša, vortreffliche Maša, süßer Miša und alle meine Helfershelfer! In Ekaterinburg bekam ich das Antworttelegramm aus Tjumen: »Erster Dampfer nach Tomsk Abfahrt 18. Mai.« Das bedeutete, daß ich, ob ich wollte oder nicht, im Wagen dahinsprengen mußte. Ich verließ Tjumen am 3. Mai, nachdem ich in Ekaterinburg 2–3 Tage verbracht, die ich zur Wiederherstellung meiner hustenden und hämorrhoidisierenden Person verwandt hatte. Durch Sibirien fahren Postkutscher und freie Kutscher. Ich nahm die letzteren: es ist egal. Man setzte mich Knecht Gottes in einen Flechtkorb  und fuhr zweispännig los. So sitzt man denn in seinem Korb, betrachtet die Welt Gottes wie ein Zeisig und denkt an nichts ... Die sibirische Ebene beginnt, so scheint es, direkt hinter Ekaterinburg und endet der Teufel weiß wo; ich würde sagen, sie hätte sehr viel Ähnlichkeit mit unserer südrussischen Steppe, wenn der lichte Birkenwald nicht wäre, den man hier und da antrifft, und wenn der kalte Wind nicht wäre, der einen in die Wangen sticht. Der Frühling hat noch nicht begonnen. Es gibt noch gar kein Grün, die Wälder sind kahl, der Schnee ist noch nicht weggetaut; die Seen bedeckt mattschimmerndes Eis. Am 9. Mai, dem Tag des hl. Nikolaj, war Frost, und heute, am 14., sind 1 1/2 Veršok Schnee gefallen. Vom Frühling künden nur die Enten. Ach, wie viele Enten! Noch nie in meinem Leben habe ich so viele Enten gesehen. Sie fliegen über einen hinweg, flattern vor dem Tarantas auf, schwimmen auf den Seen und in den Pfützen, kurz, an einem einzigen Tage würde ich mit einem schlechten Gewehr tausend Stück schießen. Man hört die Wildgänse schreien ... Auch davon gibt es hier viele. Oft begegnet man Zügen von Kranichen und Schwänen ... In den Birkengehölzen flattern Birkhühner und Haselhühner. Hasen, die hier nicht gegessen und nicht geschossen werden, sitzen ohne Scheu auf den Hinterpfoten und folgen, die Löffel gespitzt, mit neugierigem Blick den Vorbeifahrenden. Sie laufen einem so oft über den Weg, daß man sie hier nicht als schlechtes Zeichen ansieht.

Es ist kalt beim Fahren... Ich habe den Halbpelz an. Am Körper macht es nichts, das geht, aber an den Füßen friert man. Ich hülle sie in den Ledermantel – es hilft nichts... Ich habe zwei Hosen übereinander an. Nun ja, so fährt man und fährt... Verstpfähle, Pfützen, Birkengehölze fliegen einem entgegen... Eben haben wir Ansiedler überholt, dann eine Sträflingsetappe... Wir sind Landstreichern mit Kesseln auf dem Rücken begegnet; diese Herrschaften gehen ungehindert auf allen Landstraßen Sibiriens spazieren. Mal erstechen sie eine alte Frau, um sich aus deren Rock Fußlappen zu machen, mal reißen sie von einem Verstpfahl das Blechschild mit der Zahl ab – es wird schon irgendwann zu gebrauchen sein, mal schlagen sie einem entgegenkommenden Bettler den Schädel ein oder stechen einem ihresgleichen die Augen aus, aber Reisende rühren sie nicht an. Überhaupt ist das Reisen hier, was Raubüberfälle betrifft, vollkommen ungefährlich. Von Tjumen bis Tomsk erinnern sich weder die Post- noch die freien Kutscher, daß je einem Reisenden irgendetwas gestohlen worden wäre; wenn man an eine Station kommt, läßt man die Sachen draußen; auf die Frage, ob sie nicht gestohlen werden könnten, antwortet man mit einem Lächeln. Von Raub und Mord ist es unüblich auch nur zu sprechen. Ich glaube, wenn ich mein Geld auf einer Station oder im Wagen verlieren würde, der Kutscher, der es fände, würde es mir ganz bestimmt zurückgeben und sich nicht damit brüsten. Überhaupt sind es hier gute, gutmütige Menschen mit sehr guten Traditionen. Ihre Zimmer sind einfach, aber sauber und mit einer Neigung zum Schönen eingerichtet; die Betten weich, Daunenbetten und große Kopfkissen, die Fußböden gestrichen oder mit selbstgewebten Leinenteppichen ausgelegt. Das erklärt sich natürlich aus dem Wohlstand, daraus, daß eine Familie ein Anwesen von 16 Desjatinen Schwarzerde besitzt und daß auf dieser Schwarzerde guter Weizen wächst (das Weizenmehl kostet hier 30 Kop.

das Pud). Aber man kann nicht alles mit Wohlstand und Sattheit erklären, einiges muß man auch der Lebensart zugutehalten. Wenn man nachts in ein Zimmer kommt, in dem geschlafen wird, so riecht die Nase weder Mief noch russischen Geist. Zwar hat einmal eine alte Frau den Teelöffel, den sie mir gab, vorher an ihrem Hintern abgewischt, aber dafür setzt man niemanden zum Teetrinken an einen Tisch ohne Tischtuch, rülpst nicht in Gegenwart anderer, kratzt sich nicht suchend am Kopf; wenn man jemandem Wasser oder Milch reicht, hat man nicht den Finger im Glas, das Geschirr ist sauber, der Kvas klar wie Bier, – eine allgemeine Reinlichkeit, von der unsere Kleinrussen nur träumen können, und die Kleinrussen sind doch schon wer weiß was für reinliche Reußen! Das Brot, das man hier bäckt, ist sehr schmackhaft; in den ersten Tagen habe ich zu viel davon gegessen. Schmackhaft sind auch die Piroggen, die Bliny, Fladen, Kuchen, die an unsere knusprigen Kringel erinnern. Die Bliny schön dünn... Dafür ist alles übrige nichts für einen europäischen Magen. Zum Beispiel wurde mir überall »Entenbrühe« vorgesetzt. Das ist etwas ganz Widerliches: eine trübe Flüssigkeit, in der Stücke von Wildente und rohe Zwiebeln schwimmen; die Entenmägen sind von ihrem Inhalt nicht ganz gereinigt, so daß man, wenn man sie in den Mund nimmt, glaubt, Mund und rectum hätten die Plätze getauscht. Einmal habe ich darum gebeten, mir eine Suppe aus Fleisch zu kochen und Barsche zu braten. Die Suppe, die ich bekam, war versalzen, schmutzig trüb, mit harten Fetzen Haut statt Fleischs, und die Barsche waren mit den Schuppen. Man kocht hier Šči aus Pökelfleisch; das wird auch gebraten. Eben hat man mir gebratenes Pökelfleisch vorgesetzt: widerlich, furchtbar. Ich habe ein bißchen darauf herumgekaut und es weggetan. Als Tee trinkt man hier Ziegeltee. Das ist ein Aufguß aus Salbei und Kellerschaben – dem Geschmack nach, der Farbe nach ist es kein Tee, sondern Matrasiner Wein. A propos, aus Ekaterinburg hatte ich mir 1/4 Pfd. Tee, 5 Pfd. Zukker und 3 Zitronen mitgenommen. Der Tee hat nicht gereicht, und welchen kaufen kann man hier nirgends. In den räudigen

Kleinstädten trinken sogar die Beamten Ziegeltee, und selbst die besten Kaufhäuser führen keinen Tee, der teurer ist als 1 R. 50 K. das Pfund. Muß ich also Salbei trinken.

Die Entfernung zwischen den Stationen bemißt sich nach der Entfernung zwischen jeweils zwei Nachbardörfern: 20–40 Verst. Die Dörfer sind groß, Ansiedlungen und Einzelgehöfte gibt es keine. Überall Kirchen und Schulen; unter den Hütten aus Holz gibt es sogar zweistöckige.

Gegen Abend gefrieren die Pfützen und Wege, und nachts herrscht so strenger Frost, daß man sogar den Pelz anziehen möchte. Brrr! Es rüttelt, weil der Schmutz zu harten Klumpen gefriert. Es rüttelt einem die Seele aus dem Leibe... Gegen Morgen ist man von der Kälte, dem Gerüttel und dem Schellengeklingel furchtbar erschöpft; man möchte leidenschaftlich gern ins Warme und in ein Bett... Während die Pferde gewechselt werden, raucht man irgendwo in einem Winkel eine Zigarette an und schläft sofort ein, eine Minute später zupft einen der Kutscher schon wieder am Ärmel und sagt: »Steh auf, Freund, es ist Zeit!« In der zweiten Nacht verspürte ich einen heftigen Schmerz in den Fersen. Einen unerträglichen Schmerz. Ich frage mich: habe ich sie mir erfroren?

Aber ich kann nicht weiterschreiben. Der Beisitzer (d. h. der Landkommissar) ist gekommen. Wir haben einander kennengelernt und wollen uns unterhalten. Bis morgen.

Tomsk, 16. Mai.

Schuld waren die Kanonenstiefel, die in den Hacken zu eng sind. Süßer Miša, wenn du einmal Kinder haben solltest, woran ich nicht zweifle, so befiehl ihnen, nie hinter billigem Krempel her zu sein. Die Billigkeit russischer Ware ist ein Diplom für ihre Untauglichkeit. Es ist meiner Meinung nach besser, barfuß zu gehen als in billigen Stiefeln. Stellt euch meine Qualen vor! Ich klettere also dauernd aus dem Wagen, setze mich auf die nasse Erde und ziehe die Stiefel aus, damit meine Fersen sich erholen können. Wie angenehm, bei Frost! In Išim habe ich mir

Filzstiefel kaufen müssen. So bin ich in Filzstiefeln gefahren, bis Nässe und Schmutz sie aufgeweicht hatten.

Morgens zwischen 5 und 6 Uhr in einer Hütte Teetrinken. Tee unterwegs ist eine wahre Wohltat. Ich weiß jetzt, was er wert ist, und trinke ihn mit der Gier Janovs. Er wärmt auf, vertreibt den Schlaf, man ißt dazu viel Brot, und Brot muß man in Ermangelung anderer Nahrung viel essen; darum essen auch die Bauern so viel Brot und Mehlspeisen. Man trinkt seinen Tee und unterhält sich mit den Weibern, die hier vernünftig sind, kinderlieb, barmherzig, arbeitsam und freier als in Europa; die Männer schimpfen und schlagen sie nicht, weil sie ebenso groß und kräftig und klug sind wie ihre Gebieter; wenn die Männer nicht zu Hause sind, lenken sie die Pferde; sie erzählen gern Witze. Sie halten ihre Kinder nicht in Strenge; sie verwöhnen sie. Die Kinder schlafen weich und solange sie wollen, sie trinken Tee und essen zusammen mit den Bauern und zanken sich, während jene liebevoll über sie lachen. Diphtherie gibt es nicht. Hier herrschen die schwarzen Pocken, aber merkwürdig, sie sind hier nicht so ansteckend wie in anderen Gegenden: zwei-drei erkranken, sterben – und die Epidemie hat ein Ende. Krankenhäuser und Ärzte gibt es keine. Die Kranken werden von Heilgehilfen behandelt. Aderlaß und Schröpfköpfe werden in gigantischen, barbarischen Ausmaßen angewandt. Ich habe unterwegs einen Juden untersucht, der an Leberkrebs litt. Der Jude ausgemergelt, kann kaum atmen, aber das hinderte den Heilgehilfen keineswegs, ihm 12 Schröpfköpfe anzusetzen. A propos Juden. Hierzulande pflügen sie, lenken Kutschen, betreiben Fuhrunternehmen, treiben Handel und nennen sich Bauern, weil sie de jure und de facto tatsächlich Bauern sind. Sie genießen allgemeines Ansehen und werden, den Worten des Beisitzers zufolge, nicht selten zu Dorfältesten gewählt. Ich habe einen gesehen, einen langen und dünnen Mann, der angeekelt die Stirn runzelte und ausspuckte, als der Beisitzer frivole Witze erzählte; eine Seele ohne Arg; seine Frau kochte eine sehr schöne Fischsuppe. Die Frau dessen, der an Krebs litt, bewirtete mich mit Hechtrogen und herrlich schmackhaftem Weißbrot. Von Wucher und Exploitation ist kein Wort zu hören.

A propos auch etwas über die Polen. Man begegnet Verbannten, die im Jahre 1864 hierher deportiert worden sind. Es sind gute, gastfreundliche und sehr feinsinnige Menschen. Die einen sind sehr reich, die anderen sehr arm und arbeiten als Schreiber auf den Stationen. Erstere waren nach der Amnestie in ihre Heimat zurückgefahren, sind aber bald nach Sibirien zurückgekehrt – hier geht es ihnen besser, die zweiten träumen von der Heimat, obwohl sie schon alt und krank sind. In Išim hat mir der reiche Pan Zalesskij, dessen Tochter Saša Kiselëva ähnlich ist, für 1 Rubel ein ausgezeichnetes Essen vorgesetzt und mir ein Zimmer zum Ausschlafen gegeben; er betreibt eine Schenke, ist Kulak durch und durch, übervorteilt jeden, aber trotzdem spürt man an seinen Manieren, seiner Küche, an allem bei ihm den Pan. Er fährt aus Habgier nicht in seine Heimat zurück, aus Habgier erduldet er den Schnee am Tag des hl. Nikolaj; wenn er stirbt, wird seine Tochter, die in Išim geboren ist, für immer hier bleiben – und auf diese Weise werden sich die schwarzen Augen und sanften Züge in ganz Sibirien vermehren! Diese zufälligen Mischungen des Bluts sind notwendig, denn die Menschen in Sibirien sind häßlich. Braune Haare gibt es gar nicht. Soll ich vielleicht auch noch über die Tataren schreiben? Bitte sehr. Es gibt hier nicht viele. Es sind gute Menschen. Im Gouv. Kazan sprechen sogar die Priester gut von ihnen, und in Sibirien sind sie »besser als die Russen« – das sagte mir der Beisitzer in Anwesenheit von Russen, die dies schweigend bestätigten. Mein Gott, ist Rußland reich an guten Menschen! Wenn die Kälte nicht wäre, die Sibirien des Sommers beraubt, und wenn die Beamten nicht wären, die die Bauern und Verbannten demoralisieren, wäre Sibirien das reichste und glücklichste Land auf Erden.

Es gibt nichts zum Mittagessen. Kluge Menschen nehmen sich, wenn sie nach Tomsk fahren, gewöhnlich ein halbes Pud Verpflegung mit. Ich habe mich als Dummkopf erwiesen und mich deshalb 2 Wochen lang nur von Milch und Eiern ernährt, die hier so zubereitet werden: das Eigelb hart, und das Weiße butterweich. Diese Ernährung hat man binnen 2 Tagen über. Die ganze Strecke über habe ich nur zweimal zu Mittag gegessen, wenn man die verdammte Fischsuppe nicht rechnet, die ich gegessen habe, als ich schon satt war vom vielen Tee. Vodka habe ich keinen getrunken; der sibirische Vodka ist widerwärtig, ich habe ihn mir seit Ekaterinburg abgewöhnt. Vodka soll man hier nicht trinken. Er erregt das Hirn, das von der Reise träge und dumpf wird, weshalb man verdummt und schwach wird.

Stop! Weiterschreiben geht nicht: der Redakteur des »Sibirskij vestnik«, Kartamyšev, ist gekommen, meine Bekanntschaft zu machen, ein hiesiger Nozdrëv, Säufer und Wüstling.

Kartamyšev hat sein Bier ausgetrunken und ist gegangen. Ich fahre fort.

An den ersten drei Tagen der Voyage tat mir von dem Gerüttel alles weh: die Schlüsselbeine, die Schultern, die Wirbel, der Falke... Weder Sitzen noch Gehen noch Liegen... Aber dafür sind alle Brust- und Kopfschmerzen weg, ich habe schrecklichen Appetit bekommen, und die Hämorrhoiden – als hätte man den Mund voll Wasser: Schweigen. Von der Anstrengung, von der vielen Plackerei mit den Koffern usw., vielleicht auch von den Abschiedsgelagen in Moskau hatte ich morgens manchmal Bluthusten, der mich irgendwie verzagen ließ, weil er finstere Gedanken weckte, und der gegen Ende der Reise aufhörte; jetzt huste ich nicht einmal mehr; ich habe lange nicht so wenig gehustet wie jetzt, nach einem vierzehntägigen Aufenthalt an der frischen Luft. Nach den ersten drei Tagen der Voyage hatte sich mein Körper an das Gerüttel gewöhnt, und es begann eine Zeit für mich, in der ich nicht mehr bemerkte, wie auf den Morgen der Mittag, und dann der Abend und die Nacht folgten. Die Tage flogen an mir vorüber wie an einem Schwerkranken. Man glaubt, es ist noch Vormittag, da sagen einem die Bauern, gnädiger Herr, du solltest über Nacht bleiben, sonst könntest du dich in der Finsternis verfahren; und tatsächlich, man schaut auf die Uhr – es ist 8 Uhr abends.

Die Fahrt geht schnell, aber verblüffend ist an dieser Schnelligkeit nichts. Wahrscheinlich sind die Straßen jetzt in schlechtem Zustand, im Winter fährt man schneller. Bergauf geht es im Galopp, und bevor man zum Hoftor hinausfährt und der Kutscher auf dem Bock sitzt, müssen die Pferde von zwei-drei Mann gehalten werden. Die Pferde erinnern an die Moskauer Feuerwehrpferde; einmal hätte ich fast ein paar alte Frauen überfahren, ein andermal wäre ich fast in eine Sträflingsetappe hineingerast. Jetzt bittesehr ein Abenteuer, das ich der Fahrt durch Sibirien verdanke. Nur bitte ich Mamaša, nicht och und ach zu stöhnen und nicht zu jammern, denn es ist alles gutgegangen. In der Nacht zum 6. Mai fuhr mich gegen Morgen ein sehr lieber alter Mann, zweispännig. Ein kleiner Tarantas. Ich döste so dahin und sah aus Langeweile zu, wie sich über die Erde und durch das Birkengehölz schlangenähnliche Feuer ringelten: es brannte das Gras vom vergangenen Jahr, das hier abgebrannt wird. Plötzlich höre ich deutlich ein Rattern von Rädern. Uns entgegen fliegt, in rasender Geschwindigkeit, wie ein Vogel, eine Posttrojka. Mein Alter weicht eilig nach rechts aus, die Trojka fliegt an uns vorüber, und ich betrachte in der Finsternis den riesigen, schweren Postwagen, auf dem der Kutscher sitzt. Hinter dieser Trojka her fliegt eine zweite, ebenfalls in rasender Geschwindigkeit. Wir weichen eilig nach rechts aus... Zu meinem großen Erstaunen und Entsetzen weicht die Trojka weder nach rechts noch nach links aus... Ich konnte gerade noch denken: »Oh Gott, wir stoßen zusammen!«, als ein furchtbares Krachen ertönte, die Pferde verkeilen sich zu einer dunklen Masse, die Krummhölzer fallen, mein Tarantas bäumt sich auf, und ich fliege in hohem Bogen auf die Erde, die Koffer auf mich drauf. Aber das ist nicht alles... Eine dritte Trojka fliegt herbei... Eigentlich hätte sie mich und meine Koffer zermalmen müssen, aber Gott sei Dank hatte ich nicht geschlafen, hatte mir bei dem Sturz nichts gebrochen und schnell aufzuspringen vermocht, so daß ich zur Seite laufen konnte. »Halt!« – brüllte ich der dritten Trojka entgegen. »Halt!« Die Trojka raste auf die zweite auf und blieb stehen...

Natürlich, wenn ich in dem Tarantas hätte schlafen können oder wenn die dritte Trojka gleich nach der zweiten gekommen wäre, dann wäre ich als Invalider oder als der Reiter ohne Kopf nach Hause gekommen. Ergebnis des Zusammenstoßes: gebrochene Deichseln, zerrissene Geschirre, Krummhölzer und das Gepäck auf der Erde, verstörte, zu Tode erschöpfte Pferde und der Schrecken bei dem Gedanken, soeben eine Gefahr überstanden zu haben. Es stellte sich heraus, daß der erste Kutscher die Pferde gejagt hatte und daß auf den beiden zweiten Trojken die Kutscher geschlafen hatten, die Pferde waren also von allein hinter der ersten hergejagt, niemand, der sie gelenkt hätte. Wieder zu sich gekommen nach dem Durcheinander, fingen mein Alter und die Kutscher aller drei Trojken wütend zu fluchen an. Ach, haben die geflucht! Ich dachte, es würde mit einer Schlägerei enden. Ihr könnt euch nicht vorstellen, welche Einsamkeit man fühlt inmitten dieser wilden, fluchenden Horde, mitten auf freiem Feld, vor Tagesanbruch, angesichts der fernen und nahen Feuer, die das Gras verschlingen, aber mit keinem Funken die kalte Nachtluft erwärmen! Ach, wie schwer einem da zumute wird! Man hört auf das Fluchen, schaut auf die zerbrochenen Deichseln und sein zerrissenes Gepäck, und man kommt sich vor, als sei man in eine andere Welt geworfen, als würde man gleich zertreten werden... Nach einstündigem Fluchen und Schimpfen fing mein Alter an, mit Stricken die Deichseln und das Geschirr zusammenzubinden; auch meine Riemen kamen zum Einsatz. Bis zur nächsten Station schleppten wir uns irgendwie, mit Müh und Not, wobei wir dauernd anhalten mußten...

Nach 5–6 Tagen setzte, bei starkem Wind, der Regen ein. Es regnete Tag und Nacht. Mein Ledermantel kam zum Einsatz, der mich gerettet hat vor Regen und Wind. Ein wunderbarer Mantel. Der Schlamm wurde abgrundtief, die Kutscher fuhren nachts nicht mehr gern. Aber das Schlimmste, das ich mein Lebtag nicht vergessen werde, sind die Flußüberfahrten. Man kommt nachts an einen Fluß... Man fängt mit dem Kutscher an zu rufen... Regen, Wind, Eisschollen treiben auf dem Fluß dahin, man hört das Plätschern ... Und dabei auf einmal eine Freude: eine Rohrdommel ruft. An den Flüssen Sibiriens leben Rohrdommeln. Sie richten sich also nicht nach dem Klima, sondern nach der geographischen Breite ... Nun denn, eine Stunde später taucht aus der Finsternis eine riesige Fähre, die die Form eines Lastkahns hat; riesige Ruder, die aussehen wie Krebsscheren. Die Fährleute sind ein unverschämtes Volk, immer mehr Verbannte, die von der Gesellschaft durch Urteil aufgrund ihres lasterhaften Lebens hierhergeschickt worden sind. Sie führen unerträglich wüste Reden, schreien, betteln um Trinkgeld ... Die Flußüberfahrt dauert lang, lang ... qualvoll lang! Die Fähre schleppt sich dahin ... Wieder das Gefühl der Einsamkeit, und es kommt einem so vor, als rufe die Rohrdommel absichtlich, als wolle sie sagen: »Keine Angst, Freund, ich bin ja da, die Lintvarëvs haben mich vom Psël hierhergeschickt!«

Am 7. Mai sagte mir ein freier Kutscher, als ich um Pferde bat, daß der Irtyš über die Ufer getreten sei und die Wiesen überschwemmt habe, daß Kuzma gestern gefahren und nur mit Müh und Not zurückgekommen sei und daß man nicht fahren könne, sondern warten müsse ... Ich frage: Warten bis wann? Antwort: Weiß der Himmel! Das ist mir zu vage, und außerdem habe ich mir geschworen, unterwegs zwei meiner Laster abzulegen, die mir ziemlich viele Ausgaben, Scherereien und Unannehmlichkeiten eingebracht haben; das sind – Nachgiebigkeit und Gefälligkeit. Ich bin zu schnell einverstanden, und mußte darum manchmal weiß der Teufel womit fahren, mußte manchmal das Doppelte zahlen, stundenlang warten ... Ich habe angefangen, nicht mehr mit allem einverstanden zu sein und nicht mehr alles zu glauben – und muß seitdem nicht mehr alles ausbaden. So zum Beispiel spannt man keine Kutsche an, sondern einen simplen, klapprigen Leiterwagen. Wenn man sich weigert, in diesem Leiterwagen zu fahren, sich auf die Hinterbeine stellt, taucht mit Sicherheit irgendwo eine Kutsche auf, obwohl man vorher versichert worden war, daß es im ganzen Dorf keine einzige Kutsche gebe usw. Nun, da ich argwöhnte, man habe sich die Überschwemmung des Irtyš ausgedacht, nur um nicht durch Nacht und Schlamm fahren zu müssen, habe ich protestiert und habe befohlen zu fahren. Der Bauer, der von der Überschwemmung durch Kuzma gehört und sie selbst nicht gesehen hatte, kratzte sich am Kopf und erklärte sich einverstanden, die Alten machten ihm Mut und sagten, als sie noch gefahren wären in ihrer Jugend, hätten sie vor nichts Angst gehabt. Wir fuhren also los... Schlamm, Regen, ein böser Wind, Kälte... und Filzstiefel an den Füßen. Das heißt Stiefel aus Sülze. Wir fahren, fahren, und da erstreckt sich vor meinen Augen ein riesiger See, aus dem da und dort fleckenweise die Erde hervorlugt und Gebüsch ragt – die überschwemmten Wiesen... In der Ferne zieht sich das Steilufer des Irtyš dahin; es liegt noch Schnee darauf... Wir fahren also über den See. Man hätte umkehren können, aber mich hindert der Starrsinn, und es packt mich ein unbegreiflicher Übermut, derselbe Übermut, der mich mitten im Schwarzen Meer hat baden lassen, von einer Jacht aus, und der mich schon zu ziemlich vielen Dummheiten verleitet hat... Wahrscheinlich eine Psychose. Wir fahren und suchen nach kleinen Inseln, Landstreifen. Die Richtung zeigen Brücken und Stege an; sie sind schon beinahe weggeschwemmt. Um darüberzukommen, muß man die Pferde ausspannen und sie einzeln darüberführen... Der Kutscher spannt aus, ich springe in Filzstiefeln ins Wasser und halte die Pferde... Das hält einen munter! Und dabei Regen, Wind... errette uns, Himmelskönigin! Endlich gelangen wir zu einer kleinen Insel, auf der eine lumpige Hütte ohne Dach steht... Durch nassen Mist stapfen nasse Pferde. Aus der Hütte kommt ein Bauer mit einem langen Stock und fängt an, uns zu führen... Mit dem Stock mißt er die Tiefe des Wassers und sucht nach Grund. Gott schenke ihm Gesundheit, er brachte uns auf einen langen Streifen Land, den er das »Rückgrat« nannte. Er erklärte uns, daß wir von diesem Rückgrat irgendwo nach rechts oder, ich weiß nicht mehr, nach links abbiegen müßten, um auf ein anderes Rückgrat zu gelangen. Das taten wir denn...

Wir fahren... In den Filzstiefeln ist es feucht wie auf einem

Abtritt. Es schmatzt, die Strümpfe quatschnaß, der Kutscher schweigt und schnalzt bedrückt mit der Zunge. Er würde gern umkehren, aber es ist schon zu spät, es wird dunkel... Endlich – oh Freude! – kommen wir an den Irtyš... Das andere Ufer ist steil, diesseits fällt es sanfter ab. Diesseits ist es ausgewaschen, sieht glitschig, eklig aus, von Pflanzenbewuchs keine Spur... Trübes Wasser schlägt mit weißen Kämmen dagegen und fährt böse zurück, als sei ihm die Berührung mit diesem unförmigen, schlüpfrigen Ufer ekelhaft, an dem, wie man meint, nur Kröten und Mörderseelen leben können... Der Irtyš rauscht nicht, er brüllt nicht, sondern klingt, als schlüge er auf seinem Grunde an Särge... Verdammt, war das ein Eindruck! Das andere Ufer ist hoch, braun, wüst...

Eine Hütte; hier wohnen die Fährleute. Einer von ihnen kommt heraus und erklärt, man könne die Fähre nicht nehmen, weil ein Unwetter aufkomme. Der Fluß, sagt er, ist breit, der Wind stark... Und nun? Ich mußte in der Hütte übernachten... Ich erinnere mich an die Nacht, an das Schnarchen der Fährleute und meines Kutschers, das Rauschen des Winds, das Pochen des Regens, das Rollen des Irtyš... Vor dem Einschlafen habe ich an Marija Vladimirovna einen Brief geschrieben: ich habe an die Untiefe von Božarovsk denken müssen...

Am Morgen wollten sie immer noch nicht mit der Fähre fahren: der Wind. Ich mußte ein Boot nehmen. Ich fahre im Boot, und der Regen peitscht, der Wind weht, das Gepäck wird naß, die Filzstiefel, die nachts auf dem Ofen getrocknet waren, verwandeln sich wieder in Sülze. Oh, lieber Ledermantel! Wenn ich mich nicht erkältet habe, so verdanke ich das allein ihm. Wenn ich zurückkomme, müßt ihr ihn dafür mit Fett oder Rizinusöl einreiben. Am andern Ufer saß ich eine Stunde lang auf einem Koffer und wartete auf die Pferde aus dem Dorf. Ich erinnere mich, wie schwer es war, das glitschige Ufer heraufzukommen. Im Dorf wärmte ich mich auf und trank Tee. Verbannte kamen und bettelten um Almosen. Für sie setzt jede Familie täglich *ein Pud* Weizenmehl für Sauerteig an. Das ist eine Art Abgabe. Die

Verbannten nehmen das Brot und versaufen es in der Schenke. Ein Verbannter, ein abgerissener, glattrasierter alter Mann, dem seinesgleichen, Verbannte, in der Schenke die Augen *ausgeschlagen* hatten, fing, als er hörte, daß ein Reisender im Raum sei, und weil er mich für einen Kaufmann hielt, zu singen und Gebete zu sprechen an. Er sang von Gesundheit und Seelenfrieden, sang das österliche »Gott wird auferstehen« und »Ewige Ruhe« – was er nicht alles gesungen hat! Dann fing er mit Lügengeschichten an, er sei ein Kaufmann aus Moskau. Ich bemerkte, wie dieser Säufer die Bauern verachtete, auf deren Kosten er doch lebte!

Am 11. fuhr ich mit Postpferden weiter. Aus Langeweile las ich auf den Stationen die Beschwerdebücher. Ich machte eine Entdeckung, die mich überrascht hat und die bei Regen und Nässe unschätzbar wertvoll ist: auf den Stationen gibt es im Flur abgesonderte Aborte! Oh, ihr wißt das nicht zu schätzen!

Am 12. Mai gab man mir keine Pferde, man sagte, es sei unmöglich zu fahren, da der Ob über die Ufer getreten sei und alle Wiesen überschwemmt habe. Man gab mir den Rat: »Fahren Sie abseits der Straße bis Krasnyj Jar; dort fahren Sie im Boot 12 Verst weit bis Dubrovino, und in Dubrovino wird man Ihnen Postpferde geben...« Ich fuhr mit Freien nach Kr. Jar. Ich komme morgens dort an. Man sagt mir, es gebe ein Boot, ich müsse nur ein wenig warten, da der Fährmann einen Arbeiter damit nach Dubrovino geschickt habe, um den Schreiber des Beisitzers zu fahren. Schön, warten wir... Es vergeht eine Stunde, es vergeht eine zweite, eine dritte... Es wird Mittag, dann Abend... Allah behüte, wieviel Tee ich getrunken habe, wieviel Brot gegessen, wieviele Gedanken gedacht! Und wie lange ich geschlafen habe! Es wird Nacht, und das Boot ist immer noch nicht da. Es wird früher Morgen... Endlich, um 9 Uhr kommt der Arbeiter zurück. Dem Himmel sei Dank, wir fahren! Und fahren so schön! Die Luft ist still, die Ruderer sind gut, die Inseln schön... Das Wasser hat Mensch und Vieh überrascht, ich sehe, wie die Weiber in Booten zu den Inseln fahren, um die Kühe zu melken. Und die Kühe sind mager, triste... Wegen der Kälte gibt es nirgends Futter. Ich fuhr die 12 Verst. In Dubrovino auf der Station Tee, und zum Tee gab man mir, stellt euch vor, Waffeln... Die Wirtin war sicher eine Verbannte oder Frau eines Verbannten... Auf der nächsten Station beklagte sich der alte Schreiber, ein Pole, dem ich Antipyrin gegen Kopfschmerzen gab, über die Armut und sagte, vor kurzem sei der Kammerherr beim österreichischen Hofe Graf Sapega durch Sibirien gereist, ein Pole, der den Polen helfe. »Er hielt an der Station, – erzählt der Schreiber, – und ich kannte ihn nicht! Heilige Gottesmutter! Er hätte mir helfen können! Ich schrieb ihm nach Wien, aber eine Antwort habe ich noch nicht bekommen«... usw. Warum bin ich kein Sapega? Ich würde den armen Kerl in seine Heimat schicken.

Am 14. Mai gab man mir wieder keine Pferde. Überschwemmung des Tom. So ein Ärger! Nicht Ärger, sondern Verzweiflung! 50 Verst vor Tomsk, und dann so eine Überraschung! Eine Frau hätte an meiner Stelle zu schluchzen angefangen... Gute Menschen fanden für mich diesen Ausweg: »Fahren Sie bis zum Tom, Euer Wohlgeboren – nur 6 Verst von hier; dort bringt man Sie im Boot über den Jar, und von dort wird Ilja Markovič Sie fahren.« Ich nehme einen Freien und fahre an den Tom, an die Stelle, wo das Boot liegen sollte. Ich komme hin – das Boot ist nicht da. Man sagt mir, es sei eben erst mit der Post weggefahren und werde wohl kaum zurückkommen, da starker Wind sei. Ich verlege mich aufs Warten... Die Erde ist schneebedeckt, es regnet und graupelt, Wind... Es vergeht eine Stunde, eine zweite, das Boot kommt nicht zurück... Es spottet über mein Schicksal! Ich fahre zur Station zurück. Hier treffen drei Posttrojken und ein Postillion Vorbereitungen, an den Tom zu fahren. Ich sage, das Boot sei nicht da. Sie bleiben. Ich werde vom Schicksal belohnt: der Schreiber sagt auf meine unentschlossene Frage, ob nicht etwas zu essen da sei, die Wirtin habe Šči mit sehr gutem Fleisch und Bratkartoffeln mit Gurken. Seit Pan Zalesskij habe ich nicht mehr so gut gegessen. Nach den Kartoffeln packte mich der Übermut, und ich kochte mir Kaffee. So eine Völlerei!

Gegen Abend begann der Postillion, ein alter Mann, der schon viel durchgemacht hatte und nicht wagte, sich in meiner Gegenwart zu setzen, Vorbereitungen zur Fahrt an den Tom zu treffen. Ich desgleichen. Wir fuhren los. Kaum hatten wir den Fluß erreicht, erschien auch das Boot, ein so langes, wie ich es mir früher nicht einmal hatte träumen lassen. Als man die Postkutsche auf das Boot brachte, wurde ich Zeuge einer merkwürdigen Erscheinung: es erscholl Donner – und das bei Schnee und kaltem Wind. Wir wurden auf das Boot gebracht und setzten über. Süßer Miša, verzeih, daß ich so froh war, dich nicht mitgenommen zu haben! Wie klug habe ich daran getan, niemanden mitzunehmen! Anfangs fuhr unser Boot über eine Wiese, vorbei an Weidengebüsch... Wie es vor einem Gewitter oder bei Gewitter zu sein pflegt, erhob sich plötzlich über dem Wasser ein starker Wind, der Wellen schlug. Der Ruderer, der am Steuer saß, riet, das Unwetter im Weidengebüsch abzuwarten; er bekam darauf zur Antwort, daß man, wenn das Unwetter stärker würde, bis zur Nacht in dem Weidengebüsch sitzen und trotzdem ertrinken würde. Wir stimmten ab und beschlossen *mit Stimmenmehrheit* weiterzufahren. Ach, mein böses, lächerliches Glück! Wozu diese Scherze? Wir fuhren weiter, schweigend, konzentriert... Ich erinnere mich an den Postillion, der nicht wenig erlebt hatte. Ich erinnere mich an den kleinen Soldaten, der plötzlich rot anlief wie Kirschsaft... Ich dachte: wenn das Boot umschlägt, ziehe ich zuerst den Halbpelz und den Ledermantel aus... dann die Filzstiefel... dann usw. Aber das Ufer kommt näher und näher... Es wird einem leichter und leichter, das Herz krampft sich vor Freude zusammen, man seufzt irgendwie tief, als habe man plötzlich tief Luft geholt, und springt ans nasse, glitschige Ufer... Gott sei Dank!

Bei Ilja Markovič, einem Getauften, sagt man mir, es sei unmöglich, nachts zu fahren – die Straße sei schlecht, man müsse über Nacht bleiben. Schön, ich bleibe. Nach dem Tee setze ich mich hin, um euch den Brief weiterzuschreiben, bei dem der Beisitzer mich unterbrochen hatte. Der Beisitzer ist eine Mischung aus Nozdrëv, Chlestakov und einem Hund. Ein Säufer, Wüstling, Lügner, Sänger und Witzeerzähler und bei alledem doch ein guter Mensch. Er führt eine große Kiste mit Akten bei sich, ein Bett mit Matratze, ein Gewehr und einen Schreiber. Der Schreiber, ein schöner, intelligenter Mann, ein protestierender Liberaler, der in Petersburg studiert hat, frei ist, niemand weiß, weshalb es ihn nach Sibirien verschlagen hat, durch und durch mit allen möglichen Krankheiten infiziert und ein Trinker je nach Gnade seines Prinzipals, der ihn Kolja nennt. Die hohe Behörde läßt Likör auffahren. »Doktor! – schreit sie. Trinken Sie noch ein Glas mit, ich bitte Sie ergebenst!« Ich trinke natürlich mit. Die hohe Behörde säuft ganz wacker, lügt dabei verwegenen Unsinn zusammen, führt schamlos wüste Reden. Wir legen uns schlafen. Morgens lassen sie wieder Likör auffahren. Sie saufen weiter bis 10 Uhr und fahren dann endlich. Der Getaufte, Ilja Markovič, den, – wie man mir sagte, – die Bauern hier *vergöttern,* hat mir Pferde bis Tomsk gegeben.

Ich, der Beisitzer und der Schreiber setzen uns in die Kutsche. Der Beisitzer redete die ganze Fahrt über verlogenen Unsinn zusammen, trank aus der Flasche, brüstete sich damit, keine Bestechungsgelder anzunehmen, war entzückt von der Natur und drohte entgegenkommenden Landstreichern mit der Faust. Er fuhr 15 Verst – Stop! Das Dorf Brovkino... Wir halten vor einem miesen Schuppen und gehen uns »erholen«. Der Wirt kommt mit Likör angelaufen, und die Wirtin kocht die Fischsuppe, von der ich bereits schrieb. Der Beisitzer ließ den Polizeikommissar, den Stadtwächter und den Straßenbauaufseher zu sich kommen und fing, ohne sich im geringsten an meiner Anwesenheit zu stören, an sie herunterzuputzen. Er fluchte wie ein Tatare.

Bald darauf trennte ich mich von dem Beisitzer und kam, auf einer widerwärtigen Straße, am 15. Mai abends in Tomsk an. In den letzten beiden Tagen habe ich nur 70 Verst geschafft – daran könnt ihr ermessen, wie die Straße war!

In Tomsk – abgrundtiefer Schlamm und Morast. Über die

Stadt und das Leben hier werde ich in ein paar Tagen schreiben, jetzt aber auf Wiedersehen. Ich bin zu erschöpft, um weiterzuschreiben. Einen Gruß an Papaša, Ivan, die Tante, Alëša, Aleksandra Vasiljevna, Zinaida Michajlovna, den Doktor, Troša, den großen Pianisten, Marjuška. Wenn ihr die Adresse der lieben Gundasicha wißt, dann schreibt diesem ungewöhnlichen, erstaunlichen Mädchen, daß ich sie grüßen lasse. Einen herzlichen Gruß an die ruhmreiche Jamais. Wenn sie im Sommer zu euch käme, würde ich mich sehr darüber freuen. Sie ist sehr gut. Sagt Troša, daß ich eben aus ihrem Glas getrunken habe. Habe übrigens mit Kartamyšev gesüffelt.

Pappeln gibt es hier keine. Der General der Kuvšinnikova hat gelogen. Nachtigallen gibt es keine. Elstern und Kuckucke gibt es.

Heute habe ich von Suvorin ein Telegramm mit 80 Worten bekommen.

Ich umarme, küsse und segne alle. *Euer A. Čechov.*

Mišas Brief habe ich bekommen. Danke.

Verzeiht, daß dieser Brief wie eine Vinaigrette ist. So bunt durcheinander. Was soll ich tun? Wenn man im Hotelzimmer sitzt, kann man nicht besser schreiben. Entschuldigt, daß er so lang ist. Ich bin nicht daran schuld. Die Hand ist mir weggelaufen, und außerdem wollte ich so lang wie möglich mit euch reden. Es ist bald 3 Uhr nachts. Die Hand wird müde. Der Docht ist heruntergebrannt, das Licht ist schlecht. Schreibt mir alle 4–5 Tage nach Sachalin. Wie sich herausstellt, geht die Post hierher nicht übers Meer, sondern auch durch Sibirien. Das heißt, ich bekomme sie rechtzeitig und häufig zugestellt.

Morgen früh gehe ich zu Vladislavlev und Florinskij. Das Geld ist heil und unversehrt. Die Wanzen habe ich noch nicht ausgeräuchert. Was macht die Artemenko? Hat Charitonenko den Stern bekommen? Ich gratuliere der Stadt Sumy!

In Tomsk ziert alle Zäune der »Heiratsantrag«. Die Einwohner von Tomsk sagen, so ein kalter und regnerischer Frühling wie in diesem Jahr sei zuletzt 1842 gewesen. Halb Tomsk ist überschwemmt. Mein Glück!

Ich esse Konfekt.

Wenn Maša auch im Sommer Halsschmerzen hat, dann soll ihr Prof. Kuzmin, wenn ihr im September wieder in Moskau seid, ein Stück von den Mandeln wegschneiden. Das ist eine harmlose, schmerzlose Operation. Ohne diese Operation wird Maša Follikular- und andere Drüsenkrankheiten bis ins Alter nicht los. Wenn Elena Michajlovna bereit ist, diese Operation vorzunehmen, um so besser. Solange die Drüsen nicht allzu groß sind, genügt es, ein kleines Stückchen wegzuschneiden.

In Tomsk werde ich warten müssen, bis der Regen aufhört. Man sagt, die Straße nach Irkutsk sei empörend schlecht. Es gibt hier einen »Slavjanskij bazar«. Das Essen dort ist gut, aber der Weg zu diesem »Bazar« ist schwierig, der Morast ist abgrundtief.

Heute (am 17. Mai) gehe ich ins Bad. Man sagt, in ganz Tomsk gäbe es nur den einen Bademeister – Archip.

288) AN A. S. SUVORIN TOMSK, 20. 5. 1890

Tomsk, 20. Mai.

Endlich, seien Sie gegrüßt! Es grüßt Sie ein Sibirjak, lieber Aleksej Sergeevič! Ich habe schreckliche Sehnsucht nach Ihnen und nach Briefen.

Aber ich will von vorn anfangen. In Tjumen wurde mir gesagt, der erste Dampfer nach Tomsk führe am 18. Mai. Ich mußte also im Wagen dahinsprengen. An den ersten drei Tagen taten mir sämtliche Sehnen und Gelenke weh, danach gewöhnte ich mich daran und verspürte keinerlei Schmerzen mehr. Nur bekam ich von dem wenigen Schlaf und der ständigen Plackerei mit dem Gepäck, vom Auf- und Abspringen und vom Hungern Bluthusten, der mir die Stimmung verdarb, die ohnehin nicht gerade gut war. In den ersten Tagen war sie erträglich, aber dann fing ein kalter Wind an zu wehen, brachen alle Brunnen des Himmels, und die Flüsse überschwemmten Wiesen und Straßen. Dauernd mußte man die Kutsche mit dem Boot vertauschen. Über meinen Krieg mit den Überschwemmungen und dem Schlamm lesen Sie auf den beigefügten Blättern; ich habe dort verschwiegen, daß meine hohen Stiefel zu eng waren und daß ich durch Schlamm und durch Wasser in Filzstiefeln gegangen bin und daß sich meine Filzstiefel in Sülzstiefel verwandelt haben. Die Straße ist so widerwärtig schlecht, daß ich an den letzten beiden Tagen meiner Voyage nur 70 Verst geschafft habe.

Bei meiner Abreise hatte ich Ihnen Reisenotizen versprochen, angefangen von Tomsk, weil die Strecke Tjumen–Tomsk längst beschrieben und tausendmal ausgebeutet worden ist. Aber Sie haben in Ihrem Telegramm den Wunsch geäußert, so bald wie möglich von mir Reiseeindrücke von Sibirien zu bekommen, und Sie besaßen sogar die Grausamkeit, gnädiger Herr, mir ein schwaches Gedächtnis vorzuwerfen, d. h. anzudeuten, ich hätte Sie wohl vergessen. Unterwegs zu schreiben war absolut unmöglich; ich habe mit Bleistift ein kurzes Tagebuch geführt und kann Ihnen zur Zeit nur das anbieten, was in diesem Tagebuch notiert ist. Um nicht allzu lang zu werden und nichts durcheinanderzuwerfen, habe ich meine niedergeschriebenen Eindrücke in Kapitel aufgeteilt. Ich schicke Ihnen sechs Kapitel. Sie sind *persönlich für Sie*. Ich habe sie nur für Sie geschrieben und mich darum auch nicht gescheut, in meinen Notizen subjektiv zu sein, habe auch nicht verhindert, daß darin mehr Čechovsche Gefühle und Gedanken vorkommen als Sibirien. Wenn Sie ein paar Zeilen interessant und der Veröffentlichung wert finden, dann übergeben Sie sie der wohlgeneigten Leserschaft, setzen Sie vorher meinen Namen darunter und lassen Sie sie ebenfalls in Kapiteln erscheinen, eßlöffelweise. Als allgemeinen Titel kann man nehmen »Aus Sibirien«, dann »Aus Transbajkalien«, dann »Vom Amur« usw.

Eine weitere Portion bekommen Sie aus Irkutsk, wohin ich morgen fahre und wohin ich mindestens 10 Tage unterwegs sein werde – die Straße ist schlecht. Ich werde Ihnen wieder einige Kapitel schicken, unabhängig davon, ob Sie sie veröffentlichen oder nicht. Lesen Sie sie, und wenn sie Ihnen auf die Nerven gehen, telegraphieren Sie: »Sei still!«

Die ganze Fahrt über hatte ich Hunger wie ein Hund. Ich habe mir den Wanst mit Brot vollgeschlagen, um nicht träumen zu müssen von Steinbutt, Spargel u. a. Sogar von Buchweizengrütze habe ich geträumt. Stundenlang habe ich geträumt.

In Tjumen habe ich mir für unterwegs eine Wurst gekauft, aber was für eine Wurst! Wenn man davon ein Stück in den Mund nahm, hatte man einen Geruch im Mund, als wäre man in einen Pferdestall geraten, und zwar genau in dem Augenblick, wo die Kutscher ihre Fußlappen abwickeln; wenn man draufbiß, schmeckte es wie ein in Teer getauchter Hundeschwanz. Pfui! Ich aß ein, zweimal davon, dann habe ich sie weggeworfen.

Ich habe ein Telegramm von Ihnen bekommen und den Brief, in dem Sie schreiben, Sie wollten ein enzyklopädisches Wörterbuch verlegen. Ich weiß nicht warum, aber die Nachricht von dem Wörterbuch hat mich sehr gefreut. Tun Sie das, mein Lieber! Wenn ich als Mitarbeiter dafür in Frage komme, so stelle ich Ihnen den November und Dezember zur Verfügung; diese Monate werde ich in Piter sein. Und sitzen von früh bis spät.

Meine Reisenotizen ins Reine geschrieben habe ich in Tomsk in einer miserablen Hotelzimmerumgebung, aber mit eifrigem Bemühen und nicht ohne den Wunsch, Ihnen eine Freude zu machen. Ich denke, da langweilt er sich nun in Feodosija, und ihm ist heiß, soll er was über die Kälte lesen. Diese Notizen bekommen Sie an Stelle des Briefes, an dem ich die ganze Fahrt über herumüberlegt habe. Schicken Sie mir dafür nach Sachalin alle Ihre kritischen Feuilletons, außer den ersten beiden, die ich gelesen habe; veranlassen Sie auch, daß mir Peschels »Völkerkunde« hierhergeschickt wird, außer den ersten beiden Lieferungen, die ich bereits besitze.

Die Post kommt übers Meer nach Sachalin, aber auch durch Sibirien, das heißt, wenn man mir schreibt, werde ich oft Briefe bekommen. Verlieren Sie meine Adresse nicht: *Ins. Sachalin, Fort Aleksandrovsk.*

Ach, was ich für Ausgaben habe! Hilfe! Wegen der Überschwemmung habe ich den Kutschern überall fast das Doppelte bezahlt, manchmal das Dreifache, denn es war eine Sträflingsarbeit, höllisch. Mein Reisekoffer, die liebe kleine Kiste, erwies sich als reiseuntauglich: er nimmt viel Platz weg, stößt einen in die Seite, dröhnt und vor allem – er droht zu zerbrechen. »Nehmen Sie auf die Reise keine Kiste mit!« – haben gute Menschen mir gesagt, aber dieser Rat fiel mir erst unterwegs wieder ein. Und nun? Ich lasse meine Kiste zur Ansiedelung in Tomsk und habe mir stattdessen so einen ledernen Kadaver gekauft, der den Vorzug besitzt, daß er sich bequem auf den Boden des Tarantas legen läßt. 16 Rubel habe ich gezahlt. Weiter... In ständig wechselnden Fahrzeugen bis an den Amur zu fahren ist eine Folter. Am Ende ist man selbst und das ganze Gepäck zerschlagen. Man riet mir, eine eigene Kutsche zu kaufen. Das habe ich heute getan, für 130 Rubel. Wenn es mir nicht gelingt, sie in Sretensk zu verkaufen, wo meine Reise zu Pferde endet, dann sitze ich da und fange an zu heulen. Heute aß ich mit dem Redakteur des »Sibirskij vestnik«, Kartamyšev, zu Mittag. Der hiesige Nozdrëv, ein weites Herz... Habe 6 Rubel verpraßt.

Stop! Mir wird gemeldet, der Gehilfe des Polizeimeisters wünsche mich zu sehen. Was soll das?!?

Blinder Alarm. Der Polizist erweist sich als Liebhaber der Literatur und sogar als Schriftsteller; er ist gekommen, um mir seine Aufwartung zu machen. Jetzt fährt er nach Hause, um sein Drama zu holen, mit dem er mich anscheinend bewirten wird. Gleich wird er wiederkommen und mich am Weiterschreiben hindern...

Schreiben Sie mir von Feodosija, von Tolstoj, vom Meer, von den jungen Ochsen, den gemeinsamen Bekannten.

Anna Ivanovna, seien Sie gegrüßt! Der Herr segne Sie. Ich denke oft an Sie.

Einen Gruß an Nastjuša und Borja. Ich würde mich herzlich freuen, zu ihrem Spaß in den Rachen eines Tigers zu fallen und sie dann zu Hilfe zu rufen, aber – leider! – bei den Tigern bin ich noch nicht. An Pelztieren habe ich bisher in Sibirien nur sehr viele Hasen gesehen und eine Maus.

Stop! Der Polizist ist zurück. Aus dem Drama hat er mir nichts vorgelesen, sondern mich mit einer Erzählung bewirtet. Nicht übel, aber zu lokal. Er hat mir einen Goldbarren gezeigt. Mich um Vodka gebeten. Ich erinnere mich nicht an einen einzigen sibirischen Intellektuellen, der mich, wenn er zu mir kam, nicht um Vodka gebeten hätte. Er sagte, bei ihm habe sich eine »Liebste« eingenistet – eine verheiratete Frau; er hat mich das Bittgesuch an die höchste Stelle lesen lassen, die Scheidung betreffend. Dann schlug er mir vor, mit ihm in die Stadt zu fahren und die Freudenhäuser von Tomsk zu besichtigen.

Ich bin aus den Freudenhäusern zurück. Widerlich. Es ist zwei Uhr nachts.

Weshalb ist Aleksej Alekseevič in Riga? Sie schrieben davon. Wie ist seine Gesundheit? Von jetzt an werde ich Ihnen regelmäßig aus jeder Stadt schreiben und von jeder Station, auf der man mir keine Pferde geben will, d. h. mich zwingt, über Nacht dort zu bleiben. Und wie bin ich froh, wenn ich umständehalber irgendwo über Nacht bleiben muß! Man kann gerade noch ins Bett springen, und schon schläft man. Wenn man hier fährt und nachts nicht schläft, lernt man, den Schlaf über alles zu schätzen; es gibt keinen größeren Genuß auf Erden als den Schlaf, wenn man schlafen will. In Moskau, überhaupt in Rußland habe ich, wie ich jetzt sehe, nie schlafen wollen. Ich habe mich immer nur hingelegt, weil es sein mußte. Jetzt dagegen! Noch eine Bemerkung: unterwegs hat man gar keinen Appetit auf Alkohol. Ich konnte einfach nicht trinken. Geraucht habe ich viel. Das Denken fällt schwer. Irgendwie fügen sich die Gedanken nicht aneinander. Die Zeit fliegt dahin, so daß man die Zeit von 10 Uhr morgens bis 7 Uhr abends gar nicht bemerkt. Nach dem Morgen wird es gleich Abend. So ist es bei Schwerkranken. Von Wind und Regen hat sich mein Gesicht mit Fischschuppen bedeckt, und wenn ich in den Spiegel sehe, erkenne ich die edlen Züge von früher nicht wieder.

Tomsk beschreiben werde ich nicht. In Rußland sind alle Städte gleich. Die Stadt Tomsk ist langweilig, viel Betrunkene; schöne Frauen gibt es gar keine, asiatische Rechtlosigkeit. Bemerkenswert ist die Stadt darin, daß in ihr die Gouverneure sterben.

Ich umarme Sie fest. Anna Ivanovna küsse ich beide Hände und verbeuge mich vor ihr bis zur Erde. Es regnet. Auf Wiedersehen, bleiben Sie gesund und glücklich. Wenn meine Briefe kurz ausfallen, nachlässig oder trocken, seien Sie mir nicht böse, denn auf Reisen kann man nicht immer man selbst sein und so schreiben, wie man es gern möchte. Die Tinte ist miserabel, und die Feder verhakt sich immer in irgendwelchen Fasern und Holzsplittern. *Ihr A. Čechov.*

Beschreiben Sie Ihr Haus in Feodosija. Gefällt es Ihnen?

289) AN DIE FAMILIE ČECHOV KRASNOJARSK, 28. 5. 1890

Krasnojarsk, 28. Mai.

Was für eine mörderische Straße! Mit Müh und Not bin ich bis Krasnojarsk gekommen und habe meine Kutsche zweimal reparieren lassen müssen; zuerst brach der Achsnagel – ein vertikal stehendes Eisending, das das Vordergestell des Wagens mit der Achse verbindet; dann riß unter dem Vordergestell der sogenannte Kreis. Nie im Leben habe ich so eine Straße gesehen, eine solch kolossale Unwegsamkeit und eine solch schreckliche, verwahrloste Straße. Ich werde darüber im »Nov. vr.« schreiben, darum hier nichts weiter davon.

Die letzten drei Stationen – großartig; wenn man auf Krasnojarsk zufährt, meint man, man komme in eine andere Welt. Aus dem Wald gelangt man auf eine Ebene, die sehr viel Ähnlichkeit mit unserer Donec-Steppe besitzt, nur daß die Bergketten hier grandioser sind. Die Sonne strahlt was sie kann, und die Birken haben ausgeschlagen, obwohl drei Stationen vorher an den Birken nicht einmal die Knospen geplatzt waren. Gott sei Dank, so habe ich nun doch endlich den Sommer eingeholt, wo es weder Wind noch kalten Regen gibt. Krasnojarsk ist eine schöne, intellektuelle Stadt; im Vergleich dazu ist Tomsk ein Schweinerüssel in der Suppenschüssel und Flegel. Die Straßen sauber, breit, die Häuser aus Stein, hoch, die Kirchen reich.

Ich bin am Leben und völlig gesund. Das Geld ist heil, die Sachen sind es ebenfalls: ein Paar Seidenstrümpfe hatte ich verloren, habe sie aber bald wiedergefunden.

Bis jetzt steht, wenn ich von der Kutsche schweige, alles zum besten und es gibt keinen Grund zur Klage. Nur furchtbar viele Ausgaben. Nirgends zeigt sich Lebensuntüchtigkeit so deutlich wie auf Reisen. Ich zahle zu viel, tue Unnötiges, unterlasse das Nötige zu sagen, und bin immer auf Dinge gefaßt, die nicht eintreten.

Miša, warte mit deinen Reisevorbereitungen für Japan; ich glaube, ich fahre über Amerika zurück.

In Irkutsk werde ich in 5–6 Tagen sein, wo ich ebenso lange bleiben werde, fahre dann nach Sretensk und – meine Reise zu Pferd hat ein Ende. Es sind jetzt schon zwei Wochen, daß ich dahingaloppiere, nur noch in dieser einen Richtung denke, davon lebe; täglich sehe ich den Sonnenaufgang von Anfang bis Ende. Ich bin so daran gewöhnt, daß es mir so vorkommt, als würde ich mein Leben lang so dahingaloppieren und Krieg führen mit den schlammigen Straßen. Wenn es nicht regnet und auf der Straße keine schlammigen Pfützen sind, wird es merkwürdig und sogar langweilig. Und wie schmutzig ich bin, was für eine Drecksvisage ich habe! Wie meine unglückseligen Kleider gelitten haben!

Einen Gruß an Vater, Ivan (wo ist er?), Aleksandra Vasiljevna, die Geschwister Lintvarëv, Semašečka, Ivanenko, Jamais, Marjuška und die anderen.

An Mutters Departement: Kaffee habe ich noch 1½ Glas; ich ernähre mich von wildem Honig und Heuschrecken; werde heute und in Irkutsk richtig essen. Je weiter man gen Osten kommt, desto teurer wird alles. Roggenbrot, d. h. Roggenmehl, schon 70 Kop. das Pud, das jenseits von Tomsk noch 25–27 K.

kostete, und Weizen 30 K. Der Tabak, der in Sibirien verkauft wird, ist eine Gemeinheit, ekelhaft; ich zittere, denn meiner geht bereits zur Neige.

Schreibt der Tante und Aleksej, daß ich sie grüßen lasse. Wo ist Jamais zur Zeit? Ich hatte ihr eine Arbeit in einem Museum verschaffen wollen, weiß aber nicht, wo diese blondgelockte verführerische Jungfer sich derzeit aufhält. Und die Gundasova? Auch an sie einen Gruß.

Ich bin mit zwei Leutnants und einem Militärarzt unterwegs, die alle die Richtung Amur eingeschlagen haben. Demnach ist der Revolver absolut überflüssig. In solcher Gesellschaft braucht man selbst in der Hölle keine Angst zu haben. Eben trinken wir auf der Station Tee, danach wollen wir uns die Stadt ansehen.

In Krasnojarsk könnte ich leben. Ich verstehe nicht, warum dies ein so beliebter Verbannungsort ist. Hier lebt der neulich begnadigte Juchancev, hier lebt auch Rykov.

Aber wir sind in Eile; bleibt gesund. Ich küsse alle, laufe zum Öfchen, nehme wieder alle in meine Arme, erteile meinen erzbischöflichen Segen und wünsche allen alles Gute.

Um Gottes willen keine Krankheiten und keine Unfälle! Bleibt gesund bis in Mark und Bein.

Euer Homo Sachaliensis A. Čechov.

An Maša adressierte Briefe können von der ganzen Familie gelesen werden; wenn ich ein Geheimnis mitzuteilen hätte, stünde auf der Adresse »Ew. Hochwohlgeboren«. Merkt euch das. Jeder Brief mit Ew. Hochwohlgeboren darf nur von Maša geöffnet werden, der ich, à propos, von Herzen alles Gute und Schöne wünsche.

Ach, Troša, Troša! Ich kann Ihr wunderbares Lachen nicht hören.

290) AN A. N. PLEŠČEEV IRKUTSK, 5. 6. 1890

5. Juni. Irkutsk.

Seien Sie tausendmal gegrüßt, lieber Aleksej Nikolaevič! Endlich habe ich die schwersten 3000 Verst hinter mir, sitze in einem anständigen Hotelzimmer und kann schreiben. Ich habe mich extra ganz frisch und so elegant wie möglich angezogen, denn Sie können sich nicht vorstellen, wie mir alles auf die Nerven geht, die schmutzigen hohen Stiefel, der Halbpelz der nach Teer riecht, der Mantel voller Heu und Stroh, der Staub und die Krümel in den Taschen und die ungewöhnlich schmutzige Wäsche. Unterwegs war ich in einem Aufzug, daß mich sogar die Landstreicher schief ansahen, und dazu ist mir auch noch vom kalten Wind und vom Regen die Visage aufgesprungen und hat sich mit Fischschuppen bedeckt. Jetzt bin ich endlich wieder Europäer und fühle es mit meinem ganzen Wesen.

Ja, worüber soll ich schreiben? Es ist alles so lang und breit, daß man nicht weiß, wo man anfangen und was man auswählen soll. Alles, was ich in Sibirien erlebt habe, teile ich in drei Etappen: 1) von Tjumen nach Tomsk 1500 Verst, schreckliche Kälte tags und nachts, Halbpelz, Filzstiefel, kalter Regen, Wind und ein verzweifelter Kampf (nicht auf Leben, sondern Tod) mit den überschwemmten Flüssen; die Flüsse hatten Wiesen und Wege überschwemmt, und ich habe dauernd die Kutsche mit dem Boot vertauschen und wie ein Venezianer in der Gondel fahren müssen; die Kähne, das Warten am Ufer, das Übersetzen usw. – all das nahm so viel Zeit, daß ich in den letzten beiden Tagen vor Tomsk trotz allen Anstrengungen nur 70 Verst habe schaffen können statt 400–500; dazu kommen noch äußerst unheimliche, unangenehme Augenblicke, besonders, wenn plötzlich Wind aufkam und gegen das Boot drückte. 2) Von Tomsk nach Krasnojarsk 500 Verst, abgrundtiefer Morast; meine Kutsche und ich versanken im Morast wie die Fliegen im dicken Varenje; wie oft ist meine Kutsche (ich hatte eine eigene) kaputtgegangen, wieviele Verst bin ich zu Fuß marschiert, wieviele Flecken in meinem Gesicht und auf meiner Kleidung!.. Ich bin nicht gefahren, sondern durch den Morast geschwommen. Dafür habe ich aber auch geflucht! Mein Hirn hat nicht mehr gedacht, sondern nur noch geflucht. Ich war halbtot vor Erschöpfung und sehr froh, als ich die Poststation von Krasnojarsk erreicht hatte. 3) Von Krasnojarsk bis Irkutsk 1566 Verst, Hitze, Rauch von Waldbränden und Staub; Staub im Mund, in der Nase, in den Taschen; man schaut in den Spiegel und kommt sich vor wie geschminkt. Als ich mich nach meiner Ankunft in Irkutsk im Bad wusch, floß von meinem Kopf der Seifenschaum nicht weiß, sondern aschfahl-braun, als hätte ich ein Pferd gewaschen.

Wenn ich komme, werde ich Ihnen vom Enisej und der Tajga erzählen – das ist sehr interessant und spannend, denn es ist für den Europäer etwas Neues, alles andere ist gewohnt und monoton. Allgemein gesagt unterscheidet sich die Natur Sibiriens (äußerlich) wenig von der Rußlands; es gibt einen Unterschied, aber der fällt kaum ins Auge. Die Reise ist völlig ungefährlich. Raub, Überfälle, Verbrecher – all das ist Unsinn, sind Märchen. Der Revolver ist absolut überflüssig, und nachts im Wald ist es so gefährlich wie tagsüber auf dem Nevskij. Zu Fuß ist es etwas anderes.

Ich küsse und umarme Sie; Ihren Angehörigen meinen Gruß und alles Gute. Seien Sie nicht krank, mein Lieber, und langweilen Sie sich nicht. Gott schenke Ihnen Gesundheit und Geld. Vergessen Sie nicht Ihren Verehrer und aufrichtigen Wohltäter

A. Čechov.

291) AN Al. P. ČECHOV IRKUTSK, 5. 6. 1890

5. Juni. Irkutsk.

Europäischer Bruder!

Natürlich ist das Leben in Sibirien unangenehm; aber lieber in Sibirien sein und sich als anständiger Mensch fühlen, als in Petersburg leben und als Säufer und Taugenichts angesehen werden. Ich spreche nicht von Anwesenden.

Als ich Rußland verließ, oh Bruder, schrieb ich dir, du würdest von mir viele Aufträge bekommen. Vor meiner Abreise habe ich es nicht mehr geschafft dir zu schreiben, unterwegs war mir nicht nach Briefen zumute, und jetzt, wenn ich nachdenke, stelle ich fest, daß ich nicht viele Aufträge für dich hatte, sondern nur den einen einzigen, den ich zu erledigen bitte, andernfalls ich dich enterben müßte. Der Auftrag besteht darin: wenn du von unserer Schwester einen Brief in Sachen Geld bekommst, zieh die Hosen an und geh in die Buchhandlung des »Novoe vremja«: nimm hier das Geld für meine Bücher entgegen und schick es zur Gänze der Schwester. Das ist alles.

Sibirien ist ein kaltes und langes Land. Ich fahre, fahre, und ein Ende ist nicht abzusehen. Interessantes und Neues sehe ich wenig, dafür fühle und erlebe ich viel. Ich habe Krieg geführt mit den überschwemmten Flüssen, mit der Kälte, mit abgrundtiefem Morast, mit dem Hunger, mit dem Wunsch zu schlafen... Das sind Empfindungen, die man in Moskau nicht für eine Million erfahren kann. Du solltest auch nach Sibirien! Bitte die Staatsanwälte, daß sie dich hierherschicken.

Die schönste Stadt in Sibirien ist Irkutsk. Tomsk ist keinen Kupfergroschen wert, und alle Kreisstädte sind nicht besser als jenes Krepkaja, in dem du die Unvorsichtigkeit besaßest zur Welt zu kommen. Am schlimmsten ist, daß es in den Kreisstädten nichts zu essen gibt, und das unterwegs, oh, das spürt man! Man fährt auf eine Stadt zu und hofft, jetzt einen ganzen Berg zu essen zu bekommen, und kommt man an – platsch! weder Wurst noch Käse noch Fleisch, nicht mal einen Hering, sondern dieselben faden Eier und die Milch, die es auch in den Dörfern gibt.

Im ganzen bin ich mit meiner Reise zufrieden und bedaure nicht, gefahren zu sein. Die Fahrt ist schwer, aber dafür ist das Ausruhen herrlich. Ein Genuß.

Von Irkutsk bewege ich mich zum Bajkal, den ich mit dem Dampfer überquere; vom Bajkal sind es tausend Verst bis an den Amur, und von dort mit dem Dampfer bis zum Stillen Ozean, wo ich als erstes baden gehen und Austern essen werde.

Gestern bin ich hier angekommen und bin als erstes ins Bad

gegangen, dann schlafen. Ach, wie ich geschlafen habe! Ich begreife erst jetzt, was Schlaf bedeutet.

Nun denn, bleib gesund. An Natalja Aleksandrovna, den sprachlosen Kuka und meinen Namensvetter meinen herzlichsten Gruß und alles Gute. Meine Adresse: Fort Aleksandrovsk auf Sachalin. Beschreib, wie deine Geschäfte gehen und ob es nicht was Neues gibt. Schreib öfter an die Familie, denn sie langweilen sich.

Ich segne dich mit beiden Händen.

Dein asiatischer Bruder A. Čechov.

292) AN DIE FAMILIE ČECHOV IRKUTSK, 6. 6. 1890

Irkutsk, 6. Juni.

Seid gegrüßt, liebe Mama, Ivan, Maša und Miša und alle, die mit euch sind.

In meinem letzten langen Brief schrieb ich euch, die Berge rings um Krasnojarsk hätten Ähnlichkeit mit den Bergketten des Donec, aber das stimmt nicht; als ich sie mir vom Stadtinnern aus ansah, sah ich, daß sie die Stadt wie hohe Wände umgeben und mußte lebhaft an den Kaukasus denken. Und als ich gegen Abend zur Stadt hinausfuhr und über den Enisej übersetzte, sah ich am anderen Ufer ganz klar die Berge des Kaukasus, genauso in Wolken, verträumt... Der Enisej ist ein breiter, schneller, geschmeidiger Fluß; er ist schön, schöner als die Volga. Und die Fähre, die darüber führt, ist bemerkenswert, schlau gebaut, sie fährt gegen den Strom; die Konstruktion erkläre ich euch zu Hause. Also, die Berge und der Enisej sind das erste Originelle und Neue, dem ich in Sibirien begegnet bin. Die Berge und der Enisej haben mir Eindrücke beschert, die mich hundertmal entschädigen für alle Purzelbäume und mich veranlaßt haben, Levitan einen Idioten zu nennen, weil er die Dummheit besaß, nicht mit mir zu fahren.

Von Krasnojarsk bis Irkutsk erstreckt sich die Tajga. Der Wald ist nicht höher als der in Sokolniki, aber dafür weiß keiner der Kutscher, wo er aufhört. Ein Ende ist einfach nicht zu sehen. Sie erstreckt sich über Hunderte von Verst. Was und wer in der Tajga lebt, weiß niemand, und nur im Winter passiert es, daß irgendwelche Leute aus dem hohen Norden auf Rentieren kommen, um Brot zu holen. Fährt man auf einen Berg hinauf und schaut vor und zurück, dann sieht man vor sich einen Berg, dahinter wieder einen Berg, dann noch einen Berg, seitlich davon ebenfalls Berge – und all das ist bedeckt mit dichtem Wald. Es wird einem sogar unheimlich. Das ist das zweite Originelle und Neue...

Bei Krasnojarsk beginnen Hitze und Staub. Eine schreckliche Hitze. Halbpelz und Mütze sind im Koffer verstaut, Staub im Mund, in der Nase, im Kragen – pfui! Wir nähern uns Irkutsk – wir müssen die Angara im Plaškot (d. h. mit der Fähre) überqueren. Ausgerechnet, wie zum Hohn, kommt sehr starker Wind auf... Ich und meine militärischen Begleiter, die wir 10 Tage lang von einem Bad, einem Essen und einem Bett geträumt haben, stehen am Ufer und erblassen beim Gedanken, nicht in Irkutsk, sondern in einem Dorf übernachten zu müssen. Die Fähre kann einfach nicht anlegen... Wir stehen eine Stunde, eine zweite und – oh, Himmel! – die Fähre unternimmt eine Anstrengung und legt am Ufer an. Bravo, wir sind im Bad, essen zu Abend und schlafen! Ach, wie süß der heiße Dampf, das Essen und das Schlafen!

Irkutsk ist eine sehr schöne Stadt. Ganz intellektuell. Theater, Museum, Stadtpark mit Konzert, gute Hotels... Es gibt keine verunstaltenden Bretterzäune, keine unsinnigen Ladenschilder und keine unbebauten Plätze mit Schildern, die das Stehenbleiben verbieten. Es gibt eine Kneipe namens »Taganrog«. Der Zucker 24 Kop., Zedernnüsse 6 Kop. das Pfund.

Zu meiner großen Enttäuschung habe ich keinen Brief von euch gefunden. Alles bis zum 6. Mai Geschriebene hätte ich in Irkutsk bekommen müssen, wenn ihr geschrieben hättet. Ich habe Suvorin ein Telegramm geschickt – keine Antwort.

Jetzt zu den Quellen des verachteten Metalls. Wenn ihr Geld

braucht, schreibt Aleksandr (oder telegraphiert), damit er in die Buchhandlung des »Novoe vremja« geht und mein Honorar für die *Bücher* abholt.

Das zum ersten. Zweitens schickt den beiliegenden Brief, lest ihn aber vorher; den Brief schickt im August, die Abrechnung bewahrt auf.

Aleksandr habe ich geschrieben.

Verschlaft mein Lotterielos nicht.

Habe ich Miša geschrieben, daß ich, wahrscheinlich, über Amerika nach Hause komme? Er soll sich nicht beeilen, nach Japan zu fahren.

Ich bin gesund und munter. Das Geld ist unversehrt. Den Kaffee habe ich für Sachalin versteckt. Ich trinke hervorragenden Tee, der mich angenehm anregt. Ich sehe Chinesen. Ein gutmütiges und nicht unintelligentes Volk. In der sibirischen Bank hat man mir das Geld umgehend ausgezahlt, mich liebenswürdig empfangen, mit Zigaretten bewirtet und aufs Sommerhaus eingeladen. Es gibt eine hervorragende Konditorei, aber alles ist höllisch teuer. Die Trottoirs sind aus Holz.

Gestern nacht habe ich mit den Offizieren eine Exkursion durch die Stadt unternommen. Ich hörte, wie jemand sechsmal langgedehnt »Hilfe« rief. Offenbar wurde jemand gewürgt. Wir fuhren ihn suchen, haben aber niemanden gefunden.

In Irkutsk gibt es gefederte Droschken. Die Stadt ist schöner als Ekaterinburg und Tomsk. Ganz und gar europäisch.

Am 17. Juni laßt eine Messe lesen, und den 29. begeht so feierlich wie möglich; ich werde in Gedanken bei euch sein, und ihr trinkt auf mein Wohl.

Grüße an Papaša, die Lintvarëvs, Jamais, Semašečka, Ivanenko und Marjuška. Bleibt gesund, Gott beschütze euch. Versucht nicht zu vergessen euern Sehnsucht leidenden Hausgenossen *A. Čechov.*

Alles, was ich anhabe, ist zerknittert, schmutzig, zerrissen. Sehe aus wie ein Ganove.

Pelze werde ich wahrscheinlich nicht mitbringen. Ich weiß nicht, wo man sie kaufen kann, und ich bin zu faul mich zu erkundigen.

Für unterwegs muß man mindestens zwei große Kopfkissen mitnehmen, und unbedingt in dunklen Bezügen.

Was macht Ivan? Wohin ist er gefahren? War er im Süden?

Von Irkutsk fahre ich zum Bajkal. Meine Begleiter stellen sich aufs Brechen ein.

Die hohen Stiefel haben sich eingetragen und sind weitergeworden. Die Fersen tun nicht mehr weh.

Ich habe mir für morgen Buchweizengrütze bestellt. Unterwegs habe ich mich an Quark erinnert, den ich seitdem auf den Stationen mit Milch esse.

Habt ihr meine Postkarten aus den Kleinstädten bekommen? Hebt sie auf: daran kann man die Schnelligkeit der Post ablesen. Die hiesige Post hat es nicht eilig.

293) AN DIE FAMILIE ČECHOV LISTVENIČNAJA, 13. 6. 1890

13. Juni, St. Listveničnaja,
am Ufer des Bajkal.

Ich verbringe idiotische Tage. Am 11. Juni, d. h. vorgestern, verließen wir gegen Abend Irkutsk in der Hoffnung, den Bajkaldampfer zu erreichen, der um 4 Uhr morgens abfuhr. Von Irkutsk bis an den Bajkal sind es nur drei Stationen. Auf der ersten erklärte man uns, alle Pferde seien unterwegs, weiterzufahren sei darum absolut unmöglich. Wir mußten also über Nacht bleiben. Gestern morgen verließen wir diese Station und kamen gegen Mittag an den Bajkal. Wir gingen zur Anlegestelle und bekamen auf unsere Frage zur Antwort, der Dampfer fahre erst am Freitag, dem 15. Juni. Also bis Freitag am Ufer sitzen, aufs Wasser schauen und warten. Da es nichts gibt, was nicht einmal ein Ende hätte, habe ich gegen das Warten nichts einzuwenden und warte geduldig, aber die Sache ist die, daß am 20. in Sretensk der Amur-Dampfer abfährt; wenn wir den nicht erreichen, müssen wir auf den nächsten warten, der am 30. fährt. Barmherzige Herrschaften, wann endlich werde ich nach Sachalin kommen?

Zum Bajkal waren wir am Ufer der Angara entlanggefahren, die aus dem Bajkal entspringt und in den Enisej mündet. Seht es euch auf der Karte an. Malerische Ufer. Berge und Berge, auf den Bergen dichter Wald. Das Wetter herrlich, still, sonnig, warm; ich fuhr und fühlte mich auf einmal ungewöhnlich gesund; mir war so wohl, daß ich es gar nicht beschreiben kann. Das kam wahrscheinlich von der Pause in Irkutsk und davon, daß das Angaraufer Ähnlichkeit mit der Schweiz hat. Etwas Neues und Originelles. Wir fuhren am Ufer entlang, kamen bis an die Mündung und bogen links ab; da lag nun das Ufer des Bajkal vor uns, der in Sibirien ein Meer genannt wird. Ein Spiegel. Das andere Ufer natürlich nicht zu sehen: 90 Verst. Die Ufer sind hoch, steil, steinig, bewaldet; rechts und links sieht man kleine Kaps, die ins Meer ragen wie der Aju-dag oder Tochtebel bei Feodosija. Wie auf der Krim. Die Station Listveničnaja liegt direkt am Wasser und sieht Jalta verblüffend ähnlich; wenn die Häuser weiß wären, wäre es ganz und gar Jalta. Nur sind auf den Bergen keine Gebäude, die Berge sind zu abschüssig und nicht zu bebauen.

Wir belegten ein scheunenartiges Quartier, das an jedes beliebige Sommerhaus in Kraskovo erinnert. Unter den Fenstern, 2–3 Aršin vom Fundament entfernt, beginnt der Bajkal. Wir zahlen einen Rubel pro Tag. Die Berge, Wälder, der spiegelglatte Bajkal – all das wird vergiftet von dem Gedanken, bis Freitag hier herumsitzen zu müssen. Was sollen wir hier machen? Zudem wissen wir nicht, was wir essen sollen. Die Bevölkerung ernährt sich ausschließlich von Čeremša. Es gibt weder Fleisch noch Fisch; Milch hat man uns nicht gegeben, sondern nur versprochen. Für ein kleines Weißbrot hat man uns 16 Kop. abgeknöpft. Ich habe Buchweizengraupen gekauft und ein Stück geräuchertes Schweinefleisch und einen Brei kochen lassen; er schmeckt nicht, aber es ist nichts zu machen, ich muß ihn essen. Den ganzen Abend haben wir im Dorf herumgefragt, ob nicht jemand ein Huhn zu verkaufen habe, aber niemanden gefunden... Dafür gibt es

Vodka! Der Russe ist ein großes Schwein. Wenn man ihn fragt, warum er kein Fleisch und keinen Fisch esse, so wird er sich damit rechtfertigen, daß es an Fahrzeugen, Verkehrswegen usw. fehle, Vodka dagegen gibt es sogar in den abgelegensten Dörfern, und zwar in jeder beliebigen Menge. Und dabei sollte man meinen, Fleisch und Fisch seien bei weitem leichter zu beschaffen als Vodka, der teurer ist und schwer zu transportieren. Nein, wahrscheinlich ist es bei weitem interessanter Vodka zu trinken, als zu arbeiten und im Bajkal Fische zu fangen oder Vieh zu züchten.

Um Mitternacht kam das Dampferchen; wir gingen ihn uns ansehen, um bei der Gelegenheit zu fragen, ob sie nicht was zu essen hätten. Man sagte uns, morgen könnten wir ein Essen bekommen, jetzt sei Nacht, die Küche werde nicht geheizt usw. Wir dankten für das »morgen« – immerhin eine Hoffnung! Aber oh weh! Da kam der Kapitän herein und sagte, daß morgen um 4 Uhr das Dampferchen nach Kultuk führe. Vielen Dank! In der Messe, in der man sich nicht umdrehen konnte – so eng war sie, tranken wir eine Flasche saures Bier (35 Kop.) und sahen auf einem Tablett Bernsteinperlen – Rogen vom Omul. Wir gingen nach Hause und – schlafen. Das Schlafen wird mir widerwärtig. Jeden Tag breitet man seinen Halbpelz auf dem Boden aus, das Fell nach oben, legt den zusammengerollten Mantel und das kleine Kissen ans Kopfende, schläft auf diesen Höckern in Hosen und Weste... Zivilisation, wo bist du?

Heute regnet es, und der Bajkal ist im Nebel versunken. »Interessant!« würde Semaško sagen. Langweilig. Ich sollte mich hinsetzen und schreiben, aber bei schlechtem Wetter hat man keine Lust zu arbeiten. Unbarmherzige Langeweile steht uns bevor; wenn ich allein wäre, würde es mir nichts ausmachen, aber mit mir sind doch die Leutnants und der Militärarzt, die gern reden und streiten. Sie haben nur von Wenigem eine Ahnung, reden aber über alles. Einer der Leutnante ist außerdem noch ein kleiner Chlestakov und Angeber. Unterwegs sollte man unbedingt allein sein. In seiner Kutsche oder im Zimmer mit seinen

Gedanken allein zu sein ist bei weitem interessanter, als mit anderen Leuten zu sein. Außer den Militärs fährt noch ein Schüler der Technischen Lehranstalt von Irkutsk mit uns, Innokentij Alekseevič, ein Junge, der aussieht wie jener Neapolitaner, der decem sagte, aber klüger und besser. Wir haben ihn mitgenommen, damit er uns nach Čita bringt.

Ihr könnt mir gratulieren: meine Kutsche habe ich in Irkutsk verkauft. Wieviel Gewinn ich dabei herausgeschlagen habe, sage ich nicht, sonst fällt Mamaša in Ohnmacht und kann fünf Nächte lang nicht schlafen.

Diesen Brief bekommt ihr wahrscheinlich um den 20.–25. Juli, vielleicht auch später. Ein, zwei Briefe werde ich noch nach Sumy adressieren, die nächsten schicke ich schon nach Moskau. Aber an welche Adresse? Ich werde mir was einfallen lassen müssen. Eure Moskauer Adresse müßt ihr mir unbedingt per Telegraph mitteilen. Wohin? Ihr werdets schon wissen.

Ich freue mich sehr, Maša, daß du auf der Krim warst. Ich habe dir nach Jalta ein Telegramm an die Adresse des Geschäfts von Asmolov und des darin sitzenden Karaimen Sinani geschickt. Hast du es bekommen? Es enthielt die Antwort an Gorodeckij, der mich mit einem sehr langen Telegramm bewirtet hatte. Gorodeckij wird den Brei wohl kaum kochen. Erstens kann er nicht schreiben und ist überhaupt unbegabt wie alle getauften Schmuuls, und zweitens ist Vyšnegradskijs Asienreise durchaus nicht so interessant, als daß es sich lohnen würde, einen Korrespondenten dahin »abzukommandieren« (d. h. ihm Reisekosten, Diäten usw. zu geben).

Bleibt gesund und langweilt euch nicht. Wo ist Ivan? Einen Gruß an ihn. Auch an Ivanenko und Semašečka, auch an Jamais. Den Lintvarëvs eine Verbeugung bis zur Erde für das Telegramm.

Der Nebel hat sich aufgelöst. Ich sehe die Wolken in den Bergen. Ach, beiß mich der Wolf! Man meint: der Kaukasus...

Auf Wiedersehen. *Euer Homo Sachaliensis*

A. Čechov.

294) AN DIE FAMILIE ČECHOV AMUR, 20. 6. 1890

20. Juni.

Seid gegrüßt, liebe Hausgenossen! Endlich kann ich also die schweren schmutzigen Stiefel ausziehen, die zerrissene Hose und das von Staub und Schweiß glänzende dunkelblaue Hemd, kann mich waschen und mich menschlich anziehen. Ich sitze nicht mehr im Tarantas, sondern in einer Kajüte 1. Klasse des Amurdampfers »Ermak«. Die Veränderung hat zehn Tage früher stattgefunden, und zwar aus diesem Grunde. Ich schrieb euch aus Listveničnaja, daß ich den Bajkaldampfer verpaßt hätte, daß ich nicht am Dienstag, sondern erst am Freitag über den Bajkal fahren und daß ich den Amurdampfer deshalb erst am 30. Juni erreichen könnte. Aber das Schicksal ist launisch und veranstaltet manchmal Kunststücke, die man nicht erwartet. Am Donnerstag morgen gehe ich am Ufer des Bajkal spazieren; ich sehe – aus dem Schornstein eines der beiden Dampferchen steigt Rauch. Ich frage, wohin fährt dieser Dampfer? »Übers Meer«, sagt man mir, nach Kljuevo; irgendein Kaufmann hatte ihn gemietet, für einen Warentransport. Wir müssen auch »übers Meer«, und zwar zur Station Bojarskaja. Ich frage: wieviel Verst sind es von Kljuevo nach Bojarskaja? Antwort: 27 Verst. Ich renne zu meinen Begleitern und bitte sie, die Fahrt nach Kljuevo zu riskieren. Ich sage »riskieren«, weil es in Kljuevo nichts gibt außer der Anlegestelle und einem Wächterhäuschen, wir also riskieren würden, keine Pferde zu bekommen, in Kljuevo sitzenzubleiben und den Dampfer am Freitag zu verpassen, was für uns alle schlimmer wäre als Igors Tod, denn dann müßten wir bis Dienstag warten. Meine Begleiter erklärten sich einverstanden. Wir packten unsere Habseligkeiten zusammen, gingen frohen Schrittes zum Dampfer und gleich in die Messe: um Himmels willen eine Suppe! ein halbes Königreich für einen Teller Suppe! Die Messe miserabel, gebaut nach dem Prinzip zu enger Wasserklosetts, aber der Koch Grigorij Ivanyč, ehemaliger Hausknecht aus Voronež, war seiner Berufung vollauf gewachsen. Er verpflegte uns vortrefflich. Das Wetter war still, sonnig. Das Wasser des Bajkal türkis, klarer als im Schwarzen Meer. Man sagt, an tiefen Stellen könnte man den Grund bis auf eine Verst tief sehen; ich habe auch selber solche Tiefen gesehen mit Felsen und Bergen, die im Türkis versunken sind, es konnte einem kalt den Rücken runterlaufen. Die Überfahrt über den Bajkal war wunderbar, ich werde sie mein Lebtag nicht vergessen. Nur eins war nicht schön: wir fuhren III. Klasse, das ganze Deck voller Lastpferde, die dauernd am Durchgehen waren. Diese Pferde verliehen meiner Fahrt ein besonderes Kolorit: es war, als führe ich auf einem Piratenschiff. In Kljuevo nahm sich der Wächter unseres Gepäcks an und brachte es zur Station; er fuhr, wir folgten dem Wagen zu Fuß, entlang an einem malerischen Ufer. Levitan ist ein Rindvieh, daß er nicht mitgekommen ist. Ein Waldweg: rechts Wald, der in die Berge hinaufführt, links Wald, der zum Bajkal abfällt. Was für Schluchten, was für Felsen! Der Ton des Bajkal sanft, warm. Es war übrigens sehr warm. Nach 8 Verst kamen wir zur Station Myskanskaja, wo ein Beamter aus Kiachta auf der Durchreise uns zu einem vortrefflichen Tee einlud und wo man uns Pferde gab bis Bojarskaja. So fuhren wir statt Freitag schon am Donnerstag; nicht genug damit, wir waren nun der Post um vierundzwanzig Stunden voraus, die gewöhnlich an allen Stationen alle Pferde mit Beschlag belegt. Und so machten wir uns auf die Jagd, in der schwachen Hoffnung, am 20. in Sretensk zu sein. Von der Fahrt am Ufer der Selenga entlang und dann durch Transbajkalien erzähle ich euch beim Wiedersehen, einstweilen sage ich nur, daß die Selenga die reine Schönheit ist und daß ich in Transbajkalien alles gefunden habe, was ich nur wollte: den Kaukasus, das Psël-Tal, den Kreis Zvenigorod, den Don. Tagsüber fährt man durch den Kaukasus, nachts durch die Donsteppe, und am Morgen erwacht man aus dem Dämmerschlaf, schaut hin und ist schon im Gouvernement Poltava – und so über tausend Verst. Verchneudinsk ist eine hübsche Stadt, Čita ist keine, ähnlich wie Sumy. An Schlafen und Essen war natürlich nicht zu denken. Man fährt dahin, wechselt an den Stationen die Pferde und denkt nur daran, daß einem an der nächsten Station keine Pferde gegeben werden könnten und man 5–6 Stunden aufgehalten werden könnte. Wir schafften 200 Verst am Tag – mehr sind im Sommer nicht zu schaffen. Wir waren ganz benommen. Außerdem eine schreckliche Hitze, nachts dagegen eine Kälte, daß ich über meinen Tuchmantel noch den ledernen ziehen mußte; eine Nacht bin ich sogar im Halbpelz gefahren. Nun, wir fuhren und fuhren, und heute morgen kamen wir in Sretensk an, genau eine Stunde vor Abfahrt des Dampfers, nachdem wir den Kutschern an den beiden letzten Stationen je einen Rubel Trinkgeld gegeben hatten.

Also, meine Wanderschaft zu Pferde ist zu Ende. Sie hat 2 Monate gedauert (abgefahren bin ich am 21. April). Zieht man die Zeit ab, die ich in der Eisenbahn verbracht habe, die 3 Tage in Ekaterinburg, die Woche in Tomsk, den Tag in Krasnojarsk, die Woche in Irkutsk, die Wartezeiten während der Überschwemmung, so kann man die Geschwindigkeit meiner Reise beurteilen. Die Reise war gut, Gott möge jedem so eine bescheren. Ich war kein einziges Mal krank und habe von der Menge an Sachen, die ich bei mir führe, nur ein Federmesser, einen Kofferriemen und ein Döschen Karbolsalbe verloren. Das Geld ist heil und unversehrt. Tausende von Verst so zu überstehen, gelingt nur selten jemandem.

Ich bin an das Fahren über die Landstraßen so gewöhnt, daß ich ganz außer mir bin und einfach nicht glauben kann, nicht mehr im Tarantas zu sitzen und nicht mehr das Rattern der Räder zu hören. Merkwürdig, daß ich beim Schlafengehen die Beine ausstrecken kann und daß mein Gesicht nicht staubig ist. Aber das Allermerkwürdigste ist, daß die Flasche Kognak, die Kuvšinnikov mir mitgegeben hat, noch ganz ist und der Kognak bis auf den letzten Tropfen da. Ich hatte versprochen, ihn erst an der Küste des Stillen Ozeans zu entkorken.

Ich fahre die Šilka entlang, die bei der Station Pokrovskaja, wenn sie mit dem Argun zusammenfließt, in den Amur übergeht. Der Fluß ist nicht breiter als der Psël, eher schmaler. Die Ufer felsig: Klippen und Wälder. Ganz wild ... Wir lavieren, um nicht auf eine Sandbank aufzulaufen oder mit dem Heck das Ufer zu rammen. Das passiert Dampfern und Lastkähnen bei den Klippen oft. Es ist heiß. Eben halten wir bei Ust-Kara, wo 5–6 Katorgasträflinge an Land gesetzt werden. Hier sind Gruben und ein Katorgagefängnis.

Und ihr, meine Damen und Herren, wie geht es euch? Ich weiß absolut nichts von euch. Ihr solltet zusammenlegen und mir ein ausführliches Telegramm schicken.

Der Dampfer wird über Nacht in Gorbica anlegen. Die Nächte sind hier neblig, die Fahrt wäre zu gefährlich. In Gorbica werfe ich diesen Brief ein.

Ich reise I. Klasse, weil meine Begleiter II. reisen. Ich habe mich von ihnen getrennt. Wir sind gemeinsam gefahren (zu dritt in einem Tarantas), haben gemeinsam geschlafen und gehen uns gegenseitig auf die Nerven, besonders sie mir.

Grüße an alle meine Bekannten. Mamaša küsse ich die Hand. Nachdem Maša auf der Krim ist, schicke ich diesen Brief an Mamaša. Wo ist Ivan? War Papaša am 29. Juni in Luka?

Meine Schrift ist hundsgemein, erschütternd. Das kommt, weil der Dampfer vibriert. Das macht das Schreiben schwer.

Unterbrechung. Ich bin zu meinen Leutnants gegangen, um mit ihnen Tee zu trinken. Sie haben beide ausgeschlafen und sind guter Laune... Der eine von beiden, Leutnant Šmidt (ein Name, der meinem Ohr zuwider ist), Infanterie, ist ein langer, satter, stimmgewaltiger Kurländer, ein großer Angeber und Chlestakov, der aus allen Opern singt, aber weniger Gehör hat als ein geräucherter Hering, ein unglücklicher Mensch, der das Reisegeld durchgebracht hat, Mickiewicz auswendig kennt, aber ungebildet, vertrauensselig über das Maß hinaus und geschwätzig, daß einem schlecht wird. Wie Ivanenko erzählt er gern von seinen Onkeln und Tanten. Der andere Leutnant, Meller, ein Topograph, ist ein stiller, bescheidener und durchaus intelligenter Kerl. Wenn Šmidt nicht wäre, könnte man eine Million Verst mit ihm reisen, aber in Anwesenheit von Šmidt, der sich in jedes Gespräch einmischt, fällt auch er mir auf die Nerven. Aber was sollt ihr mit den Leutnants? Ist doch uninteressant. Bleibt gesund. Wir kommen anscheinend nach Gorbica.

Einen herzlichen Gruß an die Lintvarëvs. Papaša schreibe ich extra. Alëša habe ich aus Irkutsk eine Postkarte geschickt. Auf Wiederschön! Ich wüßte gern, wann dieser Brief bei euch ankommt. Wahrscheinlich erst in 40 Tagen, nicht früher. Ich umarme und segne alle. Habe Sehnsucht. *Euer A. Čechov.*

Morgen entwerfe ich das System für das Telegramm, das ihr mir nach Sachalin schickt. Ich werde mir Mühe geben, in 30 Worten alles das hineinzupacken, was ich wissen muß, und ihr gebt euch Mühe und haltet euch an das System.

Die Bremsen stechen.

295) AN DIE FAMILIE ČECHOV AMUR, 21. 6. 1890

21., 6 Uhr abends, nahe der Stanica Pokrovskaja.

Wir sind gegen einen Felsen gestoßen, leck geschlagen und werden zur Zeit repariert. Wir sitzen auf Grund und pumpen das Wasser heraus. Links das russische Ufer, rechts das chinesische. Wenn ich jetzt nach Hause käme, hätte ich das Recht anzugeben: »In China war ich nicht, aber ich habe es 3 Sažen vor mir liegen sehen.« In Pokrovskaja werden wir übernachten. Wir machen eine Exkursion dorthin.

Wenn ich Millionär wäre, besäße ich bestimmt ein Schiff auf dem Amur. Eine schöne, interessante Gegend. Ich rate Egor Michajlovič, nicht nach Tuapse zu fahren, sondern hierher; übrigens gibt es hier weder Taranteln noch Spinnen. Am chinesischen Ufer ein Wachtposten: eine Hütte, am Ufer Mehlsäcke aufgetürmt, zerlumpte Chinesen schleppen sie auf Bahren zur Hütte. Und hinter dem Posten dichter, endloser Wald.

Mit uns fahren Institutsschülerinnen aus Irkutsk – russische Gesichter, aber keine schönen.

296) AN DIE FAMILIE ČECHOV AMUR, 23./26. 6. 1890

23. Juni.

Ich schrieb euch bereits, wir sitzen auf Grund. Bei Ust-Strelka, wo die Šilka mit dem Argun zusammenfließt (siehe Karte), stieß der Dampfer, bei 2 1/2 Fuß Tiefgang, gegen einen Felsen, schlug an mehreren Stellen leck und setzte auf Grund, den Kielraum voll Wasser. Man hat damit begonnen, das Wasser herauszupumpen und die Lecks zu stopfen; ein nackter Matrose kriecht in den Kielraum, steht bis zum Hals im Wasser und tastet mit den Fersen nach den Löchern; jedes Loch wird von innen mit einem fettgetränkten Stück Stoff bedeckt, dann legt man ein Brett darüber und setzt eine Stütze dagegen, die wie eine Säule gegen die Decke gestemmt wird, – das ist die ganze Reparatur. Man pumpte von 5 Uhr abends bis in die Nacht, aber das Wasser wurde nicht weniger; die Arbeit mußte bis zum nächsten Morgen unterbrochen werden. Am Morgen fand man noch ein paar neue Löcher und fing wieder an zu flicken und zu pumpen. Die Matrosen pumpen, wir dagegen, die Passagiere, gehen auf den Decks spazieren, schwatzen, essen, trinken, schlafen; der Kapitän und sein erster Offizier tun dasselbe wie die Passagiere und haben keine Eile. Rechts das chinesische Ufer, links die Stanica Pokrovskaja mit den Amurkosaken; wie man will – man kann in Rußland bleiben, man kann aber auch nach China fahren, niemand verbietet es einem. Tagsüber ist die Hitze unerträglich, so daß man ein Seidenhemd anziehen muß.

Zu Mittag gegessen wird um 12 Uhr, Abendessen gibt es um 7 Uhr.

Zu allem Unglück nähert sich der Stanica der Gegendampfer »Vestnik« mit einer Menge Passagieren an Bord. Der »Vestnik« kann ebenfalls nicht weiterfahren, so liegen beide Dampfer fest. Der »Vestnik« hat eine Militärkapelle an Bord. Das Ergebnis – ein wahres Fest. Gestern spielte auf unserem Deck den ganzen Tag Musik, die den Kapitän und die Matrosen ablenkte und folglich bei den Reparaturarbeiten störte. Der weibliche Teil der Passagiere geriet außer sich vor Freude: Musik, Offiziere, Matrosen ... ach! Besonders gefreut haben sich die Institutsschülerinnen. Gestern abend gingen sie in der Stanica spazieren, wo, von den Kosaken gemietet, dieselbe Kapelle spielte. Heute fahren wir mit der Reparatur fort. Der Kapitän verspricht, wir würden nach dem Mittagessen weiterfahren, aber er tut es träge, wobei er immer zur Seite blickt, – offenbar lügt er. Wir haben keine Eile. Als ich einen der Passagiere fragte, wann wir endlich weiterfahren würden, fragte er mich:

– Geht es Ihnen hier denn schlecht?

Und das stimmt. Warum nicht stehen, wenn es nicht langweilig ist?

Der Kapitän, sein erster Offizier und der Agent der Gesellschaft sind die Liebenswürdigkeit in Person. Die Chinesen, die in der III. Klasse sitzen, sind gutmütig und komisch. Gestern hat ein Chinese an Deck gegessen und im Diskant etwas sehr Trauriges vorgesungen, dabei war sein Profil komischer als jede Karikatur. Alle sahen ihn an und lachten, aber er – schenkte dem keine Beachtung. Er fing an im Diskant und wechselte dann in den Tenor über: Gott, was für eine Stimme! Es war das Blöken eines Schafs oder eines Kalbs. Die Chinesen erinnern mich an gute zahme Tiere. Sie haben lange schwarze Zöpfe, wie Natalja Michajlovna. A propos zahme Tiere: in der Toilette haben wir einen zahmen jungen Fuchs. Wenn man sich wäscht, sitzt er dabei und schaut zu. Wenn er lange keine Menschen sieht, fängt er an zu winseln.

Was für merkwürdige Gespräche! Man spricht nur vom Gold, von Gruben, von der Freiwilligen Flotte, von Japan. In Pokrovskaja sucht jeder Bauer und sogar der Pope nach Gold. Das tun auch die Ansiedler, die hier ebenso rasch reich werden, wie sie wieder arm werden. Es gibt Čujken, die nichts anderes als Sekt trinken und nicht anders in die Schenke gehen als über rote Läufer, die von ihrer Hütte bis vor die Schenke ausgerollt werden.

Im Herbst schickt bitte meinen Pelzmantel nach Odessa an die Buchhandlung des »Novoe vremja«, bittet aber vorher Suvorin um Erlaubnis, – das ist aus Anstandsgründen notwendig ... Galoschen brauche ich keine. Schickt dorthin auch die Briefe und eure Adresse. Solltet ihr Geld übrig haben, dann schickt mir für alle Fälle hundert Rubel nach Odessa an die Buchhandlung des »N. v.« zur Weitergabe an mich. Unbedingt »zur Weitergabe«, sonst muß ich auf die Post latschen. Wenn ihr kein Geld übrig habt, macht es nichts. Wenn ihr wieder in Moskau seid, empfehlt Vater Bromkalium zu nehmen, weil er im Herbst oft Schwindelanfälle hat; wenn er welche bekommt, muß man ihm hinter dem Ohr einen Blutegel ansetzen. Noch was? Bittet Ivan, bei Iljin (Petrovskie linii) eine Karte von Transbajkalien, wenn möglich auf Leinwand aufgezogen, zu kaufen und sie per eingeschriebenes Streifband an folg. Adresse zu schicken: Irkutsk, Schüler der Technischen Lehranstalt Innokentij Alekseevič Nikitin. Die Zeitungen und Briefe hebt auf.

Der Amur ist eine außerordentlich interessante Gegend. Verteufelt originell. Hier brodelt ein Leben, von dem man in Europa nicht einmal eine Ahnung hat. Es, d. h. das Leben, erinnert mich an Erzählungen aus dem Leben Amerikas. Die Ufer sind dermaßen wild, originell und üppig, daß man auf immer und ewig hierbleiben möchte, um hier zu leben. Die letzten Zeilen schreibe ich bereits am *25. Juni.* Der Dampfer vibriert und stört beim Schreiben. Wir fahren wieder. Ich bin schon 1000 Verst auf dem Amur gefahren und habe eine Million der üppigsten Landschaften gesehen; mir schwindelt vor Entzücken. Ich habe einen Felsen gesehen, wo die Gundasova, wenn sie an seinem Fuße auf die Idee käme, sich zu amüsieren, vor Vergnügen sterben würde, und wir, wenn wir hier mit Sofja Petrovna Kuvš. an der Spitze ein Picknick veranstalten würden, zueinander sagen könnten: Stirb, Denis, etwas Besseres wirst du nicht schreiben. Wunderbare Natur. Und was für eine Hitze! Was für warme Nächte! Morgens ist manchmal Nebel, aber warmer.

Ich betrachte die Ufer durchs Fernglas und sehe massenweise Enten, Gänse, Taucher, Reiher und alle möglichen Bestien mit langen Schnäbeln. Hier sollte man ein Sommerhaus haben!

Gestern bat mich in dem kleinen Ort Rejnovo ein Goldgräber

zu seiner kranken Frau. Als ich wieder ging, drückte er mir ein Päckchen Banknoten in die Hand. Mir war das peinlich, ich lehnte es ab und steckte ihm das Geld wieder zu, wobei ich sagte, ich sei selbst sehr reich; wir sprachen lange miteinander, wobei wir einander zu überzeugen versuchten, und trotzdem blieben am Ende 15 Rubel in meiner Hand. Gestern aß bei mir in der Kajüte ein Goldgräber mit einem Gesicht wie Petja Polevaev; zum Essen trank er statt Wasser Sekt und lud uns dazu ein.

Die Dörfer hier sind wie am Don; es gibt Unterschiede in der Bauweise der Häuser, aber nur geringe. Die Bewohner halten keine Fasten ein und essen Fleisch sogar in der Karwoche; die Mädchen rauchen Zigaretten, die alten Frauen Pfeife – so ist es üblich. Ein merkwürdiger Anblick, Bäuerinnen mit Zigaretten. Und was für ein Liberalismus! Ach, was für ein Liberalismus!

Auf dem Dampfer sirrt die Luft von Gesprächen. Man hat hier keine Angst, laut zu sprechen. Niemand ist da, der einen verhaften könnte, wohin sollte man einen auch verbannen – man kann so liberal sein wie man will. Die Leute werden immer unabhängiger, selbständiger und denken logisch. Wenn es zu irgendeinem Zwischenfall in Ust-Kara kommt, wo die Katorgasträflinge arbeiten (unter ihnen viele Politische, die nicht arbeiten), so empört sich der ganze Amur. Denunziationen sind unüblich. Ein geflohener Politischer kann ungehindert auf dem Dampfer bis an den Stillen Ozean fahren, ohne Angst haben zu müssen, daß ihn der Kapitän ausliefert. Das erklärt sich zum Teil aus der absoluten Gleichgültigkeit gegenüber allem, was in Rußland geschieht. Jeder sagt: was geht mich das an?

Ich vergaß euch zu schreiben, daß in Transbajkalien nicht Russen die Kutscher sind, sondern Burjäten. Ein komisches Volk. Ihre Pferde sind die reinsten Teufel. Kein Einspannen verlief ohne Zwischenfall. Wilder als Feuerwehrpferde. Während das Beipferd eingespannt wird, sind ihm die Füße gekoppelt, kaum sind sie losgebunden, fliegt die Trojka zum Teufel, daß es einem den Atem nimmt. Wenn man das Pferd nicht koppelt, schlägt es aus, drischt mit den Hufen gegen die Deichsel, zerreißt das Geschirr und macht den Eindruck eines jungen Teufels, den man bei den Hörnern gepackt hat.

26. Juni. Wir nähern uns Blagoveščensk. Bleibt gesund und munter und vergeßt mich nicht. Vielleicht habt ihr mich schon vergessen: Ich grüße alle herzlich und gebe jedem einen Kuß in Freundschaft. *Antoine*.

Ich bin absolut gesund.

297) AN A. S. SUVORIN BLAGOVEŠČENSK, 27. 6. 1890

27. Juni. Blagoveščensk.

Seien Sie gegrüßt, mein Teurer! Der Amur ist ein sehr schöner Fluß; ich habe mehr von ihm bekommen, als ich erwarten konnte, und wollte mein Entzücken schon längst mit Ihnen teilen, aber der verdammte Dampfer hat die ganzen sieben Tage so vibriert und mich am Schreiben gehindert. Außerdem vermag ich es noch nicht, solche Schönheiten wie die Ufer des Amur zu beschreiben; ich passe vor ihnen und gestehe es ein: ich bin ein Bettler. Wie soll man sie beschreiben? Stellen Sie sich den Suram-Paß vor, der zu einem Flußufer geworden ist, – da haben Sie den Amur. Felsen, Klippen, Wälder, Tausende von Enten, Reihern und allen möglichen geschnäbelten Kanaillen, und die reine Wildnis. Links das russische Ufer, rechts das chinesische. Will ich nach Rußland schauen, bitte, will ich nach China – bitte. China ist genau dieselbe unberührte Wildnis wie Rußland: Dörfer und Wächterhäuschen sieht man nur selten. In meinem Kopf ist alles durcheinander und zu Pulver zerstoben; kein Wunder, Euer Exzellenz! Ich bin über tausend Verst auf dem Amur gefahren und habe Millionen von Landschaften gesehen, und vor dem Amur lagen doch der Bajkal, Transbajkalien... Wirklich, ich habe so viele Reichtümer gesehen und so viele Genüsse erfahren, daß selbst der Tod jetzt nicht mehr schrecklich wäre. Die Menschen am Amur sind *originell*, ihr Leben ist interessant, ganz anders als unseres. Man spricht nur vom Gold. Gold, Gold und nichts anderes. Ich bin in einer dummen Stimmung, möchte nicht schreiben und schreibe zu kurz, schweinisch; heute habe ich Ihnen vier Bogen über den Enisej und die Tajga geschickt, danach schicke ich etwas über den Bajkal, Transbajkalien und den Amur. Werfen Sie diese Bogen nicht weg, ich werde sie sammeln und Ihnen danach, wie nach Noten, das erzählen, was ich nicht zu Papier bringen kann. Jetzt bin ich auf den Dampfer »Muravjëv« umgestiegen, von dem es heißt, er vibriere nicht; vielleicht werde ich schreiben.

In den Amur bin ich verliebt; hier würde ich gern ein, zwei Jahre leben. Hier ist es schön, weit, frei, warm. Die Schweiz und Frankreich haben eine solche Freiheit nie gekannt. Der letzte Verbannte atmet am Amur freier als der allererste General in Rußland. Wenn Sie hier leben würden, würden Sie sehr viel Schönes schreiben und das Publikum mitreißen, ich kann es einfach nicht.

Chinesen begegnet man ab Irkutsk, und hier gibt es Chinesen mehr als Fliegen. Ein gutmütiges Volk. [...]

Ab Blagoveščensk begegnet man Japanern, oder, genauer gesagt, Japanerinnen. Das sind kleine dunkelhaarige Frauen mit gekünstelter Hochfrisur, mit schönem Körper und, wie mir scheint, mit kurzen Oberschenkeln. Schön gekleidet. In ihrer Sprache überwiegt der Laut »ts«. [...]

Als ich einen Chinesen in die Schiffsmesse einlud, um ihm einen Vodka zu spendieren, hielt er, bevor er trank, das Glas zuerst mir entgegen, dann dem Koch, den Stuarts und lispelte: prosit! Das sind chinesische Zeremonien. Er trank nicht alles auf einmal wie wir, sondern in kleinen Schlucken, aß nach jedem Schluck etwas nach, und gab mir dann zum Dank einige chinesische Münzen. Ein schrecklich höfliches Volk. Ärmlich gekleidet, aber schön, ihr Essen schmackhaft, unter vielen Zeremonien zu sich genommen.

Die Chinesen werden uns den Amur wegnehmen – das steht außer Zweifel. Selbst werden sie es nicht tun, sondern andere werden ihn ihnen geben, zum Beispiel die Engländer, die in

China die Gouverneure stellen und Festungen bauen. Am Amur lachen die Leute sehr gern; alle lachen darüber, daß Rußland sich Scherereien mit Bulgarien macht, das keinen Kupfergroschen wert sei, während man den Amur ganz vergessen habe. Das ist unökonomisch und dumm. Aber über die Politik bei unserem Wiedersehen.

Sie telegraphieren, ich solle über Amerika zurückkehren. Ich habe auch selbst daran gedacht. Aber man macht mir Angst, das sei teuer. Geld überweisen kann man nicht nur nach New York, sondern auch nach Vladivostok, über Irkutsk, Bank von Sibirien, wo man mich schrecklich liebenswürdig aufnahm. Das Geld ist mir noch nicht ausgegangen, obwohl ich gottlos viel ausgebe. An der Kalesche habe ich über 160 Rubel verloren, und meine Begleiter, die Leutnante, haben sich über einhundert Rubel bei mir geliehen. Aber eine Überweisung werde ich wohl trotzdem kaum brauchen. Wenn eine nötig werden sollte, werde ich mich beizeiten an Sie wenden. Ich bin absolut gesund. Überlegen Sie selbst, ich bin doch schon über zwei Monate Tag und Nacht unter freiem Himmel. Und wieviel Gymnastik!

Ich beeile mich, dies zu schreiben, denn in einer Stunde fährt die »Ermak« mit der Post zurück. Dieser Brief wird Sie im August erreichen. Anna Ivanovna küsse ich die Hand und bete für sie zum Himmel um Gesundheit und Wohlergehen. War Ivan Pavlovič Kazanskij bei Ihnen, ein junger Student, der alle Leute trübsinnig macht mit seinen glattgebügelten Hosen?

Ich praktiziere unterwegs. In dem kleinen Ort Rejnovo am Amur, wo nur Goldgräber leben, bat mich ein Mann zu seiner schwangeren Frau. Als ich wegging von ihm, drückte er mir ein Päckchen Banknoten in die Hand; mir war das peinlich, ich lehnte es ab, indem ich versicherte, ich sei ein sehr reicher Mann und litte keine Not. Der Gatte der Patientin begann mich zu versichern, er sei ebenfalls ein sehr reicher Mann. Es endete damit, daß ich ihm das Päckchen wieder zusteckte und mir in der Hand 15 Rubel blieben.

Gestern habe ich einen kleinen Jungen behandelt und die 6

Rubel abgelehnt, die mir sein Mamachen in die Hand gedrückt hatte. Ich bedaure, sie abgelehnt zu haben.

Bleiben Sie gesund und glücklich. Entschuldigen Sie, daß ich so miserabel schreibe und nicht ausführlich. Haben Sie mir nach Sachalin geschrieben?

Ich bade im Amur. Im Amur baden, sich unterhalten und mit goldenen Schmugglern zu Tisch sitzen – ist das etwa nicht interessant? Ich laufe zur »Ermak«. Auf Wiedersehen! Dank für die Nachricht über Ihre Familie. *Ihr A. Čechov.*

298) AN DIE FAMILIE ČECHOV NIKOLAEVSK, 1. 7. 1890

Diese Hieroglyphen stammen von meinem Mitreisenden, dem Chinesen Sun-Lö-Li (oder, wie ich ihn früher nannte, Son-Ljuli), und bedeuten: »Ich fahre nach Nikolaevsk. Seien Sie gegrüßt.«

Wenn man es nach den »letzten« Zeitungen beurteilt, die ich gestern in Chabarovsk im Offiziersklub gelesen habe, so bekommt Ihr diesen Brief im Oktober. Zeitungen vom März und April, das heißt, sie waren 2-2 1/2 Monate hierher unterwegs, von hier, gegen den Strom, braucht die Post aber noch länger. Heute ist der 1. Juli. Das heißt, ich bin schon 10 Tage mit dem Dampfer unterwegs. Habe es satt. Tags ist es heiß, nachts schwül; bin schweißüberströmt. Nach Chabarovsk wird der Amur breiter als die Volga. Es schaukelt... War Semaško bei euch in Luka? Und Jamais? Ist Ivanenko oft gekommen? Mietet in Moskau wieder ein Klavier. Gruß an alle. *Votre à tous Antoine.*

Ivan täte gut daran, wenn er mir seine Moskauer Adresse schreiben würde.

299) AN DIE FAMILIE ČECHOV SACHALIN, 11. 7. 1890

Angekommen. Gesund. Telegraphiert Sachalin.

Čechov.

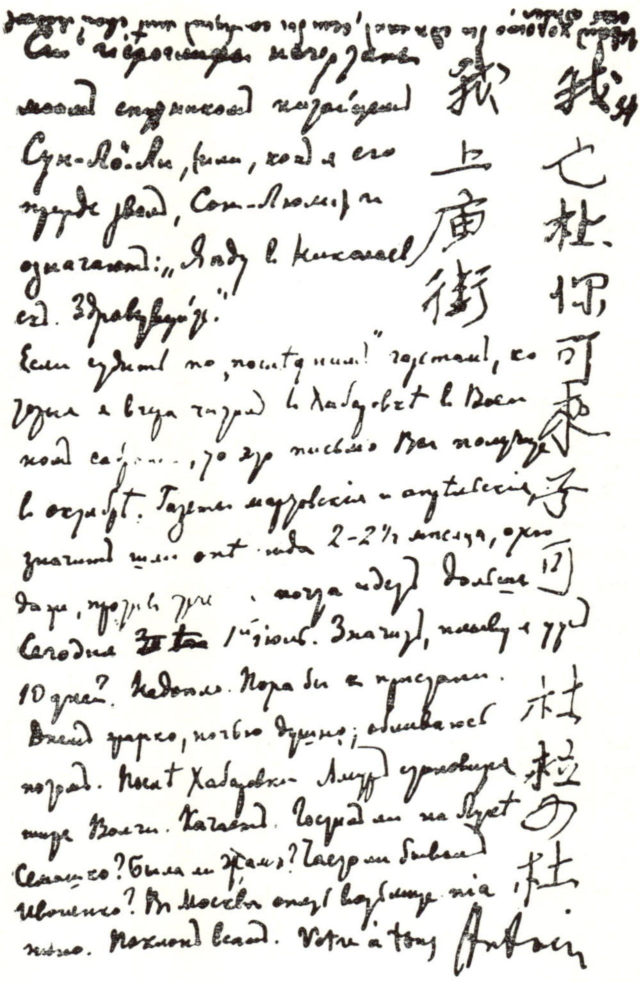

Brief an die Familie vom 1. Juli 1890 (vgl. Brief Nr. 298 dieser Ausgabe).

300) AN N. M. LINTVARËVA SACHALIN, 16. 7. 1890
Unsere schweigen hartnäckig. Bin beunruhigt. Bitten Sie sie wöchentlich zu telegraphieren. Grüße. *Čechov.*

301) AN M. P. ČECHOVA SACHALIN, 17. 7. 1890
Telegramm bekommen. Bin gesund. Wohnung schön. Menschen gut. Bedingungen angenehm. Zurückkomme Herbst. Mitbringe viel Interessantes. Gruß an Troša, verehrten Kollegen, Ivanenko, Jamais, alle. Sehnsucht. Hitze.

302) AN M. P. ČECHOVA SACHALIN, 14. 8. 1890
Gratuliere. Bin gesund.

303) AN I. P. ČECHOV SACHALIN, 31. 8. 1890
Bitte Malyšëv Lehrplan der Zemstvoschulen Liste Methodik der Lehrbücher schicken an Inselkommandanten Sachalin General Kononovič. Beschreibe ausführlich System der Verwaltung Zusammensetzung Schulräte. Bestell bei Suvorin Sendung per Nachnahme gebräuchliche Lehrbücher ältere Abteilung 150 Schüler jüngere 300. Abfahre September. Bin gesund. *Čechov.*

304) AN DIE FAMILIE ČECHOV SACHALIN, 7. 9. 1890
Bin gesund. Komme bald.

305) AN A. S. SUVORIN TATARENSUND, 11. 9. 1890

11. September. Dampfer »Bajkal«.

Seien Sie gegrüßt! Ich fahre durch den Tatarensund von Nord- nach Südsachalin. Ich schreibe und weiß nicht, wann dieser Brief Sie erreichen wird. Ich bin gesund, obwohl mich von überall mit grünen Augen die Cholera anblickt, die mir eine Falle gestellt

Селеніе *В. Армудан*

Дворъ № *25*

Званіе *крестьянин из с*

Имя, отчество, фамилія, отношенія къ хозяину:

Петр Степанов

Лухичов *хозяин*

Лѣта *40*

Вѣроисповѣданіе *правосл*

Гдѣ родился *Вологодск*

Съ какого года на Сахалинѣ *1881*

Главное занятіе *кузнец*

Грамотенъ, неграмотенъ, образованъ

Женатъ на родинѣ, на Сахалинѣ, вдовъ, холостъ.

Получаетъ ли пособіе отъ казны? Да, нѣтъ.

Чѣмъ боленъ.

hat. In Vladivostok, Japan, Schanghai, Tschi-fu, Suez und anscheinend sogar auf dem Mond – überall herrscht die Cholera, überall Quarantäne und Angst. Auf Sachalin erwartet man die Cholera und hält die Schiffe in Quarantäne. Mit einem Wort – es sieht böse aus. In Vladivostok sterben die Europäer dahin, gestorben ist unter anderen die Frau eines Generals.

Auf Nordsachalin habe ich genau zwei Monate verbracht. Von der dortigen Administration wurde ich überaus liebenswürdig aufgenommen, obwohl Galkin kein Wort über mich geschrieben hatte. Weder Galkin noch die Baronesse Vychuchol noch die anderen Genies, die um Hilfe zu bitten ich die Dummheit besessen hatte, haben mir irgendeine Hilfe erwiesen; ich habe auf eigene Gefahr handeln müssen.

Der General von Sachalin, Kononovič, ist ein intelligenter und anständiger Mensch. Wir waren uns bald einig, und alles ging gut. Ich werde Papiere mitbringen, aus denen Sie ersehen werden, daß die Bedingungen, denen ich von allem Anfang an unterworfen war, denkbar günstig waren. Ich habe *alles* gesehen; die Frage lautet demnach nicht mehr, *was* ich gesehen, sondern *wie* ich es gesehen habe.

Ich weiß nicht, was bei alledem herauskommen wird, aber ge-

Linke Seite: Eine der 10 000 Karteikarten, die Čechov zur Zählung der Bevölkerung der Insel Sachalin verwendete.
Text des Vordrucks:
Siedlung
Hof Nr.
Stand
Name, Vorname, Vatersname, Verhältnis zum Hausherrn
Alter
Glaubensbekenntnis
Wo geboren
Seit welchem Jahr auf Sachalin
Hauptbeschäftigung
Schriftkundig, Analphabet, gebildet
Verheiratet in der Heimat, auf Sachalin, verwitwet, ledig
Empfängt Unterstützung vom Staat? Ja, nein.
Krankheiten

tan habe ich nicht wenig. Es würde für drei Dissertationen reichen. Ich bin jeden Tag um 5 Uhr morgens aufgestanden, spät schlafengegangen und stand die ganzen Tage unter starker Anspannung, weil ich immer dachte, vieles noch nicht getan zu haben, und jetzt, nachdem ich die Katorga hinter mir habe, fühle ich mich, als hätte ich alles gesehen, den Elefanten aber nicht einmal bemerkt.

Nebenbei bemerkt, hatte ich die Geduld, eine Zählung der gesamten Bevölkerung Sachalins durchzuführen. Ich bin in alle Siedlungen gefahren, in jede Hütte gegangen und habe mit jedem gesprochen; für die Zählung habe ich das Karteikartensystem benützt und bereits rund zehntausend Katorgasträflinge und Strafkolonisten erfaßt. Mit anderen Worten, es gibt auf Sachalin keinen Sträfling oder Strafkolonisten, der nicht mit mir gesprochen hätte. Vor allem ist mir eine Zählung der Kinder gelungen, worauf ich nicht geringe Hoffnungen setze.

Bei Landsberg habe ich gegessen, bei der ehemaligen Baronesse Gembruk habe ich in der Küche gesessen ... Ich bin bei allen Berühmtheiten gewesen. Ich habe einer Auspeitschung beigewohnt, wonach ich drei, vier Nächte von dem Henker und der widerwärtigen Strafbank geträumt habe. Ich habe mit Sträflingen gesprochen, die an den Karren geschmiedet waren. Als ich einmal in einem Bergwerk Tee trank, holte der ehemalige Petersburger Kaufmann Borodavkin, der wegen Brandstiftung hier ist, einen Teelöffel aus der Tasche und schenkte ihn mir, und im Endergebnis habe ich mir die Nerven ruiniert und mir geschworen, nicht wieder nach Sachalin zu fahren.

Ich würde Ihnen mehr schreiben, aber in der Kajüte sitzt eine Dame, die unaufhörlich lacht und plappert. Ich habe nicht die Kraft weiterzuschreiben. Sie lacht und schnattert seit dem gestrigen Abend.

Dieser Brief geht über Amerika, ich dagegen werde wohl nicht über Amerika zurückkehren. Alle sagen, die Amerikaroute sei teurer und langweiliger.

Morgen werde ich von ferne Japan sehen, die Insel Matsmai.

Jetzt geht es auf 12 Uhr nachts. Auf dem Meer ist es dunkel, es ist Wind. Ich verstehe nicht, wie der Dampfer fahren und sich orientieren kann, wenn man die Hand nicht vor Augen sieht, noch dazu in solch wilden, wenig bekannten Gewässern wie dem Tatarensund.

Wenn ich daran denke, daß mich 10 Tausend Verst von der Welt trennen, befällt mich Apathie. Es kommt mir so vor, als würde ich erst in hundert Jahren nach Hause zurückkehren.

Viele herzliche Grüße an Anna Ivanovna und alle Ihre Angehörigen. Gott schenke Ihnen Glück und alles Gute.

Ihr A. Čechov.

Es ist langweilig.

306) AN E. JA. ČECHOVA FORT KORSAKOV, 6. 10. 1890

S.-Sachalin. 6. Oktober.

Seien Sie gegrüßt, liebe Mama! Ich schreibe Ihnen diesen Brief sozusagen am Vorabend meiner Abreise nach Rußland. Tag für Tag warten wir auf den Dampfer der Freiwilligen Flotte und hegen die Hoffnung, daß er spätestens am 10. Oktober hier anlegen wird. Diesen Brief schicke ich nach Japan, von wo er über Schanghai oder über Amerika zu Ihnen kommt. Ich lebe in Fort Korsakov, wo es weder Telegraphen noch Poststation gibt und wo nur einmal in vierzehn Tagen Schiffe anlegen. Gestern kam der Dampfer und brachte mir einen Packen Briefe und Telegramme aus dem Norden. Ich erfuhr daraus, daß es Maša auf der Krim gefallen hat; ich glaube, der Kaukasus hätte ihr noch besser gefallen; ich erfuhr, daß Ivan nicht zu Stuhle kommt, weil er hin und herschwankt. Wo ist er zur Zeit? In Vladimir? Ich erfuhr, daß Michajlo Gott sei Dank den ganzen Sommer über keine Stelle hatte und deshalb zu Hause gewohnt hat, daß Sie in Svjatye Gory waren, daß es in Luka langweilig und regnerisch war. Merkwürdig! Bei euch ist es regnerisch und kalt, auf Sachalin dagegen war das Wetter vom Tage meiner Ankunft bis heute klar und warm; manchmal war es morgens ein wenig kalt, und es gab

Reif, auf einem der Berge liegt Schnee, aber die Erde ist noch grün, das Laub noch nicht gefallen und alles in der Natur ist schön wie im Mai auf dem Lande. Da habt ihr Sachalin! Ich erfuhr aus den Briefen auch, daß der Sommer in Babkino sehr schön war, daß Suvorin mit seinem Haus zufrieden ist, daß Nemirovič-Dančenko sich langweilt, daß die Frau des armen Ežov gestorben ist, schließlich daß Ivanenko und Jamais in Briefwechsel stehen und daß die Kundasova mit unbekanntem Ziel verschwunden ist. Ivanenko werde ich erschlagen, und die Kundasova geht wahrscheinlich schon wieder durch die Straßen, fuchtelt mit den Armen und nennt jeden ein Ekel, weshalb ich mich nicht beeilen werde, sie zu beweinen.

Gestern um Mitternacht hörte ich das Brüllen eines Dampfers. Alle sprangen aus den Betten: Hurra, der Dampfer ist da! Wir zogen uns an, gingen mit Laternen zur Anlegestelle; wir schauen in die Ferne – tatsächlich, die Lichter eines Dampfers. Wir beschlossen mit Stimmenmehrheit, das sei die »Petersburg«, mit der ich nach Rußland zurückfahre. Ich freute mich. Wir setzten uns in ein Boot und ruderten auf den Dampfer zu... Wir ruderten, ruderten, endlich sehen wir im Nebel den dunklen Rumpf eines Dampfers; einer von uns ruft mit heiserer Stimme: »Wie heißt das Schiff?« Und wir bekommen zur Antwort: »Bajkal!« Pfui Teufel, war das eine Enttäuschung! Ich wurde traurig, und Sachalin fiel mir auf die Nerven. Es sind doch jetzt schon drei Monate, seit ich niemanden sehe außer Katorgasträflingen oder Leuten, die von nichts anderem reden können als von Katorga, Peitschenhieben und Sträflingen. Ein tristes Leben. Ich möchte so bald wie möglich nach Japan und von dort nach Indien.

Ich bin gesund, abgesehen von einem Flimmern vor den Augen, das ich jetzt oft habe und das jedesmal starke Kopfschmerzen nach sich zieht. Ich hatte es gestern, ich habe es auch heute, und deshalb schreibe ich diesen Brief heute mit Kopfschmerzen und einem Schweregefühl im ganzen Körper. Die Hämorrhoiden machen sich ebenfalls bemerkbar.

In Fort Korsakov lebt der japanische Konsul Kuse-San mit

seinen beiden Sekretären – guten Bekannten von mir. Sie leben wie Europäer. Heute ist die hiesige Administration zu ihnen gefahren, in voller Paradeuniform, um ihnen die ihnen verliehenen Orden auszuhändigen; ich bin mit meinen Kopfschmerzen mitgefahren und habe Sekt trinken müssen.

Seit ich im Süden bin, bin ich dreimal von Fort Korsakov nach Najbuči gefahren, wo es richtige Ozeanwellen gibt. Seht die Karte ein und die Ostküste Südsachalins – dort finden Sie das triste, armselige Najbuči. Die Wellen haben ein Boot mit sechs amerikanischen Walfängern an Land gespült, Schiffbrüchige; sie leben jetzt im Fort und gehen durch die Straßen spazieren; sie warten auf die »Petersburg« und fahren mit mir zusammen.

Anfang September habe ich Ihnen einen Brief über S.-Francisco geschickt. Haben Sie ihn bekommen?

Einen Gruß an Papaša, die Brüder, Maša, Tante und Alëcha; Marjuška, Ivanenko und alle Bekannten. Pelze bringe ich keine mit; auf Sachalin gibt es keine. Bleiben Sie gesund, der Himmel beschütze euch alle.

Ich bringe allen Geschenke mit. Die Cholera in Vladivostok und in Japan hat aufgehört.

307) AN M. P. ČECHOV VLADIVOSTOK, 16. 10. 1890

Sei Moskau zehnten Dezember. Fahre Singapur.

308) AN M. P. ČECHOV RAZDELNAJA, 5. 12. 1890

Ankomme Moskau Samstag Kurierzug.

309) AN M. P. ČECHOVA VOROŽBA, 6. 12. 1890

Sehen uns morgen. Kommt alle zum Bahnhof. Sehr viele Sachen. Macht Abendessen. Antoine.

310) AN A. S. SUVORIN MOSKAU, 9. 12. 1890

9. Dezember, Moskau.
Malaja Dmitrovka, Haus Firgang.

Seien Sie gegrüßt, mein Lieber! Hurra! Endlich sitze ich wieder an meinem Tisch, bete zu meinen verblichenen Penaten und schreibe Ihnen. Ich fühle mich jetzt so wohl, als wäre ich gar nicht von Hause weggefahren. Ich bin gesund und munter bis in Mark und Bein. Hier einen kurzen Bericht. Ich war auf Sachalin nicht 2 Monate, wie bei Ihnen gedruckt steht, sondern 3 plus 2 Tage. Meine Arbeit war anstrengend; ich habe eine vollständige und detaillierte Zählung der gesamten Bevölkerung von Sachalin durchgeführt und *alles* gesehen, außer einer Hinrichtung. Wenn wir uns wiedersehen, zeige ich Ihnen einen ganzen Koffer mit allem möglichen Kram über die Katorga, der, als Rohmaterial, überaus wertvoll ist. Ich weiß jetzt sehr vieles, aber das Gefühl, das ich mitgebracht habe, ist ungut. Solange ich auf Sachalin lebte, empfand ich im Innern nur eine gewisse Bitterkeit, wie von ranziger Butter, jetzt dagegen, in der Erinnerung, erscheint mir Sachalin als die wahre Hölle. Zwei Monate habe ich angestrengt gearbeitet, im dritten Monat begann ich mich schwach zu fühlen von der erwähnten Bitterkeit, der Langeweile und dem Gedanken, daß die Cholera von Vladivostok auf Sachalin übergreifen und ich auf diese Weise Gefahr laufen könnte, in der Katorga überwintern zu müssen. Aber dem Himmel sei Dank, die Cholera hörte auf, und am 13. Oktober brachte mich der Dampfer von Sachalin fort. Ich war in Vladivostok. Über den Küstenstreifen und überhaupt über unsere Ostküste mit ihren Flotten, Problemen und pazifischen Träumereien sage ich nur das Eine: himmelschreiende Armut! Armut, Unwissenheit und Erbärmlichkeit, die einen zur Verzweiflung bringen können. Ein ehrlicher Mensch auf 99 Diebe, die den Namen Rußlands in Verruf bringen ... An Japan sind wir vorbeigefahren, weil dort Cholera herrschte; deshalb habe ich Ihnen nichts in Japan gekauft, und die 500 Rubel, die Sie mir für Einkäufe mitgegeben hatten, habe ich für eigene Bedürfnisse verbraucht, wofür Sie laut Gesetz das

Recht haben, mich als Strafkolonisten nach Sibirien verbannen zu lassen. Erster ausländischer Hafen auf meiner Reise war Hongkong. Eine wunderbare Bucht, auf dem Meer ein Verkehr, wie ich ihn nicht einmal auf Bildern je gesehen habe: prächtige Pferdebahnen und Straßen, eine Bergbahn, Museen, botanische Gärten; wohin man auch blickt, überall sieht man die große Fürsorge der Engländer für ihre Angestellten, sogar einen Matrosenklub gibt es. Ich bin in einer Rikscha gefahren, d. h. mit Menschenkraft, habe bei den Chinesen allerlei Kitsch gekauft und war empört, als ich hörte, daß meine russischen Reisegefährten die Engländer der Ausbeutung fremder Völker bezichtigten. Ich dachte: ja, der Engländer beutet Chinesen, Sepoys und Hindus aus, aber dafür gibt er ihnen Straßen, Wasserleitungen, Museen und das Christentum; ihr beutet andere ebenfalls aus, aber was gebt ihr ihnen?

Als wir aus Hongkong ausliefen, begann das Schiff zu schwanken. Der Dampfer war leer und schwankte bis zu 38°, so daß wir befürchteten, er würde kentern. Ich bin für Seekrankheit unanfällig – eine Entdeckung, die mich angenehm überraschte. Auf der Fahrt nach Singapur wurden zwei Tote ins Meer geworfen. Wenn man sieht, wie ein toter Mensch, in Segeltuch gehüllt, sich überschlagend ins Meer fällt, und daran denkt, daß es bis zum Grund einige Verst sind, dann wird einem unheimlich zumute und man meint, selbst zu sterben und ins Meer geworfen zu werden.

Unser Hornvieh wurde krank. Auf Anraten von Doktor Ščerbak und Ihrem ergebenen Diener wurden die Rinder getötet und ins Meer geworfen.

Singapur habe ich in schlechter Erinnerung, da ich, auf der Fahrt durch die Stadt, aus irgendeinem Grunde traurig war; ich hätte beinahe weinen müssen. Dann kam Ceylon – das Paradies. Hier im Paradies bin ich über 100 Verst mit der Eisenbahn gefahren und habe mich sattgesehen an Palmenwäldern und bronzefarbenen Frauen.[...] Von Ceylon fuhren wir ohne Unterbrechung 13 Tage lang auf See und wurden vor Langeweile ganz benommen. Die Hitze vertrage ich gut. Das Rote Meer ist trostlos; als ich den Sinai sah, war ich gerührt.

Schön ist Gottes Welt. Nur eines ist nicht schön: wir. Wie wenig Gerechtigkeitssinn und Demut wir haben, und welch falschen Begriff von Patriotismus! Ein betrunkener, verlotterter Wüstling von einem Ehemann liebt seine Frau und seine Kinder, aber was hat diese Liebe für einen Sinn? Wir, so heißt es in den Zeitungen, lieben unsere große Heimat, aber worin äußert sich diese Liebe? Anstelle von Wissen ist da nur Unverschämtheit und maßlose Einbildung, anstelle von Arbeit – Faulheit und Schweinestall, es gibt keine Gerechtigkeit, der Ehrbegriff geht über die »Uniformehre« nicht hinaus, einer Uniform, die zur täglichen Zierde unserer Anklagebänke dient. Arbeiten muß man, alles andere – zum Teufel damit. Hauptsache – man ist gerecht, alles andere ergibt sich daraus.

Ich möchte leidenschaftlich gern mit Ihnen reden. In mir kocht es. Ich will niemanden außer Ihnen, denn nur mit Ihnen kann ich reden. Zum Teufel mit Pleščeev. Zum Teufel auch mit den Schauspielern.

Ihre Telegramme bekam ich in unmöglicher Gestalt. Alle waren sie entstellt.

Von Vladivostok bis Moskau fuhr ich mit dem Sohn der Baronesse Ikskul (der Vychuchol), einem Marineoffizier. Sein Mamachen ist im »Slav. bazar« abgestiegen. Ich gehe jetzt zu ihr, sie hat mich aus irgendeinem Grunde rufen lassen. Sie ist eine gute Frau; zumindest ist ihr Sohn von ihr entzückt, und er ist eine ehrliche Haut.

Wie bin ich froh, daß alles reibungslos verlaufen ist auch ohne Galkin-Vraskij! Er hat niemandem auch nur eine Zeile über mich geschrieben, ich erschien auf Sachalin als absolut Unbekannter.

Wann werde ich Sie und Anna Ivanovna sehen? Wie geht es Anna Ivanovna? Schreiben Sie ausführlich über alles, denn vor den Feiertagen werde ich wohl kaum kommen können. Nastja und Borja einen Gruß; zum Beweis dessen, daß ich in der Katorga war, werde ich mich, wenn ich komme, wild schreiend und mit einem Messer auf sie stürzen. Anna Ivanovnas Zimmer werde ich in Brand stecken, und dem armen Staatsanwalt Kostja werde ich aufrührerische Ideen predigen.

Ich umarme Sie und Ihr ganzes Haus fest, mit Ausnahme von Žitel und Burenin, die ich nur zu grüßen bitte und die man längst nach Sachalin hätte schicken sollen.

Über Maslov habe ich oft mit Ščerbak reden müssen. Mir ist Maslov sehr sympathisch.

Der Himmel beschütze Sie. *Ihr A. Čechov.*

311) AN I. L. LEONTJEV-ŠČEGLOV MOSKAU, 10. 12. 1890

10. Dezember, Moskau, Malaja Dmitrovka, Hs. Firgang.

Seien Sie gegrüßt, lieber Jean! Nach dem Willen des Schicksals ist der irrlaufende Stern in Ihr Sternbild zurückgekehrt. Ich bin wieder in Moskau und schreibe Ihnen. Noch einmal: Seien Sie gegrüßt!

Meine Reise und meinen Aufenthalt auf Sachalin werde ich Ihnen nicht beschreiben, denn eine Beschreibung, selbst die allerkürzeste, würde in einem Brief endlos lang. Ich sage nur das Eine: ich bin zufrieden bis an den Hals, bin satt und dermaßen bezaubert, daß ich mehr nicht will und nicht beleidigt wäre, wenn mich der Schlag träfe oder mich die Dysenterie ins Jenseits entführte. Ich kann sagen: ich habe gelebt! Mir reicht es. Ich war in der Hölle, auf Sachalin, und im Paradies, d. h. auf der Insel Ceylon. Was für Schmetterlinge, Käfer, bunte Fliegen, Kellerschaben!

Die Reise, besonders durch Sibirien, war wie eine langwierige schwere Krankheit; es war schwer, zu fahren, zu fahren und immer nur zu fahren, aber wie leicht und luftig sind dafür die Erinnerungen an alles Erlebte!

Auf Sachalin habe ich 3 Monate und 3 Tage verbracht. Über die Resultate meiner dortigen Arbeiten berichte ich Ihnen, wenn wir uns wiedersehen, jetzt lassen Sie uns von den laufenden Ereignissen sprechen. Ist es wahr, daß Pleščeev eine Erbschaft von zwei Millionen gemacht hat? Wie ist Ihr Befinden, was schreiben Sie so und was sind Ihre literarischen Pläne? Sie haben sich von der Großmutter und der Petersburger Seite getrennt... Ich wünsche Glück zur neuen Ära. Gott schenke Ihnen in der neuen Wohnung alles Gute.

Ich war die ganze Zeit über gesund, im Archipel aber, wo uns der Sturm entgegenblies und ein kalter Nordost wehte, habe ich mich erkältet; jetzt habe ich Husten, schneuze mich unaufhörlich und habe jeden Abend Fieber. Ich muß mich behandeln lassen.

Meine Familie strahlt vor Freude.

Ach, mein Engel, wenn Sie wüßten, was für liebe Tiere ich aus Indien mitgebracht habe! Es sind Mungos, von der Größe eines Kätzchens mittleren Alters, sehr lustige und schlaue Tiere. Ihre Eigenschaften: Keckheit, Neugier und Anhänglichkeit an den Menschen. Sie nehmen den Kampf mit einer Klapperschlange auf und besiegen sie immer, haben vor nichts und niemandem Angst; was ihre Neugier betrifft, so gibt es im Zimmer keinen Knoten, kein Bündel, das sie nicht auftroddeln würden; wenn sie jemanden sehen, klettern sie an ihm hoch und stecken ihre Nase zuallererst in seine Taschen: was ist da drin? Wenn sie im Zimmer alleingelassen werden, fangen sie an zu weinen. Wirklich, es lohnt sich, aus Petersburg zu kommen, um sie sich anzusehen.

Ich gehe meine Tante besuchen. Bleiben Sie gesund.

Nach Petersburg komme ich sicher nicht vor Neujahr. Einen herzlichen Gruß an Ihre Frau. *Ihr A. Čechov.*

Meine Familie läßt grüßen.

312) AN A.S. SUVORIN MOSKAU, 17. 12. 1890

17. Dezember.

Mein Lieber, eben habe ich telegraphiert, daß ich eine Erzählung schicken werde. Ich habe eine passende Erzählung, aber sie ist lang und schmal wie ein Skolopender; ich muß sie ein wenig säubern und abschreiben. Ich schicke sie ganz bestimmt, denn ich bin jetzt ein Mensch, der nicht faulenzt, sondern arbeitet.

Die Gestalt Pleščeevs mit seiner Zweimillionenerbschaft kommt mir komisch vor. Wir werden ja sehen, wohin er seine Millionen bugsieren wird! Was zum Teufel soll er damit? Um Zigarren zu rauchen, 50 süße Piroggen pro Tag zu essen und Selterswasser zu trinken, reichen auch drei Rubel täglich.

Ich habe rund 10 Tausend statistische Karteikarten und jede Menge anderer Papiere mitgebracht. Ich hätte jetzt gern ein verständiges Mädchen zur Frau, das mir hilft, mich in diesem Kram zurechtzufinden, diese Arbeit meiner Schwester aufzuhalsen, wäre mir peinlich, sie hat ohnehin schon viel Arbeit.

Mir wächst ein Bäuchlein, und ich werde langsam impotent. Nach den Tropen habe ich mich erkältet: Husten, abends Fieber und Kopfschmerzen.

Grigorovič ist nie Hausknecht in Peski gewesen, darum achtet er das Himmelreich so gering. Er redet Unsinn.

Wenn im Himmelreich die Sonne so schön untergeht wie im Golf von Bengalen, dann kann ich Sie versichern, ist das Himmelreich eine sehr schöne Sache.

Den Inhalt der Erzählung von Bellamy hat mir auf Sachalin General Kononovič erzählt; ein Stück davon habe ich gelesen, als ich irgendwo auf Südsachalin übernachtet habe. Jetzt, wenn ich nach Piter komme, werde ich sie ganz lesen.

Sagen Sie, wann endlich wird man Lejkin zum Wirklichen Staatsrat befördern? Dieser literarische Hausen schreibt mir: »im Sommer habe ich 16 Pfund zugenommen«, schreibt von Truthähnen, von Literatur und Kohl. Der Ton seiner Briefe ist erstaunlich gleichmäßig, ruhig.

Wenn ich komme, werde ich Ihnen alles von Anfang an erzählen. Wie unrecht Sie hatten, als Sie mir davon abrieten, nach Sachalin zu fahren! Ich habe jetzt ein Bäuchlein, eine nette Impotenz, und Myriaden von Mücken im Kopf, eine Unmenge Pläne, und alles mögliche, was wäre ich jetzt für ein Sauertopf, wenn ich zu Hause herumgesessen hätte. Vor meiner Reise war die

»Kreutzersonate« für mich ein Ereignis, jetzt finde ich sie komisch und sinnlos. Ob ich reifer geworden bin durch die Reise, ob ich den Verstand verloren habe – weiß der Teufel.

Ich habe Dr. Ščerbak kennengelernt. Meiner Meinung nach ist er ein bemerkenswerter Mann. Dort, wo er Dienst tut, wird er von allen geliebt, und ich habe mich fast mit ihm angefreundet. In seiner Vergangenheit herrscht ein solcher Brei, daß selbst der Teufel darin versunken wäre.

Nun, bleiben Sie gesund und messen Sie Ihren Leiden keine Bedeutung bei: Ihrem Brief nach zu schließen, ist es nichts Ernstes. Wenn es Typhus wäre, oder Lungenentzündung, dann wäre es etwas anderes. *Ihr A. Čechov.*

313) AN A. S. SUVORIN MOSKAU, 24. 12. 1890

24. Dezember.

Wir wünschen Ihnen und Ihrer hochverehrten Familie alles Gute zu den Feiertagen und wünschen Ihnen noch viele Bevorstehende in guter Gesellschaft verbringen zu mögen.

Ich glaube an Koch, glaube an das Spermin und preise Gott. Alles das, d. h. die Kochine, Spermine usw., erscheinen dem Laien als eine Art Wunder, das unvermittelt jemandes Kopfes entsprungen ist nach dem Vorbild von Pallas Athene, diejenigen aber, die der Sache nahestehen, sehen in alledem nur das natürliche Resultat dessen, was in den letzten 20 Jahren erreicht worden ist. Und es ist viel erreicht worden, Teuerster! Allein die Chirurgie hat so viel erreicht, daß es einem den Atem benimmt. Jemand, der heute Medizin studiert, wird die Zeit von vor 20 Jahren einfach erbärmlich finden. Mein Lieber, wenn ich wählen sollte zwischen einem von beidem: den »Idealen« der vielgerühmten Sechziger Jahre und dem schlechtesten Zemstvokrankenhaus von heute, ich würde mich ohne zu überlegen für das Zweite entscheiden.

Kochin heilt Syphilis? Das ist möglich. Was dagegen den Krebs betrifft, so erlauben Sie mir, dies zu bezweifeln. Der Krebs ist keine Mikrobe; er ist ein Gewebe, das an fremden Stellen wuchert und wie Unkraut alle benachbarten Gewebe erstickt. Wenn es Gejs Onkel besser geht, so bedeutet das nur, daß das Kochin einen Rosepilz zum Bestandteil hat, d. h. Elemente, die die Krankheit Rose herbeiführen. Man weiß seit langem, daß bei Rose aus irgendeinem Grunde das Wachstum bösartiger Geschwülste gehemmt wird.

Ich hasse Ihren Trezor. Ich habe aus Indien sehr interessante Tiere mitgebracht. Es sind Mungos, die gegen Klapperschlangen kämpfen; sie sind sehr neugierig, lieben den Menschen und werfen das Geschirr kaputt. Wenn Ihr Trezor nicht wäre, würde ich einen mit nach Piter bringen; er würde alle Ihre Bücher beschnuppern und die Taschen aller Ihrer Besucher inspizieren. Tagsüber läuft er durch die Zimmer und hängt sich an jeden, nachts schläft er bei irgend jemandem auf dem Bett und schnurrt wie eine Katze. Er könnte Trezor die Kehle durchbeißen, oder umgekehrt... Tiere kann er nicht leiden.

Schicken Sie mir wie früher Erzählungen zum Feilen. Das ist eine Arbeit, die mir Spaß macht.

Eine merkwürdige Geschichte. Solange ich nach Sachalin und zurück unterwegs war, fühlte ich mich völlig gesund, jetzt dagegen, zu Hause geht weiß der Teufel was mit mir vor. Ich habe ständig Kopfschmerzen, bin schlaff in allen Gliedern, ermüde schnell, bin gleichgültig und habe vor allem – Herzbeschwerden. Jede Minute setzt das Herz für einige Sekunden aus und schlägt *nicht*.

Miša hat sich eine Uniform VI. Klasse schneidern lassen und geht morgen darin Besuche machen. Vater und Mutter betrachten ihn voller Rührung, und beiden steht, wie Simeon, im Gesicht geschrieben: Herr, nun lässest du deinen Diener im Frieden fahren...

Die Baronesse Ikskul (Vychuchol) läßt Bücher fürs Volk verlegen. Jedes Buch ziert die Devise »Die Wahrheit«; die Wahrheit kostet 3–5 Kop. pro Exemplar. Da gibt es Uspenskij, Korolenko, Potapenko und alle anderen großen Männer. Sie fragte mich mehrmals, was sie verlegen solle. Ich wagte diese Frage nicht zu beantworten, empfahl ihr aber nebenbei, in alten Zeitschriften, Almanachen usw. zu wühlen. Ich riet ihr, Grebënka zu lesen. Als sie sich zu beklagen anfing über die Schwierigkeiten, sich Bücher zu beschaffen, versprach ich ihr Protektion bei Ihnen. Wenn sie eine Bitte hat, schlagen Sie sie ihr nicht ab. Die Baronesse ist eine ehrliche Dame und wird die Bücher nicht behalten. Sie wird sie Ihnen zurückgeben und Sie mit einem betörenden Lächeln belohnen.

Aleksej Alekseevič hat mir großartigen Wein geschickt. Der Wein ist, nach dem Urteil aller, die davon getrunken haben, so gut, daß Sie mit Recht stolz sein können auf Ihren Sohn. Er hat mir auch einen Brief in lateinischer Sprache geschickt. Großartig.

Gestern habe ich Ihnen die Erzählung geschickt. Zu spät, wie ich fürchte. Eine gestutzte Erzählung, aber zum Teufel mit ihr.

In Moskau in unseren medizinischen Zentren verhält man sich gegenüber Koch reserviert und 9/10 der Ärzte glauben nicht an ihn.

Nun, schenke Gott Ihnen alles Gute, und vor allem – Gesundheit.

Ihr. A. Čechov.

1891

314) AN M.P. ČECHOVA PETERSBURG, 14. 1. 1891

Ich bin müde wie eine Ballerina nach fünf Akten und acht Bildern. Einladungen zum Essen, Briefe, die zu beantworten ich zu faul bin, Gespräche und aller möglicher Unsinn. Gleich muß ich zum Vasiljevskij ostrov zu einem Essen, ich langweile mich und müßte arbeiten. Ich werde noch drei Tage bleiben, sehen, ob das Ballett weitergeht, dann fahre ich nach Hause oder zu Ivan nach Sudoroga.

Mich umgibt eine dichte Atmosphäre des bösen Gefühls, das äußerst vage und mir unverständlich ist. Man gibt mir zu essen und singt mir abgeschmackte Dithyramben, und gleichzeitig ist man bereit mich zu fressen. Warum? Weiß der Teufel. Wenn ich mich erschießen würde, so würde ich damit neun Zehnteln meiner Freunde und Verehrer ein großes Vergnügen bereiten. Und wie klein sie ihr kleines Gefühl äußern! Burenin beschimpft mich im Feuilleton, obwohl es nirgends in Zeitungen üblich ist, die eigenen Mitarbeiter zu beschimpfen; Maslov (Bežeckij) nimmt an Essen bei Suvorin nicht teil; Ščeglov erzählt mir sämtliche Gerüchte, die über mich im Umlauf sind usw. All das ist furchtbar dumm und langweilig. Das sind keine Menschen, das ist irgendein Schimmelpilz.

Ich bin auf die Spur von Driška gestoßen. Sie wohnt im selben Haus wie ich. Morgen gehe ich sie besuchen.

Meine »Kinder« sind in zweiter Auflage erschienen.

Aus diesem Anlaß bekam ich 100 Rub.

Ich bin gesund. Gehe spät schlafen...

Mit Suvorin habe ich über dich gesprochen: du wirst nicht bei ihm arbeiten – das ist mein Wille. Er findet dich schrecklich sympathisch, in die Kundasova ist er verliebt.

Einen Gruß an Lidija Egorovna Mizjukova. Ich warte auf ihre

Lehrpläne. Sag ihr, sie soll Mehlspeisen meiden und Levitan aus dem Weg gehen. Einen besseren Verehrer als mich findet sie weder in der Duma noch in der besseren Gesellschaft.

Ščeglov ist gekommen.

Gestern kam Grigorovič. Er hat mich lange geküßt, angelogen und dauernd gebeten, daß ich ihm von den Japanerinnen erzähle.

Iraklij ist angekommen. Ich muß mit ihm sprechen, aber das Telephon ist kaputt.

Grüße an alle. *Dein A. Čechov.*

315) AN L.S. MIZINOVA PETERSBURG, 21. 1. 1891

21. Januar.

Ich beeile mich, Ihnen eine Freude zu bereiten, achtenswerte Lidija Stachievna: ich habe Ihnen für 15 Kop. von diesem Papier und den dazugehörigen Umschlägen gekauft. Ich habe mein Versprechen gehalten. Und ich denke, daß dieses Papier dem erlesenen Geschmack der besseren Gesellschaft durchaus genügen wird, zu der Levitan, Fedotov und die Kondukteure der Pferdeeisenbahn gehören.

Zugleich erlauben Sie mir, Ihnen auch einen Kummer zu bereiten, achtenswerte Lidija Stachievna: ich werde nicht vor Mittwoch nächster Woche zurückkommen.

Entschuldigen Sie, daß dieser Brief so nachlässig geschrieben ist; ich bin aufgeregt, ich zittere und fürchte, daß die bessere Gesellschaft von dieser unserer Korrespondenz erfahren könnte.

Bitte zeigen Sie niemandem meinen Brief!

Ich verbleibe *Ihr ergebener A. Kislota.*

Sagen Sie Bucephalus, daß ich auf seinen Gruß pfeife.

Wenn Ihnen dieses Papier gefällt, so werden Sie mir, wie ich hoffe, schriftlich dafür danken. Ihre Briefe zeige ich jedem – aus Eitelkeit natürlich.

Bibikov, der bei mir zu Besuch war und Sie und meine Schwester gesehen hat, hat nach Petersburg geschrieben, er habe »bei

Čechov ein Mädchen von ungewöhnlicher Schönheit gesehen«. Da haben Sie einen Grund, sich mit Maša zu zanken und sogar zu schlagen.

316) AN A. F. KONI PETERSBURG, 26. 1. 1891

26. Januar.

Gnädiger Herr

Anatolij Fëdorovič!

Ich habe mich mit der Antwort auf Ihren Brief nicht beeilt, weil ich Petersburg nicht vor Samstag verlassen werde.

Ich bedaure, nicht bei Frau Naryškina gewesen zu sein, aber ich halte es für besser, den Besuch bei ihr bis zum Erscheinen meines Buches zu verschieben, wenn ich freier über das Material, das ich besitze, werde verfügen können. Meine kurze Vergangenheit auf Sachalin erscheint mir dermaßen gewaltig, daß ich, wenn ich darüber spreche, nicht weiß, womit ich anfangen soll, und jedesmal das Gefühl habe, nicht das zu sagen, was nötig wäre.

Die Situation der Kinder und Heranwachsenden auf Sachalin will ich versuchen, ausführlich zu beschreiben. Sie ist ungewöhnlich. Ich habe hungernde Kinder gesehen, habe dreizehnjährige Dirnen gesehen, fünfzehnjährige Schwangere. Mit der Prostitution beginnen die Mädchen mit 12 Jahren, manchmal vor Eintritt der Menstruation. Kirche und Schule existieren für sie nur auf dem Papier, erzogen werden die Kinder von ihrer Umgebung und dem Milieu der Katorga. Unter anderem habe ich ein Gespräch mit einem zehnjährigen Jungen notiert. Ich war dabei, eine Zählung der Bevölkerung von Verchnij Armudan durchzuführen; die Strafkolonisten dort sind sämtlich bettelarm und gelten als verwegene Štos-Spieler. Ich komme in eine Hütte: die Erwachsenen sind nicht da; auf einer Bank sitzt ein weißhaariger Junge, gebückt, barfuß; er denkt über irgendetwas nach. Wir beginnen dieses Gespräch:

Ich: Wie heißt dein Vater mit Vatersnamen?

Er: Weiß ich nicht.

Ich: Wieso nicht? Du lebst bei deinem Vater und weißt nicht, wie er heißt? Schäm dich.

Er: Er ist nicht mein richtiger Vater.

Ich: Wieso nicht der richtige?

Er: Er lebt mit meiner Mutter.

Ich: Ist deine Mutter verheiratet oder Witwe?

Er: Witwe. Sie ist wegen ihres Mannes hier.

Ich: Was heißt das – wegen ihres Mannes?

Er: Sie hat ihn umgebracht.

Ich: Erinnerst du dich an deinen Vater?

Er: Nein. Ich bin unehelich. Mama hat mich an der Kara bekommen.

Auf dem Amurdampfer fuhr ein Häftling in Fußketten mit mir nach Sachalin, er hatte seine Frau erschlagen. Bei ihm befand sich seine Tochter, ein Mädchen von sechs Jahren, ein armes Wurm. Ich bemerkte, wenn der Vater vom Oberdeck hinunterging, wo das Wasserklosett war, folgten ihm die Wachsoldaten und seine Tochter; während er auf dem Klosett saß, standen vor der Tür der Soldat mit dem Gewehr und seine Tochter. Wenn der Häftling die Treppe wieder heraufkam, kletterte das Mädchen hinter ihm her und hielt sich an seinen Fußketten fest. Nachts schlief das Mädchen zusammen mit den Häftlingen und Soldaten. Ich erinnere mich, auf Sachalin war ich auf einer Beerdigung. Beerdigt wurde die Frau eines Strafkolonisten, der nach Nikolaevsk gefahren war. Um das ausgehobene Grab standen vier Sträflinge als Träger – ex officio, ich und der Zahlmeister als Hamlet und Horatio, zufällig auf den Friedhof geraten, ein Tscherkesse – er hatte mit der Verstorbenen gelebt – aus Langeweile, und eine alte Strafgefangene; sie war aus Mitleid da: sie hatte die beiden Kinder der Verstorbenen mitgebracht – einen Säugling und das andere, Alëška, einen Jungen von etwa vier Jahren, bekleidet mit einer Frauenjacke und dunkelblauen Hosen mit hellen Flicken auf den Knien. Es ist kalt, feucht, in dem Grab steht das Wasser, die Sträflinge lachen. Man sieht das Meer. Alëška schaut neugierig in das Grab; er möchte sich die verfrorene Nase abwischen, aber die langen Jackenärmel hindern ihn daran. Als man das Grab zuschaufelt, frage ich ihn:

– Alëška, wo ist deine Mutter?

Er winkt ab wie ein Gutsbesitzer, der eben sein Geld am Spieltisch verloren hat, lacht und sagt:

– Eingebuddelt!

Die Sträflinge lachen; der Tscherkesse wendet sich an uns und fragt, wo er mit den Kindern hin soll, er ist nicht verpflichtet, sie zu ernähren.

Infektionskrankheiten bin ich auf Sachalin nicht begegnet; angeborener Syphilis sehr selten, aber ich habe blinde Kinder gesehen, schmutzige, Kinder mit Hautausschlägen bedeckt, – all das sind Krankheiten, die von Verwahrlosung zeugen.

Die Kinderfrage lösen kann ich natürlich nicht. Ich weiß nicht, was da zu tun ist. Aber mir scheint, mit Wohltätigkeit und Resten aus Gefängnismitteln und anderen Summen ist hier nichts zu machen; die Frage in Zusammenhang mit Wohltätigkeit zu stellen, die in Rußland Zufallscharakter trägt, und mit Restsummen, die es nie gibt, ist meiner Meinung nach – schädlich. Ich würde die Staatskasse vorziehen.

Meine Moskauer Adresse: Malaja Dmitrovka, Hs. Firgang.

Erlauben Sie mir, Ihnen zu danken für die freundliche Aufnahme und das Versprechen, mich zu besuchen, und damit zu verbleiben Ihr aufrichtig ergebener *A. Čechov.*

317) AN I. A. BUNIN MOSKAU, 30. 1. 1891

30. Jan.

Gnädiger Herr

Ivan Alekseevič!

Verzeihen Sie, daß ich Ihren Brief so lange nicht beantwortet habe. Ich war in Petersburg und bin erst heute nach Moskau zurückgekehrt.

Ich freue mich sehr, Ihnen dienen zu können, obwohl ich Sie

warne, ich bin ein schlechter Kritiker und habe mich immer geirrt, besonders, wenn ich ein Urteil über angehende Schriftsteller abgeben sollte. Schicken Sie mir Ihre Erzählungen, nur nicht die, die bereits veröffentlicht sind.

Stets zu Diensten *A. Čechov.*

Moskau, M. Dmitrovka, Hs. Firgang.

318) AN A. S. SUVORIN MOSKAU, 5. 2. 1891

5. Februar.

Mein Mungos ist wieder gesund und zerschlägt bereits wieder regelmäßig Geschirr.

Ich schreibe, schreibe! Zugegeben, ich hatte befürchtet, durch die Sachalinreise das Schreiben verlernt zu haben, jetzt sehe ich aber, es geht. Ich habe viel geschrieben, schreibe ausufernd à la Jasinskij. Ich will eintausend Rubel einheimsen.

Ich erwarte Sie demnächst. Fahren wir nach Italien oder nicht? Wir sollten.

In Petersburg schlafe ich die Nächte nicht, trinke und führe ein wildes Leben, aber ich fühle mich unvergleichlich viel gesünder als in Moskau. Der Teufel weiß, wieso das so ist.

Ich langweile mich nicht, denn 1) schreibe ich und 2) spüre ich das Nahen des Frühlings, den ich über alles liebe. Ich möchte schon die Angeln fertigmachen.

Einen Gruß an Anna Ivanovna, Aleksandra Sergeevna und die Kinder.

Bleiben Sie gesund. *Ihr A. Čechov.*

319) AN V. O. KONONOVIČ MOSKAU, 19. 2. 1891

19. Februar, Moskau.

Sehr geehrter

Vladimir Osipovič!

Ich beginne mit dem Telegramm, das ich im Auftrag von Euer Exzellenz am 30. Juli an meinen Bruder geschickt hatte. Es hatte in Moskau weder meinen Bruder noch den Schulinspektor Malyšëv erreicht: ersterer war nach Vladimir versetzt worden, zweiter nach Orël. Bekommen hat es mein Bruder im August und noch dazu mit einem Druckfehler, der es unverständlich gemacht hatte: statt »150 Schüler« stand da »150 Lehrbücher«. Mein Bruder beschloß, meine Rückkehr von Sachalin abzuwarten, und schrieb nach Moskau, man möge Ihnen einstweilen den Lehrplan der Volksschulen schicken, und geschickt worden ist Ihnen, wie ich glaube, der Lehrplan des Kreises Zvenigorod. Nach Hause zurückgekehrt, habe ich Ihnen als erstes die Gesetzessammlung über Volksschulen und Lehrerseminare geschickt (Annin), die Lehrpläne der Städtischen Schulen von Petersburg und Moskau sowie der Zemstvoschulen von Klin. Heute schicke ich Ihnen Jahresrechenschaftsbericht und Lehrplan des Kreises Luga, Gouv. Petersb. (Diesen Bericht, erinnere ich mich, hatte ich irrtümlicherweise in das für Rykovskoe bestimmte Paket gelegt.) Ich schicke den Lehrplan nicht in einem, sondern in mehreren Exemplaren, ausgehend von der Annahme, daß die Lehrer auf Sachalin vielleicht den Wunsch haben, sich ausführlicher mit den Anforderungen und dem allgemeinen Ton des gegenwärtig existierenden Schulsystems bekanntzumachen.

Ich schicke die Lehrbücher. Sie sind in der Buchhandlung A. S. Suvorin gekauft worden, der den Schulen von Sachalin Zahlungskredit mit beliebigem Termin gewährt. Beim Einkauf der Bücher habe ich mich mit Pädagogen und vor allem mit meinem Bruder beraten, der als erfahrener und kenntnisreicher Pädagoge gilt. Berechnet ist die Menge für 300 Schüler der jüngeren und 150 der älteren Abteilung. Da wir nicht wußten, wieviel Sie maximal für Lehrbücher ausgeben können, wollten wir nicht übertreiben und haben, wo immer es möglich war, gespart, weshalb die Lehrbücher, wie Sie aus der Rechnung ersehen werden, bei weitem nicht immer im vollen Satz geschickt werden. So zum Beispiel Tichomirovs »Lesefibel« um 50 Expl. weniger, Teil II der »Muttersprache« nicht in 300 Expl., sondern nur in 200, vom Goldenbergschen »Aufgabenbuch« nicht 150, sondern nur 100.

Und den »Gottesdienst« von Pšeničnikov, der im Lehrplan für den Religionsunterricht angegeben ist, schicken wir überhaupt nicht. Die Unkenntnis des erwähnten maximums, das Fehlen eines klar umrissenen Lehrplans in den Schulen von Sachalin und der Umstand, daß in den Schulen bei Ihnen nicht 3 Abteilungen existieren wie bei uns, sondern nur 2, haben uns in Verlegenheit gebracht, und das vor allem ist der Grund, weshalb der erste Versuch mißglückt ist, d. h. ich vorerst weder Ihnen noch Daniil Aleksandrovič gefällig sein konnte.

Für die Schulleiter schicke ich den »Ausführlichen Arbeitsplan« von Baranov. Für die Lehrer aller sechs Schulen, eingerechnet auch die geschlossene von Derbinsk, je ein Exemplar der »Anleitung zur Lesefibel« von Tichomirov, der »Anleitung zur ›Muttersprache‹ «, der »Geographie« von Pucikovič, der »Methodik«, Evtuševskijs«, der »Militärischen Gymnastik« von Verikov, der »Methodik des russischen Schreibens« und der »Vollständigen Rechtschreibung« von Gerbač. Ich schicke den Lehrern ferner die »Methodik der russischen Sprache« von Solonina 3 Expl. und »Unterrichten – wie?« von Tichomirov, desgleichen in 3 Expl., insgesamt 6 Expl. – soll Daniil Aleksandrovič sie verteilen. Der zweite Teil der Soloninaschen »Methodik« ist vergriffen. Die für die Lehrer bestimmten Bücher sollen ins Eigentum der Schulbibliotheken übergehen. A propos Schulbibliotheken. Um einen Grundstock dafür zu schaffen, schickt das Alphabetisierungs-Komitee bei der Freien Ökonomischen Gesellschaft zu Ihrer Verfügung 1470 Bücher für die 5 Schulen im Norden, je 294 Bücher für jede. Für die Schule in F. Korsakov wird das Moskauer Komitee bei der Landwirtschaftlichen Gesellschaft eine Bibliothek schicken. Hr. Suvorin schickt für die Schulbibliotheken je 6 Expl. der folgenden Werke:

1. Puškin. Werke.
2. Griboedov. »Verstand schafft Leiden«.
3. Fonvizin. Zwei Komödien.
4. Anekdoten.
5. Chemnicer. Fabeln.
6. Kapnist. »Ränkespiel«.
7. Marlinskij. »Ammalat Bek«.
8. Dickens. »Oliver Twist«.
9. Danilevskij. »Ukrainische Märchen«.
10. Shakespeare. »Hamlet«.
11. Ders. »König Lear«.
12. Ders. »Othello«.
13. Ders. »Richard III.«
14. Ders. »Coriolan«.
15. Beleckij. »Die Schlacht«.
16. Leskov. »Ingenieure ohne Silbergeld«.
17. Lomonosov. Ausgewählte Werke.
18. Äsop. Ausgewählte Fabeln.
19. Čechov. »Kinder«.

(Nr. 1–19: Je 1 Exemplar für jede)

20. Karamzin. »Geschichte des russ. Reiches«.
21. Byron. »Die Braut von Abydos«.
22. »Zug der Argonauten«.
23. Katharina II. Ausgewählte Werke.
24. Dostoevskij. »Arme Leute«.
25. Leskov. »Novellen«.
26. Antonov. »Allgemeinverständliche Hygiene«.
27. Kajgorodov. »Die schwarze Familie«.

Derselbe stiftet ferner für die Schule in Aleksandrovsk je 1 Exemplar von:

1. Becker. Antike Geschichte, Teile I und II.
2. Becker. »Vom Meer an Land gespült«.
3. Goethes Leben.
4. Illustrierte Geschichte P.d.Gr.
5. Illustrierte Geschichte Katharina d.Gr.
6. Historische Anekdoten und Erzählungen.

7. Karnovič. »Bedeutende Besitztümer«.
8. Lubbock. »Ameisen, Bienen und Wespen«.
9. Leixner. »Unser Jahrhundert«.
10. Stevenson. »Die merkwürdige Geschichte des Doktor Jekyell«.
11. Twain. »Prinz und Bettelknabe«.
12. Florinskij. »Hausbuch der Medizin«.
13. Furman. »Der Kupferstecher«.
14. Stern. »Allgemeine Literaturgeschichte«.
15. Pyljaev. »Alt-Petersburg«.
16. Schiller. Sein Leben.
17. Pyljaev. »Vergessenes Vergangenes aus Petersburg«.
18. Kostomarov. »Černigovka«.

Die Baronesse V.I. Ikskul schickt je sechs Exemplare ihrer Volksausgaben, für jede Schule je eines:

1. Uspenskij. »In den Sinn gekommen«.
2. Ders. »Lebende Zahlen«.
3. Ders. »Von glücklichen Menschen«.
4. Korolenko. »Der Wald rauscht«.
5. Kuzminskaja. »Tollwütiger Wolf«.
6. Potapenko. »In der Finsternis«.
7. Stanjukovič. »Unter seinesgleichen«.
8. »Vierte Biene«.
9. »Für den Affen ein Lächeln«.

Hr. Batson schickt je sechs Exemplare von:

1. Nadson. Gesammelte Aufsätze.
2. Grant Allen. »Merkwürdige Geschichten«.

Dann folgt eine Sendung des bekannten Verlegers Hrn. Pavlenkov:

1. Bažin. »Irrlichter«. 2 Expl.
2. Dickens. »Zwei Städte«.
3. Ders. »Harte Zeiten«.
4. Ders. »Klein Dorrit«.
5. Ders. »Martin«.
6. Ders. »Nicholas Nickleby«.

7. Ders. »Bleakhouse«.
8. Robinson. 2 Expl.
9. Loyola.
10. Krylov.
11. Mickiewicz.
12. Konfuzius.
13. Lessing.
14. Darwin.
15. Linné. 4 Expl.
16. Dante. 5 Expl.
17. Lincoln. 2 Expl.
18. Schopenhauer.
19. Swift.
20. V. Hugo. 2 Expl.
21. Kramskoj.
22. Humboldt.
23. Gogol.
24. Galilei.
25. Cuvier.

(9.–25.:) Aus der Reihe »Biographien großer Männer«.

Bei der Verteilung der Bücher, die nur in 2 oder 3 Expl. vorhanden sind, wird Daniil Aleksandrovič wahrscheinlich der Schule von Aleksandrovsk den Vorzug geben, dann der ihr nächstgelegenen in Korsakov, dann Novomichajlovsk usw.

Der berühmte Pädagoge V. P. Ostrogorskij, der weder hinter der Bar. Ikskul noch hinter Pavlenkov zurückstehen wollte, schickt von seinen Werken

1. »Zriny«, 2. »Roland«, 3. »König Lear«, 4. »Wilhelm Tell«, 5. »Ein Wintermärchen«, 6. »Beliebte Dichter«, 7. »Gončarov«, 8. »Russische Schriftsteller«.

D. I. Tichomirov, Verfasser der Lesefibel, Haupt der Firma »Schulanfänger«, schickt für die Schulbibliothek von Aleksandrovsk folgende seiner Werke:

1. »Schule des Schreibens«, 2. »Alphabet der Rechtschreibung«, Teile I und II, 3. »Lesefibel zum wechselseitigen Lernen« und 4. »Versuch mit Plan und Übersicht«. Er stiftet ferner:

1. Tolstoj. »Der Gefangene im Kaukasus«.
2. Ders. »Gott sieht die Wahrheit«.
3. Ders. »Das Feuer, das ihr legt, löscht ihr nicht aus«. 2 Expl.
4. Ders. »Wovon die Menschen leben«. 2 Expl.
5. Ders. »Wo die Liebe ist, da ist auch Gott«. 2 Expl.
6. Ders. »Die Kerze«.
7. Ders. »Zwei Märchen«.
8. Nemirovič-Dančenko. »Machmudkins Kinder«. 2 Expl.
9. Ders. »Vergessenes Bergwerk«.
10. »Nicht im Reichtum liegt das Glück«.

Geschickt werden ferner:

1. Kanaev. »Arithmetik«.
2. »Das Pferd in der Landwirtschaft« in 3 Expl.
3. Memorskij. »Arithmetik«.
4. Feuillet. »Leben berühmter Römer«.

Die übrigen, hier nicht aufgeführten Bücher, bitte ich Arsenij Michajlovič Butakov für Rykovskoe zu übergeben. Lt. Rechnung sind für die Lehrbücher 666 Rub. zu zahlen – die Zahl der Apokalypse. Von der Gesamtsumme, ausgenommen die Beförderungstaxe bis Odessa und die 15 Rub. für den »Kurzen Katechismus«, gewährt Suvorin 10% Rabatt.

Da ich außer den Lehrbüchern, zu deren Einkauf ich bevollmächtigt war, noch viele andere Bücher schicke, hielt ich mich für berechtigt, mich mit der Bitte an das Komitee der Freiwilligen Flotte zu wenden, die Bücher von Odessa bis Sachalin gratis zu befördern.

Die Muster für Krankenhausjahresberichte und alles, was mit Medizin zu tun hat, schicke ich nicht. Ich will erst in ein Zemstvokrankenhaus gehen und an Ort und Stelle sammeln, was für ein vollst. Bild notwendig. In das Krankenhaus gehe ich in der ersten Fasten.

Verzeihen Sie, in Petersburg war ich nicht bei Doktor Ivanov und habe Ihren Auftrag nicht erledigt. In Petersburg gehörte ich nicht mir, man hat mich in Stücke gerissen; war todmüde vom unaufhörlichen Besuchemachen, Besucher empfangen und ohne Unter Reden. Habe mich zum Griboedovschen Franzos aus Bordeaux machen lassen. Selbstverständlich mußte ich am meisten über Sachalin sprechen. Habe soviel darüber gesprochen, daß ich mich in Luft aufgelöst. Über Sach gesprochen habe ich unter anderem mit A.F. Koni. Bei mir waren Kokovcev und Kamorskij, bei Hrn. Galkin-Vraskij war ich nicht. Über Gefängnisausstellung waren die Leute unzufrieden. Wenn ich bei der Erledigung Ihrer Aufträge und Daniil Aleksandrovič nicht gefällig war, bitte ich Sie, mir diesmal großmütig um Entschuldigung. Inzwischen habe ich eine gewisse Erfahrung, und wenn es Ihnen gefällt, mir weitere Aufträge zu erteilen, werde ich sie, sollte man meinen, besser erledigen.

Im Sommer ist meine Adresse: Feodosija, an A. S. Suvorin für mich. Entschuldigen Sie, daß dieser Brief ausschließlich geschäftlichen Charakter trägt und ich Ihnen nichts Interessantes kann. Ich bin heute sehr müde und habe Kopfschmerzen.

Ihre freundliche Aufnahme und Gastlichkeit und aufgeklärte Anteilnahme werde ich nie vergessen. Wenn ich Schriftstellern, die in diesem Punkt nicht eben verwöhnt sind, erzähle, welchen Empfang Sie mir auf Sachalin bereitet haben, wollen sie einfach nicht glauben, daß ich auf Sachalin erschienen bin ohne einen einzigen Brief, ohne auch nur ein Kärtchen. Ich bitte Sie, eine Empfehlung an Ihre Frau Gemahlin zu übermitteln und die Versicherung meiner aufrichtigen Hochachtung und Ergebenheit entgegenzunehmen. *A. Čechov.*

320) AN A. S. SUVORIN MOSKAU, 23. 2. 1891

23. Febr.

Seien Sie gegrüßt, Teuerster! Ihr Telegramm betreffs »Thermidor« hat mich in Verwirrung gestürzt. Es zieht mich sehr nach Petersburg, aber nicht wegen Sardou und der Pariser, sondern einfach so, dort lebt es sich lustig. Aber praktische Erwägungen haben mir Zügel auferlegt. Ich habe mir vorgestellt, daß ich mit meiner Novelle rasch zu Ende kommen muß, daß ich kein Französisch kann und in der Loge darum jemandem den Platz wegnehme, daß ich wenig Geld habe usw. Mit einem Wort, ich bin, wie mir jetzt scheint, kein guter Gesellschafter und habe offenbar klug gehandelt.

Meine Novelle bewegt sich voran. Alles geht glatt, gleichmäßig, Längen fast keine, aber wissen Sie, was sehr schlimm ist? In meiner Novelle ist fast keine Bewegung, und das erschreckt mich. Ich fürchte, es wird schwer werden, sie bis zur Mitte zu lesen, vom Schluß gar nicht zu reden. Aber wie dem auch sei, ich werde sie dennoch zu Ende bringen. Anna Ivanovna werde ich ein velingebundenes Exemplar überreichen, zur Lektüre im Badezimmer. Ich wünschte mir, daß sie beim Lesen von irgendetwas gebissen wird und schluchzend aus dem Badezimmer gelaufen kommt.

Ich war traurig, als Sie abgereist waren. Mir ist überhaupt traurig zumute.

Die wunderbare Astronomin hat die französische Grammatik mit mir beendet und ist aus irgendeinem Grunde nach Petersburg geflohen. Die Lorbeeren der Kovalevskaja lassen sie nicht ruhen, sie will anscheinend studieren.

Der »Heiratsantrag« ist in der Butterwoche nicht im Repertoire; offenbar sind die Schauspieler beleidigt, daß ich bis heute noch nicht im Theater war. Gestern war Južin wieder da – er wurde nicht empfangen. Nemirovič war da – wurde nicht empfangen. An meinem Horizont brauen sich dunkle Wolken zusammen, ich erwarte Regenschauer mit Hagel. Eben ist Miša aus Aleksin gekommen. Das nennt man Dienst! Damit wäre ich auch einverstanden. Die Gräfin Rochefort hat uns endgültig abgesagt. Ich glaube, sie hätte in den glücklichen Tagen des Honigmonds ihren Ehemann nicht so betrüben können, wie sie uns jetzt betrübt hat mit ihrer Absage. Wo werden wir nun den Sommer verbringen? Ich habe schreckliche Angst vor einem grauen Sommer mit Ritzen, Flecken an der Decke und Küchendunst, diesen Sommer werde ich ihn wohl doch riechen müssen.

Schicken Sie mir Geld. Ich habe keins, und borgen kann ich mir anscheinend nirgends etwas. Nach meiner Berechnung kann ich im günstigsten Fall bis September von Ihnen nicht mehr als tausend Rubel erwarten. Behalten Sie dies im Auge, aber schikken Sie mir das Geld nicht mit der Post, ich kann Postämter nicht ausstehen.

Schreiben Sie mir über den »Thermidor«.

Einen Gruß an Anna Ivanovna, Boris und die schöne Nastja. »Ach, Nastja, ach, Nastja, öffne doch die Tür!«

Ganz Ihr A. Čechov.

321) AN A. S. SUVORIN MOSKAU, 5. 3. 1891

5. März.

Fahren wir!!! Ich bin einverstanden, wohin und wann Sie wollen. Mein Herz hüpft vor Freude. Nicht mitzufahren wäre dumm von mir, denn wann böte sich solch eine Gelegenheit je wieder? Aber, Teuerster, ich überlasse es Ihnen, folgende Umstände abzuwägen:

1) Meine Arbeit ist bei weitem noch nicht abgeschlossen. Wenn ich sie bis Mai verschiebe, kann ich mit der Arbeit an Sachalin nicht vor Juli beginnen, und das ist gefährlich, denn meine Sachalineindrücke verflüchtigen sich, und ich laufe Gefahr, vieles zu vergessen.

2) Ich habe absolut kein Geld. Wenn ich mir, ohne meine Arbeit abgeschlossen zu haben, noch einmal tausend Rubel borge für die Reise und zum Leben danach, dann stecke ich so tief in Schulden, daß mich selbst der Teufel an den Ohren nicht mehr herausziehen kann. Ich stecke noch nicht so tief drin, weil ich alle raffinierten Tricks aufbiete und bescheidener lebe als eine Hostienbäckerin, aber wenn ich mitfahre, dann geht alles zum Teufel, und ich stecke bis über beide Ohren in Schulden. Allein beim Gedanken an meine zweitausend Schulden verliere ich den Mut.

Es gibt noch viele andere Umstände, aber die sind alle klein, gemessen an der Arbeit und am Geld. Also, lassen Sie sich meine

Bedenken durch den Kopf gehen, versetzen Sie sich für einen Moment in meinen Pelz und entscheiden Sie: sollte ich nicht lieber zu Hause bleiben? Sie werden sagen, das seien alles Lappalien. Aber verlassen Sie Ihren Standpunkt, stellen Sie sich einmal auf meinen.

Ich warte sehr auf Ihre Antwort.

Meine Novelle bewegt sich voran, aber weit bin ich noch nicht gekommen.

Ich war auf dem Land bei den Kiselëvs. Die Krähen kommen schon geflogen.

Ihr A. Čechov.

322) AN M.P. ČECHOVA PETERSBURG, 16. 3. 1891

16. März

Edle Schwester!

Unsere Abreise ins Ausland wird am Sonntag stattfinden. Wir fahren nach Wien, von dort nach Venedig und so weiter durch ganz Italien. Nach Spanien werden wir wahrscheinlich nicht kommen, und darum bitte ich den Gedanken an spanische Halstücher zu vertagen.

Ich schicke einen Volkovschen Wechsel über dreihundert Rubel. Ich hoffe, daß er nicht gestohlen wird aus diesem Brief.

Ich bitte inständig darum, bis zu meiner Rückkehr *alle* Zeitungen aufzuheben.

Ich war auf der Ausstellung der Peredvižniki. Levitan genießt die Feier seiner großartigen Muse. Sein Bild macht furore. Mein Cicerone durch die Ausstellung war Grigorovič, der mir sämtliche Qualitäten und Mängel der Bilder erklärte; von Levitans Landschaft ist er entzückt. Polonskij findet die Brücke zu lang; Pleščeev sieht einen Widerspruch zwischen Titel und Inhalt des Bildes: »Ich bitte Sie, er nennt das ein stilles Kloster, dabei ist da alles so lebensfroh ...« usw. Auf jeden Fall ist Levitans Erfolg außergewöhnlich.

Die Kundasova war bei Suvorin. Sie soll so laut gelacht haben, daß Emily und Adèle entsetzt waren von »M-lle Studente«. Sie hat laut gelacht und mit den Füßen gestampft. A propos. Wir haben Levitan und die Kundasova gebeten, wenigstens etwas für die Schulen von Sachalin zu sammeln.

Aleksandr und Kinderschar geht es gut.

Seid alle gegrüßt und gottbefohlen. Vergeßt mich nicht.

Ganz euer A. Čechov.

Die Briefumschläge gib Lika, sie, d. h. die Briefumschläge könnten sonst verschimmeln.

Wenn der Wechsel in dem Brief fehlt, telegraphiert Aleksandr.

323) AN M.P. ČECHOVA PETERSBURG, 16. 3. 1891

Heute (16. März) habe ich einen Einschreibebrief geschickt, in dem ich vergaß zu sagen: alles, was ihr bis zum 25. März schreibt, adressiert: »Italie, Rome, M-r Souvorine für Čechov, poste restante«, das, was ihr vom 25. bis 1. April schreibt, so: »Italie, Naple, M-r S. für Čech. poste restante«. Seid ja nicht schreibfaul.

Alles steht zum besten. Semašečka, sprechen Sie mit Likiša und schreiben Sie Ivanenko. Likiša, Sie sind allmächtig, überlassen Sie Ivanenko den Platz! *A. Čechov.*

324) AN M.P. ČECHOVA PETERSBURG, 16. 3. 1891

16. März 12 Uhr nachts

Eben habe ich die italienische Schauspielerin Duse in Shakespeares »Cleopatra« gesehen. Ich verstehe kein Italienisch, aber sie hat so gut gespielt, daß es mir vorkam, als hätte ich jedes Wort verstanden. Eine bemerkenswerte Schauspielerin. Ich habe so etwas noch nie gesehen. Ich schaute auf die Duse und mich packte der Trübsinn beim Gedanken, daß wir unser Temperament und unseren Geschmack an solch hölzernen Schauspielerinnen bilden müssen wie der Ermolova und ihresgleichen, die wir, weil wir keine besseren gesehen haben, groß nennen. Als ich die Duse sah, begriff ich, weshalb es im russischen Theater langweilig ist.

Habe heute per Wechsel dreihundert Rubel geschickt. Habt ihr sie bekommen?

Nach der Duse war es angenehm, beiliegende Grußadresse zu lesen. Mein Gott, was für ein Verfall des Geschmacks und Gerechtigkeitsgefühls! Und das sind Studenten, der Teufel solls holen! Ob Solovcov, ob Salvini – egal, beide finden ein »heißes Echo in den Herzen der Jugend«. Einen Groschen sind diese Herzen wert.

Morgen um halb zwei fahren wir nach Warschau. Bleibt alle am Leben, bleibt gesund. Ich grüße alle, alle, sogar das Mungosweibchen, das es nicht wert ist, daß man es grüßt.

Ich werde oft schreiben.

Von ganzem Herzen A. Čechov.

325) AN DIE FAMILIE ČECHOV WIEN, 20. 3. 1891

20. März. Wien.

Meine čechischen Freunde! Ich schreibe euch aus Wien, wo ich gestern um 4 Uhr nachmittags angekommen bin. Unterwegs ging alles gut. Von Warschau bis Wien reiste ich in der Eisenbahn wie Nana, im Luxuswaggon der »Internationalen Schlafwagengesellschaft«: Betten, Spiegel, riesige Fenster, Teppiche usw.

Ach, meine tungusischen Freunde, wenn ihr wüßtet, wie schön Wien ist! Es ist mit keiner Stadt zu vergleichen, die ich je in meinem Leben gesehen habe. Die Straßen breit, elegant gepflastert, eine Menge Boulevards und Grünanlagen, alle Häuser 6- und 7-stöckig, und die Geschäfte – das sind keine Geschäfte, sondern einfach etwas Schwindelerregendes, ein Traum! In den Fenstern allein Milliarden von Krawatten! Was für wunderschöne Sachen aus Bronze, Porzellan und Leder! Die Kirchen riesig, aber sie erschlagen einen nicht mit ihrer Größe, sondern schmeicheln den Augen, weil es einem so vorkommt, als seien es Spitzenklöppeleien. Besonders schön sind der Dom des hl. Stephan und die Votiv-Kirche. Das sind keine Bauwerke, sondern Teegebäck. Großartig das Parlament, die Stadthalle, die Universität... Alles ist großartig, und ich habe erst gestern und heute richtig begriffen, daß Architektur tatsächlich eine Kunst ist. Und dieser Kunst begegnet man hier nicht stückchenweise wie bei uns, sondern sie erstreckt sich über einige Verst. Viele Denkmäler. In jeder Gasse ist unbedingt eine Buchhandlung. In den Fenstern der Buchhandlungen sieht man auch russische Bücher, aber oh weh! es sind nicht die Werke von Albov, von Barancevič und Čechov, sondern allen möglichen anonymen Autoren, die im Ausland schreiben und veröffentlichen. Ich habe »Renan« gesehen, die »Geheimnisse des Winterpalasts« usw. Merkwürdig, daß man hier alles lesen und sagen kann, was man will.

Begreift, Ungläubige, was es hier für Droschken gibt, der Teufel soll sie holen. Das sind keine Droschken, sondern lauter nagelneue, schöne Kutschen mit einem, meist mit zwei Pferden. Schönen Pferden. Auf dem Kutschbock sitzen Gecken im Gehrock und Zylinder, sie lesen Zeitung. Höflichkeit und Zuvorkommenheit.

Das Essen ist gut. Vodka gibt es nicht, man trinkt Bier und ziemlich guten Wein. Eines ist schlecht: man muß für das Brot zahlen. Wenn man die Rechnung verlangt, wird man gefragt: »Wieviel Brödchen?«, d. h. wieviel Brötchen hast du verspissen? Und sie nehmen dir für jedes Brötchen was ab.

Die Frauen sind schön und elegant. Und überhaupt alles ist verteufelt elegant.

Ich habe mein Deutsch nicht ganz vergessen. Ich verstehe und werde verstanden.

Als wir über die Grenze fuhren, schneite es, in Wien liegt kein Schnee mehr, aber es ist kalt.

Ich habe Sehnsucht nach zu Hause und euch allen, und außerdem schäme ich mich, euch schon wieder alleingelassen zu haben. Aber das ist ja nicht so schlimm! Ich komme wieder und werde ein ganzes Jahr zu Hause hocken und nicht ausgehen. Ich grüße alle, alle! Papa, seien Sie so gut und kaufen Sie mir bei Sytin oder wo Sie wollen einen Holzschnitt, den hl. Varlaam: der heilige Varlaam, dargestellt auf einem fahrenden Schlitten, in der Ferne sitzt auf einem Balkon der Bischof, und unter dem Bild steht die Legende des hl. Varlaam. Kaufen Sie den Holzschnitt und legen Sie ihn mir auf den Tisch.

Nach Spanien fahren wir wahrscheinlich nicht. Aber dafür nach Buchara.

Semaško, haben Sie Ivanenko geschrieben? Haben Sie mit Likiška über die Stelle bei der Duma gesprochen?

Ich wünsche alles Gute. Vergeßt mich nicht, mich Sünder. Ich grüße, umarme und segne alle und bleibe

in Liebe A. Čechov.

Alle Passanten erkennen uns sofort als Russen und schauen mir nicht ins Gesicht, sondern auf meine Mütze und die grauen Haare. Wenn sie meine Mütze sehen, denken sie vermutlich, ich wäre ein reicher russischer Graf.

Habe ich euch von Aleksandrs Kindern geschrieben? Beide sind gesund und machen einen ausgezeichneten Eindruck.

Einen Gruß an den schönen Levitan.

326) AN I. P. ČECHOV VENEDIG, 24. 3. 1891

24. März. Venedig.

Ich bin jetzt in Venedig, wo ich vorgestern angekommen bin aus Wien. Ich sage nur das Eine: etwas Bemerkenswerteres an Städten als Venedig habe ich in meinem Leben nie gesehen. Das ist der reine Zauber, Glanz, die reine Lebenslust. Statt Straßen und Gassen Kanäle, statt Droschken Gondeln, wunderbar die Architektur, und es gibt kein Plätzchen, das nicht von historischem oder künstlerischem Interesse wäre. Man fährt in der Gondel und sieht den Dogenpalast, das Haus, in dem Desdemona gelebt hat, die Häuser berühmter Künstler, Kirchen... Und in den Kirchen Skulpturen und Malereien, von denen wir nicht einmal träumen können. Mit einem Wort, ein Zauber.

Den ganzen Tag vom Morgen bis zum Abend sitze ich in der Gondel und fahre durch die Straßen oder schlendere über den berühmten Markusplatz. Der Platz ist glatt und sauber wie Parkett. Hier ist der Dom des heiligen Markus – etwas Unbeschreibliches, der Dogenpalast und Bauwerke, vor denen ich mich fühle wie jemand, der nach Noten singt, ich spüre die wunderbare Schönheit und genieße.

Und der Abend! Herr du mein Gott! Am Abend könnte man sterben vor Staunen. Man fährt in der Gondel... Es ist warm, still, Sterne am Himmel... Pferde gibt es in Venedig nicht, und darum ist hier eine Stille wie auf freiem Feld. Ringsumher geistern die Gondeln vorbei... Da kommt eine Gondel, mit Lampions behängt. Darin sitzen Kontrabaß, Violinen, Gitarren und ein Pistonkornett, zwei, drei junge Damen, einige Männer – und man hört Gesang und Musik! Man singt aus Opern. Was für Stimmen! Ich bin ein wenig herumgefahren, da ein Boot mit Sängern, da schon wieder eins, und bis Mitternacht ist die Luft erfüllt von einer Mischung aus Tenören, Geigen und allen möglichen ans Herz greifenden Klängen.

Merežkovskij, den ich hier traf, ist vor Begeisterung verrücktgeworden. Ein Russe, arm und gedemütigt, hat es hier, in der Welt der Schönheit, des Reichtums und der Freiheit, nicht schwer, verrückt zu werden. Man möchte für immer hier bleiben, und wenn man in einer Kirche steht und die Orgel hört, möchte man zum katholischen Glauben übertreten.

Großartig die Grabmäler von Canova und Tizian. Hier werden große Künstler wie Könige beerdigt, in den Kirchen; hier werden die Künste nicht verachtet wie bei uns: die Kirchen beherbergen Statuen und Bilder, so nackt sie auch sein mögen.

Im Dogenpalast gibt es ein Bild, auf dem rund 10 Tausend Menschenfiguren dargestellt sind.

Heute ist Sonntag. Auf dem Markusplatz wird ein Konzert gegeben.

Nun denn, bleib gesund. Ich wünsche dir alles Gute. Wenn du einmal nach Venedig kommen solltest, wird das das Schönste in deinem Leben sein. Wenn du die Glasproduktion hier sehen könntest. Deine Flaschen sind im Vergleich zu denen hier so ein Plunder, daß einem schon beim Gedanken daran schlecht wird.

Ich schreibe dir mehr, einstweilen auf Wiedersehen.

Dein A. Čechov.

327) AN DIE FAMILIE ČECHOV BOLOGNA, 28. 3. 1891

28. März.

Ich bin in Bologna, der Stadt, die berühmt ist für ihre Arkaden, schiefen Türme und Raffaels »Caecilia«. Heute fahren wir nach Florenz. Bin gesund und munter. Grüße alle und wünsche Gesundheit. *Euer Antonio.*

328) AN DIE FAMILIE ČECHOV FLORENZ, 29. 3. 1891

29. oder 30. März.

Ich bin in Florenz. Bin todmüde vom Herumlaufen durch Museen und Kirchen. Habe die Venus von Medici gesehen und finde, wenn man sie in ein heutiges Kleid stecken würde, sähe sie häßlich aus, besonders in der Taille. Ich bin gesund. Der Himmel ist bedeckt, und Italien ohne Sonne ist dasselbe wie ein Gesicht mit Maske. Bleibt gesund. *Euer Antonio.*

Schön ist das Dantedenkmal.

329) AN M. V. KISELËVA ROM, 1. 4. 1891

1. April. Rom.

Der römische Papst hat mir aufgetragen, Ihnen zum Tag Ihres Engels Glück und so viel Geld zu wünschen, wie er Zimmer hat. Und er hat elf Tausend Zimmer! Während ich durch den Vatikan schlenderte, bin ich vor Müdigkeit fast umgefallen, und als ich nach Hause kam, war mir, als hätte ich Beine aus Watte.

Ich esse an der table d'hôte. Stellen Sie sich vor, mir gegenüber sitzen zwei Holländerinnen: die eine sieht aus wie Puškins Tatjana, die andere wie deren Schwester Olga. Ich schaue die beiden jedesmal beim Essen an und stelle mir ein sauberes, weißes Häuschen mit einem Türmchen vor, ausgezeichnete Butter, vortrefflichen Holländerkäse, Holländische Heringe, einen wohlanständigen Pastor, einen ehrbaren Lehrer... und möchte eine Holländerin heiraten, und möchte, daß man mich zusammen mit ihr und einem sauberen weißen Häuschen auf ein Tablett malt.

Ich habe alles gesehen, bin überall hin geklettert, wohin man mich geschickt hat. Man hat mich schnuppern lassen – ich habe geschnuppert. Und jetzt verspüre ich nur noch Müdigkeit und den Wunsch nach Šči mit Buchweizengrütze. Venedig hat mich bezaubert, und als ich aus Venedig abreiste, traten der Baedeker und das schlechte Wetter in Aktion.

Auf Wiedersehen, Marija Vladimirovna. Gott der Herr beschütze Sie. Einen kniefälligen Gruß von mir und dem römischen Papst an Seine Hochwohlgeboren, an Vasilisa und Elizaveta Aleksandrovna.

Krawatten sind hier erstaunlich billig. Schrecklich billig. So daß ich mich davon ernähren könnte. Einen Franken das Paar.

Morgen fahre ich nach Neapel. Wünschen Sie mir, daß ich dort einer russischen Dame begegne, nach Möglichkeit einer Witwe oder geschiedenen Frau. In den Reiseführern steht, auf Italienreisen sei ein Roman geradezu unabdingbar. Ja nun, zum Teufel, ich bin mit allem einverstanden. Wenn Roman, dann eben ein Roman.

Vergessen Sie nicht Ihren sündigen, Ihnen aufrichtig ergebenen und Sie verehrenden *A. Čechov.*

Eine Empfehlung an die Herren Stare.

330) AN DIE FAMILIE ČECHOV ROM, 1. 4. 1891

1. April. Rom.

In Rom angekommen, ging ich auf die Post und habe dort keinen einzigen Brief gefunden. Die Suvorins bekamen jeder mehrere. Ich beschloß, es euch mit gleicher Münze heimzuzahlen, d. h. euch nicht mehr zu schreiben, aber Gott sei mit euch! Ich bin kein Briefejäger, aber auf Reisen gibt es nichts Schlimmeres als die Ungewißheit. Wie habt ihr das Sommerproblem gelöst? Lebt der Mungos noch! usw. usw.

Ich war im Petersdom, auf dem Capitol, im Colosseum, auf dem Forum, ich war sogar in einem Café chantant, habe mich aber nicht so amüsiert wie ich erwartet hatte. Das Wetter steht dagegen. Es regnet. Im Übergangsmantel ist es zu warm, im Sommermantel zu kalt.

Die Reise ist sehr billig. Man kann nach Italien reisen, auch wenn man nur 400 Rub. hat, und mit Geschenken zurückkommen. Wenn ich allein oder, sagen wir, mit Ivan reisen würde, käme ich mit der Überzeugung nach Hause zurück, daß eine Reise nach Italien bei weitem billiger ist als in den Kaukasus. Aber, wehe, ich reise mit den Suvorins... In Venedig haben wir im besten Hotel gewohnt, wie die Dogen, hier, in Rom, wohnen wir wie die Kardinäle, weil wir den Salon im ehemaligen Palais des Kardinal Conti bewohnen, und jetzt im Hotel »Minerva«; zwei große Salons, Lüster, Teppiche, Kamine und aller mögliche überflüssige Quatsch, der uns 40 Franken pro Tag kostet.

Vom Herumlaufen habe ich Rückenschmerzen, und mir brennen die Fußsohlen. Entsetzlich, wie viel wir laufen!

Merkwürdig finde ich, daß Italien Levitan nicht gefallen hat. Es ist ein bezauberndes Land. Wenn ich ein einsamer Künstler wäre und Geld hätte, würde ich hier den Winter verbringen. Italien ist doch, von seiner Natur und der Wärme zu schweigen, das einzige Land, wo man sich davon überzeugen kann, daß die Kunst tatsächlich Herrscherin über alles ist, und diese Überzeugung macht Mut.

Ich bin gesund. Bleibt auch ihr gesund. Ich grüße alle.

Euer A. Čechov.

331) AN DIE FAMILIE ČECHOV NEAPEL, 4. 4. 1891

Neapel. 4. April.

Ich kam nach Neapel, ging auf die Post und fand dort fünf Briefe von euch, für die ich euch sehr danke. Ach ja, das sind Verwandte! Vor Rührung ist sogar der Vesuv erloschen.

Der Vesuv versteckt seinen Gipfel in Wolken und ist nur abends gut zu sehen. Tagsüber hüllt er sich in Nebel. Wir sind am Meeresufer abgestiegen, und sehen alles: das Meer, den Vesuv, Capri, Sorrent... Am Tag sind wir hinaufgefahren, zum Kloster St. Martini: von dort hat man einen Blick, wie ich ihn noch nie im Leben gehabt habe. Ein bemerkenswertes Panorama. Etwas Ähnliches habe ich in Hongkong gesehen, als ich mit der Eisenbahn den Berg hinaufgefahren war.

In Neapel gibt es eine großartige Passage. Und die Geschäfte!! Mir schwindelt von den Geschäften. Welch ein Glanz! Du, Maša, und Sie, Lika, würden rasen vor Begeisterung.

Sagt Semaško, daß ich den Katalog nicht habe bekommen können. Jedes Geschäft hier hat seinen eigenen Katalog, und das, nehme ich an, genügt einem solchen Maestro wie Semaško nicht.

In Neapel gibt es ein erstaunliches Aquarium. Da gibt es sogar Haie und Kraken. Wenn eine Krake (achtfüßiger Tintenfisch) irgendein Tier frißt, sieht das ekelhaft aus.

Ich war beim Friseur und habe dort gesehen, wie einem jungen Mann eine ganze Stunde lang der Bart gestutzt wurde. Wahrscheinlich ein Bräutigam oder Falschspieler. In dem Friseurgeschäft waren die Decke und alle vier Wände aus Spiegelglas, so daß man sich vorkam, als sei man nicht in einer Barbierstube, sondern im Vatikan, wo es 11 Tausend Zimmer gibt. Haare schneiden sie wunderbar.

Weil ihr mir nichts über das Sommerhaus schreibt und über den Mungos, bringe ich euch auch keine Geschenke mit. Dir, Maša, hatte ich eine Uhr gekauft, ich habe sie den Schweinen vorgeworfen. Übrigens, Gott wird euch vergeben. Bleibt gesund. Einen Gruß an alle, an die Tante und Alëša.

Euer A. Čechov.

Ich komme zu Ostern zurück. Kommt mich vom Bahnhof abholen.

332) AN DIE FAMILIE ČECHOV NEAPEL, 7. 4. 1891

7. April. Neapel

Gestern war ich in Pompeji und habe es besichtigt. Das ist, wie ihr wißt, eine römische Stadt, die im Jahre 79 n. Chr. Geb. von der Lava und Asche des Vesuvs verschüttet wurde. Ich ging durch die Straßen dieser Stadt und sah die Häuser, Tempel, Theater, Plätze... Ich sah sie und staunte über das Vermögen der Römer, Einfachheit mit Bequemlichkeit zu verbinden.

Nach der Besichtigung von Pompeji aß ich in einem Restaurant, danach beschloß ich, den Vesuv zu besteigen. Stark befördert hatte diesen Entschluß der ausgezeichnete Rotwein, den ich getrunken hatte. Bis zum Fuße des Vesuvs mußte man reiten. Aus diesem Grunde fühle ich mich an einigen Stellen meines vergänglichen Körpers heute so, als wäre ich in der dritten Abteilung gewesen und dort verprügelt worden. Was für eine Qual, den Vesuv zu besteigen! Asche, Lavaberge, erstarrte Wellen geschmolzener Mineralien, Gesteinsbrocken und aller möglicher Dreck. Man tut einen Schritt vorwärts – und einen halben Schritt zurück, die Fußsohlen tun einem weh, das Atmen wird schwer... Man geht, geht, geht, aber bis zum Gipfel ist es noch weit. Man denkt: solltest du nicht lieber umkehren? Aber umzukehren wäre peinlich, die andern würden einen ja auslachen. Der Aufstieg begann um 2½ Uhr und endete um 6. Der Krater des Vesuvs hat einige Sažen im Durchmesser. Ich stand an seinem Rand und sah hinunter wie in eine Tasse. Der Boden, ringsum mit einem Anflug von Schwefel bedeckt, raucht stark. Aus dem Krater quillt weißer, stinkiger Rauch, fliegen Spritzer und glühende Steine, und unter dem Rauch liegt Satan und schnarcht. Ein ziemlich vermischtes Geräusch: man hört die Brandung von Wellen, hört den Himmelsdonner, das Pochen von Eisenbahnschwellen, und das Krachen fallender Bretter. Es ist furchterregend, und zugleich möchte man hinunterspringen, direkt in den Schlund. Ich glaube jetzt an die Hölle. Die Temperatur der Lava ist so hoch, daß eine Messingmünze darin schmilzt.

Der Abstieg ist genauso schlimm wie der Aufstieg. Bis zu den Knien versinkt man in Asche. Ich bin schrecklich müde. Auf dem Rückweg ritt ich durch kleine Dörfer und an Landhäusern vorbei; es roch wunderbar, und der Mond schien. Ich schnupperte, betrachtete den Mond und dachte an *sie*, d. h. an Lika Lenskaja.

Den ganzen Sommer über, edle Herrschaften, werden wir kein Geld haben, und der Gedanke daran verdirbt mir den Appetit. Für die Reise, die mich, hätte ich sie solo unternommen, 300 Rub. gekostet hätte, habe ich Tausend Rubel Schulden gemacht. Meine ganze Hoffnung ruht auf den Dummköpfen der Liebhaber, die meinen »Bären« spielen.

Habt ihr ein Sommerhaus gefunden, Signori? Ihr benehmt euch schweinisch mir gegenüber, ihr schreibt mir nicht, und ich weiß nicht, was zu Hause los ist.

Ich grüße alle ergebenst. Bleibt alle wohlauf und vergeßt nicht endgültig euern *Antoine.*

333) AN DIE FAMILIE ČECHOV NIZZA, 12. 4. 1891

Nizza, 13. (?) April, Freitag.

Ich bin in Frankreich angekommen. Wir wohnen in einem Hotel am Meer. Der Himmel ist bedeckt. Es ist warm. Gestern habe ich

Roulette gespielt und 8 Francs verloren. Habe eine Operette gesehen; der Bariton bezog sich das Bett und stellte einen Nachttopf darunter; das Publikum lachte. Die ganze Küste entlang wachsen Palmen. Abends wird mit Netzen gefischt. Viele Russen.

Einen Gruß an alle. Schreibt an die Adresse: Warschau, St.-Petersburger Bahnhof, Buchkiosk, A. P. Čechov.

Ich fahre nach Monaco. *Euer Antoine.*

334) AN DIE FAMILIE ČECHOV NIZZA, 15. 4. 1891

Nizza, Montag der Karwoche: 91.

Gestern wurde mir aus Rom Papašas Postkarte nachgeschickt; ihr entnahm ich, daß ihr ein Sommerhaus gemietet habt. Na, Gott sei Dank. Freut mich sehr für euch wie auch für mich. Dann zieht mal schön um. Abonniert die »Russkie ved.« und »Novosti dnja« und gebt beim »Nov. vrem.« und den »Oskolki« die neue Adresse an; an den »Istorič. vestn.« und »Sev. vestnik« schreibe ich selbst.

Wir wohnen in Nizza, am Ufer des Meers. Die Sonne scheint, es ist warm, grün, es duftet, aber Wind. Eine Stunde entfernt liegt das berühmte Monaco; hier befindet sich die kleine Stadt Monte Carlo, wo Roulette gespielt wird. Stellt euch die Säle des Adelsklubs vor, schön, hoch, nur größer. In den Sälen große Tische, auf den Tischen das Roulette, das ich euch beschreibe, wenn ich komme. Vorgestern bin ich hingefahren und habe verloren. Das Spiel ist schrecklich verlockend. Nachdem ich verloren hatte, fingen Suvorin-fils und ich an zu überlegen, wir überlegten und haben uns ein System ausgedacht, mit dem man unbedingt gewinnt. Gestern fuhren wir wieder hin, jeder mit 500 Francs; vom ersten Einsatz an gewann ich ein paar Goldstücke, dann mehr und mehr, meine Westentaschen hingen durch vom Gewicht des Goldes; ich hatte französische Münzen sogar von 1808 in Händen, belgische, italienische, griechische, österreichische... Nie zuvor habe ich je so viel Gold und Silber gesehen. Zu spielen angefangen hatte ich um 5 Uhr, und um 10 Uhr hatte ich keinen einzigen Franc mehr, geblieben war mir nur eins: der freudige Gedanke, eine Rückfahrkarte nach Nizza in der Tasche zu haben. So geht das, meine Herrschaften! Ihr werdet natürlich sagen: »So eine Gemeinheit! Wir leben in Armut, und er, er spielt Roulette!« Vollkommen richtig, und ich erlaube euch auch, mich zu erstechen. Aber persönlich bin ich sehr mit mir zufrieden. Zumindest kann ich jetzt meinen Enkeln erzählen, ich hätte einmal Roulette gespielt und das Gefühl kennengelernt, das dieses Spiel erregt.

Rund um das Spielcasino gibt es ein anderes Roulette – das sind die Restaurants. Schreckliche Preise und großartiges Essen. Was man auch bestellt, man bekommt eine ganze Komposition, vor der man in Ehrfurcht die Knie beugt, aber nicht wagt, sie aufzuessen. Jeder Bissen ist aufgetakelt mit Artischocken, Trüffeln, allen möglichen Nachtigallenzungen ... Und Herr du mein Gott, wie sehr ich es verachte und verabscheue, dieses Leben mit seinen Artischocken, Palmen, Pomeranzendüften! Ich habe Luxus und Reichtum gern, aber der hiesige Roulette-Luxus macht auf mich den Eindruck eines Luxus-Wasserklosetts. Es hängt da etwas in der Luft, das, ihr spürt es, euern Anstand beleidigt, die Natur entwürdigt, das Meeresrauschen, den Mond.

Gestern am Sonntag war ich in der hiesigen russischen Kirche. Besonderheiten: statt Weidenzweigen – Palmwedel, statt Chorknaben singen Damen, was dem Gesang eine opernhafte Färbung verleiht, auf das Tablett werden französische Münzen gelegt, der Starost und die Küster sprechen französisch usw. Großartig gesungen wurde das »Cherubim« Nr. 7 von Bortn. und das schlichte »Vater unser«.

Von allen Städten, in denen ich bislang war, habe ich die schönsten Erinnerungen an Venedig. Rom ist im ganzen wie Charkov, und Neapel schmutzig. Das Meer reizt mich nicht mehr, denn es ist mir schon im November und Dezember auf die Nerven gegangen. Der Teufel solls holen: wie sich herausstellt, bin ich ein Jahr ununterbrochen auf Reisen gewesen. Kaum war ich von Sachalin zurück, bin ich nach Piter, dann wieder nach Piter und nach Italien...

Wenn ich es nicht schaffen sollte, zu Ostern zurück zu sein, dann schließet mich in eure heiligen Gebete ein und empfangt meinen väterlichen Segen sowie die Versicherung, daß mir in der Osternacht ohne euch sehr traurig zumute sein wird.

Hebt ihr die Zeitungen auf?

Einen Gruß an alle: Aleksej und die Tante, Semaša, den schönen Levitan, die goldgelockte Likiša, die alte Dame und überhaupt alle. Bleibt gesund. Der Himmel beschütze euch. Habe die Ehre zu rapportieren und verbleibe voller Sehnsucht

Antonio.

Einen Gruß an Olga Petrovna.

335) AN DIE FAMILIE ČECHOV PARIS, 21. 4. 1891

21. April. Paris

Heute ist Ostern. Also – Christ ist erstanden! Das ist das erste Ostern, das ich nicht zu Hause verbringe.

In Paris kam ich am Freitag morgen an und bin gleich auf die Ausstellung gefahren. Ja, der Eiffelturm ist sehr, sehr hoch, die übrigen Ausstellungsgebäude habe ich nur von außen gesehen, weil sich drinnen Kavallerie befand, die für den Fall von Unruhen dort zusammengezogen war. Für den Freitag wurden Unruhen erwartet. Das Volk zog massenweise durch die Straßen, schrie, pfiff, empörte sich, aber die Polizisten trieben sie auseinander. Um eine Menge auseinanderzutreiben, genügen hier zehn Polizisten. Die Polizisten gehen geschlossen zum Angriff über, und die Menge stiebt auseinander, wie verrückt. In einen dieser Angriffe bin auch ich hineingeraten: ein Polizist erwischte mich am Schulterblatt und stieß mich vor sich her.

Sehr viel Verkehr. Die Straßen tosen und brodeln. Das sind keine Straßen, das ist der stürmische Terek. Lärm, Tumult. Die Trottoirs sind mit kleinen Tischen vollgestellt, an den Tischen – Franzosen, die sich auf der Straße wie zu Hause fühlen. Ein vortreffliches Volk. Übrigens, Paris ist nicht zu beschreiben, ich verschiebe die Beschreibung bis zu meiner Rückkehr.

Die Frühmesse habe ich in der Gesandtschaftskirche gehört.

Der Diplomat a. D. Tatiščev hat sich an uns gehängt. Als dessen Adjutant folgt uns auf Schritt und Tritt der Pariser Korrespondent I. Jakovlev-Pavlovskij, der früher einmal mit Fronštejns bei uns in Mojseevs Haus gewohnt hat. Pleščeev mit Töchtern und Sohn ist auch hier. Mit einem Wort, eine große Gesellschaft. Eine ganze russische Kolonie.

Morgen oder übermorgen fahren wir nach Rußland. In Moskau bin ich am Freitag oder Samstag. Ich komme über Smolensk, kommt darum, wenn ihr mich abholen wollt, auf den Smolensker Bahnhof.

Wenn man mich hier nicht am Dienstag oder Mittwoch fortläßt, komme ich dennoch spätestens am Montag nach Moskau, darum bitte ich Ivan, nicht zu fahren, sondern auf mich zu warten.

Ich fürchte, ihr habt kein Geld.

Miša, beim Heil deiner Seele, repariere mir mein pincenez. Setz Gläser der entsprechenden Größe ein. Ohne Brille bin ich einfach ein Märtyrer. Ich war in der Gemäldeausstellung (Salon) und habe die Hälfte nicht gesehen wegen meiner Kurzsichtigkeit. A propos, die russischen Maler sind bei weitem ernsthafter als die französischen. Im Vergleich zu den hiesigen Landschaftsmalern, die ich gestern gesehen habe, ist Levitan ein König.

Das ist der letzte Brief. Auf Wiedersehen. Ich bin mit leerem Koffer weggefahren, und komme mit einem vollen zurück. Jeder von euch bekommt etwas, je nach Verdienst.

Wünsche Gesundheit. *Euer A. Čechov.*

336) AN DIE FAMILIE ČECHOV PARIS, 24. 4. 1891

24. April. Paris.

Wieder eine Änderung. Ein russischer Bildhauer, der hier in Paris lebt, will eine Büste von Suvorin anfertigen, und das hält uns bis Samstag fest. Am Samstag fahren wir unbedingt, und Mittwoch bin ich dann in Moskau.

Wie kommt ihr zurecht ohne Geld? Haltet aus bis Donnerstag.

Stellt euch meine Freude vor. Ich war im Parlament, just auf der Sitzung, auf der vom Innenminister Erklärungen verlangt wurden anläßlich der Unregelmäßigkeiten, die sich die Regierung bei der Niederschlagung des Arbeiteraufstands von Fourmies hatte zuschulden kommen lassen (viele Tote und Verletzte). Die Sitzung war stürmisch und hochinteressant.

Die Menschen, die sich mit Schlingen gürten, die Damen, die die Beine bis zur Decke werfen, die fliegenden Menschen, Löwen, Café-chantants, Essen und Diners werden mir langsam zuwider. Es wird Zeit für die Heimreise. Ich möchte arbeiten.

Grüße an alle, alle. Bleibt gesund. *Euer Antoine.*

337) AN A. S. SUVORIN ALEKSIN, 7. 5. 1891

7. Mai.

Station Aleksin Strecke Syzran-Vjazma. Das ist meine Adresse. Station, nicht Stadt, da ich nahe der Bahnstation wohne und die Korrespondenz direkt aus den Händen des Stationsvorstehers empfange.

Das Haus ist anständig. Wald, die Oka, Natur, es ist warm, die Nachtigallen singen usf. Es ist still und friedlich, und bei schlechtem Wetter wird es hier langweilig und traurig. Nach unserer Auslandsreise kommt mir das Landleben ein bißchen beengt vor. So als säße ich als Gefangener in Festungshaft. Aber dennoch bin ich zufrieden.

In Moskau bekam ich von der Gesellschaft der dramat. Schriftsteller nicht 200, wie erwartet, sondern 300. Von seiten Fortunas ist das sehr freundlich.

Sagen Sie Anna Ivanovna, die französische Ausstellung sei noch nicht fertig. Alle, die ich sah, sagen, die Ausstellung wäre überhaupt nicht gut.

Nun denn, gnädiger Herr, ich schulde Ihnen, selbst nach Ihrer Rechnung, mindestens 800 Rubel. Auf Ehre und Gewissen. Im Juni oder Juli, wenn in der Buchhandlung das Geld einläuft, schreibe ich Zandrok, daß er alles, was ich zu bekommen habe, Ihnen nach Feodosija schickt, und Sie hindern mich bitte nicht daran. Ich gebe Ihnen mein Ehrenwort, wenn ich meine Schulden abgezahlt habe und wieder quitt bin mit Ihnen, werde ich mir Zweitausend von Ihnen borgen. Glauben Sie nicht, es wäre mir unangenehm, Schulden bei Ihnen zu machen. Ich leihe anderen selbst Geld und halte mich daher für berechtigt, mir auch selbst welches zu borgen, aber ich habe Angst, durcheinanderzukommen und mich an Schulden zu gewöhnen. Und Ihrem Kontor schulde ich doch verteufelt viel!

Aus meinem Fenster habe ich einen schönen Blick. Dauernd sehe ich Züge vorbeifahren. Über die Oka führt eine Brücke.

Schreiben Sie mir irgendetwas.

Einen Gruß an Anna Ivanovna, Ņastja, Borja und alle Ihren. Ich wünsche Gesundheit und alles Gute. *Ihr A. Čechov.*

338) AN A. S. SUVORIN ALEKSIN, 10. 5. 1891

10. Mai.

Ihren Brief habe ich bekommen. Merci. Mit Edinica unterschreibt Dedlov-Kign, Belletrist und interessanter Reiseschriftsteller, den ich vom Hörensagen kenne, aber nicht gelesen habe. Ja, Sie haben recht, meine Seele braucht Balsam. Ich würde jetzt mit Vergnügen, ja sogar mit Freuden irgendetwas Ernsthaftes lesen, nicht nur über mich, sondern überhaupt. Ich sehne mich nach ernsthafter Lektüre, und die gesamte russische Kritik der letzten Zeit gibt mir keine Nahrung, sondern reizt mich nur. Ich würde mit Begeisterung etwas Neues über Puškin oder Tolstoj lesen – das wäre Balsam für meinen müßigen Verstand...

Auch ich habe Sehnsucht nach Venedig und Florenz und wäre sogar bereit, noch einmal den Vesuv zu besteigen; Bologna ist in meinem Gedächtnis verschwommen und gedunkelt, was dagegen Nizza betrifft und Paris, so sehe ich, wenn ich daran denke, »mit Abscheu auf mein Leben«.

Im »Vestnik inostrannoj literatury«, im letzten Heft, ist eine Erzählung von Ouida, aus dem englischen übersetzt von unserem Michajlo, dem Steuerinspektor. Warum kann ich nur keine Sprachen? Ich glaube, Belletristik könnte ich großartig übersetzen; immer, wenn ich fremde Übersetzungen lese, tausche ich in Gedanken Wörter aus, stelle sie um, und herauskommt etwas Leichtes, Luftiges, Spitzenähnliches.

Montags, dienstags und mittwochs schreibe ich an dem Buch über Sachalin, an den übrigen Tagen, mit Ausnahme von Sonntag, an dem Roman, und sonntags kleine Erzählungen. Ich arbeite mit Lust, aber – oh weh! – meine Familie ist zahlreich, und wenn ich schreibe, bin ich wie ein Krebs, der mit anderen Krebsen in einer Reuse gefangen sitzt: es ist eng. Das Wetter ist die ganzen Tage großartig, die Stelle, an der das Landhaus steht, trocken und schön, viel Wald... In der Oka gibt es viele Fische und Krebse. Ich sehe Eisenbahnzüge und Dampfer. Überhaupt, wenn die Enge nicht wäre, wäre ich sehr, sehr zufrieden. Wann kommen Sie nach Moskau? Schreiben Sie es mir, bitte. Die französische Ausstellung wird Ihnen nicht gefallen – seien Sie darauf gefaßt. Gefallen wird Ihnen die Oka, wenn wir uns um 5 Uhr morgens in Serpuchov in ein schäbiges Dampferchen setzen und in Richtung Kaluga fahren.

Zu heiraten habe ich nicht vor. Ich wäre jetzt gern ein kleines kahlköpfiges altes Männlein mit einem großen Schreibtisch in einem schönen Arbeitszimmer.

Bleiben Sie gesund und glücklich. Ich grüße herzlich alle die Ihren. Schreiben Sie mir, bitte. *Ihr A. Čechov.*

Ich schreibe ein Vaudeville. Handelnde Personen: Anna Ivanovna, Ajvazovskij, General Bogdanovič, Ivan Pavlovič Kazanskij und der Zensor Makarov.

339) AN L. S. MIZINOVA ALEKSIN, 17. 5. 1891

17. Mai.

Goldene, perlmuttene und seidige Lika! Der Mungos ist vorgestern weggelaufen und wird nicht zurückkommen. Er ist krepiert. Das zum ersten.

Zweitens verlassen wir dieses Landhaus und verlegen unsere Residenz in die obere Etage des Hauses von B. K., eben jenem, der Ihnen Milch zu trinken gegeben und dabei vergessen hatte, Ihnen auch Erdbeeren anzubieten. Den Tag unseres Umzugs teilen wir Ihnen noch rechtzeitig mit. Kommen Sie, um an den Blumen zu riechen, Fische zu fangen, spazierenzugehen und zu heulen.

Ach, schöne Lika! Als Sie unter Geheul meine rechte Schulter mit Tränen genetzt (die Flecken habe ich mit Benzin beseitigt) und Stück für Stück unser Brot gegessen, verschlangen wir alle gierig mit den Augen Ihr Gesicht und Ihren Nacken. Ach, Lika, Lika, satanische Schönheit! Wenn Sie mit irgendjemandem spazierengehen oder in Gesellschaft sind und Ihnen das widerfährt, worüber wir sprachen, so geben Sie sich nicht der Verzweiflung hin, sondern kommen Sie zu uns, und wir werden uns mit Anlauf Ihnen in die Arme werfen.

Wenn Sie mit Trofim im Alhambra sitzen, wünschte ich Ihnen, ihm mit der Gabel aus Versehen die Augen auszustechen.

Ihr berühmter Freund Hunyadi-János.

Die Nachtwächtersfrau läßt Sie grüßen. Maša bittet Sie, ihr wegen der Wohnung zu schreiben.

Unsere Adresse ist nicht Station, sondern Stadt Aleksin.

340) AN A. S. SUVORIN BOGIMOVO, 20. 5. 1891

20. Mai.

Ich bin in ein anderes Sommerhaus umgezogen. Welche Bequemlichkeit! Mir zur Verfügung steht die ganze obere Etage eines großen Herrenhauses. Riesige Zimmer; zwei davon sind so groß wie der Saal bei Ihnen, sogar größer; eins mit Säulen; Estraden für Musikkapellen. Als wir die Möbel umstellten, wurden wir vom ungewohnten vielen Laufen durch die großen Zimmer richtig müde. Ein sehr schöner Park; ein Teich, ein Flüßchen mit einer Mühle, ein Boot – ein Ensemble aus einfach bezaubernden Einzelheiten. Wenn es Ihnen einfallen sollte zu kommen, hier die Reiseroute: Moskau, von Moskau mit dem Zwölfuhr-Nachtzug nach Tula (Billett bis Aleksin), in Tula Umsteigen in den Zug Richtung Kaluga; wenn Sie am Morgen in Aleksin ankommen, fragen Sie nach dem Kutscher Guščin; dieser Mensch bringt Sie mit Volldampf und Schellengeklingel zu uns; gefederte Equipagen gibt es keine, aber Guščin ist kein Rüttler. Von Aleksin nach Bogimovo, wo wir wohnen, sind es 8–10 Verst; wenn Sie nur Handgepäck haben, kann man einen kürzeren Weg nehmen, denn 4 Verst von uns entfernt hat der Zug einen Zwischenhalt.

Die Karauschen gehen vortrefflich an die Angel. Ich habe gestern allen Kummer vergessen: mal sitze ich am Teich und ziehe Karauschen aus dem Wasser, mal in einem Eckchen bei der verlassenen Mühle und fange Barsche. Interessant sind auch die Lebensumstände im einzelnen.

Die letzten beiden Manifeste – bezüglich der Sibirischen Eisenbahn und der Verbannten – haben mir sehr gefallen. Die Sibirische Eisenbahn wird ein Werk des Volkes genannt, und der Ton des Manifests garantiert ihre baldige Beendigung; den Katorgasträflingen, die ihre so und so lang bemessenen Strafen als Strafkolonisten und Verbannte verbüßt haben, wird erlaubt, nach Rußland zurückzukehren, sogar, wenn auch ohne Rechtsstatus, in den Gouvernements der Hauptstädte zu leben. Das haben die Zeitungen unbeachtet gelassen, dabei ist das für Rußland etwas Niedagewesenes, – es ist ein ernsthafter Schritt zur Abschaffung jener lebenslänglichen Strafe, die das Gewissen der Gesellschaft so lange bedrückt hat, als ungerecht und im höchsten Maße grausam.

Wie geht es Aleksej Alekseevič gesundheitlich?

Ich werde Sie erwarten. Es wäre schön, wenn Sie sich beeilten, weil bald die Nachtigallen aufhören zu singen und der Flieder verblüht. Wenn Aleksej Alekseevič Lust hat, laden Sie ihn ein mitzukommen. Ich habe Platz und Betten für eine ganze Division.

Bleiben Sie gesund. *Ihr A. Čechov.*

341) AN A. S. SUVORIN BOGIMOVO, 27. 5. 1891

27. Mai. 4 Uhr morgens.

Der Mungos ist in den Wald gelaufen und nicht zurückgekehrt; das Heupferdchen, das wir für 75 Kop. gekauft hatten, ist erstickt. Es ist kalt. Geld habe ich nicht. Aber trotzdem beneide ich Sie nicht. Man kann jetzt einfach nicht in der Stadt leben – das ist langweilig und ungesund. Ich wollte, Sie säßen vom Morgen bis zum Mittag irgendwo auf der Terrasse, würden Tee trinken und irgendetwas Schönes schreiben, ein Stück meinetwegen, und nach dem Essen bis zum Abend Fische fangen und in Ruhe Ihren Gedanken nachgehen. Sie haben längst das Recht erworben, das Ihnen zur Zeit alle möglichen Zufälle verweigern, und ich schäme mich und finde es ungerecht, daß ich ein ruhigeres Leben führe als Sie. Wollen Sie tatsächlich den ganzen Juni in der Stadt verbringen? Das ist geradezu unheimlich.

Mit der Korrektur ist alles geklärt, und Neupokoev hat wahrscheinlich längst wieder seine Ruhe. Die Bücher, von denen ich schrieb, habe ich bereits bekommen. Mit Ščeglov habe ich nie auch nur ein Wort über sein Stück gesprochen. Woher nimmt er, daß ich es gelobt hätte?

Sie schreiben, ich sei ein mit gebranntem Kalk bedeckter Ziegelstein-Mensch und schriebe nichts für die Zeitung. Aber versetzen Sie sich in meine Lage. In meiner literarischen Tätigkeit herrscht ein solches Drunter und Drüber, eine solche Unordnung, daß selbst der Teufel sich darin ein Bein brechen würde. Ich hatte mit der Novelle angefangen – da kam das Ausland dazwischen; die Novelle weiterzuschreiben habe ich jetzt nicht die Zeit – ich habe Sachalin am Hals. Ich würde mich ja hinsetzen und kleine Sachen schreiben, ich habe es auch schon probiert, aber der Gedanke, daß ich bis zum Herbst Sach. loswerden *muß*, paralysiert jede Fähigkeit. Warten Sie, Teuerster, bald habe ich die Katorga vom Halse, und dann gehöre ich ganz Ihnen, vom Scheitel bis zur Sohle. Ich gebe Ihnen mein Ehrenwort, daß ich das Sachalinbuch im Herbst veröffentlichen werde, denn, Ehrenwort, ich schreibe und schreibe daran, und wenn Sie es nicht glauben, so kann ich Ihnen handfeste Beweise schicken. Da ich mit den Hühnern aufstehe, stört mich niemand beim Arbeiten, und die Sache ist im vollen Gange, obwohl es eine zähflüssige, mühselige Sache ist, die die Mühe der Bearbeitung nicht lohnt: wegen einer kümmerlichen Zeile muß man eine Stunde lang in Papieren herumwühlen und allen möglichen langweiligen Kram durchlesen. Über das Klima schreiben oder aus Fragmenten eine historisch-kritische Skizze der Katorga zusammensetzen – ist das langweilig, mein Gott!

Sie schreiben, in letzter Zeit seien »die Mädchen so offen verdorben«. Ach, seien Sie kein Žitel! Wenn sie auch verdorben sein mögen, die Zeit hat damit absolut nichts zu tun. Früher waren sie sogar noch verdorbener: denn damals war die Verderbnis gleichsam legalisiert. Denken Sie an Katharina, die Mamonov mit einem 13jährigen Mädchen verheiraten wollte. Puškin küßt in seinem »Postmeister« leidenschaftlich ein 14jähriges Mädchen, und Shakespeares Heldinnen sind alle im Alter von 14 bis 16 Jahren. Und Sie kennen auch nicht genügend Fälle, als daß Sie sie verallgemeinern könnten.

A propos, die Mädchen. [...][1])

---

[1]) Im folgenden sind 14 Zeilen getilgt.

Eine Neuigkeit: wir haben ein Roulette eingerichtet. Einsatz höchstens eine Kopeke. Die Gewinne des Roulettes werden gemeinnützigen Zwecken zugeführt – der Veranstaltung von Picknicks. Ich bin der Croupier.

Bleiben Sie gesund. Geben Sie sich keinen finsteren Gedanken hin, alles wird gut werden. Einen Gruß an Anna Ivanovna, Nastja und Borja. *Ihr A. Čechov.*

342) AN L.S. MIZINOVA BOGIMOVO, 12. 6. 1891

12. Juni.

Bezaubernde, wunderbare Lika!

Hingerissen vom Tscherkessen Levitan haben Sie vollkommen vergessen, daß Sie meinem Bruder Ivan versprochen hatten, am 1. Juni zu uns zu kommen, und Sie antworten auch nicht mehr auf die Briefe meiner Schwester. Ich habe Ihnen ebenfalls nach Moskau geschrieben und Sie eingeladen, aber auch mein Brief blieb die Stimme des Rufers in der Wüste. Auch wenn Sie Aufnahme in die bessere Gesellschaft gefunden haben (bei der Kaulquappe Malkiel), sind Sie trotzdem schlecht erzogen, und ich bedaure nicht, Sie einst mit der Peitsche gestraft zu haben. Begreifen Sie, daß uns das tägliche Warten auf Ihre Ankunft nicht nur quält, sondern uns auch Ausgaben verursacht: normalerweise essen wir mittags immer nur die Suppe von gestern, wenn wir dagegen Gäste erwarten, haben wir auch Rinderbraten, den wir bei den Köchinnen in der Nachbarschaft kaufen.

Wir haben einen großartigen Garten, dunkle Alleen, verschwiegene Plätzchen, einen Bach, eine Mühle, ein Boot, Mondnächte, Nachtigallen, Puten... Im Fluß und im Teich leben intelligente Frösche. Wir gehen oft spazieren, wobei ich normalerweise die Augen schließe und den rechten Arm anwinkle, in der Vorstellung, Sie gingen untergehakt mit mir.

Wenn Sie kommen, dann fragen Sie auf dem Bahnhof nach dem Kutscher Guščin, der Sie zu uns bringen wird. Sie können auch beim Zwischenhalt aussteigen, aber dann müssen Sie uns vorher Bescheid sagen, damit wir Ihnen einen Pegasus schicken können. Von dem Zwischenhalt bis zu uns sind es nur vier Verst.

Grüßen Sie Levitan. Bitten Sie ihn, daß er nicht in jedem Brief von Ihnen schreibt. Erstens ist das nicht gerade großmütig von ihm, und zweitens geht mich sein Glück nichts an.

Bleiben Sie gesund und glücklüsch und vergessen Sie uns nicht. Die Nachtwächtersfrau läßt Sie grüßen.

Das ist meine Unterschrift.

Der Mungos ist wiedergefunden. Maša geht es gut.

Eben habe ich Ihren Brief bekommen. Er ist von oben bis unten voll von solch liebenswerten Ausdrücken wie »der Teufel solls holen«, »zum Teufel damit«, »Anathema«, »Hintern«, »Gesindel«, »hab mich überfressen« usw. Ich kann nur sagen, einen schönen Einfluß haben die Lastkutscher wie Trophim auf Sie.

Sie können baden und abends spazierengehen. Das ist alles Kinderkram. Ich habe in allen meinen Innenräumen feuchte und trockene Krächzer, ich bade, gehe spazieren und lebe trotzdem.

Wasser trinken sollten Sie. Das heiße ich gut. Aber kommen Sie, sonst geht es Ihnen schlecht. Alle lassen ergebenst grüßen, ich desgleichen. Ihre Handschrift ist nach wie vor großartig.

343) AN L. S. MIZINOVA BOGIMOVO, Juni/Juli 1891

Liebe Lida!

Wozu die Vorwürfe?

Ich schicke dir meine Fratze. Morgen sehen wir uns wieder. Vergiß nicht deinen Petja. 1000 Küsse!!!

Habe mir Čechovs Erzählungen gekauft: ist das eine Pracht! Kauf sie dir auch.

Du Liebes!

344) AN L.S. MIZINOVA BOGIMOVO, Juni/Juli 1891

Liebe Lidija Stachievna!

Ich liebe Sie leidenschaftlich wie ein Tiger und bitte um Ihre Hand.

Der Marschall der Adelsfräuleins *Golovin-Rtiščev.*

P.S. Teilen Sie mir Ihre Antwort mimisch mit. Sie Schräge.

345) AN L.S. MIZINOVA BOGIMOVO, Juni/Juli 1891

Liebe Lika!

Wenn du dich entschließen kannst, euern dreieinigen Bund für ein paar Tage zu brechen, werde ich meinen Bruder überreden, seine Abreise zu verschieben. Er wollte am 5. August fahren. Komm am 1. oder 2. Wir warten voll Ungeduld.

Ach, wenn du wüßtest, was ich für Bauchschmerzen habe!

Deine dich liebende *M. Čechova*

346) AN A.S. SUVORIN BOGIMOVO, 24. 7. 1891

24. Juli.

Danke für die Einladung. Ich werde sicher kommen, aber nicht so bald, obwohl ich lechze nach Meer, Sand, nächtlichen Gesprächen und allen anderen Reizen, die die Krim und Feodosija bieten. Ich bin sehr beschäftigt. Ich arbeite viel, wenn auch nur wenig Seiten dabei herauskommen. Bald werde ich Ihnen einen ästhetischen Genuß verschaffen: ich werde Ihnen die Erzählung schicken, die bereits über die Hälfte fertig ist und 4-5 Feuilletons umfassen wird.

Danke für die Fünfkopekenzulage. Oh weh, sie wird mich nicht sanieren! Um, wie Sie schreiben, Kapital anzusammeln und mich dem Strudel der Groschennöte und kleinen Schrecken zu entreißen, bleibt mir nur ein Weg – die Unmoral. Eine reiche Frau zu heiraten oder »Anna Karenina« als mein Werk auszugeben. Da das unmöglich ist, habe ich abgewunken und lasse meine Angelegenheiten laufen, wie sie wollen.

Irgendwann einmal erwähnten Sie lobend Rod, den französischen Schriftsteller, und sagten, er gefiele Tolstoj. Neulich habe ich durch Zufall einen seiner Romane gelesen, und habe die Hände zusammengeschlagen. Das ist ja unser Mačtet, nur ein bißchen intelligenter. Furchtbar viele Prätentionen, Langeweile, Effekthascherei, und Künstlerisches so wenig wie Salz in dem Brei, den wir an jenem Abend zusammen in Bogimovo gekocht haben. In dem Vorwort bereut dieser Rod, früher einmal Naturalist gewesen zu sein, und freut sich, daß der Spiritualismus der jüngsten Neuerwerbungen in der Literatur den Materialismus abzulösen vermocht habe. Kleinjungenprahlerei und dabei grob und plump. »Wenn wir auch nicht solches Talent haben wie Sie, Hr. Zola, dafür glauben wir an Gott.«

Das Wetter bei uns ist ganz herrlich. Es ist gerade Morgen, eine Beleuchtung wie im Mai, und ich bin froh. Es ist ganz still.

Den »Pilzsammler« habe ich bekommen, aber es gibt keine Pilze. Der Kaffee ist... verbrannt. Gestern und vorgestern hat es geregnet, aber die verdammten Pilze wollen nicht wachsen, und wir sind verzweifelt.

Habe von Lessing einen Brief bekommen. Er schreibt an einem Werk. Verharren Sie in Ehrfurcht.

Was will Pleščeev-fils denn im Departement von Skalkovskij. Ich verstehe das nicht, und wenn Sie mich totschlagen. Und sind der Dichter Merežkovskij und seine Muse immer noch im Ausland? Ach, ach!

An Anna Ivanovna, Nastja und Borja einen herzlichen Gruß. Bleiben Sie gesund. *Ihr A. Čechov.*

347) AN A. S. SUVORIN BOGIMOVO, 29. 7. 1891

29. Juli.

Na, Gott sei Dank! Heute bekam ich von der Buchhandlung die Benachrichtigung, daß ich 690 Rub. 6 Kop. zu bekommen hätte. Ich schrieb zurück, daß man 500 Ihnen nach Feodosija schicken solle, und mir den Rest von 190. Damit betragen meine Schulden bei Ihnen nurmehr 170. Das ist tröstlich. Es ist immerhin ein Fortschritt. Gegen die Schulden bei der Zeitung wappne ich mich mit einer riesig langen Erzählung, die ich in den nächsten Tagen abschließen und Ihnen schicken werde. Wahrscheinlich werde ich damit 300 Rubel Schulden tilgen und noch einmal dasselbe herausbekommen. Uff!

Den Tabak habe ich bekommen. Danke.

Zu Ihnen – wehe! – werde ich wohl kaum kommen können, und wenn, dann nicht so bald, wie ich es wollte. Ich muß mein Haus in Ordnung halten. Von den häuslichen Dingen liebe ich lediglich das Fangen der Karauschen und den Brief unter freiem Himmel, – alles übrige verachte ich. Aber was soll ich machen? die Notwendigkeit ist Gesetz. Schon die Römer sagten – lex necessitatis, d. h. Gesetz der Notwendigkeit.

Neulich hatte mein Vater nach dem Essen einen leichten apoplektischen Anfall.

Ach, Vinogradov! Solch große Pädagogen gehören verprügelt, stattdessen macht man sie zu Direktoren. Wenn ich nach Feodosija komme, erzähle ich Ihnen ein paar Geschichten über seinen Scharfsinn, von dem Sie schreiben.

Nach dem Eliastag begann es kühl zu werden. Es riecht nach Herbst. Ich liebe den russischen Herbst. Das ist etwas ungewöhnlich Trauriges, Freundliches und Schönes. Am liebsten würde man mit den Kranichen zusammen wegfliegen, irgendwohin. Früher, als Kind, habe ich im Herbst immer Singvögel gefangen und sie auf dem Markt verkauft. Das ist ein Genuß! Das ist schöner als Bücherverkaufen.

Ihre Buchhandlung ist verwaist. Wie sich herausstellt, gibt es in ihr kein einziges Buch mehr von mir. Mit einem Wort, Čechov ist entartet, was auch beiliegende Abschrift beweist.

Man hat eine Kranke gebracht. Ich muß gehen. Bleiben Sie gesund. Einen Gruß an Anna Ivanovna, Nastjuša und Barbaris.

Ihr A. Čechov.

348) AN A. S. SUVORIN BOGIMOVO, 18. 8. 1891

18. Aug.

Endlich habe ich meine lange, ermüdende Erzählung abgeschlossen und schicke sie Ihnen per eingeschriebenem Streifband nach Feodosija. Lesen Sie sie bitte. Für die Zeitung ist sie zu lang, und dem Inhalt nach eignet sie sich auch nicht, in mehrere Teile aufgeteilt zu werden. Im übrigen, wie Sie wollen.

Wenn Sie die Veröffentlichung bis zum Herbst verschieben, dann lese ich die Korrektur in Moskau – die Erzählung verliert dadurch nicht, und die Kasse des »Novoe vremja« wird nur gewinnen, da meine Korrekturen stets die Zeilenzahl verringern.

Da diese Erzählung meine vorläufig einzige Ressource darstellt, telegraphieren Sie mir bitte, ob Sie sie bekommen haben.

Die Erzählung umfaßt mehr als 4 Druckbogen. Das ist schrecklich. Ich bin todmüde, und der Schluß schleppte sich dahin wie eine schwere Fuhre durch eine schlammige Herbstnacht: im Schritt, mit Pausen – darum hat es auch so lange gedauert. Die Hälfte des Honorars, wenn Sie die Erzählung nicht ablehnen, soll mit meinen Schulden bei der Zeitung verrechnet werden, die andere Hälfte – in meine Eingeweide. Wenn Sie die Veröffentlichung der Erzählung auf den Herbst verschieben, telegraphieren Sie dem hochverehrten Kontor, man möge mir als Vorschuß auf die Erzählung 300 Rubel schicken, denn in meinen Taschen pfeift der Wind und ich habe kein Geld für die Rückfahrt. Die Geldsendung natürlich nur unter der Bedingung, daß die Erzählung geeignet ist usw.

Oh weh! Ich werde nicht zu Ihnen kommen. Ich sage das mit Grabesstimme. Ich habe kein Geld für die Reise, und neue Schulden machen will ich nicht.

Es gibt viele Pilze. Das Wetter – heiß.

Schreiben Sie, bis wann Sie in Feodosija bleiben. Vielleicht reiße ich mich ja doch irgendwie los.

Grüßen Sie Anna Ivanovna, Nastja und Borja.

Bleiben Sie gesund. *Ihr A. Čechov.*

349) AN A. S. SUVORIN BOGIMOVO, 28. 8. 1891

28. Aug. Aleksin.

Ich schicke Ihnen ein Feuilleton von Michajlovskij über Tolstoj. Lesen Sie es und bilden Sie sich. Das Feuilleton ist gut, aber merkwürdig: und wenn man noch tausend solcher Feuilletons schriebe, die Sache selbst kommt dennoch um keinen Schritt voran, und unverständlich bleibt dennoch, wozu all diese Feuilletons überhaupt geschrieben werden.

Sodann schicke ich Ihnen das Tagesgespräch, eine Broschüre unseres Moskauer Professors Timirjazev, die viel Staub aufgewirbelt hat. Es geht darum, daß es bei uns in Moskau und in Rußland überhaupt einen Prof. Bogdanov gibt, Zoologe, eine sehr wichtige Person, Exzellenz, die auf alles und jedes ihre Hand gelegt hat, angefangen von der Zoologie bis hin zur russischen Presse. Diese Person tut ungestraft alles, wozu sie gerade Lust hat. Und dagegen ist Timirjazev zu Felde gezogen. Er hat seinen Aufsatz als Broschüre veröffentlicht, nicht in einer Zeitung, weil, wie gesagt, alle Zeitungen in Bogdanovs Hand sind.[1]) Wenn manchmal die Juden oder Minister ihre Hand auf die Presse legen, warum sollte es dann nicht auch der Mosk. Universität erlaubt sein? Und die Universität hat das in der Person Bogdanovs getan, und zwar ziemlich geschickt... Aber darüber später, wenn wir uns wiedersehen, denn in einem Brief hat das nicht alles Platz.

Als Ergänzung zu der Broschüre schicke ich eine Glosse. Timirjazev kämpft gegen die Scharlatanerie in der Botanik, und ich will sagen, daß die Zoologie genausoviel wert ist wie die Botanik. Lesen Sie die Glosse zu Ende; man muß kein Botaniker oder Zoologe sein, um zu begreifen, wie *niedrig* bei uns das steht, was wir aus Unkenntnis hoch achten.

Wenn die Glosse taugt, dann veröffentlichen Sie sie; wenn sie ungeeignet ist, dann selbstverständlich zum Teufel mit ihr. Die

---

[1]) Durchgestrichen von Čechov: Sogar das »Novoe vremja«.

Glosse wird Ihnen scharf vorkommen, aber ich habe darin nichts übertrieben und bin kein Iota von der Wahrheit abgewichen, denn ich habe mich nur auf dokumentarische Unterlagen gestützt.

Ich unterschreibe mit dem Buchstaben Z und nicht mit meinem eigenen Namen, erstens weil ich die Glosse nicht allein geschrieben habe, zweitens weil der Autor anonym bleiben muß, denn Bogdanov weiß, daß Vagner bei Čechov lebt, und Vagner muß seine Dissertation verteidigen usw. – und wegen meiner Sünden könnte man Vagner ohne jede Erklärung die Dissertation zurückgeben. Und wozu auch meine Unterschrift?

Ein Honorar ist nicht nötig, denn die Hälfte der Glosse besteht aus Timirjazev-Zitaten und Dokumenten.

Zwei Bedingungen also: strenge Geheimhaltung des Namens des Autors und statt eines Honorars ein Pfund Tabak. Für den Fall, daß Sie auch nur eine dieser Bedingungen nicht akzeptieren, bitte ich die Glosse nicht zu veröffentlichen.

Die Glosse kann im Bedarfsfall gekürzt und stilistisch verändert werden.

Ich schreibe an meinem Sachalin und langweile mich, langweile mich ... Das Leben geht mir höchstgradig auf die Nerven.

Ihrem Telegramm nach zu schließen, habe ich Ihnen mit der Erzählung keinen Gefallen getan. Sie sollten sich nicht genieren, sie mir zurückzuschicken. Ich würde sie an den »Sev. vestnik« schicken. Von dort habe ich, à propos, schon zwei Briefe bekommen. In einer Zeitung lange Sachen und noch dazu weiß der Teufel was für welche zu veröffentlichen ist sehr unangenehm.

Ich fahre am 2. oder 3. September nach Moskau.

Ihr Telegramm hat 4 Tage auf der Station herumgelegen. Sie hätten es nicht an die Station adressieren sollen. So wäre es richtig gewesen: Aleksin Čechov.

Ich habe mir einige Landgüter angesehen. Kleine gibt es, aber große, die für Sie geeignet wären, gibt es nicht. Die kleinen kosten 1 ½, 3 und 5 Tausend. Für anderthalb Tausend 40 Desjatinen, einen Riesenteich, und ein Häuschen mit Park.

Ach, wie mir die Patienten auf die Nerven gehen! Heute hat ein Gutsbesitzer einen Schlaganfall bekommen, und man schleppt mich zu ihm in einem klapprigen, rüttelnden Wägelchen. Am meisten auf die Nerven gehen mir die Weiber mit Säuglingen und die Pulver, die so langweilig auszuwiegen sind.

Aleksandr hat einen Sohn bekommen.

Uns steht ein Hungerjahr bevor. Wahrscheinlich mit allen möglichen Krankheiten und kleinen Aufständen.

An Anna Ivanovna, Nastja und Borja einen ergebenen Gruß und alles Gute.

Ich gehe baden. Das Wasser ist kalt. Es prickelt. Bleiben Sie gesund. *Ihr A. Čechov.*

Nach dem 2. September schreiben Sie bitte nach Moskau, Mal. Dmitrovka, Hs. Firgang.

Was macht die Gesundheit von Aleksej Aleks.? Der Schnupfen?

350) AN A.S. SUVORIN BOGIMOVO, 30. 8. 1891

30. Aug.

Ihnen gefällt die Erzählung, na Gott sei Dank. In letzter Zeit bin ich verteufelt argwöhnisch geworden. Mir kommt es dauernd so vor, als trüge ich abgewetzte Hosen, schriebe nicht das, was ich sollte, und als gäbe ich den Patienten die falschen Pulver. Wahrscheinlich eine Psychose.

Wenn der Name Ladzievskij tatsächlich unschön ist, kann man ihn auch anders nennen. Meinetwegen Lagievskij. Von Koren sollte von Koren bleiben. Es gibt einen Schwall von Vagners, Brandts, Fauseks usw., die den russischen Namen in der Zoologie negieren, obgleich sie alle Russen sind. Einen Kovalevskij gibt es übrigens. Nebenbei, das russische Leben ist zur Zeit dermaßen durcheinandergeraten, daß alle Namen möglich sind.

Sachalin bewegt sich voran. Manchmal möchte ich 3–5 Jahre dasitzen und hart daran arbeiten, manchmal dagegen, in Augenblicken des Mißtrauens, möchte ich einfach drauf pfeifen. Bei Gott, es wäre schön, ihm zwei, drei Jahre zu widmen! Ich schreibe viel dummes Zeug, weil ich kein Spezialist bin, aber ich schreibe wirklich auch manches Vernünftige. Und Sachalin ist deshalb schön, weil es noch hundert Jahre nach mir leben, weil es Quelle und Hilfsmittel sein könnte für alle, die sich mit dem Strafvollzug beschäftigen und sich dafür interessieren.

Sie haben recht, Euer Exzellenz, in diesem Sommer habe ich viel getan. Noch so einen Sommer, und ich hätte wohl einen Roman geschrieben und mir ein Gut gekauft. Es ist fast ein Witz, ich habe mich nicht nur ernährt, sondern sogar tausend Rubel Schulden abbezahlt. Wenn ich nach Moskau komme, hole ich mir für meinen »Bären« von der Gesellschaft 150–200 Rubel, da sehen Sie, wie Gott unsereinen, den Schwätzer, ernährt.

Interessant und lehrreich ist das Kapitel über die Flüchtlinge und Landstreicher geworden. Wenn ich Sachalin veröffentliche, zumindest teilweise, dann schicke ich es Ihnen.

Jetzt eine Bitte. A. V. Ščerbak schrieb mir, er wolle bei Ihnen ein Buch mit Zeichnungen veröffentlichen (von denen er, übrigens, sehr interessante hat): er will alle seine Feuilletons und Aufsätze versammeln und einen zu einem Fleisch. Er bat mich um Vermittlung. Wenn Sie einverstanden sind, telegraphiere ich ihm nach Vladivostok. Antworten Sie bald, denn die »Petersburg« wird bald in Vladivostok sein.

Daß ich nicht bei Ihnen in Feodosija war, ist ein großer Verlust für meine Gesundheit. Ich verliere an Gewicht.

Erklären Sie mir, worin besteht die Paralyse, von der Sie mir mehrfach erzählt und neulich geschrieben haben? Ist es vielleicht progressive, ja? Nein, mein Herr, Sie leiden nicht an Paralyse, sondern an Langeweile, Pech und Schwefel.

Und was ist mit »Kaštanka«? In den drei Jahren, die sie bei Ihnen herumliegt, hätte ich damit dreitausend verdienen können.

Aleksej Alekseevič richten Sie aus, daß ich ihn beneide. Sie beneide ich auch. Und zwar nicht, weil Ihre Frauen weggefahren sind, sondern weil Sie im Meer baden und in einem warmen Haus wohnen. In meiner Scheune ist es kalt. Ich wünschte mir jetzt Teppiche, einen Kamin, Bronzestatuen und gelehrte Gespräche. Oh weh, aus mir wird nie ein Tolstojaner! An den Frauen liebe ich vor allem die Schönheit, und an der Menschheitsgeschichte – die Kultur, die sich äußert in Teppichen, gefederten Equipagen und Schärfe des Denkens. Ach, wäre ich doch nur bald ein kleines altes Männchen mit einem großen Schreibtisch!

Ich grüße Anna Ivanovna und Evgenija Konstantinovna und wünsche ihnen alles Gute. Wenn Anna Ivanovna, wie Sie schreiben, eine Wanderniere hat, das ist doch ungefährlich.

Gott beschütze Sie! *Ihr A. Čechov.*

P.S. Wenn Sie nach Hause fahren, bringen Sie mir Pfefferschoten mit, die in Feodosija so gut sind. Rote und grüne.

Haben Sie die Kritik der Zoologie bekommen?

Was Ladzievskij abschreibt? In der Provinz verrichten alle Schreibarbeiten die kleinen Kanzleiangestellten gegen besondere Bezahlung, die Titularräte und Assessoren trinken Vodka.

Wenn ich aus dem »Duell« die zoologischen Gespräche rauswerfe, würde es dann nicht lebendiger?

Schreiben Sie mir jetzt nach Moskau: Malaja Dmitrovka, Haus Firgang.

351) AN A. S. SUVORIN MOSKAU, 8. 9. 1891

8. Sept., Ml. Dmitrovka, Hs. Firgang.

Ich bin bereits nach Moskau umgezogen und sitze fest zu Hause. Meine Familie kümmert sich um einen Wohnungswechsel, und ich schweige, weil ich zu faul bin mich umzudrehen. Um es billiger zu haben, wollen sie ans Devičje pole umziehen.

Der von Ihnen vorgeschlagene Titel »Die Lüge« paßt nicht für meine Novelle. Er wäre nur dort angebracht, wo von einer bewußten Lüge die Rede ist. Eine unbewußte Lüge ist keine Lüge, sondern ein Irrtum. Daß wir Geld besitzen und Fleisch essen, nennt Tolstoj eine Lüge – das ist zu viel.

Gestern erhielt ich die Nachricht, daß Kurepin hoffnungslos krank ist. Er hat Kehlkopfkrebs. Bevor er stirbt, wird der Krebs ihm den halben Kopf zerfressen und ihn mit Neuralgien quälen. Man sagt, Kurepins Frau habe Ihnen geschrieben.

Ja, so sammelt der Tod die Menschen nach und nach ein. Er versteht sein Handwerk. Schreiben Sie ein Stück: ein alter Chemiker hat das Elixier der Unsterblichkeit erfunden – 15 Tropfen davon, und man lebt ewig. Aber der Chemiker zerschlägt die Fiole mit dem Elixier, aus Angst, daß so ein Aas wie er oder seine Frau ewig leben könnten. Tolstoj verweigert der Menschheit die Unsterblichkeit, aber mein Gott, wieviel Persönliches darin liegt! Ich habe vorgestern sein »Nachwort« gelesen. Schlagen Sie mich tot, aber das ist dümmer und dumpfer als die »Briefe an eine Gouverneursgattin«, die ich verachte. Der Teufel soll sie holen, die Philosophie der Großen dieser Welt! Alle großen Weisen sind despotisch wie Generale, und unhöflich und unsensibel wie Generale, weil sie davon überzeugt sind, straffrei auszugehen. Diogenes hat anderen in den Bart gespuckt, weil er wußte, daß man ihm dafür nichts tun würde; Tolstoj beschimpft die Ärzte als Schufte und flegelt herum in großen Fragen, weil er genauso ein Diogenes ist, den man nicht aufs Revier schleppen und in den Zeitungen nicht beschimpfen kann. Also zum Teufel mit der Philosophie der Großen dieser Welt! Die ganze Philosophie, mit all ihren idiotischen Nachworten und Briefen an Gouverneursgattinnen, ist nicht eine Stute aus dem »Leinwandmesser« wert.

Grüßen Sie Aleksej Petrovič und wünschen Sie ihm gute Gesundheit, Lust und Laune und verführerische Träume. Ich wünsche ihm einen Traum von einer nackten Spanierin mit Gitarre.

Anna Ivanovna und Aleksej Alekseevič nebst Kinderschar meine beste Empfehlung.

Bleiben Sie gesund und vergessen Sie mich Sünder nicht. Ich langweile mich sehr. *Ihr A. Čechov.*

352) AN E.M. ŠAVROVA MOSKAU, 16. 9. 1891

16. September.

Wir alten Junggesellen riechen nach Hund? Meinetwegen, aber darüber, daß Frauenärzte in ihrem Herzen Schürzenjäger und Zyniker seien, erlauben Sie mir mit Ihnen zu streiten. Gynäkologen haben es mit der härtesten Prosa zu tun, von der Sie nicht einmal träumen können und der Sie vielleicht, wenn Sie sie kennen würden, mit der Ihrer Phantasie eigenen Grausamkeit einen noch schlimmeren Geruch als Hundegeruch zuschreiben würden. Wer ständig zur See fährt, – der liebt das Festland; wer ewig in der Prosa steckt, der sehnt sich leidenschaftlich nach Poesie. Alle Gynäkologen sind Idealisten. Ihr Doktor liest Gedichte, Ihr Gespür hat Ihnen die Wahrheit gewiesen; ich würde hinzufügen, er ist ein großer Liberaler, neigt zum Mystiker und träumt von einer Ehefrau im Sinne der russischen Frau von Nekrasov. Der berühmte Snegirëv spricht von der »russischen Frau« nicht anders als mit einem Beben in der Stimme. Ein anderer Gynäkologe, den ich kenne, ist verliebt in eine geheimnisvolle verschleierte Unbekannte, die er aus der Ferne gesehen hat. Ein dritter geht zu allen Premieren ins Theater, – und schimpft dann laut in den Garderoben, aus der Überzeugung, daß die Autoren die Pflicht hätten, nur ideale Frauen darzustellen usw. – Sie haben weiter übersehen, daß ein dummer oder mittelmäßiger Mensch kein guter Gynäkologe sein kann. Geist, und sei es der eines Seminaristen, strahlt heller als eine Glatze. Sie dagegen haben die Glatze bemerkt, hervorgehoben, und den Geist über Bord geworfen. Weiter haben Sie bemerkt und hervorgehoben, daß ein dicker Mensch – brrr! – irgendwelches Fett ausscheidet, aber vollkommen übersehen, daß er Professor ist, d. h. daß er einige Jahre nachgedacht und etwas getan hat, das ihn über Millionen von Menschen hinausgehoben hat, über alle Veročkas und Griechinnen von Taganrog, über alle möglichen Diners und Weine. Noah hatte drei Söhne: Sem, Ham und Japhet, glaube ich. Ham bemerkte nur, daß sein Vater ein Trinker war, und übersah dabei völlig, daß Noah genial war, daß er die Arche gebaut und die

Welt gerettet hatte. Schreibende sollten Ham nicht nacheifern. Schreiben Sie sich das hinter die Ohren. Ich wage nicht, Sie darum zu bitten, Gynäkologen und Professoren zu lieben, aber ich wage, Sie an die Gerechtigkeit zu erinnern, und die ist für einen objektiven Schriftsteller wichtiger als die Luft.

Das Mädchen aus dem Kaufmannsstand ist hervorragend gemacht. Gut in der Rede des Doktors ist die Stelle, wo er von seinen Zweifeln an der Medizin spricht, aber es ist nicht nötig, daß er nach jedem Satz trinkt. Liebe zu einer Leiche – das ist eine Überreizung Ihres befangenen Denkens. Sie haben keine Leichen gesehen.

Damit vom Besonderen zum Allgemeinen. Hier erlauben Sie mir, nach der Polizei zu rufen. Das ist keine Erzählung und keine Novelle, kein Kunstwerk, sondern eine lange Reihe schwerfälliger, düsterer Kasernen.

Wo ist Ihr Gefühl für Architektur geblieben, mit dem Sie Ihren ergebenen Diener anfangs so bezaubert hatten? Wo die Leichtigkeit, Frische, Grazie? Lesen Sie Ihre Erzählung: Beschreibung eines Diners, dann Beschreibung der vorbeigehenden Damen und Fräuleins, – dann Beschreibung der Kumpane, – dann Beschreibung eines weiteren Diners... und so ohne Ende. Beschreibungen, Beschreibungen, Beschreibungen... und Handlung überhaupt keine. Sie müßten direkt mit der Kaufmannstochter anfangen, bei ihr bleiben, und Veročka raus, die Griechinnen raus, – alle raus... Außer dem Arzt und der Kaufmannssippe.

Wir müssen miteinander reden. Sie ziehen also nicht nach Petersburg. Ich hatte damit gerechnet, Ihnen in Petersburg zu begegnen, wohin Sie, davon war Miša überzeugt, ziehen wollten. Bleiben Sie gesund. Die Engel des Herrn mögen Sie beschützen. Ihre Phantasie beginnt interessant zu werden.

Entschuldigen Sie den langen Brief. *Ihr A. Čechov.*

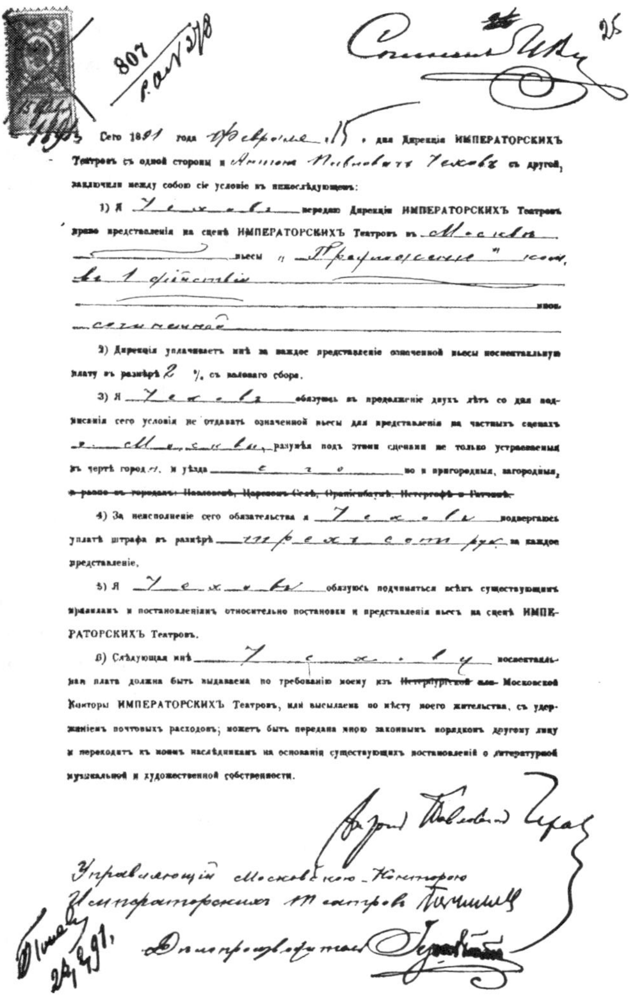
807

Сего 1891 года Февраля 15, для Дирекціи ИМПЕРАТОРСКИХЪ Театровъ съ одной стороны и Антоном Павловичем Чеховым съ другой, заключили между собою сіе условіе въ нижеслѣдующемъ:

1) Я Чехов передаю Дирекціи ИМПЕРАТОРСКИХЪ Театровъ право представленія на сценѣ ИМПЕРАТОРСКИХЪ Театровъ въ Москве пьесы „Предложение" ком. в 1 действии моего сочинения.

2) Дирекція уплачиваетъ мнѣ за каждое представленіе означенной пьесы поспектакльную плату въ размѣрѣ 2 %, съ валового сбора.

3) Я Чехов обязуюсь въ продолженіе двухъ лѣтъ со дня подписанія сего условія не отдавать означенной пьесы для представленія на частныхъ сценахъ г. Москвы, разумѣя подъ этими сценами не только устроенныя въ чертѣ города и уѣзда его но и пригородныя, загородныя, ~~а равно въ городахъ: Павловскѣ, Царскомъ Селѣ, Ораніенбаумѣ, Петергофѣ и Гатчинѣ.~~

4) За неисполненіе сего обязательства я Чехов подвергаюсь уплатѣ штрафа въ размѣрѣ трехсот руб. за каждое представленіе.

5) Я Чехов обязуюсь подчиняться всѣмъ существующимъ правиламъ и постановленіямъ относительно постановки и представленія пьесъ на сценѣ ИМПЕРАТОРСКИХЪ Театровъ.

6) Слѣдующая мнѣ Чехову поспектакльная плата должна быть выдаваема по требованію моему изъ ~~Петербургской или~~ Московской Конторы ИМПЕРАТОРСКИХЪ Театровъ, или высылаема по мѣсту моего жительства, съ удержаніемъ почтовыхъ расходовъ; можетъ быть передана мною законнымъ порядкомъ другому лицу и переходитъ къ моимъ наслѣдникамъ на основаніи существующихъ постановленій о литературной музыкальной и художественной собственности.

Антон Павлович Чехов

Управляющий Московскою Конторою Императорских Театров Пчельников

Vertrag Čechovs mit der Direktion der Kaiserlichen Theater über die Aufführung des Einakters »Der Heiratsantrag«, abgeschlossen am 15. 2. 1891.

353) AN M. N. ALBOV MOSKAU, 30. 9. 1891

30. September.

Verehrter Michail Nilovič, ich habe eine kleine Novelle für Sie fast fertig: skizziert, aber nicht ausgearbeitet und nicht ins Reine geschrieben. Zu arbeiten wäre daran 1–2 Wochen, nicht länger. Sie heißt so: »Erzählung eines meiner Patienten«. Aber mich bestürmen Zweifel sehr ernster Art: wird die Zensur sie durchlassen? Der »Severn. vestn.« unterliegt doch der Zensur, und meine Erzählung kann, obgleich sie keinerlei schädliche Lehren predigt, dennoch in ihrer personellen Zusammensetzung dem Zensor mißfallen. Erzählt wird sie von der Person eines ehemaligen Sozialisten, und als Held Nr. 1 figuriert in ihr der Sohn des Stellvertretenden Innenministers. Weder der Sozialist noch der Sohn des Stellvertretenden Innenministers sind bei mir stille Knaben und befassen sich in der Erzählung mit Politik, aber ich fürchte dennoch, oder halte es zumindest für verfrüht, diese Erzählung dem Publikum anzukündigen. Ich werde Ihnen die Erzählung schicken, Sie werden sie lesen und entscheiden, was weiter geschehen soll. Wenn die Zensur sie Ihrer Meinung nach durchlassen wird, dann schicken Sie sie in den Satz und kündigen Sie sie an, wenn Sie dagegen, nach der Lektüre, meine Bedenken für begründet halten, dann schicken Sie sie mir bitte zurück, ohne sie setzen zu lassen und zur Zensur zu schicken, denn wenn der Zensor sie nicht genehmigt, wäre es unangebracht für mich, sie an einen Verlag zu schicken, der nicht der Zensur unterliegt: wenn man dort erfährt, daß die Zensur sie nicht durchgelassen hat, bekommt man es mit der Angst und veröffentlicht sie nicht.

Grüßen Sie Kazimir Stanislavovič und sagen Sie ihm, ich wünsche ihm alles Gute.

Bleiben Sie gesund.

Ihr aufrichtig ergebener *A. Čechov.*

354) AN E. P. EGOROV MOSKAU, 5. 10. 1891

5. Oktober.

Sehr geehrter Evgraf Petrovič!

Ich muß Sie dringend sehen. Wenn Sie diesen Brief, den ich aufs Geratewohl schicke, noch vor dem 12. Oktober bekommen und wenn Sie noch immer Zemstvovorsitzender sind, könnten Sie mir dann nicht so bald wie möglich telegraphieren, an welchem Tag und welchem Ort im Gouvernement Nižnij Novgorod ich Sie antreffen kann?

Meine Adresse: Moskau, Malaja Dmitrovka, Haus Firgang, Čechov.

In aufrichtiger Hochachtung *A. Čechov.*

Am 12. Oktober werde ich in Nižnij sein und, wenn ich Ihre Adresse finde, Sie noch am selben Tage aufsuchen.

355) AN A. S. SUVORIN MOSKAU, 13. 10. 1891

13. Oktober.

Also, ich war bei den »Russkie vedomosti«, die »Russkie vedomosti« waren bei mir. Alle Kosten für den Almanach (ca. 4 Tausend) werden von ihnen übernommen. Ihr Vorschlag wurde mit Enthusiasmus und Wohlwollen aufgenommen, was mir sehr gefallen hat. Sobolevskij war gerührt, weniger von Ihrem vorteilhaften Angebot als vielmehr von Ihrem Wunsch sich zu beteiligen, er ging fünf Minuten von einer Zimmerecke in die andere. Wegen der Parteilichkeiten, politischen Richtungen usw. hatte ich, offen gesagt, gewisse Spannungen erwartet, aber es kam ganz anders. Im Gespräch mit mir, wie auch untereinander, nannte man Sie nicht Suvorin, sondern Aleksej Sergeevič, man sprach von Ihrer beständigen Aufrichtigkeit, Güte, Anteilnahme usw., und ein solch reines, uneingeschränkt literarisches Verhältnis zu Ihnen und Ihrem Delegierten hat auf mich solch einen Eindruck gemacht, daß ich mich drei Tage hintereinander mit ihnen traf, mit ihnen sprach, essen ging usw.

Der Vorschlag, die Spendensumme auf 10 Tausend zu erhöhen, erwies sich als sehr verlockend. Es wurde eine außerplanmäßige Sitzung anberaumt mit Sobolevskij, Čuprov & Co. Und beschlossen:

1) Der Almanach soll bis spätestens 15. Dezember erscheinen.

2) Das literarische Material ist von den Autoren bislang jedoch nur zugesagt worden und liegt noch nicht vor.

3) Angenommen, daß die großen Redaktionen den Vorschlag an A. S. Suvorin akzeptieren, ist kaum anzunehmen, daß sie sämtliche Erzählungen und Aufsätze des Almanachs rechtzeitig veröffentlichen können. Die Zeitungen – ja, die Zeitschriften – nein. Das Dezemberheft jeder Zeitschrift geht Anfang November in Satz, auch wenn die Manuskripte der Autoren noch nicht vollständig vorliegen; das Januarheft – Anfang Dezember, d.h. zu einem Zeitpunkt, wo der Almanach bereits erschienen sein soll.

Also: Ihr Vorschlag würde die Veröffentlichung des Almanachs bis zum Frühjahr hinauszögern.

Das ist offiziell. Hier das Inoffizielle: die »Russkaja mysl« wird nicht einwilligen, weil man dort von einem eigenen Almanach träumt, und die »Novosti« haben ein gespanntes Verhältnis zu den »Russkie vedomosti«, und sich an die »Novosti« zu wenden, ist *unangenehm.*

Über den weiteren Gang der Ereignisse werde ich Sie auf dem laufenden halten.

Die »Zauberkünstler« sind ja erschienen! Schön, nur sagen Sie *niemandem,* wer der Autor ist. Gnade Ihnen Gott!

Private Initiative beim Spendensammeln ist verboten. Der Minister hat es der Morozova ausgeschlagen, indem er ihr kategorisch erklärte, Spenden sammeln und verteilen dürften nur die Eparchialbehörden und das Rote Kreuz.

Ich kann nicht wegfahren, weil ich aus Piter meinen Paß erwarte.

Meine Tante liegt im Sterben.

Überlegen Sie es sich mit der Wochenzeitung »Novoe vremja«. Ich stehe gern zu Diensten.

Ich langweile mich so, daß ich wahrscheinlich noch vor November nach Piter kommen werde. Das Wetter ist mörderisch, Nebel. Geld habe ich keins, am Arbeiten werd ich gehindert, der Mungos hüpft herum usw. usf.

Bleiben Sie gesund. *Ihr A. Čechov.*

356) AN A.S. SUVORIN MOSKAU, 19. 10. 1891

19. Okt.

Großartig ist Ihr »Kleiner Brief« geworden! Er ist mit Feuer, schön geschrieben, und seine Gedanken sind alle richtig bis auf einen. Gegenwärtig von Faulheit, Trunksucht usw. zu sprechen, ist ebenso merkwürdig, wie einem Menschen Vernunft beibringen zu wollen, der sich gerade übergibt oder Typhus hat. Sattheit enthält, wie jede andere Kraft, immer auch ein bestimmtes Maß an Frechheit, und dies äußert sich vor allem darin, daß der Satte dem Hungrigen Lehren erteilt. Wenn einem bei einem ernsten Leiden schon Trost widerwärtig erscheint, wie muß dann erst Moral wirken, wie dumm, wie kränkend muß diese Moral erscheinen. Nach Meinung der Satten ist jeder, der 15 Rubel im Rückstand ist, schon ein Leichtfuß, der auch nicht trinken darf, dabei sollte man mal zusammenrechnen, was für Rückstände die Staaten, die Premierminister haben, was für Schulden all die Adelsmarschälle und Bischöfe haben, alle zusammengenommen. Was für Schulden die Garde hat! Das wissen nur die Schneider.

Meine Marschroute ist die. Vor allem will ich mir die Erzählung für den »Almanach« vom Halse schaffen. Es ist eine große Erzählung, fast zwei Bogen, eine von der Sorte, die langweilig und schwer auszuführen ist, ohne Anfang und ohne Ende – ich schaffe sie mir vom Halse – und zum Henker mit ihr. Dann fahre ich ins Gouvernement des Generals Baranov; eine Fahrt auf der Volga und dann zu Pferde. Dann komme ich zu Ihnen. Nach Zarajsk möchte ich nicht. Ich kann im Winter keine Güter besichtigen. Was unterm Schnee verborgen liegt oder von kahlen Bäumen umgeben ist, kann ich einfach nicht beurteilen, und zwar aus Voreingenommenheit.

Sie haben mir 400 schicken lassen? Vivat dominus Suvorin! In Anrechnung auf das »Duell« habe ich von Ihrer Firma also bereits 400 + 100 + 400 bekommen. Insgesamt werden es, nach meiner Rechnung, ungefähr 1400. Also 500 zur Abzahlung der Schulden. Na, Gott sei Dank. Bis zum Frühjahr muß ich unbedingt die ganzen Schulden abbezahlt haben, sonst kriege ich die Schwindsucht, ich will mir im Frühjahr nämlich wieder von *allen* Redaktionen einen Vorschuß geben lassen. Und damit nach Java fliehen.

Die Antwort Viskovatovs, veröffentlicht in den »Novosti«, hat etwas Spitzbübisches (Sie einen Feuilletonisten zu nennen u. a.), als Mensch ist er offenbar ebensowenig berauschend wie seine Kenntnis der russischen Sprache, aber hat er denn wirklich ein Plagiat geschrieben? Der Ton Ihres Feuilletons macht eine Musik, die jeder sehr wohl versteht. Nun ja, das Elend macht auch vor Professoren nicht Halt.

Ach, meine Lieben, diese Langeweile! Wenn ich Arzt bin, dann sollte ich Patienten haben und ein Krankenhaus; wenn ich Literat bin, sollte ich unter Menschen leben und nicht in der Malaja Dmitrovka, mit einem Mungos. Dann sollte ich wenigstens ein Stückchen gesellschaftliches und politisches Leben haben, wenigstens ein kleines Stückchen, aber dieses Leben in meinen vier Wänden, ohne Natur, ohne Menschen, ohne Vaterland, ohne Gesundheit und Appetit – das ist kein Leben, sondern irgendein [...] und nichts weiter.

Um aller Barsche und Hechte willen, die Sie auf Ihrem Gut in Zarajsk fangen werden, ich bitte Sie, verlegen Sie den englischen Humoristen Bernard. Geben Sie ihn in Satz.

Ich grüße herzlich die Ihren. Bleiben Sie tausend Jahre lang gesund. *Ihr A. Čechov.*

N. M. Ežov hat Ihnen die Erzählung »Kleinliche Naturen« geschickt. Er fragt: taugt sie was?

357) AN M. N. ALBOV MOSKAU, 22. 10. 1891

22. Okt. 91

Sehr geehrter

Michail Nilovič!

Ich habe mich ein bißchen vergaloppiert. Die Novelle, von der ich Ihnen in meinem letzten Brief geschrieben hatte, habe ich vorläufig beiseitegelegt. Daß die Zensur sie nicht durchläßt, unterliegt keinem Zweifel mehr, und sie Ihnen zu schicken, würde nur bedeuten, daß Sie Ihre Zeit verschwenden und doch ohne Erzählung bleiben, die Sie unbedingt für das Januarheft von mir haben wollen. Suvorin war neulich in Moskau, und als ich ihm die ersten 20 Zeilen vorgelesen und ihm das Gerüst erzählt hatte, sagte er: – »Ich würde mich nicht entschließen, das zu drucken.« Nun denn, ich habe mich ein bißchen vergaloppiert, und habe beschlossen: diese Novelle einige Zeit liegenzulassen und für Sie etwas anderes zu schreiben.

Ich schreibe auch bereits, obwohl ich gestehen muß, mein Schreiben bewegt sich nur mühsam voran. In den ersten Novembertagen werde ich in Petersburg sein und Sie aufsuchen. Ich werde mir Mühe geben, die Erzählung bis dahin fertig zu haben; wenn sie nicht fertig wird, schreibe ich sie in Petersburg zu Ende. Verzeihen Sie um Gottes willen. *Ihr A. Čechov.*

358) AN A. S. SUVORIN MOSKAU, 25. 10. 1891

25. Okt.

Die Schülerinnen des Pensionats Rževskaja schicken an die Redaktion des »Novoe vremja« zugunsten der Hungernden 5 R. 85 K. Lassen Sie das veröffentlichen, das Geld habe ich Aleksej Alekseevič gegeben.

Ich habe Al. Al. abgeraten, nach Zarajsk zu fahren. Erstens soll ein Mensch, der Schnupfen hat, nicht 25 Verst über holprige Straßen fahren, über Straßen, auf denen man zur Zeit weder auf Kufen noch auf Rädern vorwärtskommt – das ist wirklich nicht in Ordnung; zweitens besichtigt man im Winter Güter nur, wenn man von ihnen enttäuscht werden will; drittens kann er auch im April fahren, das Gut läuft nicht weg, wohingegen sich die Pläne ändern können, und viertens möchte ich morgen mit ihm bei Testov essen – das ist das Wichtigste.

Bringen Sie das »Duell« nicht 2mal wöchentlich, sondern nur einmal. Zweimaliges Erscheinen stört die lange eingefahrene Ordnung in der Zeitung und könnte so aussehen, als wollte ich den anderen einen Tag pro Woche wegnehmen, dabei ist es für mich und meine Novelle vollkommen gleichgültig, ob sie ein- oder zweimal wöchentlich erscheint.

Die schreibende Zunft von Petersburg redet über nichts anderes als über meine unlauteren Absichten. Eben bekam ich die angenehme Nachricht, ich würde die reiche Sibirjakova heiraten. Überhaupt bekomme ich viele schöne Nachrichten.

Jede Nacht wache ich auf und lese »Krieg und Frieden«. Es liest sich mit solcher Neugier und solch naivem Staunen, als hätte man es noch nie gelesen. Es ist bemerkenswert gut. Ich mag nur die Stellen nicht, in denen Napoleon vorkommt. Sobald von Napoleon die Rede ist, kommt es zu erzwungenen Behauptungen und allen möglichen Kunststückchen, die beweisen sollen, daß er dümmer gewesen sei als er tatsächlich war. Alles, was Pierre, Fürst Andrej oder der vollkommen unbedeutende Nikolaj Rostov tun und sagen, – all das ist gut, klug, natürlich und ergreifend; alles, was Napoleon denkt und tut, – all das ist unnatürlich, dumm, aufgeblasen und absolut bedeutungslos. Wenn ich in der Provinz leben werde (wovon ich derzeit Tag und Nacht träume), werde ich meiner Arztpraxis nachgehen und Romane lesen.

Nach Petersburg kommen werde ich nicht.

Wenn ich in der Umgebung des Fürsten Andrej gewesen wäre, ich hätte ihn geheilt. Es ist merkwürdig zu lesen, daß die Wunde des Fürsten, eines reichen Mannes, der Tag und Nacht einen Arzt um sich hat, von Nataša und Sonja gepflegt wird, Leichengeruch verbreitet. Wie kümmerlich die Medizin doch damals war! Tolstoj mußte, als er seinen dicken Roman schrieb, zwangsläufig vom Haß auf die Medizin durchdrungen gewesen sein.

Bleiben Sie gesund. Meine Tante ist gestorben.

Ihr A. Čechov.

359) AN A. S. SUVORIN MOSKAU, 22. 11. 1891

22. November.

Meine Gesundheit ist auf dem Wege der Besserung. Ich habe nicht mehr so starken Husten, mehr Kraft, Lebenslust und den Sonnenaufgang im Kopf. Morgens wache ich fröhlich auf, gehe ohne finstere Gedanken schlafen, und beim Essen bin ich nicht mehr so launisch und sage meiner Mutter keine Frechheiten mehr.

Wann ich zu Ihnen komme, weiß ich nicht. Ich habe viel Arbeit pour manger. Bis zum Frühjahr muß ich arbeiten, d. h. leeres Stroh dreschen. An meinem Horizont ist der Strahl der Freiheit aufgeblitzt. Es riecht nach freiem, ungebundenem Leben. Gestern habe ich aus dem Gouv. Poltava einen Brief bekommen. Man schreibt, man habe ein geeignetes Gut für mich gefunden. Das Haus aus Stein, mit sieben Zimmern und einem Eisendach, vor kurzem erst gebaut und keiner Reparaturen bedürftig, Stall, Keller, Eiskeller, 6 Desjatinen Land, sehr schöner Heuboden, alter schattiger Garten und Psëlufer. Das Ufer des Psël gehört mir. Auf der gegenüberliegenden Seite ein wunderbarer Blick aufs freie Land. Ganz in der Nähe von Soročincy. Der Preis barmherzig. Dreitausend sofort, und zweitausend verteilt über einige Jahre in Raten. Insgesamt fünf. Wenn der Himmel sich meiner erbarmt und der Kauf zustandekommt, dann werde ich im März *für ganz* umziehen, um neun Monate im Stillen, im Schoße der Natur zu leben, und die übrige Zeit des Jahres in Petersburg. Ich schicke meine Schwester, das Gut zu besichtigen. Der Zemstvovorsitzende, von dem ich den Brief bekam, ist begeistert von meinem künftigen Herzogtum.

Ach, Freiheit, Freiheit! Wenn ich im Jahr nicht mehr als zweitausend verbrauche, was nur auf einem Landgut möglich ist, werde ich frei sein von allem finanziellen Einkünfte-Ausgaben-

Denken. Dann werde ich arbeiten und lesen, lesen... Mit einem Wort, kein Leben, sondern Marmelade.

Warum glauben Sie, »Kaštanka« brächte mir keinen Gewinn? Und seien es 25 R., aber die bekäme ich. Unter der Bedingung, daß sie lange vorrätig gehalten und gut verbreitet wird, kann sie viel einbringen.

Vielleicht komme ich nach dem 10. Dezember.

Auf die Erzählung warte ich voll Schadenfreude. Bleiben Sie gesund. *Ihr A. Čechov.*

360) AN A. S. SUVORIN MOSKAU, 30. 11. 1891

30. November

Ich schicke Ihnen die beiden mir über die Dependance zugegangenen Manuskripte zurück. Die eine Erzählung ist die indische Legende. Lotosblüten, Lorbeerkränze, Sommernacht, Kolibris – so ist das nämlich in Indien! Es beginnt mit Faust, der nach Jugend lechzt, und endet mit dem »Heil des wahren Lebens« im Sinne Tolstojs. Ich habe einiges gestrichen, geglättet, und herausgekommen ist ein Märchen, kein großartiges, aber ein leichtes, das man mit Interesse liest. Die andere Erzählung ist analphabetisch, auf Weiberart gemacht und plump, aber sie hat eine Fabel und einigen Pfeffer. Ich habe sie, wie Sie sehen werden, um die Hälfte gekürzt. Beide Erzählungen kann man veröffentlichen... Und ich glaube, wenn man noch ein paar solcher Erzählungen sammelte und sie dann in der Korrektur läse, könnte eine interessante und vielfältige Weihnachtsnummer herauskommen. In der zweiten Erzählung spielt übrigens ein Tannenbaum eine Rolle.

Ežov sieht wenig und weiß wenig, aber warten Sie noch, bevor Sie den Stab über ihn brechen. Vielleicht wird aus ihm und Lazarev doch noch etwas. Lazarev ist klug und hätte nicht damit anfangen sollen, für Moskauer Zeitungen zu schreiben. Haben Sie etwas dagegen, wenn ich zum nächsten Samstag ein Moskauer Feuilleton schreibe? Ich möchte die Jugendzeit aufleben lassen!

Ich träume und träume. Ich träume davon, wie ich im März auf meinen Bauernhof umziehe, und dann im Oktober-November nach Piter komme, um bis März dort zu leben. Ich möchte wenigstens einmal einen Winter in Piter leben, und das ist nur unter der einen Bedingung möglich, – daß ich in Moskau keine Bärenhöhle mehr habe. Und ich träume davon, fünf Monate lang mit Ihnen über Literatur zu reden und für das »Novoe vremja« das zu tun, was ich vermag. Und auf dem Bauernhof dann – Medizin aus Leibeskräften.

Boborykin war bei mir. Er träumt ebenfalls. Er sprach davon, daß er so etwas wie eine Physiologie des russischen Romans schreiben wolle, seinen Ursprung bei uns und seinen natürlichen Entwicklungsweg. Während er davon sprach, konnte ich den Gedanken nicht loswerden, einen Besessenen vor mir zu sehen, aber einen von Literatur Besessenen, dem die Literatur im Leben über alles geht. Ich begegne in Moskau so selten wirklichen Literaten, daß mir das Gespräch mit Boborykin vorkam wie himmlisches Manna, obwohl ich an eine Physiologie des Romans und seinen natürlichen Entwicklungsweg nicht glaube, d. h. vielleicht gibt es diese Physiologie in der Natur, aber ich glaube nicht, daß man sie mit den derzeit existierenden Methoden einfangen kann. Gogol wehrt Boborykin mit beiden Händen ab und will ihn nicht anerkennen als Stammvater von Turgenev, Gončarov, Tolstoj... Er sieht ihn abseits, außerhalb des Flußbetts, durch das der russische Roman dahingeflossen ist. Nun, ich verstehe von alledem nichts. Aber wenn man schon den Standpunkt einer natürlichen Entwicklung annimmt, dann kann man weder Gogol, noch auch nur das Gebell eines Hundes außerhalb des Flußbetts sehen, denn alles in der Natur beeinflußt sich gegenseitig, und sogar der Umstand, daß ich eben geniest habe, bleibt nicht ohne Einfluß auf die mich umgebende Natur.

Sie sprachen davon, daß wir eine Erzählung gemeinsam schreiben wollten. Wenn ja, dann schreiben Sie sie nicht zu Ende, sondern lassen Sie mir ein Stückchen. Wenn Sie den Gedanken, etwas gemeinsam zu schreiben, aufgegeben haben, dann schreiben Sie sie rasch zu Ende und beginnen Sie mit einer neuen. Lassen Sie uns im Sommer zwei, drei Erzählungen für Sommerleser schreiben: Sie den Anfang, ich den Schluß.

Heute wurde Kurepin beerdigt. Es war auch ein Kranz vom »Novoe vremja« da. Von allen sechs Kränzen war er der größte, aber nicht der schönste. Irgendwie merkwürdig der Gedanke, daß man in ein neues Stück geht und im Theater dem Stammgast Kurepin nicht mehr begegnen wird.

Sie haben Angst vor der influenza? Aber die haben Sie doch schon hinter sich. Sie haben, abgesehen von Ihren schwachen Nerven, die müde und deshalb überreizt sind, eine starke Gesundheit, wovon ich mehr und mehr überzeugt bin. Sie werden noch 26 Jahre und 7 Monate leben.

Bleiben Sie gesund. Ich lese das »Tagebuch eines Provinzlers« von Ščedrin. Wie lang und langweilig das ist! Und wie ähnlich der Gegenwart.

An Anna Ivanovna einen herzlichen Gruß. *Ihr A. Čechov.*

361) AN A. S. SUVORIN MOSKAU, 3. 12. 1891

3. Dezember.

Nach Erhalt der »Kaštanka«-Fahnen habe ich mich sofort ans Korrigieren gemacht und ein neues Kapitel geschrieben. Ich habe das Märchen auf eine größere Zahl von Kapiteln verteilt. Jetzt sind es nicht mehr 4 Kapitel, sondern 7. Das neue Kapitel ergibt ein paar mehr Seiten, aber es gewinnt ja vielleicht etwas. Den Hausfreund und die untreue Frau habe ich natürlich rausgeworfen. Die Fahnen schicke ich an Sie, und Sie schicken sie Neupokoev mit der Erklärung, weshalb ein neues Kapitel. Wenn dieses Kapitel Ihnen als Nachklang erscheint, werfen Sie es weg.

Haben Sie die beiden Manuskripte bekommen?

Bei mir war gestern Fürst Urusov, er saß von 7 Uhr bis 12½ in der Nacht und erzählte von französischen Literaten. Er ist ein gebildeter, reicher Mann, der sich begeistern kann für Flaubert und [...], und der offenbar sehr mit sich zufrieden ist. Aber auch er hat einen Splitter im Hirn. So wie Sie progressive Paralyse haben, glaubt er, an Rückenmarksdarre zu leiden. Das ist eine quälende und durch nichts begründete idée fixe, genährt durch Podagra und häufige Gespräche mit Ärzten.

Aus Petersburg, aus Vilna und verschiedenen russischen Städten bekomme ich Briefe zum »Duell«. Es schreiben mir wildfremde Leute. Die Briefe sind überaus herzlich und wohlwollend. In den Provinzzeitungen hat man bereits nach dem dritten Feuilleton das »Duell« zu besprechen begonnen. Man kann also damit rechnen, daß sich das Buch rentieren wird.

Wenn »Kaštanka« erschienen ist, lassen Sie 100 Expl. an die Direktion der Tierschutzgesellschaft schicken.

Gestern hat mir ein offenbar sehr junger Mensch aus Voronež ein Manuskript von ca. 40 Druckbogen geschickt, engbeschrieben. Einen Roman. Der Titel ist sehr originell: »Die geistig Armen«. Der junge Autor fleht mich an, ihn durchzulesen und ihm meine Meinung zu schreiben. Stellen Sie sich mein Entsetzen vor! Heute nacht habe ich angefangen, in dem Roman zu blättern, – lauter ehrenhafte Vergangenheit, Dienst am Volke, gemeinsame Interessen, aufgehende Sonne... Ein anderer, aber nicht mehr junger, sondern ein bereits pensionierter Oberst hat mir zwei Manuskripte gebracht: »Die ungebetenen Zivilisatoren oder Die Früchte des Unwissens« und »Der berühmte Droschkenkutscher«. In dem zweiten Manuskript wird ein junger idealistischer Mann geschildert, der aus Not unter die Kutscher gegangen ist (Vorwurf an die gleichgültige Gesellschaft, die ihre besten Vertreter in eine solch schreckliche Lage bringt); und so sitzt der Kutscher auf dem Bock und unterhält sich mit seinen Fahrgästen über Marx, Buckle und die Millsche Logik.

Die Gurevič hat mir keinen Vorschuß gegeben. Was sagt man dazu? Ich bin nicht gekränkt, natürlich nicht, aber ihre Lage! Die Ärmste hat kein Geld, und sie muß die Druckerei bezahlen, das Papier bezahlen, die Autoren bezahlen, Filoksera bezahlen... Für meine Erzählung habe ich 600 Rubel zu bekommen. Ich schrieb ihr, sie solle sich keine Umstände machen und mir das

Honorar schicken, wann sie wolle und wann sie könne. Nebenbei bemerkt bin ich »über das Ziel hinausgeschossen«. Ich habe so viel geschrieben, daß ich, wenn ich das volle Honorar ausgezahlt bekomme, bis zur Abreise aufs Sommerhaus sorgenfrei leben kann.

Allah beschütze Sie! Akakij Moskovskij ist es wahrlich wert, fester Mitarbeiter des »Novoe vremja« zu werden.

Ihr A. Čechov.

362) AN V. A. TICHONOV MOSKAU, 8. 12. 1891

8. Dezember

Am 30. November, lieber Vladimir Alekseevič, habe ich Ihnen eine Erzählung geschickt, zehn Tage sind vergangen, aber von Ihnen – keine Stimme noch Fühlen... Haben Sie die Erzählung bekommen? Ist sie nicht irgendwo untergetaucht in den Wogen des Alltags? Taugt sie etwas? Usw. usf. Wenn die Erzählung etwas taugt, werden Sie mir dann die Fahnen schicken, worum ich Sie gebeten hatte? In dem Brief, der der Erzählung beilag, hatte ich auch nach einem kleinen Vorschuß gerufen. Sie hatten irgendwie in einem Ihrer Briefe bemerkt, man könne auch etwas »im voraus« bekommen. Als ich meine Erzählung abschickte, erinnerte ich mich an dieses »im voraus« mit besonderem Vergnügen, da ich buchstäblich *keinen Groschen* Geld habe. Ich muß nach Piter fahren und habe nicht das Geld für die Fahrkarte, so sitze ich also am Meer und warte auf gutes Wetter. Es ist, um nach der Polizei zu rufen! So ist das mit dem Reisen!

Wie geht es bei Ihnen? Wie läuft die Subskription? Die Reklame für den »Sever« ist gut, man kann mit Erfolg rechnen.

Bei uns in Moskau gibt es keinerlei Neuigkeiten. Vielleicht gibt es auch welche, aber ich kenne sie nicht, weil ich die ganzen Tage zu Hause sitze und von der influenza genese. In den Theatern soll es langweilig sein. Von guten neuen Stücken ist nichts zu hören. 23 Grad Frost.

Antworten Sie und schreiben Sie mir überhaupt ausführlich.

Noch eins: wenn Sie mir das Geld schicken, können Sie diese Zeremonie über das Kantor Gebr. Volkov (Nevskij) nicht als *telegraphische Überweisung* abwickeln? Die Auslagen für die Überweisung auf meine Rechnung. Es ist furchtbar eilig!

Alles Gute! Wenn ich in Piter bin, sehen wir uns. Ich steige bei Suvorin ab, Ihre Privatadresse kenne ich nicht.

Einen Gruß an unsere gemeinsamen Bekannten.

Ihr A. Čechov.

363) AN E. P. EGOROV MOSKAU, 11. 12. 1891

11. Dezember.

Sehr geehrter Evgraf Petrovič, hier die Geschichte meiner mißglückten Reise zu Ihnen. Ich wollte nicht als Korrespondent zu Ihnen kommen, sondern im Auftrag oder, richtiger, in Übereinkunft mit einem kleinen Kreise von Menschen, die etwas für die Hungernden tun möchten. Die Sache ist die, daß die Leute kein Vertrauen zur Administration haben und sich darum mit Spenden zurückhalten. Tausende phantastischer Märchen und Fabeln sind im Umlauf von Unterschlagungen, unverschämtem Diebstahl usw. Die Eparchialbehörde wird gemieden, und mit dem Roten Kreuz ist man unzufrieden. Der Besitzer des unvergessenen Babkino, ein Zemstvovorsitzender, schnitt mir rundheraus und kategorisch das Wort ab: »Beim Roten Kreuz in Moskau wird gestohlen!« Bei einer solchen Einstellung kann die Administration schwerlich ernsthafte Hilfe seitens der Gesellschaft erwarten. Dabei möchten die Leute Gutes tun, und ihr Gewissen ist beunruhigt. Im September versammelte sich die Moskauer Intelligenz und Plutokratie in kleinen Zirkeln, man überlegte, redete, war geschäftig, bat erfahrene Leute um Rat; alle redeten davon, wie man die Administration umgehen und selbständig Hilfe organisieren könne. Man beschloß, eigene Agenten in die Hungergouvernements zu schicken, die sich an Ort und Stelle über die Lage der Dinge informieren sollten, Speiseküchen einrichten usw. Einige Wortführer dieser Zirkel, Leute mit Gewicht und

Stimme, fuhren zu Durnovo, um um die Genehmigung nachzusuchen, doch Durnovo lehnte ab, indem er erklärte, die Organisation der Hilfsmaßnahmen obliege ausschließlich der Eparch.-behörde und dem Roten Kreuz. Mit einem Wort, private Initiative wurde von Anfang an lahmgelegt. Alle ließen die Nase hängen, verloren den Mut; der eine empörte sich, der andere wusch sich die Hände. Man muß den Mut und die Autorität eines Tolstoj besitzen, um sich hinwegzusetzen über alle Verbote und Einstellungen und das zu tun, was die Pflicht befiehlt.

Doch nun zu mir. Ich habe großes Verständnis für private Initiative, denn jedem steht frei, das Gute so zu tun, wie er es will; aber alles Reden über Administration, Rotes Kreuz usw. erschien mir unzeitgemäß und unpraktisch. Ich ging davon aus, daß man mit etwas kaltem Blut und gutem Willen alles Schreckliche und Heikle umgehen könne und daß keine Notwendigkeit bestehe, zum Minister zu fahren. Ich bin nach Sachalin gefahren, ohne auch nur einen einzigen Empfehlungsbrief zu haben, und habe dort alles erledigt, was ich für notwendig hielt; weshalb sollte ich nicht auch in ein Hungergouvernement fahren können? Weiter erinnerte ich mich an Vertreter der Administration wie Sie, wie Kiselëv und alle mir bekannten Zemstvovorsitzenden und Steuerinspektoren – Menschen, die im höchsten Maße anständig sind und vollstes Vertrauen verdienen. Und so beschloß ich, wenn auch nur in einem kleinen Bezirk, wenn möglich, die zwei Prinzipien zusammenzuführen: Administration und private Initiative. Ich wollte so bald wie möglich zu Ihnen kommen und mich mit Ihnen beraten. Mir glauben die Leute, und sie würden auch Ihnen glauben, so daß ich mit Erfolg rechnen konnte. Sie erinnern sich, ich hatte Ihnen einen Brief geschickt. Dann kam Suvorin nach Moskau; ich klagte ihm, daß ich Ihre Adresse nicht kenne. Er telegraphierte an Baranov, und Baranov war so liebenswürdig, Ihre Adresse zu schicken. Suvorin erkrankte an influenza; gewöhnlich, wenn er nach Moskau kommt, verbringen wir ganze Tage unzertrennlich im Gespräch über Literatur, die er hervorragend kennt. Auch diesmal sprachen wir, und es endete damit, daß ich mich bei ihm ansteckte, mich ins Bett legte und furchtbar zu husten anfing. Korolenko kam nach Moskau und traf mich leidend an. Eine Komplikation durch die Lunge bewirkte, daß ich mich einen ganzen Monat herumplagte, fest zu Hause saß und so gut wie nichts getan habe. Jetzt bin ich auf dem Wege der Besserung, aber ich huste noch immer und magere ab. Das ist die ganze Geschichte. Wenn die influenza nicht gewesen wäre, hätten wir es gemeinsam vielleicht vermocht, den Leuten zwei, drei Tausend oder mehr, je nachdem, zu entreißen.

Ihre Verärgerung über die Presse ist vollkommen verständlich. Das Gerede der Zeitungsschreiber muß Sie, der Sie mit der wahren Sachlage vertraut sind, genauso ärgern wie mich, als Arzt, das Gerede eines Laien über Diphtherie. Aber was wollen Sie machen? Was? Rußland ist nicht England und nicht Frankreich. Die Zeitungen bei uns sind nicht reich und haben wenig Leute zur Verfügung. Einen Professor der Petersakademie oder Ėngelgardt an die Volga zu schicken, ist zu teuer; einen tüchtigen und begabten Mitarbeiter zu schicken, ist ebenfalls unmöglich – er wird zu Hause gebraucht. Die »Times« hätte in den Hungergouvernements auf eigene Kosten eine Volkszählung durchgeführt, hätte in jeden Amtsbezirk einen Kennan geschickt, ihm 40 R. Diäten pro Tag gezahlt – und es wäre etwas Vernünftiges dabei herausgekommen, aber was können die »Russkie vedomosti« und »Novoe vremja« tun, die sich bei Einkünften von hunderttausend schon vorkommen wie ein Krösus? Was die Korrespondenten betrifft, so ist deren Lage im höchsten Maße verlogen und falsch. Mal schnell in einen Amtsbezirk fahren, ein bißchen herumschnüffeln, schreiben und weiterfahren. Ohne Geldmittel, ohne Freiheit, ohne Autorität. Für 200 Rubel in Silber monatlich hampelt er herum, hampelt und betet zu Gott, man möge ihm den verlogenen Unsinn nicht verargen, den er unwillkürlich und zwangsläufig schreibt. Er fühlt sich schuldig. Aber schuld ist nicht er, sondern die russische Finsternis. Ein westlicher Korrespondent hat ausgezeichnete Karten zur Verfügung, Enzyklopädien, statistische Erhebungen; im Westen kann man vom

Schreibtisch aus Korrespondentenberichte schreiben. Aber bei uns? Bei uns in Rußland sind bisher doch nur *drei* Kreise erforscht: Čerepovec, Tambov und noch einer. Das für ganz Rußland! Die Zeitungen lügen Unsinn zusammen, die Korrespondenten sind Hallodris, aber was soll man tun? *Und nichts zu schreiben, ist doch auch unmöglich*! Wenn unsere Presse schwiege, dann wäre unsere Lage noch schlimmer, das werden Sie zugeben.

Ihr Brief und Ihr Plan, den Bauern das Vieh abzukaufen, haben mich elektrisiert. Ich bin mit ganzem Herzen und allen meinen Kräften bereit, Ihnen zu gehorchen und alles zu tun, was Sie wollen. Ich habe lange darüber nachgedacht, hier meine Meinung. Auf die reichen Leute zählen kann man nicht mehr. Es ist zu spät. Jeder Reiche hat die tausend Rubel schon hingelegt, die hinzulegen ihm beschieden war. Die ganze Kraft liegt jetzt beim kleinen Mann, der ein Halbrubelstück oder einen Rubel spendet. Diejenigen, die im September von Privatinitiative gesprochen haben, haben in Kommissionen und Komitees jeder Art Unterschlupf gefunden und sind bereits an der Arbeit. Es bleibt also nur der kleine Mann. Veröffentlichen wir eine Spendenliste. Sie schreiben einen Offenen Brief, und ich veröffentliche ihn in den »Russkie vedomosti« und im »Novoe vremja«. Um die beiden oben erwähnten Prinzipien zusammenzuführen, können wir den Brief gemeinsam unterschreiben. Wenn Ihnen das aus dienstlichen Gründen Komplikationen einträgt, könnten wir einen Korrespondentenbericht in der dritten Person schreiben, im Kreis Nižnij Novogorod, 5. Revier, sei das und das und das und das organisiert worden, die Sache verlaufe Gott sei Dank erfolgreich, Spenden werden erbeten an den Zemstvovors. E. P. Egorov, wohnhaft da und da, oder an A. P. Čechov, oder an die Redaktion der und der Zeitungen. Der Bericht muß nur sehr authentisch gehalten sein. Schreiben Sie ausführlich, ich schreibe noch etwas hinzu – und die Sache klappt.

Gebeten werden muß um Spenden, nicht um Darlehen. Auf ein Darlehen läßt sich niemand ein: das ist zu unsicher. Etwas geben ist schwer, aber noch schwerer ist es, es wieder zurückzuverlangen.

In Moskau kenne ich nur einen einzigen reichen Menschen – das ist V. A. Morozova, eine bekannte Wohltäterin. Gestern bin ich mit Ihrem Brief bei ihr gewesen. Ich habe mit ihr gesprochen, bei ihr gegessen. Sie ist zur Zeit Feuer und Flamme für das Bildungskomitee, das Speisungen für Schulkinder organisiert, und gibt alles dorthin. Da Analphabetismus und Pferde inkommensurable Größen sind, hat V. A. mir die Unterstützung des Komitees für den Fall versprochen, daß Sie den Wunsch haben, Schulspeisungen zu organisieren, und ihr genaue Informationen darüber schicken. Es war mir *peinlich*, sie sofort um Geld zu bitten, da man endlos Geld von ihr nimmt und sie zaust wie einen Fuchs. Ich habe sie nur gebeten, für den Fall, daß irgendwelche Kommissionen und Komitees sie aufsuchen, uns nicht zu vergessen, und sie hat es mir versprochen. Ihren Brief und Ihren Plan habe ich auch dem Redakteur der »Russkie vedomosti«, Sobolevskij, übermittelt – das für alle Fälle. Ich spreche überall davon, daß die Sache schon organisiert sei.

Wenn die Rubel und Halbrubelstücke eintreffen, werde ich sie Ihnen unverzüglich schicken. Und verfügen Sie über mich und glauben Sie mir, daß es ein wahres Glück für mich ist, wenigstens irgendetwas zu tun, da ich bis heute für die Hungernden und die, die ihnen helfen, so gut wie nichts getan habe.

Alle meine Angehörigen sind wohlauf, mit Ausnahme von Nikolaj, der im J. 1889 an Schwindsucht gestorben ist, und Fedosija Jakovlevna (Sie erinnern sich, sie kam Ivan öfter in der Schule besuchen), die im Oktober ebenfalls an Schwindsucht gestorben ist. Ivan unterrichtet in Moskau, Miša ist Steuerinspektor.

Bleiben Sie gesund. *Ihr A. Čechov.*

364) AN V. A. TICHONOV MOSKAU, 14. 12. 1891

14.

Lieber Vladimir Alekseevič, den Brief, von dem Sie schreiben, habe ich *nicht* bekommen.

Ich weiß wirklich nicht, was man mit dem Titel meiner Erzählung machen soll! »Ein großer Mensch« gefällt mir gar nicht. Wir müssen sie irgendwie anders nennen, – das steht fest. Nennen Sie sie so – »Flattergeist«.

Ja, also »Flattergeist«. Vergessen Sie nicht, ihn zu ändern.

Die 150 R. habe ich bekommen. Merci.

Alles Gute! *Ihr A. Čechov.*

365) AN E. P. EGOROV MOSKAU, 14. 12. 1891

14. Dezember.

Sehr geehrter Evgraf Petrovič! Ich schicke Ihnen, von mir gesammelt, 116 Rub. Fortsetzung folgt. Die Liste der Spender schicke ich beim nächsten Mal.

Ich sammle in aller Stille, ohne viel Aufhebens, und glaube jetzt, daß der Offene Brief oder Korrespondentenbericht, von dem ich schrieb, nicht vor Januar in der Zeitung stehen sollte. Ich nehme an, im Januar wird sich die Sache mit den Pferden bei Ihnen bereits eingespielt haben, das Bild wird klarer sein, also auch den Spendern; im Januar komme ich zu Ihnen, *unbedingt,* und dann schreiben wir beide etwas. Etwas schreiben müssen wir auf jeden Fall.

Schreiben Sie etwas über die Schulkinder und ihre Ernährung. Ich eile damit dann sofort ins Alphabetisierungskomitee, das Ihnen helfen wird. Schreiben Sie überhaupt. Ohne Anordnungen von Ihnen werde ich von mir aus keinen selbständigen Schritt unternehmen. Ich bin Ihr Agent, sehen Sie mich als solchen an und erteilen Sie mir öfter Anweisungen.

Die Meinen lassen grüßen. *Ihr A. Čechov.*

366) AN A. S. SUVORIN MOSKAU, 17. 12. 1891

17. Dez.

Raus mit dem Stubenmädchen, raus! Ihr Auftritt ist nicht realistisch, weil zufällig und erfordert ebenfalls Erklärungen; er kompliziert die ohnehin schon komplizierte Fabel, vor allem aber – er mindert die Spannung. Werfen Sie sie raus! Und weshalb Erklärungen für das Publikum? Dem Publikum muß man einen Schrecken einjagen und weiter nichts, dann wird es Interesse gewinnen und ein weiteres Mal nachdenken ... Dank Ihrem Können und einigen kleinen Gesprächen, die es in der Erzählung gibt, wird niemandem einfallen, nach Gründen zu suchen; dem Leser ist klar, daß alles in den Geheimnissen unseres Nervensystems beschlossen liegt und in den Phänomenen, die noch nicht erklärbar sind. Vitalin sieht die verstorbene Varja, weil sie in seiner Erinnerung ein scharf umrissenes Bild hinterlassen hat; sie war eine starke, eigene Natur, und so muß auch die Erinnerung an sie sein. Unklar ist Ihre Nataša, aber das kommt daher, daß Sie gegen Ende der Erzählung müdegeworden sind und sich einiges nicht genügend klar gemacht haben. Machen Sie es so, daß Nataša Vitalin *leidenschaftlich* liebt und eifersüchtig ist auf seine Vergangenheit, daß sie von Vitalins Affäre mit Varja weiß und weiß, daß das eine außergewöhnliche Frau war, dann wird dem Leser klar, warum ihr nachts im Traum Varja erscheint. Übrigens, wie Sie wollen, aber raus mit dem Stubenmädchen! Machen Sie es so, daß Vitalin Nataša benützt und daß er im Finstern aus Versehen statt ihrer das Skelett umarmt und daß Nataša, wenn sie am Morgen erwacht, neben sich im Bett ein Skelett sieht, und auf dem Fußboden – den toten Vitalin.

Über das Mosk. Feuilleton werde ich nachdenken. Aber ich möchte eine Weihnachtserzählung schreiben.

Gestern habe ich Ihnen die Erzählung von Povodov geschickt. Sehen Sie sie sich an. Wenn sie taugt, schicken Sie mir die Korrektur. Und ich habe ein Vaudeville geschrieben. In diesem Jahr habe ich 100 Pud Papier vollgeschrieben.

Bleiben Sie gesund. *Ihr A. Čechov.*

Jean Ščeglov wird noch als Abt in einem Kloster enden.

367) AN A. N. PLEŠČEEV MOSKAU, 25. 12. 1891

Moskau, Ml. Dmitrovka, Hs. Firgang.

25. Dez.

Lieber Aleksej Nikolaevič, gestern erfuhr ich zufällig Ihre Adresse und – schreibe Ihnen. Wenn Sie eine Minute freie Zeit finden, dann schreiben Sie mir bitte, wie Ihr Befinden ist und überhaupt, wie es Ihnen geht. Schreiben Sie mir, und seien es nur drei Zeilen.

Ich hatte anderthalb Monate lang Influenza, dazu eine Lungenkomplikation und habe furchtbar gehustet. Im März werde ich in den Süden fahren ins Gouvernement Poltava und dort so lange bleiben, bis mein Husten aufhört. Meine Schwester ist gefahren, um einen Bauernhof zu kaufen.

Die literarischen Geschäfte verlaufen im allgemeinen ruhig, das Leben dafür stürmisch. Sehr viele Gespräche über den Hunger, und viel Arbeit, die aus diesen Gesprächen hervorgeht. In den Theatern ist es öde. Das Wetter ist schlecht: es gibt überhaupt keinen Frost. Ščeglov Jean ist hingerissen von den Tolstojanern, Merežkovskij sitzt wie früher im Hause Muruzi und verstrickt sich in hocherhabene Forschungen und ist wie früher sympathisch; Fausek hat den Magister bekommen; von Čechov erzählt man, er habe die Sibirjakova geheiratet und 5 Millionen Mitgift bekommen. Darüber spricht ganz Petersburg. Wer diese Klatschgeschichten braucht und wozu, kann ich einfach nicht begreifen. Es ekelt mich geradezu, Briefe aus Petersburg zu lesen.

Ostrovskij habe ich in diesem Jahr nicht gesehen. Suvorin ist wohlauf.

Morgen fahre ich nach Petersburg, um mich um meinen Bauernhof zu kümmern: 1) werde ich mir bei Suvorin Geld holen und 2) bei dem sympathischen Notar Ivanov eine Vollmacht für A. I. Smagin aufsetzen, den Sie kennen.

Einen herzlichen Gruß an die Ihren. Im Herbst gingen Gerüchte um, Sie seien krank, jetzt dagegen sind Sie, Gerüchten zufolge, vollkommen gesund. Gebe Gott, daß es wirklich so ist. Krankheiten – das sind Fußfesseln.

Ich umarme Sie fest. Nebenbei noch eine kurze Erklärung, insgeheim: irgendwann in Paris wollten Sie mich beim Essen überreden, in Paris zu bleiben, und boten mir Geld an, ich habe es abgelehnt, und mir schien, als hätte diese meine Ablehnung Sie gekränkt und bösegemacht, es wehte mich kalt von Ihnen an. Vielleicht irre ich mich ja. Aber wenn es stimmt, so versichere ich Sie, mein Lieber, bei meinem Ehrenwort, daß ich es nicht abgelehnt habe, um bei Ihnen keine Schulden zu haben, sondern einfach aus dem Gefühl der Selbsterhaltung: in Paris habe ich mich schlecht benommen, und eintausend Francs mehr hätten nur meine Gesundheit ruiniert. Glauben Sie mir, wenn ich damals Geld gebraucht hätte, ich hätte es mir ebenso frei von Ihnen geliehen wie von Suvorin. Gott beschütze Sie. *Ihr A. Čechov.*

368) AN DIE FAMILIE ČECHOV — PETERSBURG, 31. 12. 1891

31. Dez.

Ich wünsche allen Glück zum Neuen Jahr und schicke als Geschenk vier Los-Coupons: einen für Papaša, einen für Mamaša, den dritten für Ivan, und den vierten bitte ich, für Maša aufzuheben.

Aus Mirgorod bekam ich zwei Telegramme, ziemlich vage und wenig tröstliche. Der Bauernhof bei Soročincy war so: schöne Lage, schöner Garten, aber das Haus alt und eng, 1500 R. Reparaturen; von der Bahnstation 40 (!) Verst entfernt. Maša hat diesen Bauernhof offenbar fahrenlassen und wird, dem zweiten Telegramm nach zu urteilen, den Bauernhof Jacenko kaufen, mit 56 Desjatinen Land, einem wunderbaren Garten, Fluß usw., aber dann werden wir im Frühjahr bauen müssen, weil nur eine Hütte und Scheunen dastehen. Für diesen Hof werden wir wahrscheinlich nicht über 2 Tsd. zu zahlen haben, so daß Geld zum Bauen da wäre. Der Bauernhof ist sehr schön und gemütlich (ich habe ihn gesehen), aber er steht einsam, 1 1/2 Verst vom Dorf entfernt. Außerdem würden wir Landwirtschaft betreiben müssen, weil sehr viel Land dazugehört.

Aleksandr geht es gut, den Kindern desgleichen. Meine Gesundheit ist besser als in Moskau.

Ab Neujahr werden wir regelmäßig die »Peterburgskaja gazeta« bekommen. Der Herausgeber Chudekov war bei mir und hat mir 40 Kop. pro Zeile geboten.

Ich wünsche Glück und Wohlergehn. Marjuška und Pelageja grüße ich ebenfalls. *Euer A. Čechov.*

Geld schicke ich.

»Kaštanka« ist bei der Zensur.

1892

369) AN A.S. SUVORIN MOSKAU, 10. 1. 1892

10. Jan.

Es sind 25 Grad Frost. In den Zimmern ist es kalt.

Ich fahre am 14. Jan. ins Gouv. Nižnij – das steht fest, und wenn es 40 Grad wären. Den Tag meiner Abreise teile ich Ihnen trotzdem telegraphisch mit. Von Nižnij aus fährt man im Postschlitten die Straße nach Kazan.

Die Sache mit dem Bauernhof steht schlecht. Wir kommen über Gespräche und Träumereien nicht hinaus. Ärgerlich ist das.

Die Dinge im Gouv. Nižnij Novg. stehen ebenfalls schlecht. Stellen Sie sich vor, im Herbst hat man die Pferde geschlachtet, und jetzt sind Pferde verteufelt teuer. Das letzte Mal haben 6 Pferde 130 Rubel gekostet. Im April werden sie also noch teurer sein, die Bauern werden also keine Pferde haben, wozu ich dem verehrten Publikum gratuliere.

Am 14. fahre ich. Und bin, wie versprochen, am 22. zurück. Schreiben Sie mir also bis zum 22. nichts, und kommen Sie nach dem 22., dann fahren wir ins Gouv. Voronež. Ich mag nicht ruhig an einem Fleck sitzen. Wenn man herumfährt, ist einem ruhiger ums Herz.

Also adieu bis zum 22.-23. Jan.!

Einen Gruß an die Ihren. *Ihr A. Čechov.*

370) AN A.S. SUVORIN MOSKAU, 22. 1. 1892

22. Jan.

Nun denn, ich bin aus dem Gouv. Nižnij zurück. Da wir uns, wie ich hoffe, bald sehen werden und ich morgen oder übermorgen über den Hunger schreiben werde, sage ich jetzt nur kurz: der Hunger wird von den Zeitungen nicht übertrieben geschildert. Die Sache steht schlecht. Die Regierung verhält sich gar nicht schlecht, sie hilft, wo sie kann, die Zemstvos sind entweder unfähig oder sie betrügen, und die private Wohltätigkeit ist beinahe gleich null. In meiner Gegenwart kamen aus Petersburg für 20 Tausend Menschen 54 Pud Zwieback. Die Wohltäter wollen mit fünf Broten Fünftausend sättigen, wie im Evangelium.

Die Reise verlief gut. Es war ein grimmiger Schneesturm, und an einem Abend bin ich vom Weg abgekommen und wäre beinahe im Schnee steckengeblieben. Ein widerliches Gefühl. Ich war bei Baranov. Habe bei ihm gegessen, und bin mit seinen Gouverneurspferden zum Bahnhof gebracht worden.

Ganz allgemein trifft private Initiative, zumindest im Gouv. Nižnij, seitens der Administration auf keinerlei Hindernisse, im Gegenteil. Man kann tun, was man will. Zu Hause fand ich die »Kaštanka«-Korrekturen. Allah, was für Zeichnungen! Teuerster, ich bin von mir aus bereit, dem Maler 50 R. zu geben, nur damit das Buch ohne diese Zeichnungen erscheint. Was soll das! Diese Taburetts, die Gans, die ein Ei balanciert, statt eines Dakkels eine Bulldogge...

Wenn man in Petersburg und Moskau so viel reden und sich um den Hunger kümmern würde wie in Nižnij, dann gäbe es gar keinen Hunger.

Aber ein gutes Volk lebt da im Gouv. Nižnij Novgorod! Die Bauern kernig, kräftig, Prachtkerle – nach jedem einzelnen könnte man einen Kaufmann Kalašnikov malen. Und ein kluges Volk.

Der Moskauer Kaufmann Šelaputin hat Milzbrand – das hat man mir eben gesagt.

Also, ich erwarte Sie, um mit Ihnen nach Bobrov zu fahren. Antworten Sie, wann kommen Sie nach Moskau?

Alles Gute. *Ihr A. Čechov.*

Bitten Sie Aleksej Alekseevič, mir so bald wie möglich den Aufsatz des Bergbauingenieurs Bacevič über das Erdöl zu schicken. Ich habe ihn in Petersburg vergessen zu lesen.

371) AN E. P. EGOROV MOSKAU, 26. 1. 1892

26. Jan. Moskau.

Laut Unterschriftenliste Nr. 28 haben Sie, bester Evgraf Petrovič, von mir bereits in Belaja 25 Rub. bekommen. Heute schicke ich Ihnen gemäß derselben Liste noch 60 Rub. Die übrigen 22 Rub. hat einer meiner Freunde gesammelt, die Liste der Spender lege ich bei: da sie noch in keiner Unterschriftenliste stehen, bestätigen Sie mir bitte den Empfang. Die 41 Kop. behalte ich hier bis zum nächsten Transport.

Stellen Sie sich vor, ich bin vollkommen krank nach Hause gekommen. Ich habe böse Schmerzen in beiden Schulterblättern, zwischen den Schulterblättern und in den Brustmuskeln. Ich muß mich in Nižnij erkältet haben, nach der Nacht in dem tropisch-überhitzten Zimmer. Ich kann weder gebückt sitzen, noch schreiben, noch mir die Stiefel anziehen. Es ist einfach schlimm.

Die Bibliothek für Nataša wird bereits zusammengestellt. Sie wird überaus bunt und sympathisch. Ich werde sie Ihnen, wie Sie es wünschten, mit der Post schicken. Den langen Löffel für Borja bringe ich im Frühjahr selbst mit.

Eine Empfehlung an die Ihren. Natalija Nikolaevna außer einem Gruß auch meinen herzlichen Dank für die gastliche Aufnahme.

Im »Hotel zur Post« habe ich meine Nachthaube vergessen... Mag das Zimmermädchen sich daran freuen.

Bleiben Sie gesund. *Ihr A. Čechov.*

Die Broschüre habe ich nicht bekommen.

Oh weh! Mein Stück wird nicht gespielt werden.

372) AN A. S. LAZAREV-GRUZINSKIJ MOSKAU, 2. 2. 1892

2. Febr.

Lieber Aleksandr Semënovič, ich fahre ins Gouv. Voronež. Heute habe ich mir ein Gut gekauft, d. h. angefangen es zu kaufen, da ich vorläufig nur einen Vorvertrag abgeschlossen habe.

Die Fahrt von Moskau auf das Gut kostet III. Klasse 1 R. 1 K. Wenn es kein Scherz war, was Sie mir über Michajlov erzählt haben, so sagen Sie ihm, daß ich nicht mehr als 1 1/2 Tausend brauche. Über die Resultate Ihrer Verhandlungen mit ihm schreiben Sie mir möglichst bald, damit ich, wenn ich wieder nach Hause komme, einen Brief von Ihnen auf dem Tisch habe. Bleiben Sie gesund. Ich werd Sie auch einladen. *Ihr A. Čechov.*

Ich komme in 7–10 Tagen zurück.

373) AN E. P. EGOROV VORONEŽ, 6. 2. 1892

Voronež, 6. Februar.

Bester Evgraf Petrovič, ich schreibe Ihnen dies aus dem Gouv. Voronež. Es geschah dasselbe wie in Nižnij, d. h. der Gouverneur lud mich zum Essen ein, ich mußte viel reden und mir viel über den Hunger anhören. Die Sache mit den Pferden ist hier so geregelt. Der Gouverneur Kurovskij kauft Pferde auf, wo er nur kann, nach Ihrem Verfahren, und hat bereits an die 400 Stück. Der Preis wie in Nižnij. Wenn man welche vom Don bestellen würde, so würde jedes Pferd ohne Futter 50–60 R. kosten. Kurovskij hält die Pferde nicht bei sich, sondern verteilt sie gleich nach dem Kauf an die Bauern. Er läßt die Bauern, die kein Pferd haben, zu sich kommen und sagt ihnen: »Hier hast du ein Pferd. Du wirst Getreide fahren.« Der Bauer fährt Getreide und verdient auf diese Weise etwas für sich und etwas für das Pferd. Im Frühling wird man ihm sagen: »Du hast soundsoviel verdient, das Pferd hat damals beim Kauf soundsoviel gekostet. Du hast also noch soundsoviel zu zahlen (oder soundsoviel zu bekommen).« Mit einem Wort, das Pferd wird als Darlehen gegeben, und das Darlehen nach und nach abbezahlt.

In Voronež tut sich viel. Die Hungerhilfe wird hier weit gründlicher betrieben als im Gouv. Nižnij Novg. Es wird nicht nur Getreide ausgegeben, sondern sogar fahrbare Öfen und Steinkohle. Werkstätten sind gebaut worden, viele Speiseküchen. Gestern war im Theater eine Vorstellung zugunsten der Hungernden, volles Haus. Kurovskij ist ein ehrlicher und intelligenter Mann; er arbeitet genausoviel wie Baranov. Er ist Staatsrat, und für einen Gouverneur ist das ein großer Vorzug: er fühlt sich freier. Übrigens, darüber sprechen wir, wenn wir uns sehen.

Ich habe Sofja Aleksandrovna Davydova gesehen und ihr Ihre Adresse gegeben. Sie ist eine tüchtige, gute und bescheidene Dame. Sie kann viel tun.

Mein Brief über die Gouv. Nižnij Novgorod und Voronež wird in den »Russkie vedomosti« veröffentlicht. Einen Gruß an Ihre Angehörigen. Bleiben Sie gesund. Schreiben Sie. In Moskau werde ich etwa am 10.–12. wieder sein. *Ihr A. Čechov.*

374) AN M. P. ČECHOVA BOBROV, 9. 2. 1892

Sonntag. Bobrov.

Ich verlasse Bobrov am Dienstag, werde also am Mittwoch wieder in Moskau sein. Hat der tolle Sorochtin sein Gut verpfändet? Schreib ihm, er soll sich beeilen, sonst können wir uns zwei Monate damit herumschlagen. Sonst können wir den Kaufvertrag unmöglich abschließen.

Mit unserer Hungerhilfe steht alles zum besten: in Voronež haben wir beim Gouverneur gegessen und jeden Abend im Theater gesessen, und gestern verbrachten wir den ganzen Tag im Staatlichen Gestüt Chrenovoe beim Verwalter Ilovajskij; bei Ilovajskij im Saal trafen wir Zimmerleute, die eine Estrade und Kulissen bauten, und Liebhaber, die die »Heirat« probierten zugunsten der Hungernden. Danach Bliny, Gespräche, bezauberndes Lächeln und M-lle Ilovajskaja, ein 18jähriges Mädchen, das uns mit seiner Originalität und szenischen Begabung bezauberte. Danach Tee, Varenje, wieder Gespräche, und schließlich eine Trojka mit Schellengeläut. Mit einem Wort, die Sache mit der Hungerhilfe steht geradezu glänzend. Was die Speiseküchen usw. betrifft, so reden wir Unsinn und sind naiv wie die Säuglinge, – das letzte bezieht sich natürlich nicht auf mich, sondern auf die Bronzestatue, die bei mir im Zimmer auf dem Schreibtisch steht. Unsinn reden wir fürchterlichen, und sind kindisch gereizt, wenn man uns darauf hinweist, daß wir Unsinn reden und keine Ahnung haben. Morgens sind wir schlechter Laune, und abends reden wir: wieso zum Teufel sind wir bloß gefahren, ich kann hier nichts tun usw.

Mir träumte, die 200 R., die wir Sorochtin als Anzahlung gegeben haben, seien futsch. Aus irgendeinem Grunde kommt es mir so vor, als könne es gar nicht anders sein. Der geschorene Kopf unseres Kunstmalers verheißt nichts Gutes.

Wer hat 50 R. gewonnen? Ich habe nichts gewonnen.

Ich grüße alle. Bald sehen wir uns wieder. Habe Zahnschmerzen.

Dein A. Čechov.

Es wäre gut, wenn Miša zum 14./15. Febr. in Moskau wäre, wenn wir den Kaufvertrag abschließen.

375) AN L. A. AVILOVA MOSKAU, 21. 2. 1892

21. Februar.

Verehrte Lidija Alekseevna, ich habe Ihre Erzählung bekommen und bereits gelesen. Dafür, daß Sie mich nicht haben sehen wollen, sollte ich Ihre Erzählung eigentlich verreißen, aber... Allah möge Ihnen verzeihen!

Die Erzählung ist gut, sehr sogar, aber wenn ich ihr Autor oder Redakteur wäre, würde ich unbedingt noch ein, zwei Tage an ihr sitzen. Erstens, die Architektur... Anfangen müssen Sie mit den Worten: »Er trat ans Fenster...« usw. Dann müssen der Held und Sonja sich nicht auf dem Korridor unterhalten, sondern auf dem Nevskij, und ihr Gespräch muß in der Mitte einsetzen, damit der Leser meint, sie sprächen schon sehr lange miteinander. Usw. Zweitens, das, was Dunja ist, muß ein Mann sein. Drittens, über Sonja muß mehr gesagt werden... Viertens besteht keine Notwendigkeit, daß die Helden Studenten und Repetitoren sind, – das ist alt. Machen Sie den Helden zu einem Beamten des Departements für Steuerwesen, und Dunja zum Offizier, oder so... Baryškina ist kein schöner Familienname. »Zurückgekehrt« ist ein gesuchter Titel. Aber ich sehe, ich habe mich doch nicht beherrschen können und mich an Ihnen gerächt dafür, daß Sie mit mir umgegangen sind wie eine Hofdame zu Katharinas Zeiten, d.h. den Wunsch hatten, daß ich meine Kritik an Ihrer Erzählung nicht mündlich, sondern schriftlich vorbringe.

Wenn Sie wollen, gebe ich Ihre Erzählung Golcev, der mich noch vor dem ersten März besuchen wird. Aber besser wäre, noch einige Änderungen vorzunehmen – es eilt ja nicht. Schreiben Sie die Erzählung noch einmal ab, und Sie werden sehen, wie sie sich dabei verändert: sie wird saftiger, runder, die Figuren werden klarer.

Was die Sprache, den Stil betrifft, so sind Sie ein Meister. Wenn ich Redakteur wäre, ich würde Ihnen mindestens 200 pro Bogen zahlen.

Schreiben Sie mir noch heute, was Sie zu tun beabsichtigen. In Erwartung Ihrer Anweisungen bleibe ich voller Hochachtung und zu Diensten *A. Čechov.*

Ihre Helden haben es irgendwie alle furchtbar eilig. Streichen Sie die Wörter »Ideal« und »Aufschwung«. Raus damit!

Wenn man Fremdes kritisiert, kommt man sich vor wie ein General.

376) AN V.A. TICHONOV MOSKAU, 22. 2. 1892

22. Februar.

Verzeihen Sie, lieber Vladimir Alekseevič, daß ich Ihnen so lange nicht auf Ihren Brief geantwortet habe. Erstens bin ich vor kurzem erst aus dem Gouv. Voronež zurückgekehrt, zweitens bin ich dabei, ein Gut zu kaufen (dem Himmel seis geklagt), und verbringe ganze Tage in Notariats-, Bank-, Versicherungs- und anderen parasitären Institutionen jeder Art. Der Kauf hat mich zur Raserei gebracht. Ich habe Ähnlichkeit mit einem Menschen, der in eine Kneipe gegangen ist, um einen Klops mit Zwiebel zu essen, dort aber wohlmeinende Freunde getroffen, mit ihnen gefressen, sich vollgesoffen hat wie ein Schwein und 142 R. 75 K. Zeche gemacht hat. Ich hatte gedacht, etwas für fünftausend zu kaufen und das Ganze mit dieser Summe hinter mich zu bringen, aber oh weh! – Riesenschlangen in Gestalt von allen möglichen Kaufverträgen, Pfandbriefen, Pfandscheinen usw. haben mich von Anbeginn an in Fesseln geschlagen, ich höre meine Knochen krachen und sehe, wenn ich die Augen schließe, klar und deutlich, wie mein Gut auf einer Versteigerung verkauft wird. Wehe!

Ihr Verdacht, beim Namenstag von Ščeglov über die Stränge geschlagen zu haben, ist ganz unbegründet. Sie hatten getrunken, das ist alles. Sie haben getanzt, wenn alle tanzten, und Ihre Reiterkunststücke auf dem Kutschbock haben nichts als allgemeine Heiterkeit ausgelöst. Was Ihre Kritik betrifft, so war sie wahrscheinlich sehr milde, weil ich mich an sie nicht mehr erinnern kann. Ich erinnere mich nur, daß ich und Vvedenskij, als wir Ihnen zuhörten, oft und lange gelacht haben.

Sie brauchen meine Biographie? Da ist sie. Geboren wurde ich 1860 in Taganrog. 1879 beendete ich das Gymnasium in Taganrog. 1884 beendete ich das Studium an der Medizinischen Fakultät der Universität Moskau. 1888 bekam ich den Puškinpreis. 1890 unternahm ich eine Reise nach Sachalin durch Sibirien und zurück übers Meer. 1891 unternahm ich eine Tournee durch Europa, wo ich sehr guten Wein getrunken und Austern gegessen habe. 1892 habe ich mich mit V. A. Tichonov auf einem Namenstag amüsiert. Zu schreiben begann ich 1879 in der »Strekoza«. Meine Erzählungsbände sind: »Bunte Erzählungen«, »In der Dämmerung«, »Erzählungen«, »Mürrische Menschen« und die Novelle »Das Duell«. Ich habe auch im dramatischen Fach gesündigt, wenn auch mit Maßen. Bin in sämtliche Sprachen übersetzt, ausgenommen Fremdsprachen. Übrigens, die Deutschen haben mich schon längst übersetzt. Die Čechen und Serben finden mich ebenfalls gut. Auch die Franzosen sind dem Austausch nicht abgeneigt. In die Mysterien der Liebe eingeweiht wurde ich, als ich 13 Jahre alt war. Mit meinen Kollegen – Medizinern wie Literaten – pflege ich ausgezeichnete Beziehungen. Junggeselle. Möchte eine Pension bekommen. Praktiziere als Arzt, und zwar so weit, daß ich im Sommer manchmal gerichtsmedizinische Obduktionen vornehme, die ich schon 2–3 Jahre nicht mehr durchgeführt habe. Unter den Schriftstellern bevorzuge ich Tolstoj, unter den Ärzten – Zacharjin.

Aber das ist alles Unfug. Schreiben Sie, was Sie wollen. Wo keine Fakten sind, ersetzen Sie sie durch Lyrik.

Bleiben Sie gesund und wohlauf. Grüßen Sie Ihre Töchter.

Ihr A. Čechov.

377) AN AL. P. ČECHOV MOSKAU, 23. 2. 1892

23. Febr.

Mein Feuerwehrbruder! Jetzt glaube ich an Vorahnungen und Prophezeiungen: als du als Kind nachts dein Bett bewässert hast und dann, als Knabe, außer der Bewässerung auch noch zu Feuersbrünsten gelaufen bist und so gern von den Feuerwehrmännern erzählt hast, wie sie die Feuerleiter auf und ab liefen, – schon da hätte man voraussehen können, daß aus dir einmal ein Feuerwehr-Redakteur werden würde. Also, ich gratuliere. Lösch das Feuer, Saša, mit deiner talentierten Feder auf Šeremetjevs Kosten, und wir werden uns freuen.

Jetzt paß auf. Ich habe die Ukraine, ihre Lieder und Krebse verraten. Das Gut, das ich gekauft habe, liegt im Kreis Serpuchov, 9 Verst weit entfernt von der Station Lopasnja. Mal es dir aus: 213 Desjatinen, davon 160 Wald, zwei Teiche, ein kümmerlicher Bach, neues Haus, Obstgarten, Konzertflügel, drei Pferde, Kühe, ein Tarantas, Renndroschken, Leiterwagen, Schlitten, Mistbeete, zwei Hunde, Starkästen und anderes, was dein Feuerwehrverstand nicht faßt, – all das habe ich gekauft für 13 Tsd. inclusive Schulden. Ich werde im Jahr 490 R. Zinsen zahlen, d.h. halb so viel, wie ich bisher durchschnittlich für Wohnung und

Sommerhaus gezahlt habe. Abgesehen von Brennholz und anderen Kleinigkeiten, kann das Gut bei einigem Bemühen 1000 R. Gewinn einbringen, bei Fleiß über 2 Tsd. Die Wiesen bringen 250 R. Pachtzins.

Bereits gesät sind 14 Desjatinen Roggen. Im März werde ich Klee, Hafer, Linsen, Erbsen und alles mögliche Gemüse säen. Wenn ich abkratze, hinterlasse ich das Zahlen der Zinsen meinen Verwandten.

Komm, Saša! Ich werde dich im Hühnerstall unterbringen und dir zur Unterhaltung Feueralarm veranstalten. In dem Teich sind Karauschen, im Wald Pilze, in der Luft Reinheit, im Haus Annäherung. Am 1. März verabschieden wir uns von Moskau und ziehen um. Also – für die Wohnung werde ich nichts mehr zu zahlen haben. Desgleichen nichts mehr fürs Sommerhaus. Ich habe meine eigene Butter, mein eigenes Halva. Die Schulden will ich versuchen, in 4 Jahren zu tilgen.

Den »Feuerwehrmann« schick an folgende Adresse: St. Lopasnja, Str. Mosk.-Kursk, A. P. Čechov.

Gestern sagte mir der Schauspieler Garin-Vinding, er wolle dir den Aufsatz »Feuersbrünste in Theatern« schicken.

Grüß die Deinen und bleib gesund. Wenn du gewonnen hast, schick mir Geld. *Der Gutsbesitzer A. Čechov.*

Im Programm der Zeitschrift habt ihr eine Rubrik vergessen: Gerichtsprozesse in Sachen Brandstiftung und Versicherungsbetrug.

378) AN A.S. SUVORIN MOSKAU, 3. 3. 1892

3. Febr.

Gestern schickte mir Lenskij eine Karte zu einer Schülervorstellung. Seine Schüler spielten im Kleinen Theater den »Abgrund«. Ein erstaunliches Stück. Der letzte Akt – das ist etwas, das ich auch für eine Million nicht schreiben könnte. Dieser Akt ist ein ganzes Stück, und wenn ich einmal mein eigenes Theater haben sollte, würde ich nur diesen einen Akt spielen lassen. Zwei der Schüler spielten sehr gut. Als ich einen von ihnen lobte, runzelte Lenskij die Stirn – offenbar erfreut sich dieser Schüler nicht seiner Gunst.

Ich mache Tag für Tag Entdeckungen. Wie entsetzlich, wenn man es mit Lügnern zu tun hat! Der verkaufende Kunstmaler lügt, lügt, lügt ohne Notwendigkeit, dumm – und das Resultat sind täglich neue Entdeckungen. Jeden Augenblick ist man auf neue Betrügereien gefaßt und daher gereizt. Wir sind gewohnt zu schreiben und zu sagen, daß nur die Kaufleute beim Messen und Abwiegen betrügen, aber wir sollten uns mal die Adeligen ansehen! Es ist ekelhaft mitanzusehen. Das sind keine Menschen, sondern ganz gewöhnliche Kulaken, sogar schlimmer als die Kulaken, denn der Bauernkulak stiehlt und arbeitet, mein Kunstmaler dagegen stiehlt und tut nichts anderes, als sich vollzufressen und mit den Dienstboten herumzuzanken. Stellen Sie sich vor, seit vergangenem Sommer haben die Pferde kein einziges Korn Hafer gesehen, kein einziges Büschel Heu, sondern fressen nur Stroh, obwohl sie arbeiten für zehn. Die Kuh gibt keine Milch – vor Hunger. Frau und Geliebte leben unter einem Dach. Die Kinder schmutzig und zerlumpt. Es stinkt nach Katzen. Wanzen und riesige Kellerschaben. Der Kunstmaler erweckt den Anschein, als sei er mir herzlich ergeben, und im selben Atemzug bringt er den Bauern bei, wie sie mich betrügen können. Da es schwierig ist, nach Augenmaß festzustellen, wo mein Land und mein Wald ist, hat er den Bauern beigebracht, mir den großen Wald zu zeigen, der der Kirche gehört. Aber die Bauern haben nicht dichtgehalten. Überhaupt ist das alles unsinnig und gemein. Widerlich ist, daß all dies hungrige und schmutzige Gesindel glaubt, ich wäre genauso hinter der Kopeke her wie sie selbst und wollte sie genauso betrügen. Die Bauern sind eingeschüchtert, verschreckt und gereizt. Ich schicke Ihnen einen Zettel mit den Besitzungen. Erkundigungen werde ich an Ort und Stelle einziehen.

In der Buchhandlung heißt es, »Kaštanka« gehe gut. Wenn das

wahr ist, wäre zu wünschen, daß die zweite Auflage nicht zu spät kommt.

Sie möchten ein Theater bauen, und ich möchte schrecklich gern mit Ihnen nach Venedig fahren und ... ein Stück schreiben. Wie bin ich froh, daß ich in Moskau keine Wohnung mehr habe! Das ist ein solches Wohlgefühl, wie ich es von kleinauf nicht erlebt habe.

Wie geht es Aleksej Alekseevič gesundheitlich? Ich begreife nicht, wozu hat er Duschbäder nötig?

Alles Gute! *Ihr A. Čechov.*

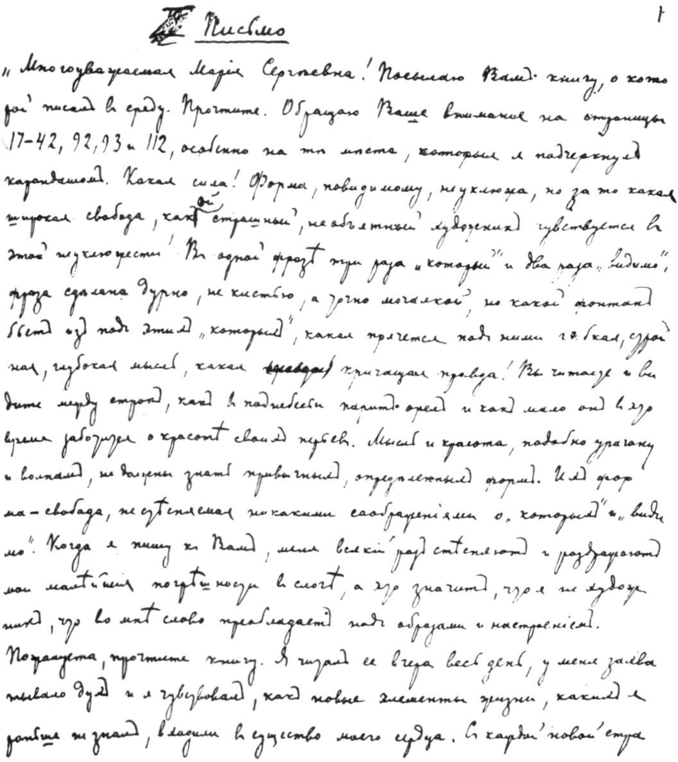

~~II~~ Письмо 1

„Многоуважаемая Мария Сергеевна! Посылаю Вам книгу, о кото-
рой писал в среду. Прочтите. Обращаю Ваше внимание на страницы
17–42, 92, 93 и 112, особенно на те места, которые я подчеркнул
карандашом. Какая сила! Форма, по-видимому, неуклюжа, но за то какая
широкая свобода, какой страшный, необъятный художник чувствуется в
этой неуклюжести! В одной фразе три раза „которые" и два раза „видимо",
фраза сделана дурно, не кистью, а точно мочалкой, но какой фонтан
бьет из под этих „которых", какая прячется под ними гибкая, строй-
ная, глубокая мысль, какая ~~[illegible]~~ кричащая правда! Вы читаете и ви-
дите между строк, как в поднебесьи парит орел и как мало он в это
время заботится о красоте своих перьев. Мысль и красота, подобно урагану
и волнам, не должны знать привычных, определенных форм. Их фор-
ма — свобода, не стесняемая никакими соображениями о „которых" и „види-
мо". Когда я пишу к Вам, меня всякий раз стесняют и раздражают
мои маленькие погрешности в слоге, а это значит, что я не худож-
ник, что во мне слово преобладает над образами и настроением.
Пожалуйста, прочтите книгу. Я читал ее вчера весь день, у меня захва-
тывало дух и я чувствовал, как новые элементы жизни, каких я
раньше не знал, входили в существо моего сердца. С каждой новой стра-

Erste Seite des Fragment gebliebenen Manuskripts »Ein Brief«.

Anhang

Editorische Notiz

Der vorliegende Band enthält Briefe Čechovs aus der Zeit von März 1889 bis März 1892.

In diese Zeit fallen der Tod von Čechovs Bruder Nikolaj, die Uraufführung des zweiten abendfüllenden Theaterstücks »Der Waldschrat«, das Erscheinen der Novelle »Eine langweilige Geschichte«, Čechovs Reise nach Sachalin, Čechovs erste Reise nach Italien und Frankreich gemeinsam mit A. S. Suvorin, die Arbeit an der Novelle »Das Duell«, schließlich der Kauf des Gutes Melichovo.

Von den 504 bekanntgewordenen Briefen, Postkarten und Telegrammen Čechovs aus diesem Zeitraum enthält der vorliegende Band 178, also etwa ein Drittel.

Zum Vergleich wurden bei der Auswahl folgende Ausgaben herbeigezogen:

Anton Tschechow, Briefe 1879–1904, herausgegeben von Gerhard Dick, Berlin, Rütten & Loening, 1968;

Anton Chekhov, Letters on the short story, the drama, and the other literary topics, selected and edited by Louis S. Friedland, New York, Dover publications, 1966 (Nachdruck der Ausgabe von 1924);

Letters of Anton Chekhov, Selection, commentary and introduction by Simon Karlinsky, London, The Bodley Head, 1973;

Letters of Anton Chekhov, Selected and edited by Avraham Yarmolinsky, New York, Viking Press, 1973.

Prinzip der vorgelegten Auswahl war, nicht nur die »großen« und z. T. bereits bekannten Briefe Čechovs, seine grundsätzlichen Äußerungen über Literatur, Gesellschaft und Politik zu dokumentieren, sondern Zusammenhänge, Abläufe und Entwicklungen, soweit sie sich in Čechovs Briefen niederschlagen, erkennbar bleiben zu lassen, damit der Leser sie auch ohne ausführlichere Kommentare selbst nachvollziehen kann. Das bedeutet auch, in der Korrespondenz mit den einzelnen Briefpartnern nach Möglichkeit keine allzu großen Lücken entstehen zu lassen, zumindest solange der betreffende Kontakt für Čechov biographisch und/oder literarisch von Wichtigkeit war.

Zu den Prinzipien dieser Ausgabe gehörte ferner, die Briefe ungekürzt vorzulegen und nicht, wie in den Ausgaben von Friedland und Yarmolinsky, nur die »bedeutenden Stellen« zu zitieren. Dies stieß insofern auf Schwierigkeiten, als es bis heute noch keine russische Čechov-Ausgabe gibt, die an bestimmten Briefstellen nicht purgierend eingegriffen hätte;

auch die neueste, 1974 begonnene historisch-kritische Gesamtausgabe setzt, vor allem in Briefen Čechovs an seinen Bruder Aleksandr, in Briefen an Lejkin, an Suvorin und später auch in denen an O. L. Knipper, wo Čechov gelegentlich »obszöne« Wörter gebraucht, eckige Klammern und drei Pünktchen.

Übersetzt wurde nach der Ausgabe: Anton Pavlovič Čechov, Polnoe sobranie sočinenij i pisem, Moskau, Nauka, 1974f.

In dieser, auf 30 Bände berechneten Ausgabe sind 12 Bände den Briefen Čechovs vorbehalten; davon sind bis Mai 1979 sechs erschienen, die Briefe bis einschließlich Mai 1897.

Die Anmerkungen dieses Bandes stützen sich im wesentlichen auf die der zitierten Ausgabe, Bände 3 und 4. Hinzugezogen wurden ferner vor allem folgende Editionen:

Anton Čechov, Polnoe sobranie sočinenij i pisem, Moskau, OGIZ, 1944–1951, 20 Bände; 8 Bände Briefe;

Anton Čechov, Sobranie sočinenij v dvenadcati tomach, Moskau, Chudožestvennaja literatura, 1960–1964, 12 Bände, davon 2 Bände Briefe;

Čechov v vospominanijach sovremennikov (Čechov in Erinnerungen von Zeitgenossen), Moskau, Goslitizdat, 2. Aufl. 1954;

M. P. Čechov, Vokrug Čechova (Rund um Čechov), Moskau-Leningrad, Academia, 1933, 2. Aufl. 1960;

Literaturnoe nasledstvo (Literarisches Erbe): Čechov, Moskau, Izd. Akademii nauk, 1960.

N. I. Gitovič, Letopis' žizni i tvorčestva A. P. Čechova (Chronik zu Leben und Werk von A. P. Chechov), Moskau, Goslitizdat Chudožestvennoj literatury, 1955.

An Enzyklopädien und Nachschlagewerken ist der große »Ėnciklopedičeskij slovar« (Enzyklopädisches Wörterbuch) hervorzuheben, Petersburg 1890–1907, 82 Bände und 4 Supplementbände, erschienen im Verlag A. I. Efron.

Die Briefe sind auch in der vorliegenden Ausgabe numeriert. Im Briefkopf erscheint jeweils die fortlaufende Nummer, danach, versal, der Name des Adressaten und das aufgrund von Poststempeln eruierte Briefdatum, das nicht immer mit der Datierung Čechovs übereinstimmt. Es folgt, in der Grundschrift, der Brieftext, beginnend mit der Anrede des Adressaten und der Datierung des Briefs durch Čechov. Fremdsprachige Zitate innerhalb des Briefes erscheinen gesperrt, Hervorhebungen sind hier kursiv gedruckt, im russischen Original unterstrichen.

Die Anmerkungen enthalten neben der deutschen Numerierung, dem Briefdatum und Namen des Adressaten jeweils auch die Numerierung der russischen Ausgabe, hier jedoch durchgehend die Numerierung der abgeschlossenen 20bändigen Ausgabe von 1944–1951 und, zusätzlich in

Klammern, die Numerierung der neuen, noch nicht beendeten Ausgabe von 1974f. Der Leser hat damit Gelegenheit, selbst zu verfolgen, wie viele Briefe zwischen Brief a und b der deutschen Ausgabe ausgelassen worden sind.

Namen – der Briefadressaten wie auch der Personen, die in Čechovs Briefen auftauchen – werden in der Regel nur einmal ausführlicher erklärt, und zwar dort, wo sie zum ersten Mal in Čechovs Briefen erscheinen. Ihre Identifikation und ihr Auffinden in den verschiedenen Bänden dieser Ausgabe soll das Personenregister erleichtern, das Band 5 dieser Ausgabe enthält. Das Personenregister gibt auch, soweit feststellbar, Auskunft über die Zahl der Briefe, die zwischen Čechov und dem betreffenden Briefpartner gewechselt worden sind.

Band 5 enthält neben einem Werkregister ferner ein Verzeichnis der erwähnten Zeitschriftentitel und Verlagsnamen, eine Übersicht über die russischen Titel und Rangklassen, über die russischen Feiertage, Fasten und Kirchenfeste, die Erklärung der Transkription sowie der nichtübersetzten Ausdrücke.

Jedem Band sind zwei Verzeichnisse der Adressaten – chronologisch und alphabetisch geordnet – beigegeben sowie eine kurze Chronologie, die sich jedoch aus Umfangsgründen auf die wesentlichsten Daten aus Čechovs Leben beschränken muß.

Anmerkungen

1889

201) *29. 3. 1889 – N. N. Obolonskij.* 598 (625).
pn. cruposa – latein. Abkürzung für ›pneumonia cruposa‹, die einfache Form der Lungenentzündung; vgl. die Diagnose Nr. 204. Čechovs Bruder starb noch im selben Jahr an Lungenschwindsucht.

202) *Anfang April – N. N. Obolonskij.* 599 (626).

203) *8. 4. 1889 – A. S. Suvorin.* 600 (627).
zu den Feiertagen – Ostern.
Der Maler ist ein Dickkopf – vgl. Nr. 201, 202, 204.

204) *9. 4. 1889 – A. N. Pleščeev.* 602 (630).
Maler, der an Unterleibstyphus leidet – vgl. Nr. 201.
Der Roman – vgl. Nr. 198.
Georginka Lintvarëv – G. M. Lintvarëv.
Vollversammlung der dramat. Schriftsteller – in Moskau, vgl. Nr. 206. Zur ›Gesellschaft der dramatischen Schriftsteller und Opernkomponisten‹ vgl. Nr. 88, 140, 157, 185, 191.
Jurjevs Witwe – S. A. Jurjev war am 26. 12. 1888 gestorben, vgl. Nr. 171. Erst die Mitgliederversammlung vom 20. 1. 1890 setzte die Pension für seine Witwe auf 600 Rubel fest.
Anna Michajlovna – A. M. Evreinova.
Burenins Feuilleton – vom 7. 4. im ›Novoe vremja‹, ein Angriff auf den ›Severnyj vestnik‹, den B. ein ›Damenorgan‹ genannt hatte; jeder ständige Mitarbeiter dieser ›Melancholischen Mandolina‹ werde, nach einiger Zeit, zum ›geistigen Kastraten‹, um schließlich, dem Wesen nach, ganz und gar zur Dame zu werden, zu einer ›abgetakelten und nervösen Psychopathin‹. Eine ›Entwicklung‹ in dieser Richtung hätten Michajlovskij, Stasov und Nadson genommen.

205) *11. 4. 1889 – Al. P. Čechov.* 605 (632).
Neuer Viktor Krylov – bezieht sich auf die Mitteilung Aleksandrs, er habe ein Stück geschrieben. Krylov: einer der von Čechov am wenigsten geschätzten zeitgenössischen Dramatiker.
hat weder Paß noch Geld – zum Thema Paß vgl. Nr. 155, 157.

Noch heute werde ich ihm schreiben – vgl. Nr. 206.
Tuus magister bonus – latein., ›dein guter Lehrer‹, ›dein wohlmeinender Lehrer‹.

206) *11. 4. 1889 – A. S. Suvorin.* 606 (633).
Fürst Potëmkin – vgl. Nr. 151, 162 u.a.
Ščeglov – I. L. Leontjev-Ščeglov.
Oh, Marcus Aurelius Antonius ... – Mark Aurel, römischer Kaiser und Philosoph, 121–180 n. Chr.; Epiktet, griechischer Philosoph, 50–138 n. Chr. Klassiker der stoischen Philosophie.
gestern war die Sitzung – der ›Gesellschaft der dramatischen Schriftsteller und Opernkomponisten‹, vgl. Nr. 204.
Boborykin – P. D. Boborykin.
Majkov – Apollon Aleksandrovič, 1826–1902, Philologe, Lyriker, einer der Gründer der Gesellschaft, jahrelang Mitglied des Komitees. Über die Wahl des Vorsitzenden schrieb das ›Novoe vremja‹ vom 13. 4., sie habe sich durch Verworrenheit ausgezeichnet. ›Die höchsten Stimmenzahlen erhielten in Moskau P. D. Boborykin (41 St.) und A. A. Majkov (23 St.). Aber letzterer hatte noch die 36 Petersburger Stimmen hinter sich, und darum wurde ihm die Wahl zuerkannt.‹ Auf derselben Sitzung wurde Čechov zum Mitglied des Komitees gewählt (mit 61 Stimmen).
Michail Alekseevič – Sohn Suvorins aus erster Ehe, 1860–1936, Schriftsteller, beaufsichtigte die Buchkioske auf den Bahnhöfen, ab Dezember 1903 Redakteur des ›Novoe vremja‹.
eine Dame – ungeklärt, um wen es sich handelt.
Nemirovič-Dančenko – V. I. Nemirovič-Dančenko, 1858–1943, Regisseur, Dramatiker, wurde auf der Sitzung vom 10. 4. ebenfalls ins Komitee der Gesellschaft gewählt.
»Kranich am Himmel« – zufolge einer Meldung der ›Novosti dnja‹ vom 8. 4., offenbar eine Falschmeldung, von einem Stück dieses Titels von I. L. Leontjev-Ščeglov ist nichts bekannt.
über meinen »Heiratsantrag« – und die Eröffnung der Frühjahrssaison des ›Künstlerzirkels‹, der für den 12. 4. eine Aufführung des Stückes plante, zusammen mit Ščeglovs ›Ehemann fürs Sommerhaus‹.
Sendschreiben Vladimir Monomachs – Vladimir Monomach, 1113–1125, Fürst der Kiever Rus, unter dessen Herrschaft das Kiever Reich eine Blütezeit erreichte. Verfasser eines politischen und geistlichen Testaments, einer ermahnenden Belehrung an seine Söhne, die zu den bedeutendsten Denkmälern der altrussischen Literatur zählt.
Igorlied – das ›Lied von der Heerfahrt Igors‹, größte und bedeutendste altrussische epische Dichtung.
Domostroj – wörtl. ›Die Hausordnung‹; ›Das Buch, Hausordnung ge-

nannt, welches höchst nützliche Dinge, Belehrungen und Anweisungen für jeden Christen, Mann, Frau, Kinder, auch Knechte und Mägde, enthält‹, eines der wichtigsten ideologischen Zeugnisse des Moskauer Reiches, Mitte des XVI. Jahrhunderts.

Freund Ašinovs, A.A. – A. A. Suvorin, ›Suvorin-fils‹, der zusammen mit Čechov Sommer 1888 den Kaukasus bereist hatte, vgl. Nr. 132, 133. ›Freund Ašinovs‹, weil das ›Novoe vremja‹ 1888/89 nahezu täglich über die Expedition des politischen Abenteurers und, wie er sich nannte, ›Atamans der Volgakosaken‹ N. I. Ašinov berichtet hatte, der in Abbessinien die ›schwarzen Christen‹ mit der ›Macht des weißen Zaren‹ vereinigen wollte, von den Franzosen festgesetzt und an die russischen Behörden ausgeliefert wurde. Am 13. 2. 1889 hatten die Zeitungen von einem bewaffneten Zwischenfall zwischen französischen Truppen und den Gefolgsleuten Ašinovs gemeldet.

Vater Paisij – Archimandrit, Bekannter von Čechovs Onkel Mitrofan Egorovič, der ihn noch als einfachen Mönch kennengelernt hatte, Teilnehmer an der Expedition Ašinovs, vgl. auch Brief Nr. 127.

»Erzählungen« auf Velinpapier – ein Teil der Ausgabe der ›Erzählungen‹ war auf Velinpapier gedruckt worden.

mit der »Medea« – Tragödie in Versen und in Prosa, von A.S. Suvorin und V. P. Burenin gemeinsam verfaßt, 1883 (3. Aufl. 1892).

Veročka Mamyšëva – Adoptivtochter von V. S. Mamyšëv, Schwager Suvorins, Ehemann der Schwester von A. I. Suvorina.

Vulf – Gutsbesitzer aus dem Gouv. Tver, Bräutigam, später Ehemann von Vera V. Mamyšëva.

207) *17. 4. 1889 – A. S. Suvorin.* 608 (636).

Anna Ivanovna – A. I. Suvorina.

Feodosija – Hafenstadt am Schwarzen Meer, wo Suvorins Sommerhaus stand und Čechov ihn im Sommer 1888 besucht hatte.

die Sache mit dem Maler – vgl. Nr. 201, 202, 204.

bin ins Komitee gewählt worden – vgl. Nr. 206.

ich schicke Ihnen eine kleine Dummheit – ein Feuilleton in Dialogform, in dem Čechov sich über die Arbeitsweise der ›Gesellschaft der dramatischen Schriftsteller‹ lustig macht; erschien anonym im ›Novoe vremja‹ vom 22. April.

Medvedev – Pëtr Michajlovič, 1837–1906, Schauspieler, 1890–1893 erster Regisseur am Alexandratheater, Petersburg.

Freiwillige Flotte – die Freiwillige Flotte war 1878 aus dem Erlös öffentlicher Sammlungen zur Belebung des russischen Überseehandels gegründet worden, 1878 zum Abtransport russischer Truppen aus der Türkei eingesetzt, mit Heimathafen Odessa; ›besitzt bis heute rein kommerziellen Charakter: Transport der Verbannten nach Sachalin und Lieferung militärischer und anderer Fracht nach Vladivostok und zurück‹ (›Enzyklopädisches Wörterbuch‹, Petersburg, Brockhaus/Efron, 1893).

Ermordung der Šaršavina – bezieht sich auf Presseberichte von der Verhandlung gegen den Gutsbesitzer Bunakov aus Ufa, der die Zeugin eines von ihm begangenen Verbrechens, Šaršavina, ermordet hatte.

208) *23. 4. 1889 – N. N. Obolonskij.* 614 (641).

Sire! – franz., die Anrede für Könige und Kaiser.

Mächte der Lina Salomonskaja – lt. Auskunft von M. P. Čechova nannten Čechov und Obolonskij so den durch seine Krankheit stark abgemagerten Nikolaj; *Lina Salomonskaja* – Zirkusreiterin, Frau des Zirkusdirektors Albert Salomonskij in Moskau. Čechov fuhr noch am selben Tag, dem 23. April, mit seinem Bruder nach Sumy, um ihn von dort, bei nachlassendem Fieber, in einen Luftkurort des Kaukasus zu bringen.

Stanislav – einer der verbreitetsten Orden des zaristischen Rußlands, ursprünglich polnischer Orden, wurde in 3 Klassen vergeben.

Weißer Adler – einer der höchsten russischen Orden, nur in einer Klasse vergeben.

Komitee – Sitzung des Komitees der Gesellschaft der dramatischen Schriftsteller und Opernkomponisten.

Vl. Aleksandrov – Vladimir Aleksandrovič Aleksandrov, geb. 1856, Dramatiker, 1889 mit Čechov ins Komitee der Dramatikergesellschaft gewählt.

daß Tolstoj krank ist – D. A. Tolstoj, Graf, 1823–1889, Staatsmann, seit 1882 Innenminister.

»Russkaja starina« – ›Russisches Altertum‹, historische Monatszeitschrift.

209) *Anfang Mai – A. S. Suvorin.* 618 (647).

Stiva – S. Obolenskij, vgl. Nr. 194.

Gončarov – Ivan Aleksandrovič, 1812–1891, Schriftsteller.

»Oblomov« – der bekannteste Roman von I. A. Gončarov, erschienen 1859.

Lejkin – N. A. Lejkin, Schriftsteller, Herausgeber der Petersburger humoristischen Zeitschrift ›Oskolki‹.

Ich streiche Gončarov von der Liste – in seiner literarischen Rangliste aus dem Jahr 1886 hatte Čechov Gončarov neben L. N. Tolstoj geführt, beide als ›Geheimräte‹ der Literatur, wobei der ›erste Rang‹ (›Wirkliche Geheimräte‹) ›nicht besetzt‹ wurde.

Allein seine »Kalesche« – Erzählung von N. V. Gogol, aus dem Zyklus der ›Petersburger Novellen‹.

Wenn Michail Alekseevič – M. A. Suvorin, Sohn Suvorins aus erster Ehe, Leiter der Suvorinschen Buchkioske auf den Bahnhöfen.

schließen Sie mich in Ihre heiligen Gebete ein – Paraphrase des Monologs von Hamlet, ›Hamlet‹, III. Akt, 1. Szene: ›Die reizende Ophelia. – Nymphe, schließ / In dein Gebet all meine Sünden ein.‹

Akakij Tarantulov – fiktiver Name; ›Akakij‹: der Vorname des kleinen Beamten aus N. V. Gogols Erzählung ›Der Mantel‹ (Akakij Akakievič); ›tarantul‹ – die Tarantel.

210) *4. 5. 1889 – A. S. Suvorin.* 619 (648).

Ėlpe – Lazar Konstantinovič Popov, 1851–1917, Journalist, der unter dem Pseudonym ›Ėlpe‹ (seinen Initialen) im ›Novoe vremja‹ schrieb; Autor einer Reihe populärwissenschaftlicher Arbeiten im ›Novoe vremja‹ einer Ratgeber-Kolumne, vgl. dazu auch Nr. 214.

Gončarov sehr ähnlich – vgl. Nr. 209.

Varlamov, ein Vaudeville für ihn – K. A. Varlamov, 1848–1915, Schauspieler, seit 1875 am Alexandratheater, Petersburg. Čechov schrieb für ihn den Einakter ›Tragöde wider Willen‹, nach der Erzählung ›Einer von vielen‹; vgl. detebe Nr. 50/VIII, die Einakter.

Salomo, als ich Ihnen davon erzählte – vgl. Nr. 161. In Čechovs nachgelassenen Papieren fand sich ein Fragment eines Monologs des Königs Salomo.

der »Ekklesiast« – der griech. Titel des alttestamentlichen Buchs ›Der Prediger Salomo‹.

Ihr Brief an Lichačëv – in Petersburger Zeitungen war gegen Suvorin der Vorwurf der Undankbarkeit gegenüber der Stadtverwaltung von Petersburg erhoben worden, der die Zeitung ›Novoe vremja‹ ihre Existenz verdanke. In einem Offenen Brief an das Stadtoberhaupt von Petersburg, V. I. Lichačëv, hatte Suvorin klargestellt, daß die Dankbarkeit gegenüber Lichačëv eine Zeitung nicht des Rechts enthebe, über Mißstände innerhalb der Stadtverwaltung zu schreiben.

die »Zweite Jugend« – Theaterstück von P. M. Nevežin, 1841–1919.

Adašëv – Gestalt des Schriftstellers und Journalisten aus A. S. Suvorins Drama ›Tatjana Repina‹.

meine »Tatjana Repina« – vgl. Nr. 193, 194. Entgegen der Bitte Čechovs, das Stück niemandem zu zeigen, ließ Suvorin eine Druckfassung herstellen, Auflage 2 Exemplare, worüber er Čechov auch informierte. Vgl. Nr. 213.

Tolstoj und Saltykov – der ›Jäger‹ und der ›Gejagte‹, starben beide kurz hintereinander; der Innenminister und Verfechter der Politik Alexander III., D. A. Tolstoj, vgl. Nr. 208, war am 25. April, M. E. Saltykov-Ščedrin am 28. April 1889 gestorben.

Lenskij – A. P. Lenskij.

211) *6. 5. 1889 – I. L. Leontjev-Ščeglov.* 620 (649).
Ihre Theaterpläne – vgl. Nr. 200.
Lenskij – A. P. Lenskij.
Varlamov – K. A. Varlamov.
Bazarov – Herausgeber einer Theaterbibliothek in Petersburg.
»Zweite Jugend« – Theaterstück von P. M. Nevežin, vgl. Nr. 210.
»Herren Theaterfreunde« – Theaterstück von I. L. Leontjev-Ščeglov, wie auch, weiter unten, ›In den Bergen des Kaukasus‹.

212) *7. 5. 1889 – A. S. Suvorin.* 621 (650).
den »Schüler« von Bourget – ›Der Schüler‹ (›Le disciple‹), Roman des franz. Schriftstellers Paul Bourget, 1852–1935, erschienen 1889; im ›Novoe vremja‹ (vom 2., 7., 8. und 9. 5.) erschien eine ausführliche Inhaltsangabe des Romans in Fortsetzungen, parallel dazu in den Heften 4, 6, 7 und 8 der Zeitschrift ›Severnyj vestnik‹ eine Übersetzung des ganzen Romans (ohne Nennung des russischen Übersetzers).
›Das Werk ist eine mit wissenschaftlicher Genauigkeit verfaßte Studie über die unheilvollen Auswirkungen, die die Theorie eines berühmten Denkers haben kann, wenn einer seiner Schüler sie in der Praxis konsequent anwendet. – Charlotte de Jussand hat sich vergiftet. Der junge Hauslehrer der Familie, Robert Greslou, wird unter Mordverdacht verhaftet. In seiner Zelle schreibt er eine Rechtfertigung, die er seinem verehrten Lehrer, Adrien Sixte, durch seine Mutter zustellen läßt. Der bestürzte, aus der festumrissenen Ordnung seines kleinen Pflichtenkreises gerissene Gelehrte erkennt bei der Lektüre mit tiefer Erschütterung, daß er durch seine Lehre die Katastrophe indirekt verschuldet hat. Robert hat die junge Charlotte systematisch verführt; der Wille, die aus seiner niedrigen Herkunft resultierenden Minderwertigkeitskomplexe zu kompensieren, ist dabei die treibende Kraft gewesen. Aber es ging ihm vor allem darum, seinem Lehrer zu beweisen, daß man auch im Leben nach der Methode der empirischen Psychologie vorgehen könne. Wie ein experimenteller Wissenschaftler notierte er täglich die Ergebnisse seiner Unternehmung. Daß er sich in sein Opfer verliebte, führte jedoch zu Komplikationen, die ihn überwältigten. Bevor Charlotte Roberts Drängen nachgab, hatte sie mit ihm verabredet, daß sie gemeinsam aus dem Leben scheiden würden. Als er dazu jedoch nach der Liebesnacht nicht mehr bereit war, die enttäuschte Charlotte zudem noch seine Aufzeichnungen fand, aus denen hervorging, daß sie nur das Versuchsobjekt eines anfänglich leidenschaftslos betriebenen Experiments war, beging sie Selbstmord. – Robert bereut zutiefst und unternimmt nichts zu seiner Verteidigung. André, Charlottes Bruder, der die wirklichen Zusammenhänge ahnt, enthüllt vor dem Gericht Roberts Unschuld, erschießt ihn aber nach seiner Freilas-

sung, weil er ihn für den Tod seiner Schwester verantwortlich macht. Während Roberts Mutter an der Leiche ihres Sohnes wacht, kommen seinem vom Gefühl der Mitschuld gepeinigten Lehrer, dem Atheisten Sixte, die ersten Worte des Vaterunsers wie von selbst über die Lippen.‹ (Kindler, Literaturlexikon)

Die Spiritualisten – Spiritualismus, vom russischen Enzyklopädischen Wörterbuch (Brockhaus/Efron) definiert als ›philosophische, dem Materialismus entgegengesetzte Richtung‹. ›Wie der Materialismus von den faktisch gegebenen Gegensätzlichkeiten der Erscheinungen materieller und geistiger Ordnung ausgeht und die zweiten auf die ersten zurückführt, so geht auch der S. von derselben Aporie aus, löst sie aber im entgegengesetzten Sinne, d. h. er führt die Erscheinungen der materiellen Ordnung zurück auf die geistigen.‹

Man nimmt an, daß die Kontroverse zwischen Suvorin und Čechov ausgelöst wurde durch das 1889 erschienene Buch von A. M. Butlerov, ›Aufsätze zum Mediumismus‹, vor allem durch den darin enthaltenen Aufsatz ›Der Antimaterialismus in der Wissenschaft‹ (erstmals erschienen im ›Novoe vremja‹, 1881), der ›den Anfang vom Ende des Materialismus‹ umreißt und hinweist auf den Umstand, daß mit den zahlreichen neuen Errungenschaften der Naturwissenschaften eine ganze Reihe gewohnter Begriffe, darunter auch der von der Materie, sich auf einmal als unzureichend für deren Erklärung erwiesen hatten, und der in gewisser Weise seine Widerspiegelung in Bourgets Roman wie in Suvorins Auffassung fand.

Mendeleev – Dmitrij Ivanovič, 1834–1907, Chemiker, entdeckte 1869 gleichzeitig mit Lothar Meyer das Periodensystem der chemischen Elemente.

213) *8. 5. 1889 – Al. P. Čechov.* 622 (651).

habe dir schon einmal aus Sumy geschrieben – am 2. Mai, Čechov hatte seinen Bruder gebeten, ihm den ›Novorossijskij telegraf‹ aufzuheben, nachdem die Moskauer ›Genossenschaft dramatischer Schauspieler‹ vom 19.–30. April mit Čechovs ›Ivanov‹ und dem ›Bären‹ in Odessa gastierte.

die Kiever Zeitungen – die ›Genossenschaft‹ gastierte anschließend, vom 2. bis 21. Mai, in Kiev.

N. A. – N. A. Golden, Aleksandrs zweite Frau.

214) *14. 5. 1889 – A. S. Suvorin.* 624 (653).

meine »Tatjana Repina« – vgl. Nr. 193, 194, 210.

nicht Petersburg, sondern Leipzig – um den Anschein einer illegalen, im Ausland gedruckten Publikation zu erwecken. Eine andere Interpretation bietet die neue Gesamtausgabe an: Leipziger Verlage haben viel leichte Literatur herausgegeben, Čechov habe wahrscheinlich das Stück ›Autour du mariage« (1883) von Gabrielle Martel de Janville vor Augen gehabt, das damals zahlreiche Auflagen erlebte.

Mein Maler – Nikolaj P. Čechov, vgl. Nr. 201, 204, 212.

Ščeglov – I. L. Leontjev-Ščeglov; gemeint ist vermutlich das Drama ›Nastja‹, Bühnenbearbeitung des Romans ›Der gordische Knoten‹.

Burenin – V. P. Burenin.

Bežeckij – A. N. Maslov-Bežeckij.

gelehrter Ėlpe – vgl. Nr. 210. Im »Novoe vremja« vom 5. 5. hatte Ėlpe unter den ›Nützlichen Ratschlägen‹ in der von Čechov zitierten Weise empfohlen, Milch zu sich zu nehmen.

Svobodin versprach ... – Svobodin kam in Begleitung seines Sohnes am 31. 5. zu Gast nach Luka.

entsetzt darüber, daß ich Lessing ... – vgl. die Erzählung ›Der Literaturlehrer‹ (1894), detebe Nr. 50/XV; eine erste Fassung unter dem Titel ›Die Spießbürger‹, geschrieben im Sommer 1889, erschien am 28. 11. im ›Novoe vremja‹. – Svobodin sprach leidenschaftlich gern über die ›Hamburgische Dramaturgie‹ Lessings.

Schluß von Bourgets Roman – vgl. Anm. zu Nr. 212.

Gaboriau – Emile Gaboriau, 1835–1873, franz. Romanschriftsteller, Klassiker der Kriminalerzählung, des Kriminalromans; ›L'affaire Lerouge‹ u. a.

Evgenij Kočetov – E. L. Kočetov, 1845–1905, Journalist, Mitarbeiter des ›Novoe vremja‹.

Galilei – Galileo, 1564–1642.

die Doktorin – vermutlich E. M. Lintvarëva.

die Wisente in der Belovežer Heide – im damals russ. Gouvernement Grodno, poln. Bialowież, ›ein Hügelland mit vielen Sümpfen, das die Wasserscheide zwischen dem Niemen, Bug und Pripet bildet‹, Urwaldgebiet; ›In Europa kommt nur noch hier der Wisent vor, gegen 350 Stück.‹ (Brockhaus, 1901)

Evgenija Konstantinovna – E. K. Suvorina, Ehefrau von Suvorins Sohn Aleksej Al. Suvorin

Aleksej Alekseevič – A. A. Suvorin junior.

215) *15. 5. 1889 – A. S. Suvorin.* 625 (654).

Über Bourget – vgl. Nr. 212.

»Ein Augenblick ist mein gewesen« – Romanze von Michail I. Glinka nach dem Gedicht von A. S. Puškin, hier zitiert in der Übersetzung von Karoline Jaenisch-Pavlova.

in den Sechz. Jahren ... die ›Sechziger Jahre‹, in der russischen Geistesgeschichte die Phase der freien politischen Diskussion, die Zeit der ›großen‹ Reformen, Abschaffung der Leibeigenschaft usw.

unser Pisarev – Dmitrij Ivanovič, 1840–1868, Publizist, Literaturkritiker, Mitarbeiter der revolutionärdemokratischen Zeitschrift ›Sovremennik‹.

216) *18. 5. 1889 – I. M. Kondratjev.* 627 (655).
»Tragöde wider Willen« – vgl. Nr. 211.
an einem Staatstheater – der ›Waldschrat‹ war dem Schauspieler A. P. Lenskij für das Moskauer Kleine Theater versprochen worden, vgl. Brief Nr. 217.

217) *4. 6. 1889 – N. N. Obolonskij.* 630 (658).
curriculum vitae – latein., ›Lebenslauf‹.
t° – so im Original, Abk. f. ›Temperatur‹.
ipec. – Ipekakuanha, Brechwurz; Wurzel einer südamerikanischen Pflanze, die als Husten- und Brechmittel verwendet wurde.
atrop. – im Orig. latein., Atropin, Alkaloid. ›In der Augenheilkunde (als Einträufelung) vielfach verwendet, da es, in der geringsten Menge ins Auge gebracht, Erweiterung der Pupille sowie Lähmung des Accomodationsapparates bewirkt. Innerlich und subkutan wird es zur Bekämpfung übermäßiger Schweißbildung, so namentlich bei Lungenschwindsüchtigen, ferner zur Aufhebung von Krampfzuständen des Darms, so namentlich bei der Bleikolik, ferner bei Asthma, Keuchhusten, Speichelfluß gebraucht. Endlich bildet es das Gegenheilmittel gegen Morphiumvergiftung.‹ (Brockhaus, 1901)
Kislovodsk – Bade- und Luftkurort im Kaukasus.
ein großes Stück fürs Staatstheater – ›Der Waldschrat‹; wörtlich so auch an V. A. Tichonov am 31. 5. und: ›Es wird langweilig. Nichts ist langweiliger als langweilige Theaterstücke, aber ich kann zur Zeit anscheinend nur langweilige Dinge schreiben, dann soll man es lieber bleiben lassen.‹
Suvorin zu Gast – A. S. Suvorin war Ende Mai 6 Tage in Sumy.
der Cellist aus Moskau – M. R. Semaško.
Laryngoskop – med. griech., ›Kehlkopfspiegel‹.
Kreosot – Heilmittel, ›findet gegenwärtig medizinisch innerlich vielfach Anwendung bei Lungentuberkulose und Krebs, äußerlich zu Verbandwässern, Salben usw.‹. ›Oft bedeutet der Name K. auch einfach rohe Carbolsäure.‹ (Brockhaus, 1902)
Houris – auch Huris, arab. ›die Blendendweißen‹, ›die Paradiesjungfrauen, welche nach mohammed. Glauben zur Belohnung der Seligen gehören sollen. Sie sind, nach der Schilderung des Korans (Sure 55), von blendender Schönheit, ›wie Rubinen und Perlen‹, in immer frischen, reichbewässerten Gärten ruhen sie in Lauben, auf grünen Kissen und den schönsten Teppichen.‹ (Brockhaus, 1902)

218) *17. 6. 1889 – N. N. Obolonskij.* 632 (660).

219) *18. 6. 1889 – F. O. Šechtel.* 633 (661).

220) *26. 6. 1889 – A. N. Pleščeev.* 636 (664).
Svobodin – P. M. Svobodin.
mein älterer Bruder – Aleksandr, der am 14. oder 15. Juni nach Sumy/Luka gekommen war, mit seiner zweiten Frau und den Kindern; in Sumy ließen sich A. P. Čechov und N. A. Golden kirchlich trauen.
Smagins – Gutsbesitzerfamilie im Gouv. Poltava, verwandt mit Familie Lintvarëv.
Ich weiß nicht – im Original russisch transkribiertes Polnisch (nie wiem).
Suvorin lädt mich ein ... – Suvorin hatte Čechov mitgeteilt, er wolle einen Monat lang in Tirol bleiben, um dann nach Paris weiterzureisen; am 2. Juli schrieb ihm Čechov, er wolle über Odessa nachkommen, vgl. auch Nr. 221.
redseliger Dmitrij Vasiljevič – D. V. Grigorovič.
beglückwünsche den »Sev. vestnik« – Pleščeev hatte mitgeteilt, daß der Kritiker M. A. Protopopov, der seine Mitarbeit an der Zeitschrift seit November 1888 eingestellt hatte, wieder für den ›Severnyj vestnik‹ schreiben wolle, ferner habe Korolenko der Herausgeberin A. M. Evreinova geschrieben, er sitze an einer Sache für ihre Zeitschrift.

221) *18. 7. 1889 – M. P. Čechova.* 640 (668).
Jalta, Haus Farbštejn – heute Černomorskij pereulok, Nr. 5.
Natalija Michajlovna – N. M. Lintvarëva.
nach Moskau, ohne den September ... – Čechov wollte erst Anfang September nach Moskau zurückkehren; in Jalta blieb er bis zum 10. 8., fuhr dann nach Sumy zurück.
die Schmuuls – für ›die Juden‹; einer der Ausdrücke, die in früheren Čechov-Briefeditionen getilgt waren.
Sergeenko – Pëtr Alekseevič Sergeenko, Schulkamerad Čechovs aus Taganrog, lebte damals in Odessa, wo Čechov ihn besucht hatte.
von Kondratjev Geld – das Čechov zustehende Honorar aus den Theaterstücken; am selben Tag (18. 7.) hatte Čechov an Kondratjev in diesem Sinne geschrieben.
die sympathische Doktorin – E. M. Lintvarëva.
Miša – Michail P. Čechov.
In Jalta kann man arbeiten – in Jalta arbeitete Čechov an der ›Langweiligen Geschichte‹; am 3. 8. schrieb er an Pleščeev, er habe bereits einen Druckbogen geschrieben und wolle bis September mit der Novelle fertig sein.

Aleksandra Vasiljevna – A. V. Lintvarëva.
der Komponist – Georgij M. Lintvarëv, Pianist, besuchte damals das Konservatorium in Petersburg.
Semašečka – M. R. Semaško (›der Cellist‹), vgl. Nr. 217.
Gräfin Lida und ... – Lidija F. Michajlova, Lehrerin, deren Sohn Kadett, d. h. Offiziersanwärter war.

222) *29. 8. 1889 – I. L. Leontjev-Ščeglov.* 645 (673).
gegenüber Melpomene – Melpomene, Muse des Theaters, der Tragödie. Frage Čechovs am 3. 8. an Pleščeev: ›A propos: was macht Jean? Vergewaltigt er weiterhin Melpomene?‹
Ščeglov hatte geschrieben, Čechov habe ihn mit seinen Insinuationen ›ganz verhext‹, es ziehe ihn nicht mehr zum Theater.
»Famočka« und der »Hahn« – die Novelle ›Famočka und der Hahn‹ erschienen 1891 unter dem Titel ›Petersburger Idylle‹ in Leontjev-Ščeglovs Erzählungsband ›Kordelia‹.
»Theaterfreunde«, »Ehemann« – Theaterstücke des Adressaten.
schreibe an einer Novelle – die ›Langweilige Geschichte‹.
Darstellung eines jungen Mädchens – vgl. die Beschreibung Katjas in der ›Langweiligen Geschichte‹: ›Ich spreche von ihrer leidenschaftlichen Liebe für das Theater. Wenn sie in den Ferien aus dem Institut zu uns kam und bei uns wohnte, sprach sie von nichts anderem mit solchem Eifer und Vergnügen wie von Theaterstücken und Schauspielern. Mit ihren ständigen Gesprächen über das Theater ermüdete sie uns. Meine Frau und die Kinder hörten ihr gar nicht zu. Mir allein mangelte es an Mut, ihr die Aufmerksamkeit zu versagen. Wenn sie den Wunsch hatte, ihre Begeisterung mit jemandem zu teilen, kam sie in mein Arbeitszimmer und sagte in flehendem Ton: ›Nikolaj Stepanyč, erlauben Sie mir, mit Ihnen über das Theater zu sprechen.‹
Man schreibt mir ... – am 9. 8. hatte im Beisein des Zaren in Krasnoe selo eine Aufführung des ›Heiratsantrags‹ stattgefunden (in der Besetzung P. M. Svobodin, K. A. Varlamov und Iljinskaja), worüber V. V. Bilibin Čechov informiert hatte, zuvor auch schon Svobodin, der schrieb, es sei ununterbrochen gelacht worden, auch der Zar habe ›herzlich gelacht‹.
Stanislav – Orden des zaristischen Rußland, in 3 Klassen vergeben, Stanislausorden.

223) *5. 9. 1889 – F. A. Kumanin.* 648 (675).
»Heiratsantrag« im »Novoe vremja« – vom 3. 5. 1889. In Kumanins Zeitschrift ›Artist‹ erschien das Stück nochmals in Heft Nr. 3, November 1889.
Kičeevs »Sezon« – Theaterzeitschrift, Almanach, hrsg. von N. P. Ki-

čeev; der ›Schwanengesang‹ war dort in Nr. 1, 1887, erschienen; in der Zeitschrift ›Artist‹ wurde das Stück nochmals in Heft Nr. 2, Oktober 1889, abgedruckt.

Brief von V. S. Lichačëv – Vladimir Sergeevič, 1849–1910, Lyriker, Dramatiker, Übersetzer. Vgl. Nr. 224, 225.

224) *5. 9. 1889 – V. S. Lichačëv.* 649 (676).

Gevatter (laut Akademie) – auf derselben Sitzung der Akademie der Wissenschaften, die Čechov den Puškinpreis zuerkannt hatte, war dem Adressaten der Übersetzerpreis für seine ›Tartuffe‹-Übersetzung verliehen worden.

Den »Ivanov« ... – Lichačëv hatte gefragt, ob es von dem Stück eine Einzelausgabe gäbe, er hätte gern ein Exemplar. ›Ivanov‹ existierte nur als Textbuch bei Rassochin – in der ersten Redaktion Ende 1887, in der zweiten Anfang 1889 (Zensurstempel vom 3. Januar).

hundert Exemplare – Sonderdrucke des ›Severnyj vestnik‹, wo das Stück in Heft Nr. 3, 1889, erschienen war.

225) *8. 9. 1889 – V. S. Lichačëv.* 654 (681).

226) *9. 9. 1889 – F. A. Kumanin.* 655 (682).

Lichačëv habe ich geschrieben – vgl. Nr. 223–225.

227) *13. 9. 1889 – V. A. Tichonov.* 657 (682).

reußischer Sardou – Victorien Sardou, 1831–1908, franz. Dramatiker, ›Cyprienne‹ u. a.

»Strahlen und Wolken« – Komödie des Adressaten, die am 20. 10. 1889 im Theater F. A. Korš Premiere hatte.

»Ohne Steuer und Ruder« – Stück Tichonovs aus der vergangenen Saison (Premiere am 2. 12. 1888), das in der Spielzeit 1889/90 wieder aufgenommen wurde.

eine lange Novelle – die ›Langweilige Geschichte‹, detebe 50/XVII.

228) *14. 9. 1889 – A. N. Pleščeev.* 658 (685).

Anna Michajlovnas Telegramm – A. M. Evreinova; die Telegramme der Evreinova an Čechov sind verloren, wie auch Čechovs erster Brief nach den Ferien an sie. Am 7. 9. hatte Čechov der Evreinova geschrieben, daß er mit der Novelle für das Oktoberheft nicht fertig würde, und für den Notfall vorgeschlagen, die ›Langweilige Geschichte‹ in zwei Teile aufzuspalten: den ersten Teil fürs Oktoberheft, den Schluß fürs Novemberheft. Vgl. auch Nr. 230.

Geschimpfe im feindlichen Lager – meint die Zeitschrift ›Russkaja mysl‹, von der Čechov überzeugt war, daß sie seine Novelle heruntermachen würde (so am 7. 9. an A. M. Evreinova).

Theater der Goreva – E. N. Goreva, 1859–1917, Schauspielerin, die 1889 in Moskau ihr eigenes Theater gründete, das nur zwei Jahre bestand. Am Theater E. N. Goreva war für den Spielplan der Schriftsteller P. D. Boborykin verantwortlich, der Čechov gebeten hatte, ihm für das neu gegründete Theater den ›Heiratsantrag‹ zu überlassen, der auch gespielt wurde; vgl. Nr. 229, 231.

Abramova – Marija Moricevna, eigtl. Gejnrich, 1865–1892, Schauspielerin, hauptsächlich in der Provinz; gründete im selben Jahr wie E. N. Goreva in Moskau ein Privattheater, das ab Dezember faktisch von einer Schauspielergenossenschaft geführt wurde (unter Leitung von N. N. Solovcov und V. V. Čarskij). Am Theater M. M. Abramova wurde der ›Waldschrat‹ uraufgeführt, nachdem er vom Theater-Lit. Komitee Petersburg für Staatstheater abgelehnt worden war, vgl. Briefe Nr. 238f.

Jean – I. L. Leontjev-Ščeglov.

Frau Pyžikova, Dymskaja-Stulskaja II. – fiktive Namen.

Adresse: Taur. Palais... – Fürst G. A. Potëmkin, 1739–1791, war Günstling der Zarin Katharina II.

229) *18. 9. 1889 – I. L. Leontjev-Ščeglov.* 659 (686).

Hr. Theaterfreund! – ›Die Herren Theaterfreunde‹, Einakter des Adressaten, der in einer dreiaktigen Bearbeitung auch unter dem Titel ›Die freien Liebhaber‹ vorlag, vgl. Nr. 168. ›Der Theaterfreund‹ (Teatral) war auch ein Pseudonym, unter dem A.S. Suvorin im ›Novoe vremja‹ Theaterkritiken veröffentlichte.

Bearbeitung des »Gordischen Knotens« – Roman des Adressaten, die Bühnenbearbeitung trug den Titel ›Nastja‹.

Die Truppe von Korš ... erneuert – am Theater F. A. Korš wurde der ›Ivanov‹ in der neuen Redaktion ins Repertoire übernommen (erste Vorstellung am 15. 9.), die Rolle des Ivanov spielte nach dem Weggang V. N. Davydovs der Schauspieler P. F. Solonin.

Medvedev – P. M. Medvedev.

Potockaja – Marija Aleksandrovna, 1861–1940, Schauspielerin, 1889–92 bei Korš, danach am Alexandratheater.

Ljudvigov – Ljudvig Kazimirovič, eigtl. Maevskij, 1854(?)–1929, Schauspieler und Regisseur, 1889–1894 bei F. A. Korš.

Krasovskaja – Elizaveta Fominična, eigtl. Baruzova, 1822–1898, ab 1882 bei F. A. Korš.

Goreva, Abramova – vgl. Anm. zu Nr. 228.

Solovcov – N. N. Solovcov.

Lenskij – A. P. Lenskij.

230) *24. 9. 1889 – A. M. Evreinova.* 661 (688).
die Erzählung in ein Heft – Čechov hatte am 7. 9. vorgeschlagen, die ›Langweilige Geschichte‹ notfalls auf zwei Hefte aufzuteilen, vgl. Anm. zu Nr. 228.
die Zensur – die Novelle passierte die Zensur unbeanstandet.
Was macht die Sibirjakova – die reiche Witwe, mit der man Čechov im Scherz verheiraten wollte.
Marija Dmitrievna – M. D. Fëdorova, Mitarbeiterin des ›Severnyj vestnik‹.
Aleksej Nikolaevič – A. N. Pleščeev, vgl. Nr. 231.

231) *24. 9. 1889 – A. N. Pleščeev.* 662 (689).
Boborykin ... Goreva verlassen – P. D. Boborykin war am Theater E. N. Goreva eine Art Dramaturg, hatte diese Position aber schnell wieder aufgegeben.
»Don Carlosse« ... – im September wurde am Theater E. N. Goreva 7mal ›Don Carlos‹ und 4mal Molières ›Menschenfeind‹ gegeben.
Ostrovskij – P. N. Ostrovskij, vgl. Nr. 228.
aus Očakovs Zeiten – sprichwörtlich wie dt. ›aus Olims Zeiten‹, ›aus grauer Vorzeit‹. *Očakov:* Festungsstadt im Kreis Odessa, die im XVII. und XVIII. Jahrhundert im Kampf um die Schwarzmeerküste zwischen Polen und dem Moskovitischen Reich eine große Rolle spielte.

232) *27. 9. 1889 – A. P. Lenskij.* 663 (690).
Masagnello – der Vers ist ein Zeitungsausschnitt aus den ›Oskolki‹, unterschrieben mit ›Kaktus‹ (Pseudonym von F. K. Martjanov, vgl. Brief Nr. 129). – *Masagnello:* Held der Oper ›Die Stumme von Portici‹ von Daniel E. F. Auber, die in Rußland unter dem Titel ›Fenella‹ gespielt wurde.
Rusalka – Oper von A.S. Dargomyžskij nach der gleichnamigen Verserzählung von A.S. Puškin, die Čechov am 24. 9. im Moskauer Bolšoj Theater gesehen hatte.
Meine Novelle ... abgeschickt – vgl. Nr. 230, 231.
das »Dorf Znamenskoe« – Theaterstück von Vl. Aleksandrov, das am 28. 9. im Kleinen Theater Moskau Premiere hatte.
Das Stück – vgl. Nr. 237.
Lidija Nikolaevna – L. N. Lenskaja, Frau des Adressaten.
Aleksandr Aleksandrovič – A. A. Lenskij, 1877–1919, genannt Sasik, Sohn des Adressaten.

233) *30. 9. 1889 – A. N. Pleččeev.* 664 (691).
Dank für den Brief – vom 27. 9., in dem Pleščeev sich ausführlich zur ›Langweiligen Geschichte‹ äußerte; P. schrieb, er habe die Novelle

Freunden vorgelesen, sei begeistert von dem Ton der Erzählung, der Professor und Katja seien sehr gut getroffen, ›wie lebendig‹ stünden sie dem Leser vor Augen; Bedenken äußerte P. gegen den Titel, der Anlaß zu billigen Witzen geben könne. ›Merkwürdig‹ sei die Gleichgültigkeit des Professors gegenüber dem Liebesverhältnis Katjas, ›merkwürdig‹ seien auch die Überlegungen des Professors anläßlich der spöttischen Bemerkungen Michail Fëdorovičs über die Wissenschaften. Ferner die Frage, warum Gnekker Liza heirate, obwohl er doch als Abenteurer und Schnorrer wissen müsse, daß er von den Eltern keine Mitgift zu erwarten habe.

Was den Brief von Michail Fëd. betrifft – Gestalt aus der ›Langweiligen Geschichte‹, vgl. Schlußkapitel (VI) der Novelle.

das Honorar in Raten – vgl. Nr. 230.

Nozdrëv – Gestalt aus N. V. Gogols Roman ›Die toten Seelen‹.

Sitzung des Komitees – vgl. Nr. 231.

234) *7./8. 10. 1889 – A. P. Lenskij.* 665 (693).

Das Stück ist fertig – ›Der Waldschrat‹. Am 6. 10. an A. N. Pleščeev: ›Ich habe eine Komödie geschrieben! Meinetwegen eine schlechte, aber ich habe sie geschrieben. Im September und Anfang Oktober habe ich dermaßen gearbeitet, daß mir im Kopf ganz dumpf ist und mir die Augen wehtun. Jetzt werde ich mich 2 Wochen lang ausruhen.‹

Gorev, Sadovskij ... – Schauspieler am Kleinen Theater in Moskau.

Gorev – F.P. Gorev, eigtl. Vasiljev, Ehemann der Theaterunternehmerin E.N. Goreva.

Sadovskij – M. P. Sadovskij.

Južin – A. I. Sumbatov-Južin.

Rybakov – K. N. Rybakov.

Muzil – N. I. Muzil.

235) *10. 10. 1889 – F. A. Kumanin.* – 668 (695).

Die Pasternakzeichnung – K. hatte Čechov eine Zeichnung von L. O. Pasternak geschickt, die in der Zeitschrift ›Artist‹ als Illustration zu Čechovs Einakter ›Schwanengesang (Kalchas)‹ erscheinen sollte.

236) *12. 10. 1889 – P. I. Čajkovskij.* 670 (696).

einen neuen Band meiner Erzählungen – der Band ›Mürrische Menschen‹ erschien im Verlag A. S. Suvorin 1890, vgl. Nr. 237.

bei Modest Ivanovič – Čechov meint P. I. Čajkovskijs Bruder, Modest *Iljič*, bei dem Čechov Čajkovskij im Dezember 1888 kennengelernt hatte. P. I. Čajkovskij schrieb am 16. 10. an seinen Bruder: ›Stell dir vor, Čechov hat mir geschrieben, er will mir seinen neuen Erzählungsband widmen. Ich war bei ihm voller Dankbarkeit, ich bin schrecklich stolz und freue mich.‹ Čajkovskij suchte Čechov am 14. 10. auf, vgl. Nr. 238.

237) *13. 10. 1889 – A. S. Suvorin.* 671 (698).

eine Novelle von 4½ Bogen – die ›Langweilige Geschichte‹.

alles vernichtet, was ich im Frühjahr geschrieben hatte – über die ursprünglichen Pläne zum ›Waldschrat‹ vgl. Nr. 150, 161; 193, 216, 217.

Svobodin – P. M. Svobodin, war am 5. 10. aus Petersburg nach Moskau gekommen, um sich das Manuskript des Stücks abzuholen, vgl. Brief Nr. 240. Am 10. Oktober schilderte Svobodin Čechov in einem Brief die Geschichte des Stücks und seiner Ablehnung durch das ›Komitee‹, Grigorovič habe das Stück ›merkwürdig, für eine Aufführung in dieser Form unmöglich‹ befunden, obwohl er Čechov liebe ›wie seinen eigenen Sohn‹, aber das sei ›etwas zwischen den ›Dämonen‹ und den ›Brüdern Karamazov‹, stark, eindrucksvoll, aber keine Komödie‹ . . . ›Wir gingen nach 12 Uhr auseinander. Ich blieb als letzter, im Gespräch mit dem Direktor. Er versuchte mich zu überzeugen, das Stück nicht zu nehmen, wobei er mir mit großer Anteilnahme und Mitgefühl sagte, es könne nur mir selbst und meinen Kollegen, die auch einmal Benefizvorstellungen hätten, schaden, wenn man den ›Waldschrat‹ inszenieren würde: da kämen die Großfürsten, er kenne deren Ansichten und Geschmack, dieses Stück würde ihnen jegliche Lust vergällen, sich je wieder ein russisches Theaterstück anzusehen . . . ‹ Daraufhin sei er geflohen, es sei sinnlos gewesen, weiterzureden. Svobodin übernahm in einem Brief an V. M. Lavrov die Meinung zumindest teilweise, der ›Waldschrat‹ sei der Form nach keine Komödie, aber es seien ›lebendige Menschen‹, ›lebendige Sprache‹, ›Charaktere‹, an denen gemessen ›der ganze alexandrinische Mist halb soviel wert wie ein Stück von Čechov‹ sei.
Die Sitzung, die Svobodin beschreibt, tagte in der Besetzung Grigorovič, Vsevoložskij, Potechin, Sazonov und Svobodin.

Vsevoložskij – Ivan Aleksandrovič, 1835–1909, Direktor der Kaiserlichen Theater, 1881–1886 der Theater in Moskau und Petersburg, 1886–1899 nurmehr der Staatstheater von Petersburg.

Material für den dritten Erzählungsband – den dritten im Verlag Suvorin (nach ›In der Dämmerung‹ und ›Erzählungen‹); der Band ›Mürrische Menschen‹ erschien 1890 bei A.S. Suvorin.

manches schreibe ich ganz neu – die Erzählung ›Volodja‹, vgl. detebe Nr. 50/XIII, erschienen in der ›Petersburgskaja gazeta‹ 1887 unter dem Titel ›Seine erste Liebe‹, die Čechov stark veränderte.
In den Band ›Mürrische Menschen‹ nahm Čechov folgende Erzählungen auf: ›Die Post‹, ›Ein unangenehmer Vorfall‹, ›Volodja‹, ›Die Fürstin‹, ›Gute Nerven‹, ›Schlafen, nur schlafen‹, ›Eine langweilige Ge-

schichte‹, ›Der Anfall‹, ›Sekt‹; vgl. detebe Nr. 50/XIII, XIV und XVII.

Lenskij hatte mich eingeladen – in Odessa gastierte das Kleine Theater Anfang Juli mit ›Verstand schafft Leiden‹, ›Hamlet‹ u. a.

Souvorin inconnu – im Orig. französisch zitiert: ›Suvorin unbekannt Telegraphenamt Direktion.‹

Humorist Bernard – meint F. C. Burnand, von dem in Rußland zwei Sammelbände (›Happy Thoughts‹, ›More Happy Thoughts‹) erschienen waren, vgl. Nr. 165.

Igors Tod – sprichwörtlich, meint den Fürsten Igor aus dem ›Igorlied‹, der in der Schlacht fällt und von Jaroslavna in einem berühmten Klagegesang beweint wird.

Elizaveta Zacharovna – vermutlich Bibliothekarin der Privatbibliothek Suvorins (lt. Kommentar der 30bändigen Ausgabe); Elizaveta Zacharovna hieß auch die Frau von K. F. Vinogradov.

die Boote von Obolenskij – vgl. Nr. 132, 194.

238) *14. 10. 1889 – P. I. Čajkovskij.* 672 (699).

danke Ihnen unendlich – für Čajkovskijs Besuch bei Čechov am 14. Oktober.

der Cellist – M. R. Semaško.

der Flötist – A. I. Ivanenko.

der Pädagoge – Ivan P. Čechov.

239) *17. 10. 1889 – A. S. Suvorin.* 674 (702),

habe ich Ihnen gestern geschrieben – in seinem Brief vom 15. 10. an Suvorin, in dem Čechov mitteilt, man habe ihm die Fahnen der medizinischen Abteilung des Suvorinschen Jahreskalenders (›Russischer Kalender‹) geschickt.

Ostrovskij – P. N. Ostrovskij.

Seine Schwester – N. N. Ostrovskaja, Mitarbeiterin verschiedener Kinderzeitschriften, die, über ihren Bruder und Čechov, einen Erzählungsband im Verlag A. S. Suvorin unterzubringen versuchte, vgl. Brief Nr. 241.

Goreva – vgl. Nr. 228. Die Eröffnungsvorstellung des Theaters E. N. Goreva (Ostrovskijs Tragödie ›Das Gewitter‹) wurde unisono verrissen. Welche Vorstellung Čechov gesehen hatte, ist ungeklärt, womöglich meint er auch die Inszenierung des ›Heiratsantrags‹.

in mein Stück geraten zu sein – nach Meinung von D. V. Grigorovič waren im ›Waldschrat‹ Suvorin (in der Figur Serebrjakovs) und dessen junge Frau (in der Elena Andreevna) dargestellt. Suvorin hatte das Stück selbst noch nicht gelesen.

Feodosija – Hafenstadt am Schwarzen Meer, wo Čechov Suvorin in dessen Sommerhaus besucht hatte (Sommer 1888).

Pfähle der Lintvarëvschen Mühle – Ende Mai 1889 hatte Suvorin Čechov für 6 Tage in Sumy besucht.
von einem stumpfsinnigen, eitlen ... – Serebrjakov im ›Waldschrat‹ bzw. ›Onkel Vanja‹.
Spitzel der III. Abteilung – d. h. der gefürchteten zaristischen Geheimpolizei.
einem Petersburger Literaten – vermutlich V. A. Tichonov, der um diese Zeit in Moskau war.
Pleščeev – A. N. Pleščeev.
Barancevič – K. S. Barancevič.
Svobodin – P. M. Svobodin, der am 31. 5. mit seinem Sohn für einige Wochen nach Sumy gekommen war.
die Gedanken eines Professors – vgl. die ›Langweilige Geschichte‹.
Gnekker – Gestalt aus der ›Langweiligen Geschichte‹.
»Disciple« von Bourget – vgl. Nr. 212, 215.
Geschimpf eines Žitel – A. A. Djakov, schrieb unter dem Pseudonym Žitel im ›Novoe vremja‹.
Ihre Söhne – aus erster Ehe: A. A. und M. A. Suvorin; A. A. Suvorin war der Herausgeber des Almanachs ›Stoglav‹, der im September 1889 in kleinerem Format, aber um 5 Kopeken teurer herauskam (35 Kopeken statt früher 30).
vis-à-vis – französisch: ›gegenüber‹. Auf Seite 57 erschienen nebeneinander Bilder von A. P. Čechov und V. G. Korolenko, auf Seite 56 fand sich ein Bild des Schahs von Persien, der um diese Zeit eine Europareise unternahm.
für die Erzählungen – in A. A. Suvorins Almanach erschien 1889 die Erzählung ›Der Flüchtling‹, 1890 die Erzählung ›Sekt‹.
las neulich ein Gedicht – sehr wahrscheinlich nur im Manuskript, Spottgedicht, das von Hand zu Hand wanderte, über den Verfasser ist nichts bekannt.

240) *21. 10. 1889 – A. N. Pleščeev.* 676 (704).
Ein Arzt – N. N. Obolonskij.
entweder hat mit Neid... – Paraphrase der Fabel ›Der Hecht und der Kater‹ von Ivan A. Krylov:

›Ich weiß nicht: hat mit Neid der Böse ihn geschlagen.
Oder, vielleicht, schmeckt ihm nicht mehr der Fisch ...‹

Svobodin ist unschuldig – vgl. Anm. zu Nr. 237. Pleščeev schrieb, er habe mit S. gesprochen und den Eindruck gewonnen, S. wolle den ›Waldschrat‹ nicht mehr für sein Benefiz inszenieren.
Die »Peterb. gazeta« – schrieb in der Rubrik ›Theater-Echo‹ am 19. 10. anonym, man habe gehört, das Stück ›Der Waldschrat‹ sei im Theater-Lit. Komitee zwiespältig aufgenommen worden. ›Es heißt, man

finde, das sei eine sehr schöne dramatisierte Novelle, aber kein dramatisches Werk.‹

Južakov – Sergej Nikolaevič, 1849–1910, Publizist, den Narodniki nahestehend, Autor von Arbeiten über soziologische und volkswirtschaftliche Fragen, Mitarbeiter des ›Severnyj vestnik‹.

Michajlovskij – N. K. Michajlovskij.

Stasov, Aufsatz über die Pariser Ausstellung – Vladimir Vasiljevič Stasov, 1824–1906, Kunst- und Musikkritiker, Kunst- und Literaturhistoriker, schrieb im ›Sev. vestnik‹ in den Heften 9 und 10 einen längeren Aufsatz über die Pariser Weltausstellung.

Katjas Beziehung zum Professor – in der ›Langweiligen Geschichte‹, vgl. Nr. 233.

241) *23. 10. 1889 – A. S. Suvorin.* 677 (705).

Ostrovskij, Bruder des Ministers – P. N. Ostrovskij, Bruder des verstorbenen Dramatikers A. N. Ostrovskij; ihr gemeinsamer Bruder Michail N. Ostrovskij, 1827–1901, war zwischen 1883 und 1892 Minister der Staatsdomänen.

Packen Erzählungen – vgl. Anm. zu Nr. 239. Die Zeichnungen stammten von dem Maler S. S. Solomko.

Zeitschrift »Artist« – vgl. Nr. 223–226.

die Vaudevilles... im »Novoe vremja« – ›Der Bär‹, erschienen am 30. 8. 1888, ›Der Heiratsantrag‹, erschienen am 3. 5. 1889. In der Zeitschrift ›Artist‹ erschienen von Čechov Oktober 1889 der Einakter ›Schwanengesang (Kalchas)‹, April 1890 ›Tragöde wider Willen‹.

Ežov – N. M. Ežov.

Erzählung von Koni – von A. F. Koni, die mit der Unterschrift Jušin am 28. 1. 1889 im ›Novoe vremja‹ erschienen war.

Ihr Aufsatz über die »Macht des Herzens« – Besprechung des Stücks ›Die Macht des Herzens‹ von Lodyženskij, das am 19. 10. am Alexandratheater Premiere hatte; Suvorins Besprechung erschien am 21. 10. Der von Čechov beanstandete Satz: ›Man hat mir vorgeworfen, ich hätte meine Heldin in »Tatjana Repina« einen ganzen Akt lang sterben lassen. I. Lodyženskij hat mich fünfmal übertroffen, denn er läßt seine Heldin in der »Macht des Herzens« ganze fünf Akte lang sterben.‹

Caesars Frau ... – Wort des Julius Caesar, überliefert von Plutarch und Cicero.

Ich habe Ščeglov geschrieben – am 21. 10. 1889; Ščeglovs Stück »Nastja« war von der Zensur verboten worden.

Ich habe Ihnen nicht geschrieben, daß... – vgl. Nr. 239.

Am 24. Dezember ... – Čechov nennt offensichtlich das Datum, an dem er seine erste Erzählung abgeschlossen hatte, die später (am 9. 3. 1880) in der Zeitschrift ›Strekoza‹ veröffentlicht wurde, nämlich

›Der Brief des Gutsbesitzers Stepan Vladimirovič N. an seinen gelehrten Nachbarn Dr. Fridrich‹.

Kammerherr – bei Hofe, der ›Ober-Kammerherr‹ entsprach dem Wirklichen Geheimrat. Rang, der nur Adeligen zugänglich war.

Miša – Michail P. Čechov.

Veročka Mamyšëva – Adoptivtochter des Schwagers von A. S. Suvorin, V. S. Mamyšëv, die jung verheiratet war.

Gej – B. V. Gej (Gejman).

242) *28. 10. 1889 – A. S. Suvorin.* 678 (706).

Wieder über Geschäfte – vgl. Nr. 241.

Fürst Sumbatov-Južin – A. I. Sumbatov-Južin.

Ostrovskij – P. N. Ostrovskij, vgl. Anm. zu Nr. 241, 239.

Lecocq – Alexandre Charles, 1832–1918, franz. Operettenkomponist, ›La fille de Madame Angot‹, ›Giroflé-Girofla‹ u. a.

Žitel, das Wort Appetit – in einem Feuilleton der ›Peterburgskaja gazeta‹ hatte der Journalist A. A. Djakov (Žitel) mehrmals hintereinander das Wort ›Appetit‹ verwendet (›Für die »heilige Kunst« ‹).

243) *1. 11. 1889 – A.S. Lazarev-Gruzinskij.* 679 (707).

Ihr Vaudeville – ›Ein alter Freund‹, das L. Čechov geschickt hatte mit der Bitte, es Korš oder Solovcov zu überreichen, falls er es ›anständig‹ finden sollte.

Geld bei Zinger verloren? – im Zusammenhang mit dem Bankrott der Bankkontore Zinger und Baruzin; L. hatte Čechov geschrieben, er habe ›alles verloren, was mir die Literatur einmal eingebracht hat‹.

Eine Stadt Balagansk – L.s Erzählung ›Der Artist‹ spielt in der vom Autor wohl fiktiv so genannten Stadt Balagansk; russ. ›balagan‹: die Schaubude, Schaubühne.

244) *1. 11. 1889 – A.S. Suvorin.* 680 (708).

Erzählungen der Dame Orlova – Suvorin war auf Čechovs Vorschlag (vgl. Nr. 241) eingegangen und schickte nun mehr oder weniger regelmäßig Erzählungen, die Čechov korrigierte; beide Erzählungen der ›Dame Orlova‹ erschienen im ›Novoe vremja‹ (am 11. bzw. 18. November).

hat damit begonnen, eine Samstagsbeilage . . . – die Erzählung ›Die Spießbürger‹, vgl. Nr. 247, 253; die Erzählung – eine erste Fassung der Erzählung ›Der Literaturlehrer‹ – erschien im ›Novoe vremja‹ vom 28. 11. 1889.

Kurepin – A.D. Kurepin, Journalist.

zu Ihrem Nachbarn Lessing – P.M. Svobodin, vgl. Anm. zu Nr. 214; Svobodin wohnte wie Suvorin in der Malaja Italjanskaja in Petersburg.

hat für sein Benefiz ein Stück gefunden – Svobodin schrieb am 31. 10. an Čechov, er habe sich nun entschlossen, anstelle von Čechov Griboedov zu spielen, was für Čechov ein durchaus schmeichelhafter Ersatz sei; Svobodin wolle den von Griboedov und Katenin gemeinsam geschriebenen ›Studenten‹ für die Benefizvorstellung wählen. Svobodins Benefiz fand am 19. Januar 1890 statt, gespielt wurden ›Der Hagestolz‹ (I. Turgenev), ›Maman‹ (Atava-Terpigorev) und ›Schwanengesang (Kalchas)‹ von Čechov.

»Strahlen und Wolken« – von V.A. Tichonov; Čechov hatte am 20. 10. im Theater F.A. Korš die Premiere gesehen; die Petersburger Premiere fand am 3. 11. am Alexandratheater statt.

Miša – Michail P. Čechov, Čechovs jüngster Bruder, hatte Jura studiert.

Material für das neue Buch – vgl. Nr. 237; ›Mürrische Menschen‹.

245) *2. 11. 1889 – A.P. Lenskij.* 681 (709).

mein Heidenstück – den ›Waldschrat‹, zu dem Lenskij Čechov geschrieben hat: ›Ich will Ihnen das Eine sagen: schreiben Sie eine Novelle. Sie verhalten sich der Bühne und der dramatischen Form gegenüber zu verächtlich, achten sie zu wenig, als daß Sie ein Drama schreiben könnten. Diese Form ist schwieriger als die erzählerische, und Sie sind, verzeihen Sie, zu sehr vom Erfolg verwöhnt, als daß Sie gründlich, so zu sagen vom Alphabet an die dramatische Form studieren und sie liebgewinnen könnten.‹

zu Levitan fahren – I.I. Levitan lebte damals in Babkino; mit der Fahrt dorthin wollte Čechov auf den Schnee warten, weil die Reise sonst zu beschwerlich gewesen wäre.

an einer kleinen Erzählung – ›Die Spießbürger‹, vgl. Nr. 244.

Lidija Nikolaevna – L.N. Lenskaja.

246) *7. 11. 1889 – V.A. Tichonov.* 684 (714).

»Artist« – monatl. erscheinende Theaterzeitschrift, 1889 von F.A. Kumanin in Moskau gegründet, vgl. Nr. 223–225, 252. Am 12. 11. schickte Čechov ohne weiteren Kommentar die Ablehnung des Stükkes ›Strahlen und Wolken‹ durch Kumanin an Tichonov weiter.

Ihre »Ruči-puči« – meint Tichonovs Stück ›Strahlen und Wolken‹, russischer Titel: ›Luči i tuči‹.

Gnedič – Pëtr Petrovič, 1855–1925, Schriftsteller, Dramatiker, Literaturkritiker; sein Stück ›Männertreu‹ wurde im Theater E.N. Goreva gespielt und erschien in Nr. 4 (Dezember) 1889 in der Zeitschrift ›Artist‹.

247) *12. 11. 1889 – A.S. Suvorin.* 692 (720).

eine Erzählung für das Feuilleton – ›Die Spießbürger‹.

Danke, daß Sie mein Stück gelesen haben – Suvorins Urteil über den ›Waldschrat‹ ist, nachdem Suvorins Briefe an Čechov verloren sind, nurmehr zu rekonstruieren anhand eines Briefes von Suvorin an P.M. Svobodin vom 11. 11. 1889, in dem Suvorin schreibt, seiner Meinung nach sei das ›eine talentierte Sache, sehr wahrheitsnah, originell, aber geschrieben nicht nach der allgemein üblichen Schablone. Ich will sogar sagen, daß Čechov die ›Regeln‹ zu sehr ignoriert hat, an die die Schauspieler und das Publikum gewöhnt sind, natürlich. Mir gefallen nur der Schluß des 3. Akts nicht – Evgenija Andreevna hätte einfach von selbst auf die Mühle fliehen können – und der ganze 4. Akt, den man anders hätte bauen müssen.‹ Suvorin fand zwei Personen entbehrlich: Ivan Ivanovič und Fëdor Ivanovič, die er ganz hätte streichen und stattdessen die Titelfigur stärker herausarbeiten wollen. ›Jedenfalls tut es mir leid, daß man das Stück selbst in dieser Form nicht spielen will. Es hätte Erfolg gehabt – dies zu sagen wäre überspitzt, aber daß es interessante Fragen aufgeworfen hätte, daran zweifle ich nicht. Die Dramatik bringt überall nur Kleines zustande, selbst in Frankreich, und darum sollte man talentierte Sachen unbedingt hochschätzen.‹ Svobodin verteidigte sich in seinem Antwortbrief an Suvorin, das, was Suvorin ihm sage, habe er ›Wort für Wort gesagt und sage es noch immer‹.

es der Abramova verkaufen – am 20. 11. schrieb Čechov bereits (an Suvorin), die Premiere am Theater M. M. Abramova werde am 10. Dezember stattfinden. Premiere war am 27. 12. 1889.

248) *15. 11. 1889 – L.N. Lenskaja.* 694 (722).

beiliegende Rezension – ungeklärt, um welche Rezension welcher französischen Zeitung es sich handelt.

unsere jungen Damen – Marija P. Čechova und, vermutlich, N. M. Lintvarëva, die im November bei Čechov zu Gast war in Moskau.

Aleksandr Pavlovič – A. P. Lenskij, der am 15. 11. in der Rolle des Gomez de Silva in ›Hernani‹ von V. Hugo am Kleinen Theater in Moskau Premiere hatte.

249) *23. 11. 1889 – A.S. Lazarev-Gruzinskij.* 700 (727).

Ihr Gorškov – Hauptgestalt des Stückes ›Ein alter Freund‹ von Lazarev-Gruzinskij.

Ežov – N.M. Ežov.

consilium – latein. ›Beratung‹, von Čechov meist im medizinischen Sinn verwendet: Beratung mehrerer Ärzte am Krankenbett eines Patienten.

»Wer ist der Sieger?« – Vaudeville in einem Akt, das der Adressat an Čechov geschickt hatte mit der Bitte, es beim ›Artist‹ unterzubringen.

A.S.L. – Initialen des Adressaten.

Rassochin – Inhaber einer Theaterbibliothek, in der auch der größte Teil von Čechovs Stücken als Textbücher vorlag.

250) *23. 11. 1889 – N.S. Tichonravov.* 699 (728).
Statut der Gesellschaft – der Gesellschaft der russischen Dramatiker und Opernkomponisten; Čechov am 20. 11. an Suvorin: ›Gestern hatten wir Sitzung des Komitees. Wir schlagen uns mit dem neuen Statut herum.‹

251) *27. 11. 1889 – A.N. Pleščeev.* 703 (731).
daß ich Ihnen so lange nicht geschrieben habe – Čechovs Brief ist die Antwort auf Pleščeevs Brief vom 5. 11., in dem Pleščeev um den ›Waldschrat‹ gebeten hatte, den er in der Zeitschrift veröffentlichen wollte.
muthlos in sich zusammenbricht... – Paraphrase des Puškin-Gedichts ›Der Dichter‹, hier zitiert in der Übersetzung von Friedrich Bodenstedt.
hartnäckig das Gerücht – das Pleščeev in seinem Antwortbrief vom 29. 11. entschieden dementierte; der ›Severnyj vestnik‹ steckte in finanziellen Schwierigkeiten, ein Gespräch mit dem Literaturhistoriker V.V. Čujko, 1839–1899, der die Zeitschrift übernehmen wolle, habe die Herausgeberin A.M. Evreinova jedoch abgelehnt. Vgl. auch Brief Nr. 254.
Jean – I.L. Leontjev-Ščeglov.
Nataša Lintvarëva – N.M. Lintvarëva.
ein Stück von Daudet – das Stück ›Kampf ums Dasein‹ von Alphonse Daudet wurde am Theater M.M. Abramova nicht gespielt. Im Dezember 1889 war das Theater Abramova an die Gesellschaft der russischen dramatischen Schriftsteller übergegangen, mit N.N. Solovcov und V.V. Čarskij an der Spitze, der Name des Theaters wurde aber beibehalten.
Nemirovič Vladimir – V.I. Nemirovič-Dančenko.
Elena Alekseevna – E.A. Pleščeeva, Tochter des Adressaten.

252) *27. 11. 1889 – A.S. Suvorin.* 704 (732).
Redakteur des »Artist« – F.A. Kumanin. Das vorgeschlagene Geschäft kam nicht zustande.
»Slav. bazar« – ›Slavjanskij bazar‹, eines der ersten Hotels in Moskau, in dem Suvorin bei seinen Moskaubesuchen gewöhnlich abstieg.
Golcev – V.A. Golcev, Redakteur der Zeitschrift ›Russkaja mysl‹.
Storoženko – Nikolaj Iljič, 1836–1906, Professor für allgemeine Literatur in Moskau, 1894–1911 Vorsitzender der Gesellschaft der Liebhaber der russischen Literatur; Mitarbeiter der Zeitschrift ›Artist‹ u. a.

253) *29./30. 11. 1889 – N.N. Obolonskij.* 705 (733).

Nr. 4940 des »Novoe vremja« – mit der Erzählung ›Die Spießbürger‹, die Čechov Obolonskij gewidmet hatte.

Ihre Liebe – N.N. Obolonskij hatte Čechov gebeten, bei seiner Hochzeit Brautführer, d.i. soviel wie Trauzeuge zu sein.

254) *5. 12. 1889 – A.S. Suvorin.* 709 (737).

für meine Erzählung – ›Eine langweilige Geschichte‹, erschienen im ›Severnyj vestnik‹, November.

die »Alten Jahre« – Stück von I.V. Špažinskij, das Suvorin im Petersburger Alexandratheater in der 19. Vorstellung gesehen und in einem Feuilleton in der Zeitung verrissen hatte, während sich das ›Novoe vremja‹ über die Premiere positiv geäußert hatte.

255) *14. 12. 1889 – A.I. Sumbatov-Južin.* 714 (742).

das Stück, über das wir... – ›Die Hochzeit‹, geschrieben Oktober 1889, nach Čechovs Erzählung ›Die Hochzeit mit General‹. Sumbatov hatte um das Stück für die Benefizvorstellung von G.N. Fedotova am Kleinen Theater gebeten; am selben Abend sollte zuvor ›Macbeth‹ gespielt werden (15. 1. 1890). Die ›Hochzeit‹ wurde nicht inszeniert, erhalten sind aber Hinweise auf Čechovs Vorstellungen einer möglichen Besetzung (handschriftlich im Manuskript).

Aplombov, der Bräutigam – M.P. Sadovskij
Revunov-Karaulov – A.P. Lenskij
Nastasja Filippovna – O.O. Sadovskaja
Jatj – N.I. Muzil
Dašenka – Ochotina.

256) *20. 12. 1889 – A.S. Suvorin.* 717 (745).

»Familientragödie« – von A.N. Maslov-Bežeckij, erschienen im ›Novoe vremja‹ vom 12. und 13. 12. 1889.

Meinen »Waldschrat«... verkauft – am 20.12. bekam Čechov folgenden Vertragsvorschlag von N.N. Solovcov überreicht:

›Wir, Unterzeichnete, Anton Pavlovič Čechov und Nikolaj Nikolaevič Solovcov, haben folgenden Vertrag miteinander geschlossen: Ich, Čechov, übertrage dem Vertreter der Gesellschaft der russischen dramatischen Schauspieler, Nikolaj Nikolaevič Solovcov, mein neues Stück, die Komödie »Der Waldschrat«, zur ausschließlichen Nutzung bis zum 15. Februar 90 unter folgenden Bedingungen:

Ich, Čechov, erhalte 10% Tantieme von der Abendkasse nach Abzug der der Gesellschaft der russischen dramatischen Schriftsteller auszufolgenden Summe, außerdem erhalte ich, Čechov, gleichzeitig als Vorschuß vor der ersten Vorstellung fünfhundert (500) Rubel, die ab der sechsten Vorstellung mit den mir auszufolgenden 10% der Tantiemen verrechnet werden. N. N. Solovcov.‹

257) *25. 12. 1889 – A.N. Pleščeev.* 718 (747).

der Redakteur – F.A. Kumanin.

Ihre Übersetzung – des Stückes ›Der Kampf ums Dasein‹ von Alphonse Daudet, vgl. Nr. 251.

irgendein Iks – russisch so transkribiert, ein X; ein ›Unbekannter‹.

Golcev – V.A. Golcev.

und Ihnen das Schicksal... zu dürfen – in einem Brief vom 12. 12. 1889, den Čechov direkt aus der Redaktion des ›Artist‹ geschickt hatte.

Mattern – Ėmilij Ėmiljevič, 1854–1938, Übersetzer, vor allem dramatischer Literatur.

Solovcov & Co. – die ›Gesellschaft der russischen dramatischen Schauspieler‹, die im Dezember 1889 das Theater M.M. Abramova übernommen hatte, vgl. Nr. 256.

»Struensee« – Tragödie des deutschen Dramatikers Michael Beer, 1800–1833, geschrieben 1829, in der Übersetzung von A.N. Pleščeev, im Verlag Suvorin, S.-Pbg. 1889. Das Stück verarbeitet die Geschichte des dänischen Ministers Graf von Struensee, 1737–1772, der, als Günstling der dänischen Königin, eine Reihe von Reformen durchsetzte (uneingeschränkte Pressefreiheit, Gleichheit vor dem Gesetz, Abschaffung der Folter, Einschränkung der Frondienste leibeigener Bauern) und durch den Grafen von Rantzau-Ascheberg u. a. Adelige gestürzt und wegen Majestätsverbrechen 1772 hingerichtet wurde.

Speranskij – Michail Michajlovič, 1772–1839, russischer Staatsmann, Verfechter administrativer Reformen in Richtung auf eine konstitutionelle Monarchie, 1812 gestürzt und nach Sibirien verbannt, 1821 rehabilitiert und von Nikolaus I. mit der Neufassung des Reichsgesetzbuches betraut.

nicht vor der Mitgliederversammlung – die erst am 20. 1. 1890 stattfand; am 23. 12. war die Einberufung einer außerordentlichen Mitgliederversammlung der Gesellschaft der dramatischen Schriftsteller beschlossen worden, um die Statuten des Griboedov-Preises für Dramatiker neu zu beraten.

Ihre Petersburger Versammlung – Versammlung der Petersburger Mitglieder vom 5. 12., auf der die Neufassung der Statuten der Gesellschaft beraten worden war, vgl. Nr. 250.

war auf einer Probe – nach dem 20. 12. Zu dieser Probe hatte Čechov Korrekturen am Stück und vor allem die Neufassung des IV. Akts bekanntgemacht, vgl. Nr. 258.

258) *27. 12. 1889 – A. S. Suvorin.* 720 (748).

»Ein Morgen des Notarius...« – Erzählung von I. Gurljand, erschien am 6. 1. 1890 im ›Novoe vremja‹.

in einem meiner letzten Briefe – vermutlich Nr. 256, dessen Anfang verloren ist.

Bourget, Halbgott Sixte – vgl. Nr. 212, 215.

Botkin – Sergej Petrovič, geboren 1832, russischer Arzt, Professor in Petersburg, war am 12. 12. 1889 gestorben.

Zacharjin – Grigorij Antonovič, 1829–1897, Mediziner, Professor an der Universität Moskau.

Vlad. Nemirovič-Dančenko – in einem Brief vom 6. 11. 1889 bezieht sich V. I. Nemirovič–Dančenko auf die Meinung Lenskijs – vgl. Anm. zu Nr. 245: ›Lenskij hat recht, daß Sie die Anforderungen der Bühne ignorieren, aber Verachtung ihnen gegenüber habe ich nicht bemerkt. Eher – ihre schlichte Unkenntnis. Aber ich persönlich gehöre nicht zu ihren hitzigen Verfechtern, sondern hege ihnen gegenüber im Gegenteil vollkommene Gleichgültigkeit, ungeachtet der Tatsache, daß ich mich zu den professionellen Dramatikern zähle... Ich will sagen, daß ich die Anforderungen der Bühne oder, wie man sich auszudrücken pflegt, die Bühnenhaftigkeit nicht so verstehe, wie die ›Kenner‹ sie verstehen. Und meiner Meinung nach könnten Sie der Bühne ohne Schwierigkeiten Herr werden. Was immer man auch sagen mag, aus dem Leben gegriffene, plastische Personen, interessante Konflikte und eine richtige Entwicklung der Fabel – das ist das beste Unterpfand für den Erfolg auf der Bühne.‹

Die Männer... der ›Waldschrat‹ hatte am 27. 12. in folgender Besetzung Premiere (Regie: N. N. Solovcov):

Chruščov – N. P. Roščin-Insarov
Serebrjakov – V. V. Čarskij
Vojnickij – I. P. Kiselevskij
Djadin – N. P. Novikov-Ivanov
Željtuchin – V. A. Samojlov-Mičurin
I.I. Orlovskij – N. N. Zubov
F.I. Orlovskij – N. N. Solovcov
Elena Andreevna – M. M. Glebova
Sonja – N. D. Rybčinskaja
Marija Vasiljevna – A. P. Agramova
Julja – M. M. Sinelnikova

der stumpfsinnige Filippov – Sergej Nikolaevič, 1863–1910, Schriftsteller, Theaterrezensent, schrieb am 28. 12. an Suvorin, übereinstimmend mit den Eindrücken von A. S. Lazarev-Gruzinskij, der 1904 in seinen Erinnerungen an Čechov die Premiere des ›Waldschrats‹ beschreibt als den Reinfall eines guten Stücks; Filippov wie Lazarev-Gruzinskij geben die Schuld in erster Linie dem Feiertagspublikum, einem Publikum, wie es an keinem normalen Theaterabend anzutreffen sei, und dem IV. Akt, der gegenüber den ersten drei merklich abfalle. Lazarev notierte als weiteren Grund die Feindschaft des Theaters Korš gegenüber dem neugegründeten Theater M. M. Abramova, zumal N. N. Solovcov früher bei Korš gespielt hatte; das Zischen beim Schlußapplaus sei von Schauspielern der Korš-Truppe gekommen.

259) *28. 12. 1889 – I. M. Kondratjev.* Erstmals in der Ausgabe 1974f., dort Nr. 750.
»Waldschrat« bis zum 15. Februar 1890 – vgl. Nr. 256.
mit dem Alexandratheater – von den hier aufgezählten Verträgen ist nur der eine über den ›Bären‹ erhalten, der vom 29. 1. 1889 datiert.
Heute fahre ich aufs Land – nach Babkino.
Bis ich Nachricht von Ihnen bekomme – wahrscheinlich über den Termin der außerordentlichen Vollversammlung, vgl. Nr. 257, die Čechov nicht mehr abwartete.

1890

260) *8. 1. 1890 – A. A. Kiselëva.* Erstmals in der Ausgabe 1974f. (Nr. 751).
Vasilisa Pantelevna – wie Čechov scherzhaft die Tochter von M. V. Kiselëva, Aleksandra (Saša) nannte; das 15jährige Mädchen revanchierte sich, indem sie Čechov mit Vasilij oder Vasja anredete, vgl. Čechovs Unterschrift.
zum Tage Ihres Engels – dem 15. Geburtstag.
von der bekannten Kinderschriftstellerin – M. V. Kiselëva.
Tyšečka mit, tyšečka ohne Mütze – die Gebrüder Tyško, Bekannte der Familie Kiselëv, Rudolf und Ėduard Ivanovič.
Sachet – französisch, Riechkissen, Säckchen mit Riechstoffen, Kräutern gefüllt, das zum Parfümieren der Wäsche zwischen die Wäschestücke gelegt wurde.
slavjanskaja gazeta – ›Slavische Zeitung‹
Geschichte des Alterthums – um welche Altertumsgeschichte es sich handelt, ist ungeklärt.

261) *8. 1. 1890 – F. A. Kumanin.* 722 (752).
als ich abreiste – am 28. 12. 1889. Michail. P. Čechov sollte (vgl. auch Brief Nr. 262) ein Exemplar des ›Waldschrats‹ bei N. N. Solovcov abholen und F. A. Kumanin überbringen, der das Stück in seiner Zeit-

schrift veröffentlichen wollte, und zwar im Februarheft, wie er in einem Brief vom 5. 1. an Čechov präzisierte.

ich komme am 12.–13. Januar – Čechov kehrte erst am 7. Februar nach Moskau zurück, vgl. Nr. 262.

die Zeitungsschreiber verärgert – in der Zeitung ›Theater und Leben‹ vom 31. 12. 1889 hatte ein anonymer Rezensent geschrieben: ›Das Stück ist mehr als schwach und nicht zu Ende geführt und hat dem Autor ein weiteres Mal bewiesen, daß Prosa und Novellen zu schreiben etwas ganz anderes ist, als »für die Bühne« zu schreiben. Die elementare Regel, daß es dazu eines besonderen Könnens bedarf, will Hr. Čechov nicht anerkennen‹ usw. In den ›Moskovskie vedomosti‹ vom 1. 1. 1890 schrieb S. Vasiljev, Čechov habe ›ein Protokoll geschrieben, aber keine Komödie‹, ›er erzählt uns eine Novelle, nur von der Bühne herab‹. Im selben Tenor weitere Besprechungen in den ›Novosti dnja‹ (N. Kičeev) vom 1. 1. 1890, in den ›Novosti‹ vom 7. 1. 1890 u. a.

weiter am »Waldschrat« zu arbeiten – Čechov beabsichtigte, das Stück nochmals zu überarbeiten, hatte sich in Petersburg wohl aber von A. N. Pleščeev überzeugen lassen, den ›Waldschrat‹ besser im ›Severnyj vestnik‹ zu veröffentlichen. Vgl. Brief 266 und folgende.
Wann Čechov den ›Waldschrat‹ zum ›Onkel Vanja‹ umarbeitete, ob noch 1890 oder erst 1895/96, ist ungeklärt (weder in Čechovs Briefen noch in Erinnerungen von Zeitgenossen gibt es dazu Informationen); vermutlich jedoch erst nach der ›Möwe‹, Herbst 1896.

262) *14. 1. 1890 – M.P. Čechova.* 723 (753).

unvorhergesehene Umstände – meint sehr wahrscheinlich die Vorbereitungen der Reise nach Sachalin; die Idee, diese Reise zu unternehmen, wurde offenbar zwischen dem 8. und 14. Januar geboren.

»Macht der Finsternis« von Tolstoj – Stück von L. N. Tolstoj, das bereits 1887 veröffentlicht, für Aufführungen aber von der Zensur verboten worden war (bis 1895). Čechov sah das Stück in einer Liebhaberaufführung der Schauspieltruppe von A. V. und V. N. Priselkov, in der Regie von V. N. Davydov. Die Generalprobe war am 11., die Premiere am 12. Januar 1890 in Petersburg.

bei Repin im Atelier gewesen – erste Erwähnung einer Begegnung Čechovs mit Ilja E. Repin, 1844–1930, einem der bekanntesten Maler der Peredvižniki.

Hundeausstellung – die dritte öffentliche Hundeausstellung, am 13. 1. 1890 in Petersburg eröffnet.

Aleksandr und die Kinder – Al. P. Čechov und seine Söhne Nikolaj und Anton.

von Miša – Michail P. Čechov, vgl. Nr. 261.

263) *20. 1. 1890 – M.N. Galkin-Vraskij.* 725 (756).
nach Möglichkeit... Unterstützung zu gewähren – Čechov hat diesen Brief persönlich in der Kanzlei der Hauptverwaltung für Gefängniswesen in Petersburg abgegeben, der Brief blieb unbeantwortet; ob Čechov mit Galkin-Vraskij auch gesprochen hat, geht aus den Briefen nicht hervor, vgl. Nr. 266. Über die ›Unterstützung‹, um die Čechov gebeten hatte, vgl. Nr. 305, 310.

264) *26. 1. 1890 – M.V. Kiselëva.* 726 (757).
bin nicht abgereist – die Adressatin befand sich zur selben Zeit wie Čechov in Petersburg, mit ihrer Tochter Aleksandra.
»Morskoj sbornik« – ›Almanach der Seefahrt‹, ›Marine-Almanach‹, wissenschaftliche Monatszeitschrift, begründet 1848. In Čechovs Sachalin-Bibliographie, die 65 Titel umfaßte, befanden sich 7 Titel aus dem ›Morskoj sbornik‹.
Vasilisa Pantelevna – A.A. Kiselëva, vgl. Nr. 260.
eine sehr wichtige Sache – vermutlich ein Empfehlungsschreiben, das Senator V. Golubev, Schwager der Adressatin, an M.M. Zenzinov schreiben sollte, einen reichen Unternehmer in Sibirien, Vertreter der ›Freiwilligen Flotte‹, mit der Čechov die Rückreise von Sachalin unternehmen wollte.

265) *28. 1. 1890 – M.P. Čechov.* 727 (763).
Volkov – Bankkontor in Moskau.
Maša – M. P. Čechova.
Marija Vladimirovna – M.V. Kiselëva.

266) *10. 2. 1890 – A.N. Pleščeev.* 734 (768).
endlich... in Moskau – am 7. Februar war Čechov in Begleitung von A.S. Suvorin nach Moskau zurückgekehrt.
bei Galkin – M.N. Galkin-Vraskij.
zum 20. Februar – Pleščeev erhielt das Stück erst am 17. März, als er sich bereits vom ›Severnyj vestnik‹ getrennt hatte.
»Phädra« gesehen – Tragödie von Racine, die am 30. Januar 1890 am Kleinen Theater Premiere gehabt hatte. Čechov besuchte die Matinee am 8. 2. 1890.

267) *15. 2. 1890 – A.N. Pleščeev.* 735 (769).
die »Kreutzersonate« – Novelle von L. N. Tolstoj, die im Herbst 1889 von der Zensur zum Druck in einer Zeitschrift verboten worden war (sie erschien später in einem Almanach, dem Andenken von S.A. Jurjev gewidmet); der Verlag ›Posrednik‹ hatte im Vervielfältigungsverfahren von Theater-Textbüchern 300 Exemplare hergestellt, die von

Hand zu Hand gingen. Čechov hatte ein Exemplar am 17. 1. an M. I. Čajkovskij nach Moskau geschickt.

Pleščeev hatte Čechov geschrieben, er könne nicht sagen, ›daß die »Kreutzersonate« einen starken Eindruck auf mich gemacht hätte. Tolstoj hat sie, wie man sagt (d. h. Čertkov sagt es, ein ihm nahestehender Mann), vollkommen umgearbeitet, er hat keinen Stein auf dem anderen gelassen und ist sehr böse, daß sie in der ursprünglichen Gestalt erschienen und womöglich auch in Übersetzungen so erscheinen könnte. In dieser Gestalt empfindet er sie nicht als Kunstwerk. Im Publikum sind die Meinungen geteilt. Ich bin sogar mehr Menschen begegnet, denen sie nicht gefällt, als umgekehrt. In der ersten Hälfte vor allem ist vieles paradoxal, einseitig, ausschließlich, vielleicht sogar falsch und verlogen.‹

»Morskoj sbornik« – vgl. Nr. 264.

hatte der junge Suvorin – das Telegramm von A. A. Suvorin ist nicht erhalten.

35 000 Kuriere – Anspielung auf den Chlestakov aus Gogols ›Revisor‹, Chlestakovs Monolog III. Akt, 6. Szene: ›... und wandten sich an mich. Sofort werden Kuriere ausgesandt – auf allen Straßen Kuriere, Kuriere, nichts als Kuriere – stellen Sie sich vor, allein 35 000 Kuriere.‹ (Deutsch Otto Buek)

Mania Sachalinosa – latein. Manie. ›Sachalinomanie‹

bei der Ermolova zum Essen – bei der Schauspielerin M. N. Ermolova, die nach dem 10. 2. ein Essen für A. S. Suvorin gab, zu dem auch Čechov eingeladen war.

Ein Blümlein, wild, vom Felde ... – Paraphrase eines Vierzeilers von I. I. Dmitriev aus dem Jahr 1805:

›Ein Blümlein, wild, vom Felde,
geriet versehentlich in einen Strauß von Nelken;
und was geschah? Es duftete auf einmal selber stärker –
Gute Bekanntschaft ist uns stets Gewinn.‹

Habe die »Symphonie« von M. Čajkovskij gelesen – Theaterstück von M. I. Čajkovskij, vgl. Nr. 268.

268) *16. 2. 1890 – M. I. Čajkovskij.* 736 (770).

Ihre »Symphonie« – Theaterstück in fünf Akten, das Čechov im Manuskript gelesen hatte; aufgeführt wurde die ›Symphonie‹ am Alexandratheater Petersburg, im Druck erschien es in Nr. 9, Oktober, 1890 der Zeitschrift ›Artist‹.

Suvorins Adašëv – Gestalt aus Suvorins Tragödie ›Tatjana Repina‹.

269) *19./21. 2. 1890 – A. S. Suvorin.* 738 (772).

Atlas von Kruzenštern – Ivan Fëdorovič, 1770–1846, russischer Admiral, erster russischer Weltumsegler. ›Reise um die Welt in den Jahren 1803, 1804, 1805 und 1806‹, 3 Bände, Petersburg 1809–1812; als Ergänzung zu dieser Reisebeschreibung ein Atlasband, den Suvorin prompt schickte (am 23. 2. bestätigt Čechov den Empfang).

bei Iljin – Kartographische Buchhandlung A.A. Iljin in Moskau.

erinnere mich nicht mehr, in meinem Brief an Pleščeev – vgl. Nr. 266, 267.

M-me Lenskaja – L.N. Lenskaja.

Mamyšëv – Schwager A.S. Suvorins, V.S. Mamyšëv, Friedensrichter von Zvenigorod.

Vyšeslavcev – Aleksej Vladimirovič, 1831–1888, Schriftsteller, Journalist und Weltreisender, berühmt durch seine Beschreibung ›Skizzen mit Feder und Bleistift von der Weltumsegelung 1857–1860‹, 1862.

Ostrovskij – P.N. Ostrovskij, vgl. Nr. 239, 241, 242. Das Buch erschien mit den Illustrationen von Solomko Anfang 1891 im Verlag Suvorin: N. Ostrovskaja, ›Erzählungen für Kinder‹.

sein Bruder, der Minister – M.N. Ostrovskij, 1881–1892 Minister für die Staatsdomänen.

Die »Kreutzersonate« – vgl. Nr. 267 und Anm.

Weshalb schicken Sie mir keine Erzählungen? – vgl. Nr. 237, in dem Čechov den Vorschlag machte, Erzählungen, die im ›Novoe vremja‹ erscheinen sollten, zu redigieren.

eine Erzählung von Lazarev – die Erzählung ›Die Flucht‹ von A.S. Lazarev-Gruzinskij, erschien am 3. 3. 1890

mein Protégé Ežov – N.M. Ežov, von dem Čechov mehrmals Erzählungen an Suvorin geschickt hatte.

Sagen Sie Aleksej Alekseevič – A.A. Suvorin-jun. Am Ufer des Flusses Murgab im Kreis Mervsk existierte ein Staatsgut, das aus Ländereien bestand, die man der dortigen Bevölkerung abgenommen hatte.

Lenskij – A.P. Lenskij.

das Stück von Maslov – ›Der Verführer von Sevilla‹, von A.N. Maslov-Bežeckij. Am 28. 2. schrieb Čechov, es stehe jetzt so gut wie fest, daß man den ›Verführer‹ spielen werde. Premiere am Kleinen Theater war am 9. April 1890.

Genrich Blokk & Co. – Bankhaus in Moskau.

270) *25. 2. 1890 – Al.P. Čechov.* 740 (774).

sowohl ein Vermögen verdient als auch ... – geflügeltes Wort, geprägt von M.E. Saltykov-Ščedrin, für bestechliche Beamte (›Briefe an das Tantchen‹ u. a.).

Rumjancev-Bibliothek – berühmte Bibliothek in Moskau.

Oblomovs Zachar – Gestalt aus dem Roman ›Oblomov‹ von A.I. Gončarov.

Natalja Aleksandrovna – N. A. Čechova, geb. Golden, Frau des Adr.
Kuka – Nikolaj A. Čechov, Sohn Aleksandrs.
Patensohn – Anton A. Čechov, Sohn Aleksandrs.
Sabadillsud – Sabadilla, Brandt oder Schoenocaulon A. Gray, Pflanzengattung aus der Familie der Liliaceen mit nur fünf centralamerik. Arten. S. officinale A. Gray... liefert den Sabadill-, Kapuziner- oder Läusesamen, der gepulvert Bestandteil der Läusekörner und des Kapuzinerpulvers ist. (Nach Brockhaus, Leipzig 1903)

271) *9. 3. 1890 – A. S. Suvorin.* 748 (782).
Vierzig Märtyrer – russischer Kirchenfeiertag; parallel dazu gebaut der Hinweis auf das frühlinghafte Wetter: 10 000 Lerchen.
die Pläne eines Humboldt – Alexander von Humboldt, 1769–1859, hatte 1829, auf Einladung der russischen Regierung, eine Forschungsreise durch das asiatische Rußland unternommen: ›Reise nach dem Ural, dem Altai und dem Kaspischen Meer‹, 1837–1842, 2 Bände; ›Asie centrale. Recherches sur les chaînes de montagnes et de climatologie asiatiques‹, Paris 1832, 2 Bände.
Kennan – George Kennan, 1845–1924, amerikanischer Journalist, besuchte 1886 Gefängnisse in West- und Ostsibirien, schrieb darüber einen Reisebericht, der in Rußland verboten war, aber im Ausland in russischer Übersetzung erschien. In Rußland erschienen Kennans Reiseaufsätze erst 1906 (›Sibirien und die Verbannung‹).
Australien in der Vergangenheit – Ende des XVIII. Jahrhunderts hatten die Engländer Australien als Strafkolonie für Schwerverbrecher eingerichtet.
Cayenne – Hauptstadt von Französisch-Guyana, vom Ende des XVIII. Jahrhunderts bis 1946 berüchtigte französische Strafkolonie.
wie das Militär auf Sevastopol – Anspielung auf die Verteidigung Sevastopols durch russische Truppen im Krimkrieg 1855–1856 gegen die alliierten Belagerer, vgl. Tolstojs Erzählungen; Sevastopol war bald der Stolz des russischen Heers.
Die gepriesenen Sechziger Jahre – des XIX. Jahrhunderts, Epoche der sogenannten Großen Reformen (Abschaffung der Leibeigenschaft 1861, Reform der Justiz u. a.) durch Alexander II. Nach dem Tode Nikolaus I. (1855) kam es in Rußland zu einer kurzen Periode des allgemeinen Aufschwungs im politischen Denken, in der öffentlichen Diskussion öffentlicher Dinge, die jedoch (mit dem Verbot der Zeitschrift ›Sovremennik‹ 1866) bald wieder abgewürgt wurde.
Was meinen Brief bezüglich Pleščeev – vgl. Nr. 269.
Krašeninnikov – Stepan Petrovič, 1713–1755, Gelehrter, Erforscher Sibiriens (Kamčatka, Kurilen), Teilnehmer an einer Sibirienexpedition 1733–1736; ›Beschreibung des Landes Kamčatka‹, 1755.

Chvostov, Davydov – Marineoffiziere, die auf ihrer Reise nach Amerika (über Sibirien) die Insel Sachalin besucht hatten. ›Die zweimalige Reise der Marineoffiziere Chvostov und Davydov nach Amerika, von letzterem geschrieben‹, 1810.
»Morskoj sbornik« – vgl. Nr. 264 und Anm.
G. – Bogdan V. Gej (Gejman), Redakteur des Ressorts Außenpolitik am ›Novoe vremja‹ (seit 1876).
mein Vaudeville »Die Hochzeit« – das Čechov vermutlich nach Petersburg mitgenommen und vergessen hatte.
das Stück von Maslov ansehen – vgl.Nr. 269.
zu Ostrovskij . . . – vgl. Nr. 269.
Feodosija – Hafenstadt am Schwarzen Meer, wo Suvorin ein Haus hatte, in dem Čechov ihn Sommer 1888 besucht hatte.

272) *16. 3. 1890 – M. I. Čajkovskij.* 754 (788).
die dreizehnte Schwalbe – auf dem Briefbogen im linken oberen Eck war ein Zug Schwalben vorgedruckt.
der Redakteur des »Artist« – F.A. Kumanin.
Ihre »Symphonie« – vgl. Nr. 268.
mein neues Buch – ›Mürrische Menschen‹, erschien Ende März im Verlag A. S. Suvorin in Petersburg.
Vgl. Nr. 236, 238.
in Rängen ausdrücken – 1886 hatte Čechov in den ›Oskolki‹ eine ›Rang-Tabelle in der Literatur‹ veröffentlicht, in der – bei Vakanz des höchsten Ranges (Wirklicher Geheimrat) – L. N. Tolstoj und Gončarov als ›Geheimräte‹ eingestuft waren; ›Wirkliche Staatsräte‹: Saltykov-Ščedrin, Grigorovič, ›Staatsräte‹: A. N. Ostrovskij, Leskov, Ja.Polonskij, usw. Vgl. detebe 50/XI.
Repin – I.E. Repin, vgl. Nr. 262.
Čechist – so hatte der Adressat seinen Brief vom 23. 2. 1890 unterschrieben, ›Čechov-Anhänger‹.

273) *16. 3. 1890 – I. L. Leontjev-Ščeglov.* 753 (787).
lang, lang ist's her – Čechovs letzter Brief an Leontjev: vom 21. 10. 1889; Leontjevs letzter Brief an Čechov: 16. 1. 1890.
Vergessen die süßen Klänge – die ›süßen Klänge‹ Zitat aus dem Gedicht ›Der Dichter und die Menge‹ von A. S. Puškin; die letzten Verse dieses Gedichts in der Übersetzung von F. Fiedler:

›Nicht zu des Weltgewühls Bemeistrung,
Nicht zu der Habgier Niederzwang –
Geboren sind wir zur Begeistrung,
Zum Preisgebet und Wonnesang.‹

›Wonnesang‹ – die ›süßen Klänge‹.

Großmutter – Baronesse Klodt von Jurgensburg, Großmutter I. L. Leontjevs.
... Piter, Cerkovnaja ul. – die Adresse Leontjevs, meint: nach seiner Rückkehr werde Čechov ihn in Petersburg besuchen.
»Tourist wider Willen« – Anspielung auf den Titel seines Einakters ›Tragöde wider Willen‹.
»Hauptmann von Natur« – I. L. Leontjev-Ščeglov hatte am Russisch-Türkischen Krieg 1877/78 teilgenommen und den Militärdienst im Rang eines Hauptmanns quittiert.
»Theater-Albatros« – Anspielung auf den Titel von Leontjev-Ščeglovs Theaterstück ›Der Theaterspatz‹.

274) *17. 3. 1890 – A. N. Pleščeev.* 756 (789).
schicke Ihnen meinen »Waldschrat« – Čechovs Brief kreuzte sich mit dem Pleščeevs vom 17. 3., in dem dieser mitteilt, A. M. Evreinova habe sich entschlossen, das Erscheinen des ›Severnyj vestnik‹ einzustellen, vgl. Nr. 277, 278.
Fürst Urusov – Aleksandr Ivanovič, Fürst, 1843–1900, Jurist, Schriftsteller, Theaterkritiker.
eine Erzählung zu schicken – was sich aus obigem Grund erübrigte.
die Musik spielt... – Zitat aus Gogols Komödie ›Der Revisor‹, 1. Akt, Szene 2, aus der ›Einführung‹ des Postmeisters, der aus fremden Briefen vorliest.
Novelle von Grekov – nicht von dem Schauspieler I. N. Grekov (vom Kleinen Theater Moskau), sondern dem Lehrer I. S. Grekov, der Čechov im Februar 1890 aufgesucht hatte und in Voronež lebte.
mein Hausherr Korneev – Jakov Alekseevič, 1845–1911, Arzt, Ordinator an der Universität Moskau, Besitzer des Hauses in der Kudrinskaja-Sadovaja, in dem Čechov lebte (heute Čechov-Museum in Moskau).
Dobrov – Sergej Vasiljevič, 1837–1902, Mediziner, Inspektor an der Universität Moskau.
Oh, Krone Monomachs, wie drückst du schwer! – geflügeltes Wort, Zitat aus der Tragödie ›Boris Godunov‹ von A. S. Puškin, hier in der Übersetzung von Friedrich Bodenstedt; Übersetzung von H. v. Heiseler: ›Ach, schwer ist deine Last, Wladimirs Krone!‹ Meint die Krone der Kiever Fürsten (u. a. Vladimir Monomachs), die auf die Zaren des Moskauer Reichs übergegangen war.
grandiose Unruhen – vgl. Nr. 271.
Es riecht nur so nach dem Amtsdiener Micheič! – Zitat nach Gogols ›Revisor‹, Akt v, Szene 8: ›Der Postmeister gleicht aufs Haar unserem Amtsdiener Micheev. Sicher ist auch ebenso ein Lump und Quartalssäufer.‹ (Übersetzung von Otto Buek)

275) *17. 3. 1890 – A.S. Suvorin.* 757 (790).

... Namenstag? – hatte Suvorin am 5. Oktober.

der Usurpator... – unter den Materialien, die Čechov für seine Dissertation in den Jahren 1884/85 gesammelt hatte, befindet sich eine Notiz: ›der Usurpator wußte nichts von der Epilepsie, die dem Zarensohn angeboren war.‹

Ihr Feuilleton über die Belletristen – im ›Novoe vremja‹ vom 23. 1. hatte Suvorin gegen junge Autoren polemisiert, die zur Charakteristik ihrer Helden, statt sie wirklich zu beschreiben, nurmehr die gängigen Etiketts und Klischees benützten.

Argwohn, das ist... – vgl. Nr. 277.

mein Vaudeville – ›Die Hochzeit‹, vgl. Nr. 271.

wegen Ostrovskij – vgl. Nr. 239, 241, 242, 269, 271.

wegen Filippov – S.N. Filippov, 1863–1910, Literaturkritiker, Redakteur der Zeitschrift ›Russkij kurjer‹, meint vermutlich die Erzählung ›Eine einfache Angelegenheit‹, die Čechov am 15. 3. an Suvorin geschickt hatte.

mein Geld bei der Theaterdirektion – das Honorar für die abgelaufene Spielzeit (›Ivanov‹, ›Der Bär‹).

zu General Kononovič – Vladimir Osipovič, General, bis 1893 Kommandant der Insel Sachalin.

für die »Bunten Erzählungen« – Čechovs Erzählungsband im Verlag ›Oskolki‹, Petersburg 1886.

vom »Severnyj vestnik«... – Čechov rechnete noch mit einem Honorar für den Abdrucks des ›Waldschrats‹, der nicht mehr zustandekam, vgl. Nr. 274.

für die Bücher – ›Erzählungen‹ und ›In der Dämmerung‹ sowie ›Mürrische Menschen‹, das Buch, das Ende März 1890 ausgeliefert wurde.

Medvedev, Berufung ans Theater – P. M. Medvedev, Schauspieler, war, laut Meldung der Petersburger Zeitungen vom 16. 3., ans Alexandratheater engagiert worden.

ein Dorf Chuj-ė – russisch ›chuj‹, eins der ›obszönen‹ Wörter: der Schwanz, das männliche Glied.

In Maslovs Stück – ›Der Verführer von Sevilla‹, vgl. Nr. 269. Die Rolle der Laura spielte am 9. 4. 1890 G.V. Panova, nicht wie vorgesehen M.N. Ermolova.

Jack Vinogradov – K.F. Vinogradov, geb. 1852, Stellvertretender Marineoberstaatsanwalt, vgl. Nr. 130; Vinogradov war im März zum Marineoberstaatsanwalt befördert worden.

Elizaveta Zacharovna – E.Z. Vinogradova.

276) *22. 3. 1890 – I.L. Leontjev-Ščeglov.* 758 (791).

Ihre Soldatenerzählung – die Leontjev abgeschlossen hatte; um welchen Titel es sich handelt, ist ungeklärt.

hart mit mir ins Gericht gehen – eine undeutliche Andeutung im Brief vom 20. 3. faßte Leontjev in seinem Antwortbrief vom 25. 3. konkreter: er finde die ›Langweilige Geschichte‹ und den ›Anfall‹, verglichen mit früheren Erzählungen Čechovs, ›ausgeklügelt und trocken‹, gemessen vor allem auch an der ›Kreutzersonate‹ L. N. Tolstojs, die jenen ›ermutigenden Kammerton der Gerechtigkeit und eines radikaleren Sehens der Dinge‹ habe, ohne den der Künstler Gefahr laufe, ›überflüssig und sogar schädlich zu werden‹.

meines Nächsten Weib ... – die Zehn Gebote, 2. Mose, 17: ›Laß dich nicht gelüsten deines Nächsten Hauses. Laß dich nicht gelüsten deines Nächsten Weibes, noch seines Knechtes noch seiner Magd, noch seines Ochsen noch seines Esels, noch alles, was dein Nächster hat.‹

in Trägheit lebt' ich meine Tage ... – aus dem Kirchenlied ›Schließ mir auf das Tor der Reue‹, das in der Mitternachtsmesse auf die Großen Fasten gesungen wurde.

Zlatovratskij – Nikolaj Nikolaevič, 1845–1911, Schriftsteller.

Fofanov im Irrenhaus ... – Leontjev hatte geschrieben: ›Fofanov sitzt im Irrenhaus, Gleb Uspenskij leidet an Halluzinationen, Albov hat vor einigen Tagen nach 8-monatigem Zusammenleben seine Frau zu Grabe getragen, und Barancevič lechzt danach, irgend jemand zum Duell zu fordern und zu sterben wie Lermontov.‹ Was ihn selbst beträfe, wolle er, nach 5-jährigem Sitzen im Petersburger Sumpf, in Gottes freie Welt ziehen, wisse nur noch nicht wann und wohin.

Garšin wäre noch am Leben – der Lyriker V.M. Garšin hatte am 24. 3. 1888 Selbstmord begangen, vgl. Nr. 116.

das hohle Faß – Anspielung auf die Fabel ›Die zwei Fässer‹ von I. A. Krylov.

nach Ostern – die Oster- oder ›Heilige‹ Woche fiel 1890 zwischen 1. und 7. April. Čechov fuhr am 21. 4., vgl. Nr. 281,282.

277) *22. 3. 1890 – A.S. Suvorin.* 759 (792).

22. *Martober* – vgl. die ›Aufzeichnungen eines Wahnsinnigen‹ von N. V. Gogol, in denen eine Eintragung mit dem ›86. Martober. Zwischen Tag und Nacht‹ überschrieben ist.

Fischer – Johann Eberhard, 1697–1771, deutscher Historiker, ab 1730 in russischen Diensten, Verfasser einer ›Sibirischen Geschichte von der Entdeckung Sibiriens bis auf die Eroberung selbigen Landes durch die russischen Waffen‹, 1768; russ. 1774.

einen »Vestnik Evropy« – Heft VIII/1872 mit einem Aufsatz über die Erinnerungen von N.V. Busse an die Sachalin-Expedition des Jahres 1853.

Golicinskij – A.P. Golicynskij, ›Novellen und Erzählungen‹ in 4 Bänden, Moskau 1868–1871.

Voejkov – A.I. Voejkov, ›Das Klima des Erdballs‹, Petersburg 1884.

Maksimov – Sergej Vasiljevič, 1831–1901, Ethnograph, Schriftsteller, nach 1864 betraut mit der Inspektion der Gefängnisse, veröffentlichte, nachdem sein Inspektionsbericht nicht erscheinen durfte, Teile davon in seinem Buch ›Sibirien und die Katorga‹, 1871.

von Pleščeev einen Trauerbrief – vgl. Anm. Nr. 278.

die Evreinova – A.M. Evreinova, Herausgeberin des ›Severnyj vestnik‹.

Prof. Storoženko – Nikolaj Iljič Storoženko, 1836–1906, Professor für allgemeine Literatur an der Universität Moskau und Vorsitzender der ›Gesellschaft der Liebhaber der russischen Literatur‹.

Pobedonoscev – Konstantin Petrovič, 1827–1907, Vertrauter des Zaren, in seiner offiziellen Funktion Oberstaatsanwalt/Oberprokuror des Heiligen Synod.

Ljubimov – Nikolaj Alekseevič, 1830–1897, Physiker, seit 1882 Mitglied des Ministerrats für Volksaufklärung.

»Nikolaj Palkin« – Erzählung von L.N. Tolstoj.

Dolgorukov – Fürst Vladimir Andreevič, 1810–1891, seit 1865 Generalgouverneur von Moskau.

Auf unseren Polizeirevieren... – in den ›Russkie vedomosti‹ vom 22. 3. 1890 fand sich eine Notiz darüber, daß sich hartnäckig Gerüchte hielten, wonach es zu ›empörender Gewalttätigkeit auf einem der Polizeireviere‹ gekommen sei, verübt an zwei Rechtsanwälten, deren Initialen zumindest genannt waren.

Pascal – Blaise Pascal, 1623–1662, franz. Philosoph, Physiker, Mathematiker.

Briefe so mißverstehen – vgl. Nr. 275 (›Argwohn von 84 Karat‹).

Mein Onkel – Mitrofan E. Čechov in Taganrog.

die verehrte Ente – Nippesfigur auf Suvorins Schreibtisch.

278) *27. 3. 1890 – A.N. Pleščeev.* 760 (793).

Nachricht vom Ende des »Sev. vestnik« – Čechov beantwortet zwei Briefe von Pleščeev vom 24. und 17. 3. Am 17. 3. hatte Pl. den Entschluß A.M. Evreinovas mitgeteilt, die Zeitschrift infolge finanzieller Schwierigkeiten einzustellen, und von seinem Streit mit der Herausgeberin berichtet. Die Zeitschrift stellte ihr Erscheinen jedoch nicht ein, sondern ging in die Hände einer neuen Redaktion über, die den Charakter der Zeitschrift veränderte.

»Waldschrat« bringen Sie mit – vgl. den Absatz ›Bald sind die Wahlen‹, zu denen Pl. nach Moskau kommen wollte.

Aleksandrov – V.A. Aleksandrov war 1889 mit Čechov und Nemirovič-Dančenko ins Komitee der Gesellschaft gewählt worden.

279) *29. 3. 1890 – A.S. Suvorin.* 761 (794).
drei Bände »Russkaja starina« – mit Aufsätzen über Strafvollzug in Sibirien, Zwangsarbeit, im Zusammenhang mit Čechovs Vorbereitung auf die Reise.
Ihr Infant – A. A. Suvorin jun., weiter unten auch nur A. A. bzw. Aleksej Alekseevič genannt.
Tatiščev, Burenin – Mitarbeiter des ›Novoe vremja‹; S. S. Tatiščev, Jahrgang 1846, V.P. Burenin, Jahrgang 1841; A. A. Suvorin war so alt wie Čechov.
ad vitam – latein. ›fürs Leben‹, im Sinne von ›was das Weiterleben betrifft‹.
Beljaev – Agafopod Fëdorovič, 1853–1934, Arzt, Hals-Nasen-Ohren-Spezialist in Moskau.
Zacharjin – Grigorij Antonovič, 1829–1897, Arzt, Professor an der Universität Moskau.
seinen Brief vom 7. März – vgl. Nr. 280.

280) *1. 4. 1890 – A.S. Suvorin.* 764 (797).
Korrespondentenausweis – ausgestellt vom ›Novoe vremja‹ am 15. April, dieser Ausweis blieb das einzige offiziellere Dokument, das Čechov auf seiner Reise nach Sachalin bei sich führte. Vgl. Nr. 282.
Ežov – N.M. Ežov.
von einem Popen die Rede ist – vgl. die Erzählung ›Die Sterne‹, ›Novoe vremja‹ vom 21. 3.
Lazarev – A.S. Lazarev-Gruzinskij.
den Brief von Aleksej Alekseevič – vom 7. 3., in dem Suvorin-jun. schrieb: ›Dem Wort meines Vaters folgend schicke ich an Ihre Engelsfabrik zwei Erzählungen. Die Humoristik Ežovs bedarf eines festeren Rahmens, zu der Erzählung ›Der Verrückte‹ jedoch habe ich eine Bitte an Sie ... ich zweifle daran und habe dem Autor gesagt, daß wir diese Erzählung bringen würden, wenn sie, sagen wir, um die Hälfte gekürzt würde, auf genau 600 Zeilen. Ob sie den wertvollen Platz in der Zeitung wert ist, ob man ihr noch hundert Zeilen mehr geben kann – entscheiden Sie es in Ihrer göttlichen Weisheit.‹ Weiter schrieb Suvorin: ›Sie sind, wie ich weiß, ein Feind von Vorschüssen, aber vielleicht käme Ežov im Augenblick Geld gelegen. Mein Vater bat mich, Ihnen zu schreiben, daß er Ežov hundert Rubel geben wolle, wenn er jetzt Geld brauche.‹
zu Ostrovskij – vgl. Nr. 275.
Schicken Sie ... »Die Hochzeit« – vgl. Nr. 271.

Maslovs Stück – vgl. Nr. 269, 271.
wegen meiner Objektivität – vermutlich anläßlich der Erzählung ›Die Teufel‹ (späterer Titel ›Diebe‹), erschienen am 1. 4. 1890 im ›Novoe vremja‹, vgl. detebe Nr. 50/XIV.

281) *10. 4. 1890 – V. M. Lavrov.* 765 (798).
im Märzheft der »Russkaja mysl« – war, anonym, eine Notiz erschienen, von der Čechov annehmen mußte, daß die Redaktion hinter ihr stünde. 1890 wurde eine neue konservative Monatsschrift, z. T. finanziert aus persönlichen Mitteln Alexander III. vorbereitet unter dem Titel ›Russkoe obozrenie‹. Die liberale Zeitschrift ›Russkaja mysl‹, mit der Čechov auf Kriegsfuß stand, notierte, daß in den Anzeigen dieser Zeitschrift auch der Name Čechovs auftauchte und beklagte einen Verfall der Sitten unter Schriftstellern. Das ›literarische Voltigieren‹ habe dermaßen zugenommen, daß ›auf einmal Leute in aller Freundschaft am selben Tisch miteinander tafeln, die sich noch gestern nicht einmal gegrüßt haben. Noch gestern sind selbst die Priester des prinzipienlosen Schreibens wie die Herren Jasinskij und Čechov, deren Namen die Mitarbeiterlisten sämtlicher Publikationsorgane durchwandert haben, selbst sie sind in den Prospekten des »Russkoe obozrenie« und vergleichbarer Organe aufgetaucht.‹ Habe es bisher eine ›unsichtbare Demarkationslinie‹ gegeben, die von beiden Seiten stets beachtet worden war, so sei sie heute überschritten worden ›nicht nur von den Priestern der »Kunst« (das wäre noch nicht einmal so verwunderlich), sondern auch von einigen Publizisten‹, die der neuen Zeitschrift nun zu neuer Blüte verhelfen wollten.
Ich habe viele Erzählungen... – von Sachalin zurückgekehrt, begann Čechov mit den Vorbereitungen der zweiten Auflage der ›Bunten Erzählungen‹, aus denen er 43 Erzählungen herausnahm.

282) *15. 4. 1890 – A. S. Suvorin.* 769 (803).
nur mit einem Paß ausgerüstet – d. h. ohne Empfehlungsschreiben u. ä. Den Korrespondentenausweis des ›Novoe vremja‹ bekam Čechov erst einige Tage später (datiert vom 15. 4. 1890).
daß alles... meiner Schwester gehört – ein schriftliches Testament, wie Čechov es später, Ende der 90er Jahre, aufsetzte, ist aus dem Jahr 1890 nicht überliefert.
Noch öfter werde ich schreiben – vgl. weiter unten: ›werde an Sie persönlich schreiben‹: Čechovs Briefe an Suvorin waren so abgefaßt, daß Suvorin sie als Reisefeuilletons für die Zeitung verwenden konnte, vgl. ›Aus Sibirien‹ in dem Band ›Die Insel Sachalin‹, detebe Nr. 50/XX; ›Aus Sibirien‹ erschien in Fortsetzungen im ›Novoe vremja‹ vom 24., 25., 26., 27., 28. und 29. 6. sowie am 20. 7., 24. 7. und 23. 8.

eine exotische Erzählung – vgl. Nr. 273. Čechov schrieb in Indien tatsächlich eine Erzählung: ›Gusev‹ ist datiert mit ›Colombo, 12. November‹, vgl. detebe Nr. 50/XIV.

283) *21. 4. 1890 – A.P. Lenskij.* 773 (807).
Čechovs – vgl. Nr. 282.
Kuvšinn. – Ehepaar Kuvšinnikov, Bekannte Čechovs; Dmitrij Pavlovič, gest. 1902, und Sofja Petrovna, 1847–1907, Malerin, befreundet mit dem Maler I.I. Levitan.
bis Troica – Troico-Sergievskaja Lavra, das Dreifaltigkeitskloster des hl. Sergij, nahe Moskau, ›nächst der altberühmten Lawra zu Kiew das vornehmste, reichste und historisch bedeutendste Kloster des Landes‹ (Baedeker, ›Rußland‹, 1912).

284) *23. 4. 1890 – Familie Čechov.* 774 (808).
Gurljand – Ilja Jakovlevič, geb. 1868, Student des jurist. Lyzeums in Jaroslavl, später Mitglied des Ministerrats für Inneres, als Schriftsteller unter dem Pseudonym Gurov, vgl. die Erwähnung seiner Erzählung Nr. 258.
Klassendamen – Čechov nannte die Klassendamen des Gymnasiums L.F. Rževskaja, an dem seine Schwester unterrichtete, ›Kühe‹: Verwandte der Rževskaja besaßen eine Milchfarm und Molkereigeschäfte in Moskau.
die jüngere Driška – Spitzname von Darja Michajlovna Musina-Puškina, Schauspielerin, Bekannte Čechovs.
unerfahrener Mensch wie Ivanenko – A.I. Ivanenko, ca. 1862 – nach 1926, Musiker, Flötist.
der Korneevsche Santuriner – ›Santuriner‹: russische Weinmarke; Korneev – Besitzer des Hauses in der Kudrinskaja-Sadovaja, in dem Čechov wohnte.
die Kundasova – Olga Petrovna, 1865–1943, Mathematikerin, Bekannte Čechovs, von Čechov in späteren Briefen oft die ›Astronomin‹ genannt.
Kostroma, Kinešma, Plës – Städte an der Volga, Volga abwärts gesehen vor Nižnij Novgorod. Kinešma: ›gewerbtätige Kreisstadt mit 8800 Einw., am Einfluß der Kinešemka in die Volga‹; Plës: ›hübsch gelegenes Städtchen mit 2500 Einwohnern‹ (Baedeker).
die lokalen Stare – russ. ›špaki‹, Argot für ›Kavaliere‹.
Bertholletsalz – nach dem franz. Chemiker Claude Louis Berthollet, 1748–1822.
Olga Petrovna – O.P. Kundasova.
Semaško – M.R. Semaško, Bekannter Čechovs, Cellist am Moskauer Bolšoj Theater.

Lidija Stachievna – L.S. Mizinova.
Miša – M.P. Čechov.
den Fofanov – wahrscheinlich der Gedichtband von 1889 mit persönlicher Widmung des Autors.
gebt zurück – äfft die Sprache seiner Schwester nach, die sie in ihrer Kindheit gesprochen haben soll.
der französische Atlas – von J.-B. Bourguignon d'Anville.
Darwins Reise – ›Voyage of a naturalist round the world‹ von Charles Darwin, in russischer Übersetzung ›Die Reise eines Naturforschers um die Welt auf dem Schiff »Beagle«‹, 1865, ²1871.
Ivan – I.P. Čechov.
Levitan ... an der Volga leben – I.I. Levitan verbrachte die Sommer der Jahre 1887 und 88 an der Volga; in seinen Briefen an Čechov klagt er über Einsamkeit, Schwermut, Depressionen.
Billet für den Gogol – im Verlag Suvorin wurde eine große Gogolausgabe vorbereitet, die Čechov in mehreren Exemplaren subskribiert hatte; L.S. Mizinova sollte eines davon in Empfang nehmen und an M.E. Čechov nach Taganrog weiterleiten.
Marjuška und Olga – Marja D. Belenovskaja, Köchin bei Familie Čechov; Olga Gorochovaja, Dienstmädchen der Familie.
Babuška – Verwandte von L.S. Mizinova, S.M. Ioganson.

285) *24. 4. 1890 – Familie Čechov.* 777 (811).
in Ekaterinburg die Verwandten besuchen – vgl. Nr. 286. In Ekaterinburg lebte eine Cousine von Čechovs Mutter.
ein ganzer Justizpalast – vgl. Nr. 286.
wie Nadson geschminkt – S. Ja. Nadson, 1862–1887, Lyriker.
Semašečko – M. R. Semaško.
Ivanenko – A.I. Ivanenko.
Djukovskij – Michail Michajlovič, 1860–1902, Ökonom; angestellt an der Kleinbürgerl. Lehranstalt Moskau, an der vorübergehend auch Čechovs Bruder Ivan unterrichtete.
Kuvšinnikovs – vgl. Nr. 283.
Belousov – I.A. Belousov, 1863–1930, Dichter; war Schneider gewesen, hatte diesen Beruf nach Erscheinen seines ersten Lyrikbandes aufgegeben. Vgl. Nr. 52, 107.
Ežov – N.M. Ežov.
wagen es nicht, eine eigene Meinung – Paraphrase eines Verses aus der Komödie ›Verstand schafft Leiden‹ von Aleksandr Griboedov; Molčalin im III. Akt, 3. Szene: ›Man darf in meinem Alter / noch keine eigene Meinung haben.‹

286) *29. 4. 1890 – Familie Čechov.* 778 (813).

Pečenege – Angehöriger eines Steppenvolkes aus der Zeit der Kiever Rus, zu Čechovs Zeiten als Schimpfwort gebraucht im Sinne von Urmensch, Höhlenmensch; vgl. auch Čechovs gleichnamige Erzählung, 1897, detebe Nr. 50/XIV.
Sivoldaj – Schnaps.
Ščerbanenko, Čuguevec – Bekannte der Familie Čechov aus Luka, Gouv. Sumy.
der verstorbene Nikolaj – Čechovs Bruder Nikolaj P. Čechov war am 17. 6. 1889 an Lungen-Tbc gestorben, vgl. Nr. 218, 219, 220.
meine »Dämmerungen« – Erzählungsband Čechovs, ›In der Dämmerung‹.
Sibirjak-Mamin – Dmitrij Narkizovič Mamin-Sibirjak, 1852–1912, Schriftsteller.
Tolstoj – L.N. Tolstoj.
Boromli, Merčiki – kleine Eisenbahnstationen auf der Strecke Moskau-Charkov, der Familie Čechov von ihren Fahrten nach Sumy bekannt.
sehen aus wie Dobroljubov – Nikolaj Aleksandrovič, 1836–1861, Publizist, Literaturkritiker des demokratischen ›Sovremennik‹; ›Er hatte sich buchstäblich zu Tode gearbeitet‹ (P. Kropotkin). Bilder zeigen Dobroljubov schmal im Gesicht, blaß, mit scharfen Augen.
A. M. Simonov – Aleksandr Michajlovič, Redakteur der Zeitung ›Ekaterinburgskaja nedelja‹, Vetter Čechovs, Sohn einer Cousine von Čechovs Mutter, Praskovja Tichonovna Simonova. Vgl. weiter unten ›A. M. S.‹
»Hunyadi« – ›Hunyadi-János-Bitterwasser‹, Mineralwasser, das als Abführmittel verwandt wurde.
Praskovja Paramenovna... – abgewandelte Namen der Čechovschen Verwandtschaft, der Familie Simonov in Ekaterinburg; ›Sobakij‹ abgeleitet von russ. ›sobaka‹: der Hund; ›Sortiryč‹ von russ. ›sortir‹: der Abtritt, Abort.
die Tante – F. Ja. Dolženko.
an Tafeln aus Gußeisen – in Rußland benützte der Nachtwächter, um die Uhrzeit anzuzeigen, gewöhnlich ein Pochbrett: er schlug an ein Stück Holz.
Troša – Čechovs Spitzname für Natalja M. Lintvarëva.
so viele Stare wie möglich – russ. ›špaki‹, Argot für Kavaliere, Verehrer.
ein Gitter für Nikolaj – für das Grab von Nikolaj; russische Gräber sind oft von einem eisernen Gitter umgeben.
Lika – L.S. Mizinova.
Antwort aus Tjumen auf mein Telegramm – vgl. Nr. 287. Čechov fuhr von Ekaterinburg nach Tjumen mit dem Wagen; in Tjumen hätte die Möglichkeit bestanden, Tomsk per Schiff über den Irtyš, dann den Ob aufwärts zu erreichen.

287) *14./17. 5. 1890 – Familie Čechov.* 784 (818).
Antworttelegramm aus Tjumen – vgl. Nr. 286.
Tarantas – leichter Reisewagen.
Mief – im russ. Original ›Spiral‹, umgangssprachlicher Ausdruck für stickige, abgestandene Luft, bei N. Leskov (›Der Linkshänder‹ u. a.) gebraucht.
rectum – latein., der Hinterausgang, After.
Matrasiner Wein – Wein aus dem Kreis Matrasy im Gouv. Baku, von kräftiger, dunkler Farbe.
Janov – Aleksandr Stepanovič, Maler, Bekannter der Familie Čechov aus Moskau.
de jure, de facto – latein. ›de jure‹: nach Recht und Gesetz, ›de facto‹: faktisch, tatsächlich, in Wirklichkeit.
im Jahre 1864 – nach der Niederschlagung des Polnischen Aufstands von 1863.
Pan – poln. ›Herr‹.
Kartamyšev – Vasilij Petrovič, gest. 1894, seit 1885 Redakteur der Zeitung ›Sibirskij vestnik.
hiesiger Nozdrëv – Gestalt aus N. V. Gogols Roman ›Die toten Seelen‹, Typ des Verschwenders, Spielers und gewohnheitsmäßigen Lügners.
Voyage – als Lehnwort, russisch transkribiert.
der Reiter ohne Kopf – Roman des auch in Rußland seinerzeit sehr populären amerikanischen Abenteuerschriftstellers Mayne Reid, 1818-1883, ›The headless horseman‹ von 1866.
Marija Vladimirovna – M. V. Kiselëva.
Untiefe von Božarovsk – am Fluß Istra, nahe dem Gut Babkino.
Chlestakov – der falsche Revisor, Spieler, Hochstapler aus der Komödie ›Der Revisor‹ von N. V. Gogol.
die Tante – F. Ja. Dolženko.
Alëša – A. A. Dolženko.
Aleksandra Vasiljevna... Pianisten – die Familie Lintvarëv, wo sich die Familie Čechovs den Sommer 1890 über aufhielt.
Doktor – E. M. Lintvarëva.
Marjuška – Marija D. Belenovskaja.
Gundasicha – Olga P. Kundasova, ›die Astronomin‹.
Jamais – Lidija S. Mizinova; ihr Spitzname ›Jamais‹ russisch transkribiert franz. ›niemals‹.
General der Kuvšinnikova – Pëtr Vasiljevič Safonov, Vater von Sofja P. Kuvšinnikova.
Telegramm von Suvorin – das Telegramm ist nicht erhalten.
Mišas Brief – ebenfalls nicht erhalten.
Vladislavlev – Sergej Michajlovič, Architekt in Tomsk, Sohn Michail P. Vladislavlevs, eines Bekannten der Familie Kiselëv.

Florinskij – Nikolaj Michajlovič, Arzt, Ordinator an der Universitätsklinik von Tomsk.
Die Artemenko – Efrosinja (Frosja), Bekannte Čechovs aus Sumy.
Charitonenko – Ivan Gerasimovič, 1820–1891, Zuckerfabrikant aus Sumy.
Der »Heiratsantrag« – im Rahmen einer Wohltätigkeitsvorstellung der Dramat. Gesellschaft Tomsk wurde im Sommer 1890 auch Čechovs ›Heiratsantrag‹ gespielt.
Kuzmin – Vladimir Antonovič, Hals-Nasen-Ohrenarzt, Professor an der Universität Moskau.
Elena Michajlovna – E.M. Lintvarëva.

288) *2. 5. 1890 – A.S. Suvorin.* 786 (819).
brachen alle Brunnen ... – vgl. 1. Mose 7, 11 und 12: ›In dem sechshundertsten Jahr des Alters Noahs, am siebzehnten Tage des zweiten Monats, das ist der Tag, da aufbrachen alle Brunnen der großen Tiefe, und taten sich auf die Fenster des Himmels, und kam ein Regen auf Erden vierzig Tage und vierzig Nächte.‹
auf den beigefügten Blättern – vgl. weiter unten. Čechovs Reisenotizen ›Aus Sibirien‹ erschienen in Fortsetzungen erstmals am 24.–29. Juni im ›Novoe vremja‹, vgl. auch den Anhang zur ›Insel Sachalin‹, detebe Nr. 50/XX.
in Ihrem Telegramm – vgl. Brief Nr. 287, offensichtlich das nicht überlieferte Telegramm von 80 Worten.
Ihre kritischen Feuilletons – während einer Auslandsreise von V.P. Burenin hatte Suvorin die Rubrik ›Kritisches Feuilleton‹ im ›Novoe vremja‹ selbst übernommen.
Peschels »Völkerkunde« – Oskar Peschel, deutscher Geograph, 1826–1875; seine ›Völkerkunde‹ (1874, [7]1897) erschien 1890 in russischer Übersetzung im Verlag A.S. Suvorin.
in Sretensk – Stadt in Transbajkalien, an der Šilka gelegen, einem Zufluß des Amur, von wo aus Čechov per Schiff nach Vladivostok weiterzureisen beabsichtigte.

289) *28. 5. 1890 – Familie Čechov.* 790 (825).
darüber im »Nov. vr.« – im ›Novoe vremja‹, wo Čechovs Reisenotizen ›Aus Sibirien‹ veröffentlicht wurden, vgl. Nr. 288. Vgl. insbesondere über die Strecke Tomsk-Irkutsk Kapitel VIII dieser Notizen, ›Insel Sachalin‹, detebe Nr. 50/XX.
Schweinerüssel in der Suppenschüssel – aus Gogols Komödie ›Der Revisor‹, V. Akt, Szene 8, in der Chlestakovs Brief mit der Schilderung der dramatis personae verlesen wird: der Hospitalverwalter Zemljanika ist ein ›Schwein mit einem Barett auf dem Kopfe‹ (W. Lange), ›ein richti-

ges Schwein mit einer Nachtmütze‹ (O. Buek), ›ein ausgemachtes Schwein mit Kappe‹ (G. Schwarz); von Čechov auch im ›Kirschgarten‹ (Lopachin im 1. Akt) zitiert.

Aleksandra Vasiljevna – A.V. Lintvarëva.

Semašečka – M.R. Semaško, der ›Cellist‹.

Ivanenko – A.I. Ivanenko, ›der Flötist‹.

Jamais – L.S. Mizinova; sie hatte vor Čechovs Abreise nach Sachalin, zusammen mit Marija P. Čechova, in Bibliotheken für Čechov Bücher über Sachalin exzerpiert.

Marjuška – M.D. Belenovskaja.

Tante und Aleksej – F.Ja. und A.A. Dolženko.

Gundasova – O.P. Kundasova.

mit zwei Leutnants – I. von Šmidt und G. Meller; beide schrieben, nachdem sie und Čechov sich getrennt hatten, aus Chabarovsk einen Brief an Čechov; vgl. auch Nr. 294. Der Name des erwähnten Militärarztes ist nicht bekannt.

der begnadigte Juchancev – Konstantin Juchancev, Kollegienrat a.D., der als Kassierer bei einer Gesellschaft für wechselseitigen Kredit Geld unterschlagen hatte und nach Sibirien verbannt worden war.

Rykov – Direktor der Bank von Skopin, der in einem aufsehenerregenden Prozeß November 1884 als Hauptbeschuldigter des Krachs der Bank verurteilt worden war; Čechov hatte über diesen Prozeß 1884 in der ›Peterburgskaja gazeta‹ berichtet; vgl. Nr. 27.

Troša – N.M. Lintvarëva.

290) *5. 6. 1890 – A.N. Pleščeev.* 794 (830).

auf dem Nevskij – dem Nevskij prospekt, der Haupt- und Geschäftsstraße in Petersburg.

291) *5. 6. 1890 – Al.P. Čechov.* 793 (831).

Krepkaja – Dorf 75 km von Taganrog entfernt, wo Čechovs Großvater Egor M. Čechov lebte und wo 1855 Aleksandr geboren worden war.

Kuka und meinen Namensvetter – Aleksandrs Kinder Nikolaj und Anton.

292) *6. 6. 1890 – Familie Čechov.* 798 (832).

in meinem letzten langen Brief – vgl. Nr. 289. In der Zwischenzeit hatte Čechov sich noch am 31. 5. aus Kansk und am 4. 6. kurz vor Irkutsk jeweils mit einer Postkarte gemeldet.

der (Wald) in Sokolniki – in Moskau, Moskauer Stadtwald, von Čechov u.a. beschrieben in der Novelle ›Drei Jahre‹.

meine militärischen Begleiter – vgl. Nr. 289, 294.

schickt beiliegenden Brief – wie aus einem weiteren Brief (vom 7. 6.) an die Familie hervorgeht, handelt es sich um einen Brief an I. M. Kondratjev von der Dramat. Gesellschaft, mit der Bitte, der Familie das Honorar für die Theaterstücke auszuzahlen.

Aleksandr habe ich geschrieben – vgl. Nr. 291.

am 17. Juni – dem Todestag von Čechovs Bruder Nikolaj.

den 29. begeht feierlich – gemeint ist der Namenstag des Vaters Pavel Egorovič Čechov.

meine Postkarten aus den Kleinstädten – vgl. Anmerkung oben zu diesem Brief; Čechovs Karte aus Kansk (vom 31. 5.) trägt den Eingangsstempel der Post von Sumy vom 26. Juni 1890; eine andere Karte, Nr. 295, abgeschickt am 23. 6., kam in Sumy erst am 6. August an.

293) *13. 6. 1890 – Familie Čechov.* 801 (835).

Aju-dag – bei Gurzuf auf der Krim. ›Die Ostseite der Gursuffer Bucht wird von dem weithin sichtbaren und von dieser Seite steil ansteigenden bewaldeten Aju-Dagh (»der Bär«, 565m) abgeschlossen.‹ (Baedeker, Rußland, [7]1912)

Čeremša – Bärenlauch, wilder Knoblauch, von Čechov auch in der ›Insel Sachalin‹ beschrieben; vgl. dazu auch ›Drei Schwestern‹, detebe Nr. 50/IV, II. Akt. Solënyj und Čebutykin über Čechartma bzw. Čeremša.

Omul – in Nordrußland und Sibirien, insbesondere im Bajkal vorkommender Lachsfisch.

Innokentij Alekseevič – Nikitin, vgl. auch weitere Briefe.

jener Neapolitaner – ungeklärt, um wen es sich handelt.

Eure Moskauer Adresse – vor seiner Abreise nach Sachalin hatte Čechov die Wohnung in der Kudrinskaja-Sadovaja (Hs. Korneev) gekündigt; die Familie hielt sich den Sommer über in Luka, Sumy, auf, um im Herbst in Moskau eine andere Wohnung zu suchen. Nach seiner Rückkehr von Sachalin wohnte Čechov bis zum Kauf des Gutes Melichovo in der Malaja Dmitrovka, Hs. Firgang (heute Čechov-Straße, Nr. 15).

Sinani – Isaak Abramovič, Buchhändler in Jalta.

Gorodeckij – Daniil Michajlovič, Journalist in Jalta, Buchhändler, den Čechov 1889 kennengelernt hatte.

die Schmuuls – russ. ›šmuuly‹, verächtliche Kollektivbezeichnung für die Juden, abgeleitet von der jüdischen Form des Namens Samuel; vgl. den israelischen Namen ›Shmuel‹, vgl. auch Wilhelm Busch (Kapitel 5 von ›Plisch und Plum‹):

›Kurz die Hose, lang der Rock,
Krumm die Nase und der Stock,
Augen schwarz und Seele grau,
Hut nach hinten, Miene schlau –
So ist Schmulchen Schievelbeiner...‹

In den russischen Čechov-Ausgaben vor 1974 war dieser Ausdruck konsequent getilgt worden.

Vyšnegradskij – Ivan Alekseevič, 1832–1895, Staatsmann, 1888–92 Finanzminister.

für das Telegramm – die Antwort auf Čechovs telegraphische Frage, wo sich die einzelnen Familienmitglieder zur Zeit aufhielten, vom 8. 6. 1890: ›Mutter, Miša – Svjatye gory, Maša – Krim, Vater, Ivan – Moskau. Grüße. Lintvarëvs.‹

294) *20. 6. 1890 – Familie Čechov.* 803 (837)

schlimmer als Igors Tod – sprichwörtlich, Anspielung auf das Igorlied und Jaroslavnas Klage auf Igors Tod.

Kuvšinnikov – D. P. Kuvšinnikov, Ehemann der Malerin Sofja P. Kuvšinnikova.

halbes Königreich für ... – Paraphrase nach ›Richard III.‹, V/4; in der zit. russ. Übersetzung: ein ›halbes‹ Königreich.

Mickiewicz – Adam Mickiewicz, 1798–1855, poln. Nationaldichter.

Alëša – A.A. Dolženko, Vetter Čechovs.

Papaša schreibe ich extra – am 28. 6. schickte Čechov ein Glückwunschtelegramm zum Namenstag des Vaters.

Auf Wiederschön – Scherz (›do svidancija‹ statt ›do svidanija‹), von Čechov auch im ›Kirschgarten‹ (Lopachin) verwendet.

295) *21. 6. 1890 – Familie Čechov.* 808 (842).

296) *23./26. 6. 1890 – Familie Čechov.* 809 (843).

Stanica – Kosakendorf, Wehrdorf der Kosaken; vgl. weiter unten Vergleich mit den ›Dörfern am Don‹.

Natalja Michajlovna – N.M. Lintvarëva.

Sofja Petrovna – S.P. Kuvšinnikova.

Stirb, Denis ... – geflügeltes Wort, bezieht sich auf die Uraufführung der Komödie ›Nedorosl‹ von Denis I. Fonvizin, 1781; wird dem Fürsten Potëmkin bzw. der Zarin Katharina II. zugeschrieben.

Petja Polevaev – Pëtr Polevaev, Bekannter von Čechovs Bruder Nikolaj.

297) *27. 6. 1890 – A. S. Suvorin.* 810 (844).

Suram-Paß – in Transkaukasien an der Grenze der Gouvernements Kutais und Tiflis, 922m hoch, diente bis 1890 zur Überführung der Transkaukasischen Eisenbahn, danach untertunnelt.

habe Ihnen vier Bogen über den Enisej ... – offensichtlich die letzten Kapitel der Reiseaufzeichnungen ›Aus Sibirien‹, erschienen im ›Novoe vremja‹ vom 23. 8. 1890, datiert mit ›20. Juni‹, vgl. auch Anhang zur ›Insel Sachalin‹, detebe Nr. 50/XX.

Scherereien mit Bulgarien – auf Drängen Rußlands war durch den Frieden von San Stefano Bulgarien zu einem eigenen Nationalstaat geworden, eins der Ergebnisse des Russisch-Türkischen Krieges 1877/78; der neue Staat war in den 80er Jahren steter Unruheherd (Bulgarisch-Serbischer Krieg 1885 u.a.).
I.P. Kazanskij – Ivan Pavlovič, möglich auch: Kazancev. Student; ungeklärt, um wen es sich handelt.

298) *1. 7. 1890 – Familie Čechov.* 813 (847).
Son Ljuli – russ. ›son‹: Schlaf, Traum; ›Ljuli‹: ›ein (in russischen Volksliedern sehr üblicher) Refrain, etwa (entsprechend dem deutschen) trallalla‹ (Pavlovskij); ljuljukat': das Einlullen von Kindern.

299) *11. 7. 1890 – Familie Čechov.* 815 (849).

300) *16. 7. 1890 – N.M. Lintvarëva.* 816 (850).

301) *17. 7. 1890 – M.P. Čechova.* 817 (851).

302) *14. 8. 1890 – M.P. Čechova.* 818 (852).
Gratuliere – Marija P. Čechova hatte am 15. 8. Namenstag.

303) *31. 8. 1890 – I.P. Čechov.* 819 (853).
Malylšëv–V.P. Malyšëv. Vgl. hierzu Čechovs Brief an V.O. Kononovič vom 19. 2. 1891.

304) *7. 9. 1890 – Familie Čechov.* 820 (854).

305) *11. 9. 1890 – A.S. Suvorin.* 821 (855).
Galkin – M.N. Galkin-Vraskij, vgl. Nr. 263.
Baronesse Vychuchol – V.I. Ikskul von Gildenbandt, 1854–1929, vgl. Nr. 313 u. a.
Der General von Sachalin – Vladimir Osipovič Kononovič, bis 1893 Inselkommandant von Sachalin.
den Elefanten aber nicht einmal bemerkt – Paraphrase der Fabel ›Der Neugierige‹ von I.A. Krylov.
bei Landsberg gegessen – Karl Christoforovič Landsberg, Gardeoffizier, nach Sachalin verbannt.
Gembruk – Olga Vasiljevna Gembruk (Gejmbruk), Baronesse, wegen krimineller Vergehen nach Sachalin verbannt.
eine Dame, die unaufhörlich ... – vgl. ›Insel Sachalin‹, Kapitel XII, detebe Nr. 50/XX.

306) *6. 10. 1890 – E. Ja. Čechova.* 822 (856).
die Frau des armen Ežov – Mitteilung von N. M. Ežov vom 10. 6. 1890, einer der wenigen Briefe, die von dem erwähnten Packen Briefe erhalten sind.

307) *16. 10. 1890 – M. P. Čechov.* 823 (857).

308) *5. 12. 1890 – M. P. Čechov.* 824 (858).

309) *6. 12. 1890 – M. P. Čechova.* 826 (859).

310) *9. 12. 1890 – A. S. Suvorin.* 827 (861).
nicht 2 Monate, wie bei Ihnen gedruckt steht – in der ›Chronik des »Novoe vremja«‹ hatte am 3. 12. eine Meldung über die bevorstehende Rückkehr Čechovs gestanden, mit dem Vermerk, Čechov habe zwei Monate auf Nordsachalin zugebracht.
wurden zwei Tote ins Meer geworfen. – vgl. die Erzählung ›Gusev‹, detebe Nr. 50/XIV.
Doktor Ščerbak – Aleksandr Viktorovič, 1848–1893, Arzt und Schriftsteller, Autor von Aufsätzen über Sachalin im ›Novoe vremja‹, Schiffsarzt bei der Freiwilligen Flotte, vgl. auch Brief Nr. 313.
[...] – diese Stelle auch in der neuen historisch-kritischen Ausgabe getilgt. Avrahm Yarmolinsky teilt in seiner amerikanischen Briefausgabe folgenden Text mit: ›When I have children, I'll say to them, not without pride: »You sons of bitches, in my time I had dalliance with a dark-eyed Hindu maiden – and where? In a coconut grove, on a moonlit night!«
Sohn der Baronesse Ikskul – G. N. Glinka, Fähnrich zur See, Sohn von V. I. Ikskul aus erster Ehe.
»Slav. bazar« – Slavjanskij Bazar, Slavischer Bazar, eins der ersten Hotels in Moskau, in dem auch Suvorin während seiner Moskauaufenthalte immer abstieg.
auch ohne Galkin-Vraskij – vgl. Nr. 263, 265, 305.
Staatsanwalt Kostja – K. F. Vinogradov, Marineoberstaatsanwalt, Bekannter Suvorins und Čechovs.
Burenin – V. P. Burenin.
Žitel – A. A. Djakov.
Maslov – A. N. Maslov-Bežeckij.

311) *10. 12. 1890 – I. L. Leontjev-Ščeglov.* 829 (863).
Was für Schmetterlinge ... – Paraphrase der Fabel von I. A. Krylov ›Der Neugierige‹ (1814). ›Die Schmetterlinge, märchenhaft, die bunten Fliegen, die goldnen Käferchen! Ich will nicht lügen, nein, Brüder-

chen! Jedoch die hübschen Schaben, die mußt du selbst einmal gesehen haben! Das schimmert wie Smaragde und Korallen‹ usw. (Übersetzung von Martin Remané)

Pleščeev eine Erbschaft? – A. N. Pleščeev hatte von seinem Verwandten A.P. Pleščeev ein großes Vermögen geerbt, er schrieb darüber selbst an Čechov am 12. 1. 1891; am 27. Februar schreibt Čechov an V.O. Kononovič: ›Pleščeev hat eine Erbschaft von zwei Millionen gemacht und ist zur Zeit mit solch großen Plänen beschäftigt, als sei er nicht 70, sondern 18 Jahre alt.‹

meine Tante besuchen – F.Ja. Dolženko.

312) *17. 12. 1890 – A.S. Suvorin.* 833 (867).

eben habe ich telegraphiert – Čechovs Telegramm an Suvorin ist nicht erhalten.

eine passende Erzählung – am 23. 12. schickte Čechov die Erzählung ›Gusev‹ an Suvorin ab (vgl. Nr. 313).

Skolopender – Tausendfüßler.

Grigorovič – D.V. Grigorovič. Auf welche Bemerkung Suvorins sich dieser Satz bezieht, ist nicht mehr zu klären.

Erzählung von Bellamy – meint den utopischen Roman des amerikanischen Sozialisten E. Bellamy, ›Looking backward. 2000–1887‹, der Mai bis Juli 1890 unter dem Titel ›Im Jahr 2000‹ in russischer Übersetzung erschienen war. Auf Rat von L.N. Tolstoj gab Suvorin diesen Roman 1891 als Buch heraus.

Hausen – Fisch, russ. ›beluga‹, aus der Familie der Störe.

die »Kreutzersonate« – Novelle von L.N. Tolstoj; vgl. dazu Nr. 267.

313) *24. 12. 1890 – A.S. Suvorin.* 836 (870).

Ich glaube an Koch... – im November 1890 berichteten die russischen Zeitungen über die neue Behandlungsmethode der Lungentuberkulose durch Robert Koch; Suvorin widmete dieser Meldung zwei seiner ›kleinen Briefe‹, deren einen er mit dem Satz abschloß: ›Deutschland hat einen neuen Faust gefunden.‹

Gejs Onkel – Onkel des Journalisten B.V. Gejman, der unter dem Pseudonym ›Gej‹ im ›Novoe vremja‹ schrieb, Leiter des Ressorts Außenpolitik.

Trezor – Hund A.S. Suvorins.

schicken Sie mir wie früher Erzählungen... – fremder Autoren, die Čechov für das Feuilleton des ›Novoe vremja‹ überarbeitete, wie schon in den Jahren vor seiner Sachalinreise.

wie Simeon... – vgl. das Evangelium, Lukas 2, 25f.: ›Und siehe, ein Mensch war zu Jerusalem, mit Namen Simeon, und derselbe Mensch war fromm und gottesfürchtig und wartete auf den Trost Israels, und der heilige Geist war in ihm. Und ihm war eine Antwort geworden von dem heiligen Geist, er sollte den Tod nicht sehen, er hätte denn zuvor den Christus des Herrn nicht gesehen.‹ Nachem er das Christuskind gesehen hatte, sprach er: ›Herrn, nun lässest du deinen Diener im Frieden fahren, wie du gesagt hast.‹

Potapenko – Ignatij Nikolaevič, 1856–1928, Schriftsteller, Dramatiker.

Grebënka – Evgenij, Pavlovič, 1812–1848, Schriftsteller.

Aleksej Alekseevič, – A. A. Suvorin-junior.

eine Erzählung geschickt – die Erzählung ›Gusev‹, erschien am 25. 12. im ›Novoe vremja‹.

1891

314) *14. 1. 1891 – M.P. Čechova.* 849 (884).

ich bin müde ... – Čechov war am 7. Januar nach Petersburg gefahren und hatte sich bereits in seinem ersten Brief nach Hause (vom 9. oder 10. 1.) über eine Vielzahl langweiliger Einladungen beklagt.

Vasiljevskij ostrov – Stadtteil Petersburgs, Insel, der Stadt vorgelagert; dort war Čechov bei V. A. Arapov, einem Verwandten des Schauspielers Svobodin und Verehrer Čechovs, eingeladen.

zu Ivan nach Sudoroga – ins Gouvernement Vladimir, nach *Sudogda,* wohin Čechovs Bruder Ivan als Lehrer versetzt worden; Wortspiel Čechovs: ›Sudoroga‹ russ. Krampf.

Burenin – V.P. Burenin hatte am 11. 1. in seinem Feuilleton geschrieben, die russische Literatur erlebe zur Zeit eine Periode der ›mittleren Talente‹, die Herren Čechov, Uspenskij, Korolenko u. a. begönnen ›zu welken‹. Unter Anspielung auf die Reise nach Sibirien und Sachalin unterstellte B. Čechov, er hätte ›die Flucht ergriffen‹.

Ščeglov erzählt mir sämtliche Gerüchte ... – zu denen gehörte, daß Čechov nun, nachdem A. N. Pleščeev eine große Erbschaft gemacht hatte, Pleščeevs Tochter heiraten werde.

Driška – D. M. Glebova, Bekannte der Familie Čechov, die in Petersburg untergetaucht war, Svobodin hatte Čechov ihre Adresse mitteilen können; Čechov besuchte sie am 15. 1.

in zweiter Auflage erschienen – im Verlag A.S. Suvorin.

Kundasova – O.P. Kundasova, vgl. Nr. 320, 322.

Lidija Egorovna Mizjukova – scherzhaft für: Lidija Stachievna Mizinova.

ihre Lehrpläne – L.S. Mizinova befaßte sich, im Auftrag der Städt. Duma Moskau, mit Entwürfen von Lehrplänen für Elementarschulen.

Levitan aus dem Weg gehen – I.I. Levitan, vgl. Nr. 315.

Grigorovič – D.V. Grigorovič.

Iraklij – Mönch und geistlicher Schriftsteller, den Čechov auf seiner Sachalinreise kennengelernt hatte. Iraklij suchte Čechov am 15. oder 16. 1. in Petersburg auf.

315) *21. 1. 1891 – L.S. Mizonova.* 856 (892).

Fedotov – Aleksandr Filippovič, 1841–1895, Regisseur am Kleinen Theater, Moskau, Leiter einer Schauspielschule.

Kondukteure der Pferdeeisenbahn – Scherz im Zusammenhang damit, daß der Vater der Adressatin bei der Eisenbahn angestellt war.

A. Kislota – russ. ›kislota‹: Das Saure, die Säure.

Bucephalus – meint den Medizinstudenten und Verehrer der Adressatin E.N. Ballas; Bucephalus: Name des Pferdes Alexander des Großen, scherzhaft Bezeichnung für jedes Pferd.

Bibikov – Viktor Ivanovič, 1863–1892, Schriftsteller.

316) *26. 1. 1891 – A.F. Koni.* 858 (893).

nicht bei Frau Naryškina gewesen zu sein – Čechov hatte Koni auf dessen Wunsch am 17. 1. besucht und ihm von seinen Reiseeindrücken von Sachalin erzählt. Čechov hatte Koni um Vermittlung bei E. A. Naryškina gebeten, der Vorsitzenden einer Gesellschaft zur Hilfe für Kinder und Familien von Strafgefangenen. Wegen Erkrankung Konis kam der gemeinsam geplante Besuch bei ihr nicht zustande.

Die Situation der Kinder... – vgl. hierzu ›Die Insel Sachalin‹, detebe Nr. 50/XX, besonders Kapitel XVII, in dem die Episode des Gesprächs mit dem Jungen erzählt, und Kapitel XIX, in dem die Beerdigung von Alëšas Mutter geschildert wird. Čechov hatte bereits in Moskau damit begonnen, eine Sammlung zugunsten der Kinder von Sachalin zu organisieren, vor allem Bücher für die Schulen in Sachalin zu sammeln. Über den Erfolg seiner Bemühungen am 27. 1. an seinen Bruder Ivan: ›Ich habe Bücher gekauft. Sehr viele Bücher sind von Verlegern und Autoren gestiftet worden. Ich freue mich sehr. Die Schulen auf Sachalin werden ihre eigenen kleinen Bibliotheken bekommen.‹ Vgl. auch Nr. 319.

Štos-Spieler – Štos, Stoß, Glücksspiel, Kartenspiel.

ex officio – latein., ›von Amts wegen‹.

Hamlet und Horatio – vgl. ›Hamlet‹, Akt V, erste Szene.

Versprechen, mich zu besuchen – A. F. Koni hatte für Anfang April einen Aufenthalt in Moskau angekündigt und wollte Čechov bei der Gelegenheit besuchen.

317) *30. 1. 1891 – I.A. Bunin.* 861 (896).

Ihnen dienen zu können – Bunin hatte sich unter höflich-umständlichen

Entschuldigungen an Čechov gewandt mit der Bitte, ihm bei Gelegenheit ›zwei oder drei veröffentlichte Erzählungen‹ schicken zu dürfen, um Čechovs Urteil darüber zu erfahren.

318) *5. 2. 1891 – A.S. Suvorin.* 865 (899).
Mein Mungos ist wieder gesund – am 31. 1. hatte Čechov an Suvorin geschrieben, der Lieblings-Mungos sei krankgeworden und werde wohl sterben.
Ich schreibe, schreibe! – an der Novelle ›Das Duell‹, mit der Čechov bereits in Petersburg begonnen hatte.
Jasinskij – I.I. Jasinskij.
Aleksandra Sergeevna – A.S. Kolomnina, Schwester von A.S. Suvorin.

319) *19. 2. 1891 – V.O. Kononovič.* 908, zuvor nur in LN, Nr. 26.
mit dem Telegramm... – vgl. Nr. 303. Mit der Datierung des Telegramms irrt Čechov, es wurde erst 31. 8. 1890 aufgegeben.
150 Schüler usw.: – ›Schüler‹ – russisch ›učenik‹; ›Lehrbuch‹ – russ. ›učebnik‹.
Rykovskoe – Ansiedlung auf Sachalin, Zentrum des Bezirks Tymovsk.
Annin – Pavel Abramovič, 1842–1911, hoher Beamter des Ministeriums für Volksaufklärung.
Tichomirov – Dmitrij Ivanovič, 1844–1915, Pädagoge, tätig vor allem auf dem Gebiet des Elementarschulwesens.
Goldenberg – Aleksandr Ivanovič, 1837–1902, Pädagoge, Mathematiker.
Pšeničnikov – Religionslehrer, Theologe. Autor eines Lehrbuchs.
Daniil Aleksandrovič – Bulgarevič, Beamter auf Sachalin.
Baranov – Aleksej Grigorjevič, 1844–1911, Pädagoge.
Pucikovič – Feofil Feofilovič Pucykovič, geb. 1846, Pädagoge.
Evtuševskij – Vasilij Adrianovič, 1840–1888, Pädagoge, Mathematiker.
Gerbač – Vasilij Stepanovič, Pädagoge, Methodiker.
Ostrogorskij – Viktor Petrovič, 1820–1902, Pädagoge, Literaturwissenschaftler.
Butakov – Arsenij Michajlovič, 1845–1894, Beamter des Strafvollzugs im Kreis Tymovsk auf Sachalin.
an das Komitee der Freiwilligen Flotte – am 27. 2. schrieb Čechov in Ergänzung seines ›langen Briefes‹ an Kononovič, das Komitee habe ihm mitgeteilt, daß man seiner Bitte entsprechen werde.
der Griboedovsche Franzos aus Bordeaux – Anspielung auf Szene 22 im III. Akt der Komödie ›Verstand schafft Leiden‹ von A. Griboedov, in der der Held Čackij von einem jungen Herrn aus Bordeaux erzählt, der, nach Moskau gekommen, sich dort wie zu Hause fühlt, weil er nur französisch sprechen hört und ihm die gesamte Gesellschaft in blinder Bewunderung für alles, was französisch ist, zu Füßen liegt.

Kokovcev – Vladimir Nikolaevič, Graf, 1853–1943, Assistent des Chefs der Hauptgefängnis-Verwaltung Galkin-Vraskij von 1879–1890, danach in der Staatskanzlei.

Kamorskij – Dimitrij Fëdorovič, Gefängnisinspektor des Amurgebiets.

Gefängnisausstellung – im Sommer 1890 hatte in Moskau ein internationaler Kongreß über Fragen des Strafvollzugs getagt, anläßlich dieses Kongresses war eine Ausstellung über Strafvollzug und Gefängniswesen eröffnet worden.

bitte Sie, mir... um Entschuldigung – u. a.: gegen Ende des Briefes mehren sich orthographische und stilistische Nachlässigkeiten.

320) *23. 2. 1891 – A. S. Suvorin.* 873 (911).

Ihr Telegramm betr. »Thermidor« – am 27., 28. 2. und 3. 3. gastierte in Petersburg die Comédie Française mit V. Sardous neustem Theaterstück »Thermidor« (1891).

Meine Novelle – ›Das Duell‹.

als Sie abgereist waren – Suvorin hatte sich Mitte Februar einige Tage in Moskau aufgehalten und sich am 15. 2. mit Čechov getroffen.

die wunderbare Astronomin – O. P. Kundasova.

Lorbeeren der Kovalevskaja – Sofja Vasiljevna Kovalevskaja, 1850–1891, berühmte Mathematikerin, Schriftstellerin; eine der ersten Frauen, die einen Universitätslehrstuhl bekleidete (seit 1884 in Stockholm).

Der »Heiratsantrag« – hatte am 20. 2. am Kleinen Theater, Moskau, Premiere gehabt.

Južin – A. I. Sumbatov-Južin, an den Čechov sich wegen einer Karte für den ›Heiratsantrag‹ gewandt hatte, erfolglos.

Gräfin Rochefort – Besitzerin eines Hauses in Aleksin, das Čechov für den Sommer mieten wollte.

321) *5. 3. 1891 – A. S. Suvorin.* 877 (916).

Fahren wir!!! – bezieht sich auf Suvorins Vorschlag an Čechov, ihn auf eine Auslandsreise zu begleiten, vgl. Čechov am 11. 3. an M. V. Kiselëva: ›Auf die Reise nach Frankreich, Spanien und Italien gehend...‹ Vgl. auch Nr. 322.

322) *16. 3. 1891 – M. P. Čechova.* 885 (926).

Volkov – von Čechov für Geldsendungen bevorzugtes Bankkontor in Moskau.

Levitan – I. I. Levitan stellte auf der XXIX. Ausstellung der Peredvižniki (Wander-Maler) die Bilder ›Barghetto (in Italien)‹, ›Altes Bauernhaus‹ und ›Stilles Kloster‹ aus, von denen besonders letzteres großen Erfolg hatte.

Kundasova – O.P. Kundasova.
Lika – L.S. Mizinova.
könnte sonst verschimmeln – vgl. Nr. 323: ›Seid ja nicht schreibfaul‹.

323) *16. 3. 1891 – M.P. Čechova.* 886 (927).
einen Einschreibebrief – vgl. Nr. 322.
»Italie, Rome...« – beide Adressen im Original französisch.
Semašečka – M.R. Semaško.
Ivanenko – A.I. Ivanenko.
Likiša – L.S. Mizinova, der u. a. auch Semaško und Ivanenko den Hof machten.

324) *16. 3. 1891 – M.P. Čechova.* 887 (928).
italienische Schauspielerin Duse – Eleonora Duse, 1858–1924, gastierte 1891 im Petersburger Kleinen Theater mit Shakespeares ›Antonius und Cleopatra‹.
Ich schaute auf die Duse... – dieser Passus war, vermutlich mit Rücksicht auf die Schauspielerin Marija Nikolaevna Ermolova (1853–1928), in früheren Ausgaben getilgt.
beiliegende Grußadresse – lt. Mitteilung von M.P. Čechova ein Zeitungsausschnitt mit einer Adresse von Studenten des Technologischen Instituts Charkov an N.N. Solovcov, der sich mit einer Benefizvorstellung am 28. Februar vom Charkover Publikum verabschiedete (Solovcov ging dann nach Kiev); der Zeitungsausschnitt ist verloren.
Salvini – Tommaso, 1829–1915, italien. Schauspieler, der 1880, 1882, 1885 und 1900-1901 in Rußland gastierte.

325) *20. 3. 1891 – Familie Čechov.* 889 (930).
meine čechischen Freunde – Spiel mit der Wurzel des Familiennamens. In seinen Briefen aus Sibirien 1890 hatte Čechov seine Familie oft mit ›meine tungusischen Freunde‹ angeredet.
in Wien angekommen – Notiz in Čechovs Notizbuch: ›Am 19. morgens passierten wir die Grenze. Um 4 Uhr nachmittags in Wien angekommen.‹
wie Nana – Anspielung auf die Heldin des gleichnamigen Romans von Emile Zola.
Votiv-Kirche – im Orig. deutsch.
»Renan« – offenbar die ›Philosophischen Essays‹ des französischen Schriftstellers und Philosophen Ernest Renan, 1823–1892; in russ. Übersetzung waren die Essays 1888 erschienen und sofort wegen ›äußerst materialistischer und atheistischer Richtung‹ verboten worden, die Auflage wurde konfisziert, dem Besitzer der Druckerei der Prozeß gemacht.

»Geheimnisse des Winterpalasts« – Roman des russischen Schriftstellers Paul Grimm über die Epoche Nikolaus I., erschienen unter dem Pseudonym ›N. T.‹ 1890 in Genf; in diesem Roman wurden Enthüllungen, die A. Herzens ›Kolokol‹ publiziert hatte, kolportiert.

bei Sytin – Ivan Dmitrievič, 1851–1934, Verleger und Buchhändler in Moskau.

dafür nach Buchara – Scherz.

Semaško, haben Sie ... – vgl. Nr. 323. A. I. Ivanenko sollte eine Stelle bei der Moskauer Städt. Duma bekommen, wo L. S. Mizinova angestellt war. Ivanenko fand jedoch noch lange keine Stelle, lebte später über ein Jahr bei Čechov in Melichovo, während in Moskau Arbeit für ihn gesucht wurde.

Aleksandrs Kinder – so bereits am 16. 1. an die Familie Čechov: ›Seine Kinder haben den besten Eindruck auf mich gemacht. Besonders der jüngere. Beide sind groß geworden, sprechen ausgezeichnet und können schon das Alphabet. Aleksandrs Gattin ist eine gute Frau, aber ... tagtäglich dieselben Geschichten wie damals in Luka.‹

den schönen Levitan – I. I. Levitan; vgl. hierzu auch die Briefe aus dem Frühjahr 1892.

326) *24. 3. 1891 – I. P. Čechov.* 890 (931).

bin jetzt in Venedig – Notizbuch, Eintragung vom 22. 3.: ›Am 22. abends in Venedig angekommen Hôtel Bauer.‹

Merežkovskij – D.S. Merežkovskij, vgl. Notizbuch: ›24. Musikanten. Abends Gespräch mit Merežkovskij über den Tod.‹

Grabmäler von Canova und Tizian – in der Kirche Sta. Maria Gloriosa dei Frari, in der sich, neben Werken Tizians, ein 1852 enthülltes Tiziandenkmal sowie ein Denkmal Canovas (1822) befindet.
Zu den Venedig-Eindrücken Čechovs vgl. Kapitel XV der Novelle ›Erzählung eines Unbekannten‹ 1893, detebe Nr. 50/XVIII.

Bild, auf dem 10 Tausend Menschen dargestellt sind – das ›Paradies‹ in der Sala del Maggior Consiglio von Giacomo Tintoretto, 1518–1594.

Deine Flaschen ... – Ivan P. Čechov unterrichtete an einer Schule im Kreis Sudogdă, die einer Glashütte zugeordnet war.

327) *28. 3. 1891 – Familie Čechov.* 895 (936).

Raffaels »Caecilia« – in der Accademia di Belle Arti, der Pinakothek.

328) *29. 3. 1891 – Familie Čechov.* 896 (937). Datierung nach dem Poststempel: 10. 4. 1891, was dem 29. 3. alten Stils entspricht.

Ich bin in Florenz – Eintragung im Notizbuch: ›28. Von Bologna nach Florenz sind es 48 Tunnel. Morgens waren wir in Bologna: die schiefen Türme, Arkaden, Caecilia Raffaels. Um 5 1/2 Uhr in Florenz angekommen.‹

die Venus von Medici – in den Uffizien, Florenz.

das Dantedenkmal – auf der Piazza Santa Croce aus dem Jahr 1865.

329) *1. 4. 1891 – M. V. Kiselëva.* 900 (940).

Der römische Papst – am 30. März war Čechov in Rom angekommen.

table d'hôte – franz. ›Gästetafel‹.

Puškins Tatjana, Olga – aus dem Roman in Versen ›Evgenij Onegin‹ von A.S. Puškin. Vgl. ›Evgenij Onegin‹, Kapitel II, in dem die Schwestern Olga und Tatjana geschildert werden; die jüngere, Olga:

›Stets liebreich, sittsam und ergeben,
Stets heiter wie des Frühroths Glanz,
Gemüthlich wie des Dichters Leben,
Und wie ein Kuß voll Süße ganz;
Das blaue Aug', die seidnen Locken,
Der Gang, die Stimme rein wie Glocken,
Der schlanke Wuchs, der Blick so mild...
Kurzum, Ihr findet Olga's Bild
In neueren Romanen wieder;‹ (23).

Tatjana ›war in nichts vergleichsam
Der jüngeren Schwester: nicht so frisch
Und nicht so schön; dabei trüb, schweigsam
Und wild, ein wunderlich Gemisch
Von Glut und Kälte. Selbst im Kreise
Der Ihrigen wie eine Waise
Erschien sie stets, bald fremd und kalt,
Bald schüchtern wie ein Reh im Wald.‹ (25)

Zitiert in der Übersetzung von Friedrich Bodenstedt.

der Baedeker – ›Italien. Von den Alpen bis Neapel. Kurzes Reisehandbuch von K. Baedeker‹, Leipzig.

Seine Hochwohlgeboren – A.S. Kiselëv, Ehemann der Adressatin.

Vasilisa – Tochter der Adressatin, hier bei ihrem Spitznamen genannt (›Vasilisa Pantelevna‹, vgl. Nr. 260).

Elizaveta Aleksandrovna – E.A. Efremova, Pianistin, Gouvernante der Kinder von A.S. und M.V. Kiselëva.

330) *1. 4. 1891 – Familie Čechov.* 901 (941).

in Venedig im besten Hotel – vgl. Nr. 326, Hotel Bauer. Der Baedeker führt das ›Hotel d'Italie-Bauer, Campo S. Moisè, Neubau gotischen Stils, südl. bis zum großen Kanal reichend‹ als ›etwas weniger anspruchsvoll‹ und ›von Deutschen bevorzugt‹.

Palais des ehemaligen Kardinal Conti – Conti: berühmtes italienisches

Adelsgeschlecht, ihm entstammen u. a. die Päpste Innozenz III. und Innozenz XIII.

Hotel »Minerva« – an der Piazza della Minerva im Zentrum Roms.

Levitan – I.I. Levitan, der 1889 eine Zeitlang in Italien verbracht hatte.

331) *4. 4. 1891 – Familie Čechov.* 903 (944).

Ich kam nach Neapel – lt. Notizbuch am 4. April; am 3. 4. hatte Čechov Rom verlassen.

in Hongkong – war Čechov auf der Rückreise von der Insel Sachalin gewesen, vgl. Nr. 310: ›Erster ausländischer Hafen auf meiner Reise war Hongkong‹ usw.

Lika – L.S. Mizinova.

sagt Semaško – M.R. Semaško hatte darum gebeten, daß Čechov ihm einen Notenkatalog aus Italien mitbringe.

Tante und Alëša – F. Ja. und A. A. Dolženko, Tante und Vetter Čechovs mütterlicherseits.

332) *7. 4. 1891 – Familie Čechov.* 904 (945).

den Vesuv zu besteigen – den der Baedeker (5. Aufl. 1903) den ›seit dreihundert Jahren einzigen thätigen Feuerberg in der vulkanischen Umgebung Neapels‹ nennt, ›dessen je nach den Ausbrüchen wechselnde Höhe zwischen 1200 und 1300m schwankt‹. Die Möglichkeiten, den Vesuv zu besteigen, beschreibt der Baedeker (1903) so:

›Zu dem Ausflug auf den Vesuv wählt man möglichst heiteres Wetter. Am meisten zu empfehlen sind die Veranstaltungen der englischen Unternehmer Thomas Cook & Son, die für den Preis von 21 fr. die Wagenfahrt (später elektr. Bahn) von Neapel bis an den Aschenkegel (4 St.), die Auf- und Niederfahrt mit der Drahtseilbahn (3St. einschließlich des Aufenthalts am Krater) und die Rückfahrt nach Neapel (2 1/2 St.) bieten. Man nehme das Billet am Tage vorher...

Anstrengend und nur Herren anzuraten ist die Besteigung zu Pferde am besten von Torre Annunziata oder Pompeji aus. Die Wirte in Pompeji, mit denen vorher auch das einzelne aufs genaueste festzusetzen ist, vermitteln Wagen, Pferd und Führer für einen Gesamtpreis: der Wirt des Hotel Suisse für 12, ohne Wagen 7 fr., der des H. Diomède für 15 fr. unter Benutzung des Fiorenza'schen Reitweges, der des Sole für 5 fr. (ohne Wagen). Ein Trinkgeld wird natürlich überall erwartet.

Bei diesen Preisen, sowohl Cook's wie der anderen, ist nicht einbegriffen die Bezahlung eines von der Gemeinde Resina autorisierten Führers am Kraterrand, dessen Begleitung vorgeschrieben ist und für 1 Pers. 4, 2 je 3 1/2, 3 je 3, 4 je 2 1/2 fr. kostet!

Die stets belebte Landstraße verläßt Neapel am Castel del Carmine,

führt die Marinella entlang und überschreitet das wasserarme Flüßchen Sebeto auf dem Ponte della Maddalena; r. das. rote Gebäude dient als Kaserne und Kornspeicher. Dann an der Küste entlang, bis die Torre del Greco dergestalt mit Villen und Häusern bedeckt ist, daß sie einer langen Stadtstraße gleicht. Allenthalben sieht man Maccaroni zum Trocknen aushängen. Man erreicht zunächst S. Giovanni a Teduccio, an das sich l. das Städtchen la Barra schließt; dann Portici und Resina, die sich auf einer Strecke von über 3 km an der Landstraße hinziehen; jenseits des kgl. Schlosses, durch dessen Hof die Straße führt, ist die Grenze zwischen beiden Ortschaften.
Jenseits des Eingangs zu den Ausgrabungen von Herculaneum (Scavi di Ercolano) zweigt die Vesuvstraße von der weiter nahe an der Küste hin nach Torre del Greco, Torre Annunziata u.s.w. führenden Landstraße... links ab und beginnt zu steigen. In den üppigen Weinbergen, welche, mit Gärten abwechselnd und übersät von Bauernhäuschen, ein Bild der Fruchtbarkeit des Landes geben, wächst der berühmte Lacrimae-Christi. Höher hinauf, wo der Blick nicht mehr durch Gartenmauern eingeschlossen wird, öffnet sich eine herrliche Aussicht. Die Straße zieht sich in großen Windungen aufwärts und überschreitet mehrmals den gewaltigen dunkeln Lavastrom von 1872, dessen andern Arm man abwärts bis nach S. Sebastiano und Massa di Somma überblickt.
5 Min. jenseits der Kapelle S. Salvatore und des meteorologischen Observatoriums (unweit ein Gasthaus und eine Osteria, beide zur Bahn gehörig) die 608m ü.M. auf einem Bergrücken (Colle Canteroni) liegen, welcher die dem Vesuv entströmenden Laven in zwei Arme trennt, endet die dem Staat gehörige Straße und es beginnt die von der Bahngesellschaft angelegte Strecke (noch c. 3km; im Cook'schen Bureau sind die Billette vorzuzeigen). Sie zieht sich zunächst nach SO., um dann in großen Windungen bergan zu steigen.
Der Bahnhof der Drahtseilbahn, Stazione inferiore (795m ü.M.), wo ein Restaurant ist und bei der Ankunft der Wagen Contremarken für die Bahnfahrt ausgegeben werden, liegt am Fuß des Aschenkegels. Die Länge der Bahn beträgt 820m, die senkrechte Erhebung des oberen Bahnhofs (1185m) über dem unteren 390m. Die Auf- wie die Niederfahrt dauert 12 Minuten.
Am oberen Bahnhof wird man von Beamten Cook's und den Führern der Gemeinde Resina erwartet und hat zum Gipfel des Kraters noch 10–15 Min. durch Asche zu steigen.
Schwächere Personen, besonders Damen können sich der am oberen Bahnhof bereit stehenden Tragsessel (portantina; 10 fr. hinauf und hinab) oder eines sog. ajuto (d. h. eines von einem kräftigen Manne gezogenen Riemens; 2 fr.) bedienen. – Über den Aufenthalt am Krater

haben sich die Reisenden untereinander zu verständigen; mehr als 3 St. sind nicht gestattet. Wer über die verabredete Zeit ausbleibt, hat mit der Drahtseilbahn, wie mit dem Wagen nur dann auf Rückbeförderung Anspruch, wenn Platz vorhanden ist. – Zu Fuß braucht man abwärts, in der losen Asche hinabspringend, kaum 10 Min. bis zum untern Bahnhof.

Bei der Besteigung von Pompeji aus fährt man zweckmäßig bis Boscotrecase (3/4 St., 1 1/2–2 Fr.; man kann sich auch in Torre Annunziata-Stazione Città abholen lassen und erspart damit Zeit. Durch Weinberge und über Lava-Felder aufwärts erreicht man dann in 2–2 1/2 stündigem Ritt den Aschenkegel. Hier (729m) liegt ein Restaurant (Casa Fiorenza) und beginnt ein von B. Fiorenza angelegter Reitweg, der im Zickzack aufwärts führt bis zu einem Häuschen (1193m), wo die Führer Erfrischungen aufbewahren. Von hier sind noch c. 100m bis zum Kraterrand (besondere Führer). Wer auf die Benutzung (7 fr.) des Fiorenza'schen Reitweges verzichtet, braucht c. 1 1/4 St. zur Erklimmung des Kegels.‹

in der dritten Abteilung – der Geheimpolizei des zaristischen Rußland.

333) *12. 4. 1891 – Familie Čechov.* 907 (948).

Ich bin in Frankreich angekommen – in Nizza. Poststempel: ›Alpes Maritimes, Nice, 24 avrile‹ (neuen Stils).

334) *15. 4. 1891 – Familie Čechov.* 909 (950).

daß ihr das Sommerhaus gemietet habt – die Karte des Vaters enthielt u. a. folgenden Satz: ›Miša hat ein Sommerhaus nahe Aleksin an der Oka gemietet. Die russische Schweiz.‹

von Bortn. – Bortnjanskij, Dmitrij Stepanovič, 1751–1825, russ. Kirchenkomponist.

im November und Dezember – des Jahres 1890, während der Rückreise per Schiff von Sachalin, vgl. Nr. 310.

kaum war ich von Sachalin zurück – am 8. 12. 1890. Am 7. 1. 1891 bis 30. 1. in Petersburg, am 11. 3. wieder nach Petersburg.

schließet mich in eure heiligen Gebete ein – vgl. Hamlet, III. Akt, 1. Szene: ›Die reizende Ophelia. – Nymphe, schließ / In dein Gebet all meine Sünden ein.‹ Bei Čechov eine Art stehender Redewendung, als Scherz auch im ›Kirschgarten‹ verwendet (Lopachin gegenüber Varja).

Semaša – M.R. Semaško.

goldgelockte Likiša – L.S. Mizinova.

die alte Dame – M.D. Belenovskaja, Marjuška, Köchin im Hause Čechov.

Olga Petrovna – O.P. Kundasova.

335) *21. 4. 1891 – Familie Čechov.* 913 (953).
In Paris kam ich Freitag an – am 19. April, vgl. Eintragung im Notizbuch: ›18. Abreise aus Nizza nach Paris.‹
auf die Ausstellung – die Weltausstellung.
für Freitag... Unruhen – zum 1. Mai (neuen Stils); der 1. Mai war erst 1889 von der 2. Internationale zum Feiertag erklärt worden.
Tatiščev – Sergej Spiridonovič, 1846–1923, Diplomat, Publizist, Mitarbeiter der Zeitungen ›Russkie vedomosti‹ und ›Novoe vremja‹.
I. Jakovlev-Pavlovskij – Ivan Jakovlevič, 1853–1924, Schriftsteller, Publizist, Paris-Korrespondent des ›Novoe vremja‹.
Fronštejns – Nachbarn Čechovs in Taganrog.
Moiseev – Besitzer des Hauses in Taganrog (Monastyrskaja ul.), das die Familie Čechov bis 1874 bewohnt hatte.
Pleščeev – A. N. Pleščeev.
eine Gemäldeausstellung (Salon) – die Jahresausstellung (Gemälde und Skulpturen) der konservativen akademischen Kunst.

336) *24. 4. 1891 – Familie Čechov.* 915 (956).
Ein russischer Bildhauer – Leopold Adolfovič Bernštam, 1859–1939, lebte seit 1885 vornehmlich in Paris.
Ich war im Parlament – auf einer Sitzung des Parlaments (der Deputierten-Kammer), die den ›Vorfällen von Fourmies‹ gewidmet war, wo es bei Zusammenstößen zwischen demonstrierenden Bergarbeitern und der Polizei sieben Tote und zehn Verletzte gegeben hatte.
...die Heimreise – vgl. auch Nr. 335; die Rückreise traten Čechov und Suvorin am 27. 4. an; am 2. Mai kehrte Čechov nach Moskau zurück und fuhr tags drauf weiter nach Aleksin in die Ferien.

337) *7. 5. 1891 – A.S. Suvorin.* 920 (961).
Aleksin – Stadt im Kreis Tarussa, Gouvernement Kaluga. Von Moskau zu erreichen vgl. Nr. 340.
nicht 200, sondern 300 – Honorar für die Theaterstücke; auf Čechovs Brief an I. M. Kondratjev dessen handschriftlicher Vermerk über die Höhe des Honorars: 291 R. 37½ Kopeken.
die Ausstellung noch nicht fertig – im Mai 1891 war in Moskau eine große französische Industrie- und Kunstausstellung eröffnet worden, von der dem Publikum aber einige Säle auch nach der Eröffnung verschlossen blieben, weil man mit den Vorbereitungen nicht fertiggeworden war.
Zandrok – Michail Filippovič, Angestellter in Suvorins Buchhandlung.

338) *10. 5. 1891 – A.S. Suvorin.* 922 (963).
Dedlov-Kign – Vladimir Ljudvigovič Kign, Pseud. Dedlov, 1856–1908,

Schriftsteller, Kritiker. Im Maiheft der ›Knižki nedeli‹ hatte D. einen Aufsatz über Čechov veröffentlicht (›Ein Gespräch über Literatur. A.P. Čechov.‹)

»mit Abscheu auf mein Leben« – Paraphrase eines Verses von. A.S. Puškin, aus dem Gedicht ›Erinnerung‹ (1828): ›Mein Leben lese ich mit Abscheu und voll Scham, /Vergieße bittre, heiße Reuetränen‹... Dasselbe Gedicht setzte Čechov dem Kapitel XVII seiner Novelle ›Das Duell‹ voran.

»Vestnik inostrannoj literatury« – ›Bote ausländischer Literatur‹, Zeitschrift; in Heft 5 eine Übersetzung von Michail P. Čechov einer Novelle der englischen Romanschriftstellerin Louisa de la Ramée, bekannt unter dem Pseudonym Ouida. Titel der russischen Übersetzung: ›Regnerischer Juni‹.

an dem Roman – ›Das Urteil‹; an kurzen Erzählungen 1891 wäre nur ›Weiber‹ zu nennen, erschienen am 25. 6. im ›Novoe vremja‹.

schreibe ein Vaudeville – wie aus der Besetzung hervorgeht, wohl ein Scherz.

Anna Ivanovna – A. I. Suvorina, Frau Suvorins.

General Bogdanovič – Evgenij Vasiljevič, geb. 1829, Generalleutnant, Mitglied des Ministerrats für Inneres, Autor religiöser Broschüren.

Ivan Pavlovič Kazanskij – vgl. Nr. 297.

Zensor Makarov – N. A. Makarov war Expediteur der Redaktionen des ›Novoe vremja‹.

339) *17. 5. 1891 – L.S. Mizinova.* 927 (968).

das Haus von B. K. – Evgenij Dmitrievič Bylin-Kolosovskij, Besitzer des Guts Bogimovo nahe Aleksin.

der Ihnen Milch zu trinken gegeben hatte – in der ersten Hälfte Mai hatten L. S. Mizinova und I. I. Levitan Čechov in Aleksin besucht.

Trofim – erfundener Name eines erfundenen Verehrers, mit dem Čechov L.S. Mizinova neckte.

Hunyadi-János – Bitterwasser, als Abführmittel verwendet.

ihr wegen der Wohnung zu schreiben – M. P. Čechova hatte die Adressatin gebeten, sich eine Wohnung in Moskau anzusehen; Familie Čechov trug sich mit Plänen, die zu teure Wohnung in Haus Firgang in der Malaja Dmitrovka gegen eine billigere zu vertauschen.

340) *20. 5. 1891 – A.S. Suvorin.* 929 (970).

Die letzten beiden Manifeste der zaristischen Regierung, veröffentlicht im ›Novoe vremja‹ vom 13. 5.; das eine Manifest (›Höchster Reskript‹ vom 17. 3.1891) verkündet den Bau einer Eisenbahn durch ganz Sibirien (Transsibirische Eisenbahn), der zweite Ukas enthält u. a. die Verordnung, auf die Čechov in seinem Brief eingeht und die faktisch die Umwandlung lebenslanger Freiheitsstrafen in 20 Jahre Katorga bedeutete. Der Ukas beinhaltet auch andere Liberalisierungen im Strafvollzug, so z. B. die freie Wahl des Wohnorts nach Verbüßung der Strafe (mit Ausnahme der Haupt- und Gouvernementshauptstädte).

ich werde Sie erwarten – Suvorin kam Ende Mai zu Besuch nach Bogimovo und blieb bis zum 2. oder 3. Juni.

341) *27. 5. 1891 – A.S. Suvorin.* 931 (972).

Mit der Korrektur – im Verlag Suvorin wurden die ›Bunten Erzählungen‹, Čechovs erster Erzählungsband, in einer neuen Ausgabe vorbereitet.

Neupokoev... sich beruhigt – Spiel mit der Bedeutung des Namens Neupokoev; ›ne-‹: ›un-‹, Präfix der Negation; ›pokoj‹: Ruhe, Frieden.

Die Bücher... bereits bekommen – am 13.5. hatte Čechov Suvorin gebeten, ihm weitere Fachliteratur zum Thema Strafvollzug zu schicken, u. a. das ›Kriminalrecht‹ von Tagancev, sowie das ›Statut über die Verbannung‹.

Mit Ščeglov... – meint das Theaterstück ›Die Invasion Mamajs‹ von I. L. Leontjev-Ščeglov, das 1890 als Textbuch bei Rassochin erschienen war und das Čechov am 18. 5. in einem Brief an Suvorin als ein ›Vaudeville im Sinne Krylovs‹ chrakterisiert hatte (meint nicht den Fabeldichter I. A., sondern den von Čechov verachteten Dramatiker V. A. Krylov).

hatte mit einer Novelle angefangen – ›Das Duell‹.

die Katorga... bald vom Halse – die Katorga: meint die Arbeit an dem Buch über Sachalin; 1891 schloß Čechov jedoch nur einzelne Kapitel, so z. B. Kapitel XXII (über die Flüchtlinge) ab, das in einem Sammelband zugunsten der Opfer der Hungerkatastrophe 1891/92 erschien. Das Buch ›Die Insel Sachalin‹ schloß Čechov erst 1893 ab.

Žitel – A. A. Djakov.

Denken Sie an Katharina – A. M. Dmitriev-Mamonov, ein Günstling der Zarin Katharina II., verliebte sich in ein Fräulein Ščerbak, das er auf Betreiben der Zarin heiratete.

»Postmeister« – Erzählung von A.S. Puškin, in der der Erzähler die 14jährige Dunja, die Tochter des Postmeisters küßt.

342) *12. 6. 1891 – L.S. Mizinova.* 935 (976).

habe Ihnen ebenfalls geschrieben – am 17. und 23. 5.; dieser Brief ist teilweise Antwort auf den Brief der Adressatin vom 10. 6.

die Kaulquappe Malkiel – Sofja Samojlovna M., Bekannte Čechovs.

Levitan – I. I. Levitan; vgl. z. B. am 29. 5. an Čechov: ›Ich schreibe dir von jenem bezaubernden Fleckchen Erde, wo alles, angefangen mit der Luft und endend, Gott verzeih mir, mit dem letzten kleinen Käferchen auf Erden von ihr durchdrungen ist, ihr – der göttlichen Lika! Sie ist noch nicht hier, wird aber hier sein, denn sie liebt nicht dich, Flachsblonden, sondern mich, den vulkanischen Dunkelhaarigen, und kommt nur dorthin, wo auch ich bin. Es wird dich schmerzen, dies alles zu lesen, aber aus Liebe zur Wahrheit konnte ich es dir nicht verbergen.‹

343) *Juni/Juli 1891 – L.S. Mizinova.* 940 (992).
Vergiß deinen Petja nicht – beigelegt war die Photographie eines unbekannten Mannes mit Widmung von Hand Čechovs: ›Für Lida von Petja.‹

344) *Juni/Juli 1891 – L.S. Mizinova.* 941 (993).
Golovin-Rtiščev – S. F. Golovin, Adelsmarschall des Kreises, Verehrer von L. S. Mizinova; Rtiščev: russ. ›rtina‹, ›rtišče‹: großer Mund.

345) *Juni/Juli 1891 – L.S. Mizinova.* 942 (991).

346) *24. 7. 1891 – A.S. Suvorin.* 949 (987).
werde Ihnen die Erzählung schicken – in früheren Briefen: ›Roman‹, ›Novelle‹, meint das ›Duell‹.
»Anna Karenina« – Roman von L.N. Tolstoj.
Rod – Edouard Rod, 1857–1910, franz. Schriftsteller. In Tolstojs Tagebuch existiert eine Notiz vom 11. 2. 1889 über Rods Roman ›Le sens de la vie‹ (1889): ›Habe den hervorragenden Rod gelesen. Da sind Stellen: über den Krieg, über den Dilettantismus – wunderbar.‹
einen seiner Romane – ›Les trois coeurs‹ (1891), Paris; im ›Vestnik inostrannoj literatury‹ Nr. 1/1891 in russischer Übersetzung.
... dafür glauben wir an Gott« – vgl. die Komödie ›Der Revisor‹ von N.V. Gogol, Akt 1, Szene 1, beim Gespräch über die Bestechungsgelder und »kleinen Sünden« der Stadthauptmann: ›Nun, und wenn Sie schon nur junge Jagdhunde zum Geschenk nehmen! Dafür glauben Sie nicht an Gott und gehen auch nie in die Kirche. Ich dagegen bin streng gläubig‹...
der »Pilzsammler« – Pilzbestimmungsbuch von D.N. Kajgorodov, das Čechov Suvorin gebeten hatte mitzubringen; Suvorin hatte es vergessen und dann geschickt.
von Lessing – meint den Schauspieler P.M. Svobodin.
Skalkovskij – K.A. Skalkovskij, 1891 an die Spitze des Departements für Bergbau berufen.
Dichter Merežkovskij – D.S. Merežkovskij.

347) *29. 7. 1891 – A.S. Suvorin.* 952 (990).
eine riesig lange Erzählung – ›Das Duell‹.

lex necessitatis – latein., meist in der Form ›lege necessitatis‹ gebraucht: der Not(wendigkeit) gehorchend.

apoplektisch – medizin.-griech. Apoplexie: Schlagfluß, Bluterguß im Gehirn, auch plötzliche Blutung im Gewebe eines anderen Organs.

Vinogradov – K. F. Vinogradov, Marineoberstaatsanwalt in Petersburg, Bekannter Suvorins, den Čechov im Sommer 1888 in Feodosija kennengelernt hatte.

beiliegende Abschrift – ist nicht erhalten.

Barbaris – Boris, A.S. Suvorins jüngster Sohn aus zweiter Ehe.

348) *18. 8. 1891 – an A.S. Suvorin.* 959 (998).

meine lange, ermüdende Erzählung – ›Das Duell‹, erschien in Fortsetzungen im ›Novoe vremja‹ vom 22. 10.–27. 11. 1891.

349) *28. 8. 1891 – A.S. Suvorin.* 961 (1001).

ein Feuilleton von Michajlovskij – aus den ›Russkie vedomosti‹ vom 23. 8. 1891, in dem der Autor anhand von Briefen Tolstojs an A. A. Fet zu dem Schluß gelangt, daß Tolstoj in erster Linie ein adeliger Herr sei und daß sein Hang zur schlichten Arbeit einfach ein physiologisches Bedürfnis des Organismus sei, den Grafen zu »verkleiden«. Tolstoj, schrieb Michajlovskij, ›redet viel von Nächstenliebe. In Wirklichkeit jedoch liegt zwischen dem Grafen und dieser Welt der Liebe und Hilfe Bedürftigen ein ganzer Abgrund, der sich überdies ständig verbreitert.‹

Broschüre unseres Moskauer Professors T. – Kliment Arkadjevič Timirjazev, 1843–1920, bedeutender Naturwissenschaftler; die Broschüre: ›Eine Parodie auf die Wissenschaft‹, Moskau 1891.

Bogdanov – Anatolij Petrovič, 1834–1896, Zoologe, Anthropologe, Professor an der Universität Moskau, seit 1863 Direktor des Zoologischen Gartens.

Als Ergänzung... eine Glosse – ›Zauberkünstler‹, erschienen im ›Novoe vremja‹ vom 9. 10. 1891.

Vagner – Vladimir Aleksandrovič, 1849–1934, Zoologe, Ethnologe, wissenschaftlicher Publizist, verbrachte den Sommer ebenfalls in Bogimovo.

mit der Erzählung – dem ›Duell‹.

Aleksandr hat einen Sohn... – Michail A. Čechov.

350) *30. 8. 1891 – A.S. Suvorin.* 962 (1002).

Ihnen gefällt die Erzählung – ›Das Duell‹, vgl. Nr. 348, 349.

der Name Ladzievskij – Čechov änderte den Namen später um in Laevskij.

Vagner – vgl. Nr. 349.

Brandt – Name dreier russischer Zoologen: Aleksandr Fëdorovič, geb. 1844, Fëdor Fëdorovič, 1802–1879, Ėduard Karlovič, 1839–1892.

Fausek – Viktor Andreevič, 1861–1910, Zoologe, 1884–91 Mitarbeiter von V. A. Vagner.

Kovalevskij – Maksim Maksimovič, 1851–1916, Jurist, Historiker, Soziologe, 1887 als Professor der Moskauer Universität suspendiert, lebte in Paris, wo er eine Hochschule für Sozialwissenschaften begründete; besaß ein Landhaus in der Umgebung Nizzas, wo Čechov ihn später, von Nizza aus, oft besuchte.

Kapitel über die Flüchtlinge – vgl. Nr. 341.

A. V. Ščerbak ... – hatte Čechov am 2. 8. 1891 um Vermittlung gebeten; er habe nach 5 Jahren Seefahrt eine Menge Erzählungen, die er ordnen, korrigieren, mit Photos versehen und bei Suvorin als Buch vorlegen wollte, Titel ›Auf den Schiffen der Freiwilligen Flotte‹; das Buch kam nicht zustande.

was ist mit »Kaštanka«? – eine illustrierte Ausgabe dieser Erzählung war mehrfach verabredet worden, nachdem die Erzählung 1887 erstmals im ›Novoe vremja‹ erschienen war. Als Einzelausgabe erschien ›Kaštanka‹ erst Anfang 1892.

Evgenija Konstantinovna – Suvorina, Frau von A. A. Suvorin.

haben Sie die Kritik der Zoologie ... – vgl. Nr. 349.

351) *8. 9. 1891 – A. S. Suvorin.* 965 (1006).

Wohnungswechsel, um es billiger zu haben – am 7. 1. hatte Čechov an F. O. Šechtel geschrieben: ›Ich bin bereits Aristokrat und wohne daher in einer Aristokratenstraße.‹ Vgl. auch Nr. 339.

für meine Novelle ... – das ›Duell‹.

Kurepin – A. D. Kurepin, starb am 26. 11. 1891, vgl. Nr. 360.

sein »Nachwort« – zur ›Kreutzersonate‹, veröffentlicht in Band XIII der ›Werke des Grafen Tolstoj‹ (›Werke der letzten Jahre‹).

die »Briefe an eine Gouverneursgattin« – vgl. die ›Ausgewählten Stellen aus dem Briefwechsel mit Freunden‹ von N. V. Gogol, dt. Band V der ›Sämtlichen Werke Gogols‹, hrsg. von Otto Buek unter dem Titel: ›Die Beichte des Dichters‹. In Kapitel XXI, An Frau A. O. S., stellt Gogol die Frage: ›Was ist eine Gouverneursgattin‹.

»Leinwandmesser« – Erzählung von L. N. Tolstoj.

Aleksej Petrovič – A. P. Kolomnin, Schwager A. S. Suvorins.

352) *16. 9. 1891 – E. M. Šavrova.* 969 (1010).

... riechen nach Hund? – Kritik der Erzählung ›Tote Menschen‹ der Adressatin, einer unbekannt gebliebenen Erzählung; seit seiner Rückkehr von Sachalin stand Čechov in regem Briefwechsel mit der Adressatin, in dem er Kritik an Arbeiten der Šavrova übte.

Nekrasov – Nikolaj Alekseevič, 1821–1878, Lyriker, Redakteur der Zeitschriften ›Sovremennik‹ und ›Otečestvennyja zapiski‹.

Snegirëv – Vladimir Fëdorovič, 1847–1916, Arzt, Gynäkologe, Professor an der Universität Moskau.

353) *30. 9. 1891 – M.N. Albov.* 972 (1013).

»Erzählung eines meiner Patienten« – Albov hatte Čechov um einen Titel gebeten, um ihn in den Voranzeigen veröffentlichten zu können. Čechov änderten den Titel später um in ›Erzählung eines Unbekannten‹, die auch nicht im ›Severnyj vestnik‹ erschien, sondern in der ›Russkaja mysl‹ 1893, vgl. detebe Nr. 50/XVIII.

Kazimir Stanislavovič – K. S. Barancevič.

354) *5. 10. 1891 – E.P. Egorov.* 973 (1014).

muß Sie dringend sehen – vgl. 363; Čechov wollte sich im Gouv. Nižnij Novgorod an Ort und Stelle vom Ausmaß der Hungerkatastrophe überzeugen. Vgl. auch Nr. 349.

355) *13. 10. 1891 – A.S. Suvorin.* 979 (1021).

ich war bei den »Russkie vedomosti« – voraufgegangen war ein Brief Suvorins mit dem Vorschlag, gemeinsam mit den Moskauer ›Russkie vedomosti‹, einen Almanach zugunsten der Hungernden zu organisieren; diesen Brief hatte Čechov am 7. 10. an den Redakteur der ›Vedomosti‹, V.M. Sobolevskij, weitergeleitet.

Ihr vorteilhaftes Angebot... – Suvorin hatte vorgeschlagen, die einzelnen für den Almanach bestimmten Beiträge zuvor im ›Novoe vremja‹ abzudrucken.

Čuprov – Aleksandr Ivanovič, 1842–1908, Ökonom, ständiger Mitarbeiter der ›Russkie vedomosti‹.

Die »Zauberkünstler«... – vgl. Nr. 349, 350.

die Morozova – V. A. Morozova, Millionärin, Frau V.M. Sobolevskijs, hatte den Innenminister Durnovo aufgesucht, um sich nach Möglichkeiten privater Initiativen zu erkundigen, vgl. dazu Näheres in Brief Nr. 363.

Tante im Sterben – F.Ja. Dolženko, vgl. auch Nr. 358.

356) *19. 10. 1891 – A.S. Suvorin.* 982 (1024).

Ihr »Kleiner Brief« – Suvorins regelmäßiges Feuilleton im ›Novoe vremja‹; am 19. 10. veröffentlichte Suvorin dort kritische Anmerkungen zu einem Interview, das der Gouverneur von Nižnij Novogorod, N.M. Baranov, einem Korrespondenten gegeben und in dem dieser sich über die Faulheit und Trunksucht der Bauern beklagt hatte. Suvorin verwies auf die allgemeinen Überlegungen, wie man die Hilfe organisie-

ren könne, und schlug vor, die ›Entlarvung von Faulheit und Trunksucht‹ auf bessere Erntejahre zu verschieben.
die Erzählung für den »Almanach« – vermutlich die Erzählung ›Auf dem Lande‹ (späterer Titel: ›Meine Frau‹).
General Baranov – Nikolaj Michajlovič, 1837–1901, Generalgouverneur von Nižnij Novgorod.
Vivat dominus Suvorin! – latein. ›Es lebe Herr Suvorin!‹
Viskovatov – Pavel Aleksandrovič, 1842–1905, Professor an der Universität Dorpat, Biograph M. Lermontovs.
Ach, meine Lieben, diese Langeweile! – Zitat eines Liedes aus der Oper ›Askolds Grab‹ von A. N. Verstovskij.
der englische Humorist Bernard – meint F. C. Burnand, vgl. auch Nr. 165, 237.

357) *22. 10. 1891 – M. N. Albov.* 983 (1025).
die Novelle . . . – ›Erzählung eines Unbekannten‹, vgl. Nr. 353. Čechov schickte an Albov am 20. 11. die Erzählung ›Meine Frau‹ (mit ihrem ursprünglichen Titel ›Auf dem Lande‹), die Januar 1892 erschien.

358) *25. 10. 1891 – A. S. Suvorin.* 987 (1028).
Pensionat Rževskaja in Moskau, wo Čechovs Schwester Maša unterrichtete. Notizbuch: ›Von den Schülerinnen des Pensionats Rževskaja zugunsten der Hungernden 5 Rub. 84 Kop. empfangen.‹ (Seite 11)
Al. Al. – Aleksej Alekseevič Suvorin junior.
Testov – bekanntes Restaurant in Moskau.
das »Duell« 2mal wöchentlich – Erscheinungsweise der Novelle: ›Novoe vremja‹, vom 22., 23., 25., 29., 30. 10. sowie 5., 12., 13., 19., 26. und 27. 11. 1891.
die Sibirjakova – Anna Michajlovna, Petersburger Millionärin, Witwe eines sibirischen Goldindustriellen.
»Krieg und Frieden« – Roman von L. N. Tolstoj.
Tolstoj . . . Haß auf die Medizin – vgl. Nr. 352.
Meine Tante ist gestorben – F. Ja. Dolženko, starb am 25. 10. 1891; Čechov am selben Tag an N. M. Lintvarëva: ›Die Tante war unser aller Liebling, wir sahen in ihr die Verkörperung der Güte, der Zärtlichkeit und Gerechtigkeit, soweit dies alles jemand nur verkörpern kann. Natürlich, wir sterben alle einmal, aber traurig ist es trotzdem.‹

359) *22. 11. 1891 – A. S. Suvorin.* 1000 (1043).
Meine Gesundheit . . . seit Mitte November laborierte Čechov an Grippe, hustete stark (Verdacht auf Lungenentzündung); vgl. Nr. 367. Suvorin hatte sich vom 7. bis etwa Mitte November in Moskau aufgehalten, bei ihm meinte Čechov sich angesteckt zu haben.

pour manger – franz., ›um zu essen‹, ›Brotarbeit‹, fürs liebe Brot.
ein geeignetes Gut... in Briefen vom 14. und 16. 11. hatte Čechovs Bekannter A.I. Smagin von einem Bauernhof erzählt, dessen Schilderung Čechov hier wiedergibt, den Čechov auch besichtigen wollte. Statt seiner fuhr dann M.P. Čechov ins Gouvernement Poltava. Vgl. Nr. 367, 368.
»Kaštanka« – vgl. Nr. 350; Čechov hatte damit gerechnet, daß das Buch noch ins Weihnachtsgeschäft kommen würde.
Warten auf die Erzählung – von A.S. Suvorin, ›Am Ende des Jahrhunderts‹, vgl. Nr. 366.

360) *30. 11. 1891 – an A.S. Suvorin.* SS 1007 (1049).
die indische Legende – veröffentlicht unter dem Namen ›Lebedev‹ im ›Novoe vremja‹ vom 18. 1. 1892: ›Lebenswasser (Eine indische Legende)‹.
Die andere Erzählung... – nicht geklärt, um welche Erzählung welchen Autors es sich handelt.
Ežov – N.M. Ežov.
Lazarev – A.S. Lazarev-Gruzinskij.
ein Moskauer Feuilleton – erschienen am 7. 12. 1891 im ›Novoe vremja‹ über die Moskauer Intellektuellen.
möchte die Jugendzeit aufleben lassen – Čechov hatte jahrelang in N. A. Lejkins ›Oskolki‹ die Rubrik ›Moskauer Splitter‹ geführt, Nachrichten und Glossen aus dem Moskauer Kulturleben, vgl. Nr. 18, 29, 32 u. a. (1883/1885). 1892 publizierte Čechov unter seinem alten Pseudonym (›Der Mann ohne Milz‹) auch drei Humoresken in den Lejkinschen ›Oskolki‹.
Boborykin – P.D. Boborykin.
Heute wurde Kurepin beerdigt – A.D. Kurepin, gestorben am 26. 11. 1891.
»Tagebuch eines Provinzlers« von Ščedrin – M.E. Saltykov-Ščedrin, 1826–1889; ›Tagebuch eines Provinzlers in Petersburg‹, 1872.

361) *3. 12. 1891 – A.S. Suvorin.* 1010 (1054).
die »Kaštanka«-Fahnen – vgl. Nr. 350, 359.
Neupokoev – A.I. Neupokoev, Chef der Suvorinschen Druckerei.
Fürst Urusov – A.I. Urusov, Fürst, 1843–1900, Jurist, Schriftsteller.
Flaubert – Gustave, 1821–1889. In russischer Übersetzung: ›Madame Bovary‹ (1856/57) 1858, ›Salammbo‹ (1862) 1863, ›L'éducation sentimentale‹ (1869) 1870, ›Bouvard et Pecuchet‹ (1881) 1881.
Marx – Karl Marx, 1818–1883.
Buckle – Henry Thomas, 1821–1862, englischer Historiker, Soziologe.
Mill – John Stuart, 1806–1873, englischer Philosoph, Ökonom.

Gurevič – Ljubov Jakovlevna, 1866–1940, Schriftstellerin, Kritikerin, Übersetzerin, ab 1891 Herausgeberin, ab 1895 auch Redaktrice der Zeitschrift ›Severnyj vestnik‹; an sie hatte Čechov am 2. 12. geschrieben, über einen Vorschuß für die Erzählung ›Meine Frau‹ solle sie sich, wenn sie keinen zahlen könne, keine weiteren Gedanken machen.

Filoksera – meint A. L. Flekser, 1863–1926, Literaturkritiker, 1889–1897 ständiger Mitarbeiter der Zeitschrift; *Phylloxera* – latein. Name der Reblaus.

Akakij Moskovskij... – Scherz; mit ›Akakij Moskovskij‹ unterschrieb Suvorin eine Reihe von Feuilletons über Moskau, deren erstes am 23. 11. 1891 erschien.

362) *8. 12. 1891 – V. A. Tichonov.* 1013 (1056).

eine Erzählung geschickt – mit Brief vom 30. 11. 1891 schickte Čechov die Erzählung ›Flattergeist‹, die in den ersten beiden Nummern der Zeitschrift ›Sever‹ 1892 erschien.

keine Stimme noch Fühlen – vgl. 2. Buch Könige, IV. Kapitel, Vers 31: Gehasi aber ging vor ihnen hin und legte den Stab dem Knaben aufs Antlitz; da war aber keine Stimme noch Fühlen. Und er ging wiederum ihm entgegen und zeigte ihm an und sprach: Der Knabe ist nicht aufgewacht.‹

363) *11. 12. 1891 – E. P. Egorov.* 1015 (1058).

Besitzer des unvergessenen Babkino – A. S. Kiselëv.

Durnovo – Ivan Nikolaevič, 1830–1903, Politiker, 1889–1895 Innenminister, danach Vorsitzender des Ministerkomitees bis 1903. Vgl. hierzu auch Nr. 355.

ich hatte Ihnen einen Brief geschickt – am 5. 10. 1891, vgl. Nr. 354.

Baranov – Nikolaj Michajlovič, 1837–1901, Generalleutnant, Gouverneur von Nižnij Novgorod 1885–1897, vgl. auch Nr. 356.

Ėngelgardt – Nikolaj Aleksandrovič, geb. 1866, Petersburger Journalist, Mitarbeiter des ›Novoe vremja‹; oder Michail Aleksandrovič, Schriftsteller, geb. 1861, Biograph von Alexander von Humboldt, Charles Darwin u. a.

einen Kennan – George, 1845–1924, amerikanischer Journalist, der 1865 Kamčatka, 1870/71 Sibirien und Ostasien bereist hatte und als Fernost-Experte galt; Čechov hatte seine Arbeiten (›Tent-Life in Siberia‹ 1870) bei seiner Vorbereitung auf die Sachalinreise kennengelernt und schätzte sie sehr, vgl. Nr. 271, vgl. auch ›Die Insel Sachalin‹, detebe Nr. 50/XX. Nach einer weiteren Sibirienreise 1886 schrieb K. 1890 den Bericht ›Siberia and the Exile-System‹.

bisher nur drei Kreise erforscht – der Kreis Čerepovec (durch P. Grjaznov), Tambov (V. Nikolskij) und Volčansk, Gouv. Charkov (E. Svetlovskij); die beiden ersten Arbeiten zitierte Čechov in der ›Insel Sachalin‹ beim Vergleich der Lebensbedingungen in Rußland zu denen in Sibirien.

V.A. Morozova – vgl. Nr. 355.

Sobolevskij – V.M. Sobolevskij.

Nikolaj – N.P. Čechov.

Fedosija Jakovlevna – F.Ja. Dolženko, vgl. Nr. 358.

364) *14. 12. 1891 – V.A. Tichonov.* 1019 (1065).

365) *14. 12. 1891 – E.P. Egorov.* 1020 (1063).

schicke Ihnen... 116 Rub. – vgl. Nr. 363.

366) *17. 12. 1891 – A.S. Suvorin.* 1026 (1071).

Raus mit dem Stubenmädchen! – um den 10. 12. hatte Suvorin Čechov die Erzählung ›Am Ende des Jahrhunderts‹ geschickt, vgl. Nr. 359; sie erschien am 25. 12. im ›Novoe vremja‹ – ohne das Stubenmädchen. Čechov hatte sich bereits am 13. 12. zu der Erzählung geäußert, offenbar hatte Suvorin die Erzählung daraufhin verändert und Čechov eine neue Variante vor allem des Schlusses geschickt.

Moskauer Feuilleton – offenbar die Antwort Suvorins, vgl. Nr. 360.

Erzählung von Povodov – ungeklärt, um welchen Autor es sich handelt.

Und ich habe ein Vaudeville geschrieben – das ›Jubiläum‹, das Čechov am selben Tag an den Theaterverleger S. F. Rassochin schickte mit der Bitte, den Einakter der Zensur vorzulegen. Am 16. Januar 1892 benachrichtigte Rassochin Čechov, daß das Stück genehmigt worden sei.

Jean Ščeglov... – hatte in letzter Zeit engeren Kontakt zum Verlag ›Posrednik‹, dem Verlag der Tolstojaner um V.G. Čertkov. Auch Čechov stand seit Mitte 1891 im Briefwechsel mit diesem Verlag, in dem später einige Erzählungen und Novellen Čechovs erschienen. Vgl. auch Nr. 367.

367) *25. 12. 1891 – A.N. Pleščeev.* 1028 (1075).

Ihre Adresse... – in Paris, wo der Adressat seit einiger Zeit fest lebte.

Merežkovskij – D. S. Merežkovskij; das Haus Muruzi – in Petersburg, Litejnaja Nr. 20.

Fausek – vgl. Nr. 350; V.A. Fausek hatte 1891 seine Dissertation ›Materialien zur Frage der negativen Bewegung der Ufer am Weißen Meer und an der Murmanküste‹ vorgelegt.

Sibirjakova – A.M. Sibirjakova, vgl. Nr. 358.

Ostrovskij – P. N. Ostrovskij.

morgen fahre ich nach Petersburg – vgl. Nr. 359, 368f. Čechov fuhr am 26. 12. 1891.

meine Ablehnung Sie gekränkt... – Pleščeev antwortete am 2.(14.)1. 1892, Čechovs Verdacht sei, ›glauben Sie mir, ganz und gar unbegründet‹.

368) *31. 12. 1891 – Familie Čechov.* 1032 (1078).

Telegramme aus Mirgorod – sind nicht erhalten.

kauft den Bauernhof Jacenko – am selben Tage schrieb M. P. Čechova an ihren Bruder, sie habe ein Telegramm bekommen, demzufolge Jacenko nicht bereit sei zu verkaufen.

Chudekov, 40 Kop. für die Zeile – in der ›Peterburgskaja gazeta‹ veröffentlichte Čechov am 7. 4. 1892 die Erzählung ›Freunde‹ (späterer Titel: ›Nach dem Theater‹).

Marjuška und Pelageja – Köchinnen im Hause Čechov; Marjuška: M. D. Belenovskaja.

»Kaštanka« ist bei der Zensur – das Buch erschien erst Anfang 1892.

1892

369) *10. 1. 1892 – A. S. Suvorin.* 1037 (1084).

Ich fahre am 14. Jan. – vgl. 14. 1. an A. I. Smagin: ›Heute fahre ich...‹; zur Rückreise vgl. auch Nr. 370. Zu Čechovs Aufenthalt im Gouv. Nižnij Novgorod vgl. ergänzend die (undatierten) Eintragungen in Notizbuch Nr. I/12f.

370) *22. 1. 1892 – A. S. Suvorin.* 1043 (1091).

bald sehen werden... – am 2. 2. fuhr Čechov zusammen mit Suvorin ins Gouv. Voronež, Suvorin kam spätestens am 1. 2. nach Moskau.

über den Hunger schreiben... – vgl. Nr. 373; Čechov hat nichts über die Hungerkatastrophe veröffentlicht; Erfahrungen mit der Organisation von Hilfsmaßnahmen sind in die Erzählung ›Meine Frau‹ eingegangen.

mit fünf Broten Fünftausend... – vgl. das Evangelium des Johannes, 6, 1–15, die Speisung der Fünftausend.

Baranov – N. M. Baranov, vgl. Nr. 356, 363.

die »Kaštanka«-Korrekturen – die 2. Korrektur des Buches mit dem Neusatz der Čechovschen Ergänzungen, vgl. Nr. 361. Das Buch erschien spätestens Ende Februar, mit den Illustrationen von A. S. Stepanov. Čechov am 28. 2. an Suvorin: ›Stellen Sie sich vor, dem Publikum gefallen die Zeichnungen, mir gefallen sie ganz und gar nicht.‹

Kaufmann Kalašnikov – vgl. ›Das Lied vom Zaren Ivan Vasiljevič, seinem jungen Leibwächter und dem kühnen Kaufmann Kalašnikov‹, Ballade von M. Ju. Lermontov (1837):

›Seine Augen blitzen wie des Falken Blick,
Und den Gegner schauen sie durchbohrend an.
Gegenüber ihm stellt er sich schweigend hin,
Zieht die Fausthandschuh' an die kräftigen Händ',
Dehnt die mächt'gen Glieder, die Schultern breit,
Mit der Rechten glättet er den lockigen Bart.‹

(Übersetzung A. Ascharin und A. Luther)

Kaufmann Šelaputin – Moskauer Kaufmann und Hausbesitzer.

um nach Bobrov zu fahren – vgl. oben.

Aleksej Alekseevič – A. A. Suvorin junior.

Bacevič – Leopold Feliksovič, geb. 1849, Bergbauingenieur, Beamter beim Generalgouverneur für das Amurgebiet.

Aufsatz des Bergbauingenieurs... – L. F. Bacevič in der Zeitschrift ›Gornyj žurnal‹, VII (Juli) 1890.

in Petersburg vergessen zu lesen – Čechov war am 9. oder 10. 1. aus Petersburg nach Moskau zurückgekehrt.

371) *26. 1. 1892 – E. P. Egorov.* 1049 (1095).

bereits in Belaja – Dorf im Gouvernement Nižnij Novgorod, in dem Čechov am 17. 1. gewesen war.

Nataša – Tochter des Adressaten.

Borja – Sohn des Adressaten.

Natalija Nilolaevna – N. N. Egorova, Frau des Adressaten.

Mein Stück wird nicht gespielt werden – unbekannt, welches Stück und welche Aufführung Čechov meint. Über den neuesten Einakter, das ›Jubiläum‹, hatte Rassochin am 16. 1. mitgeteilt, das Stück sei von der Zensur genehmigt worden.

372) *2. 2. 1892 – A. S. Lazarev-Gruzinskij.* 1055 (1102).

fahren ins Gouv. Voronež – vgl. Nr. 370.

habe mir ein Gut gekauft – Datum des Vorvertrages über das Gut Melichovo, 70 Verst von Moskau entfernt: 2. 2. 1892. Die Beschreibung des Gutes vgl. Nr. 377.

Michajlov – Osip Michajlovič Michajlov, reicher Moskauer Kaufmann, Besitzer eines Pelzhandels.

Lazarev-Gruzinskijs Vorstoß bei Michajlov blieb erfolglos, was er Čechov unter Entschuldigungen mitteilte; Čechov am 18. 2. an Lazarev-Gruzinskij, er solle sich keine Sorgen machen, es sei ›für uns Literaten sehr schwer und beinahe unmöglich, sich 500–1000 Rub. zu leihen‹.

373) *6. 2. 1892 – E.P. Egorov.* 1058 (1106).
Gouverneur Kurovskij – Evgenij Aleksandrovič, Gouverneur Voronež.
Baranov – N.M. Baranov, vgl. Nr. 356, 363.
Davydova – Sofja Aleksandrovna, bekannte Wohltäterin aus Voronež.
Mein Brief… – wurde weder geschrieben noch veröffentlicht.

374) *9. 2. 1892 – M.P. Čechova.* 1060 (1108).
Bobrov – Kreisstadt im Gouvernement Voronež; Čechov hielt sich dort vom 9.–11. 2. 1892 auf.
Sorochtin – Nikolaj Petrovič, Maler, Besitzer des Gutes Melichovo bis 1892, vgl. Nr. 378.
Ilovajskij Stepan Pavlovič, Verwalter des Staatlichen Gestüts Chrenovoe.
die »Heirat« – Komödie von Nikolaj V. Gogol.
bald sehen wir uns wieder – Čechov kehrte am 12. 2. nach Moskau zurück.
Miša – Michail P. Čechov, studierter Jurist, der ›Steuerinspektor‹. Zum Abschluß des Kaufvertrags vgl. Nr. 376, 377.

375) *21. 2. 1892 – L.A. Avilova.* 1062 (1110).
Verehrte Lidija A… – Čechov war der Adressatin auf der Feier des 25. Jubiläums der Zeitung ›Peterburgskaja gazeta‹ begegnet (ihre Schwester war mit dem Herausgeber Chudekov verheiratet); L.A. Avilova schickte Čechov seitdem Erzählungen zum Lesen.
Baryškina ist kein schöner Name – russ. ›baryš‹: Vorteil, Gewinn, Profit (durch Wucher).
gebe die Erzählung Golcev – V.A. Golcev, Redakteur der Zeitschrift ›Russkaja mysl‹; die Erzählung erschien nicht in der Zeitschrift.

376) *22. 2. 1892 – V.A. Tichonov.* 1064 (1114).
ein Gut zu kaufen – das Gut Melichovo, vgl. Nr. 374, 377.
beim Namenstag von Ščeglov – I. L. Leontjev-Ščeglov, am 7. 1. 1892 in Petersburg.
Vvedenskij – Arsenij Ivanovič, Literaturkritiker.
Sie brauchen meine Biographie? – um sie in der Zeitschrift ›Sever‹ zu veröffentlichen, mit Porträt Čechovs.
die Deutschen habe mich übersetzt – erste Erzählungsbände von Čechov in deutscher Übersetzung: A. Tschechow, ›Russische Leute. Geschichten‹, übersetzt von J. Treumann, Leipzig (Reissner) 1890; A. Tschechow, ›In der Dämmerung. Skizzen und Erzählungen‹, übersetzt von J. Treumann, Leipzig (Reclam) 1891.
Die Čechen… – erste čechische Übersetzungen in Zeitungen und Zeit-

schriften, ›Moravská Orlice‹ 1886, ›Hlas národa‹ 1888, ›Večerní noviny‹ 1891 u. a.

... *und Serben* – kroatische Übersetzungen (A. Harambašić) in den Zeitschriften ›Hrvatska‹, ›Obzor‹ 1888; serbische: ›Narodni dnevnik‹, ›Dnevni list‹ 1890/1891.

Auch die Franzosen ... – die ersten Übersetzungen ins Französische, die die historisch-kritische (russische) Gesamtausgabe nachweist, erschienen, übersetzt von J. Tverdianski, in der ›Revue des deux Mondes‹, 1893 – ›Der Flüchtling‹ und ›Gusev‹.

Tolstoj – L. N. Tolstoj.

Zacharjin – G. A. Zacharjin.

377) *23. 2. 1892 – Al. P. Čechov.* 1067 (1116).

Feuerwehrbruder – seit Januar 1892 war Aleksandr Redakteur der neubegründeten Zeitschrift ›Der Feuerwehrmann‹ (Požarnyj); Gründer der Zeitschrift war Graf A. D. Šeremetjev.

habe die Ukraine verraten – geplant war, einen Bauernhof im Gouvernement Poltava zu kaufen, vgl. Nr. 368, 369. Erste ausführliche Beschreibung des Guts Melichovo.

eigenes Halva – orientalische Süßspeise.

Garin-Vinding – Dmitrij Viktorovič Garin-Vinding, gest. 1922, Schauspieler und Schriftsteller; Čechov hatte ihn Ende 1891 kennengelernt.

378) *3. 3. 1892 – A. S. Suvorin.* 1079 (1127).

Lenskij – A. P. Lenskij.

der »Abgrund« – Theaterstück von A. N. Ostrovskij aus dem Jahre 1865, deutsch in J. v. Guenthers 4-bändiger Ostrovskij-Ausgabe.

Sie möchten ein Theater bauen – vgl. Suvorins Pläne aus den Jahren 1888/1889. Čechov am 1. 3. 1892 an Suvorin: ›Die Ermolova ist dagegen, daß Sie ein eigenes Theater besitzen. Sie befürchtet, daß Sie, nachdem Sie Ihr Theater gebaut haben, aufhören, das Theater zu lieben.‹ Außerdem sei bereits der Verdacht geäußert worden, daß P. M. Svobodin dann zu Suvorin gehen würde.

Verzeichnis der Adressaten

1) chronologisch

201)	1889, 29. 3.	N. N. Obolonskij
202)	1889, Anfang April	N. N. Obolonskij
203)	1889, 8. 4.	A. S. Suvorin
204)	1889, 9. 4.	A. N. Pleščeev
205)	1889, 11. 4.	Al. P. Čechov
206)	1889, 11. 4.	A. S. Suvorin
207)	1889, 17. 4.	A. S. Suvorin
208)	1889, 23. 4.	N. N. Obolonskij
209)	1889, Anfang Mai	A. S. Suvorin
210)	1889, 4. 5.	A. S. Suvorin
211)	1889, 6. 5.	I. L. Leontjev-Ščeglov
212)	1889, 7. 5.	A. S. Suvorin
213)	1889, 8. 5.	Al. P. Čechov
214)	1889, 14. 5.	A. S. Suvorin
215)	1889, 15. 5.	A. S. Suvorin
216)	1889, 18. 5.	I. M. Kondratjev
217)	1889, 4. 6.	N. N. Obolonskij
218)	1889, 17. 6.	N. N. Obolonskij
219)	1889, 18. 6.	F. O. Šechtel
220)	1889, 26. 6.	A. N. Pleščeev
221)	1889, 18. 7.	M. P. Čechova
222)	1889, 29. 8.	I. L. Leontjev-Ščeglov
223)	1889, 5. 9.	F. A. Kumanin
224)	1889, 5. 9.	V. S. Lichačëv
225)	1889, 8. 9.	V. S. Lichačëv
226)	1889, 9. 9.	F. A. Kumanin
227)	1889, 13. 9.	V. A. Tichonov
228)	1889, 18. 9.	I. L. Leontjev-Ščeglov
229)	1889, 14. 9.	A. N. Pleščeev
230)	1889, 24. 9.	A. M. Evreinova
231)	1889, 24. 9.	A. N. Pleščeev
232)	1889, 27. 9.	A. P. Lenskij
233)	1889, 30. 9.	A. N. Pleščeev
234)	1889, 7./8. 10.	A. P. Lenskij
235)	1889, 10. 10.	F. A. Kumanin
236)	1889, 12. 10.	P. I. Čajkovskij
237)	1889, 13. 10.	A. S. Suvorin
238)	1889, 14. 10.	P. I. Čajkovskij

239)	1889, 17. 10.	A. S. Suvorin
240)	1889, 21. 10.	A. N. Pleščeev
241)	1889, 23. 10.	A. S. Suvorin
242)	1889, 28. 10.	A. S. Suvorin
243)	1889, 1. 11.	A. S. Lazarev-Gruzinskij
244)	1889, 1. 11.	A. S. Suvorin
245)	1889, 2. 11.	A. P. Lenskij
246)	1889, 7. 11.	V. A. Tichonov
247)	1889, 12. 11.	A. S. Suvorin
248)	1889, 15. 11.	L. N. Lenskaja
249)	1889, 23. 11.	A. S. Lazarev-Gruzinskij
250)	1889, 23. 11.	N. S. Tichonravov
251)	1889, 27. 11.	A. N. Pleščeev
252)	1889, 27. 11.	A. S. Suvorin
253)	1889, 29./30. 11.	N. N. Obolonskij
254)	1889, 5. 12.	A. S. Suvorin
255)	1889, 14. 12.	A. I. Sumbatov-Južin
256)	1889, 20. 12.	A. S. Suvorin
257)	1889, 25. 12.	A. N. Pleščeev
258)	1889, 27. 12.	A. S. Suvorin
259)	1889, 28. 12.	I. M. Kondratjev
260)	1890, 8. 1.	A. A. Kiselëva
261)	1890, 8. 1.	F. A. Kumanin
262)	1890, 14. 1.	M. P. Čechova
263)	1890, 20. 1.	M. N. Galkin-Vraskij
264)	1890, 26. 1.	M. V. Kiselëva
265)	1890, 28. 1.	M. P. Čechova
266)	1890, 10. 2.	A. N. Pleščeev
267)	1890, 15. 2.	A. N. Pleščeev
268)	1890, 16. 2.	M. I. Čajkovskij
269)	1890, 19./21. 2.	A. S. Suvorin
270)	1890, 25. 2.	Al. P. Čechov
271)	1890, 9. 3.	A. S. Suvorin
272)	1890, 16. 3.	M. I. Čajkovskij
273)	1890, 16. 3.	I. L. Leontjev-Ščeglov
274)	1890, 17. 3.	A. N. Pleščeev
275)	1890, 17. 3.	A. S. Suvorin
276)	1890, 22. 3.	I. L. Leontjev-Ščeglov
277)	1890, 22. 3.	A. S. Suvorin
278)	1890, 27. 3.	A. N. Pleščeev
279)	1890, 29. 3.	A. S. Suvorin
280)	1890, 1. 4.	A. S. Suvorin
281)	1890, 10. 4.	V. M. Lavrov

282)	1890, 15. 4.	A. S. Suvorin
283)	1890, 21. 4.	A. P. Lenskij
284)	1890, 23. 4.	Familie Čechov
285)	1890, 24. 4.	Familie Čechov
286)	1890, 29. 4.	Familie Čechov
287)	1890, 14./17. 5.	Familie Čechov
288)	1890, 20. 5.	A. S. Suvorin
289)	1890, 28. 5.	Familie Čechov
290)	1890, 5. 6.	A. N. Pleščeev
291)	1890, 5. 6.	Al. P. Čechov
292)	1890, 6. 6.	Familie Čechov
293)	1890, 13. 6.	Familie Čechov
294)	1890, 20. 6.	Familie Čechov
295)	1890, 21. 6.	Familie Čechov
296)	1890, 23./26. 6.	Familie Čechov
297)	1890, 27. 6.	A. S. Suvorin
298)	1890, 1. 7.	Familie Čechov
299)	1890, 11. 7.	Familie Čechov
300)	1890, 16. 7.	N. M. Lintvarëva
301)	1890, 17. 7.	M. P. Čechova
302)	1890, 14. 8.	M. P. Čechova
303)	1890, 31. 8.	I. P. Čechov
304)	1890, 7. 9.	Familie Čechov
305)	1890, 11. 9.	A. S. Suvorin
306)	1890, 6. 10.	E. Ja. Čechova
307)	1890, 16. 10.	M. P. Čechov
308)	1890, 5. 12.	M. P. Čechov
309)	1890, 6. 12.	M. P. Čechova
310)	1890, 9. 12.	A. S. Suvorin
311)	1890, 10. 12.	I. L. Leontjev-Ščeglov
312)	1890, 17. 12.	A. S. Suvorin
313)	1890, 24. 12.	A. S. Suvorin
314)	1891, 14. 1.	M. P. Čechova
315)	1891, 21. 1.	L. S. Mizinova
316)	1891, 26. 1.	A. F. Koni
317)	1891, 30. 1.	I. A. Bunin
318)	1891, 5. 2.	A. S. Suvorin
319)	1891, 19. 2.	V. O. Kononovič
320)	1891, 23. 2.	A. S. Suvorin
321)	1891, 5. 3.	A. S. Suvorin
322)	1891, 16. 3.	M. P. Čechova
323)	1891, 16. 3.	M. P. Čechova
324)	1891, 16. 3.	M. P. Čechova

325)	1891, 20. 3.	Familie Čechov
326)	1891, 24. 3.	I. P. Čechov
327)	1891, 28. 3.	Familie Čechov
328)	1891, 29. 3.	Familie Čechov
329)	1891, 1. 4.	M. V. Kiselëva
330)	1891, 1. 4.	Familie Čechov
331)	1891, 4. 4.	Familie Čechov
332)	1891, 7. 4.	Familie Čechov
333)	1891, 12. 4.	M. P. Čechova
334)	1891, 15. 4.	M. P. Čechov
335)	1891, 21. 4.	Familie Čechov
336)	1891, 24. 4.	Familie Čechov
337)	1891, 7. 5.	A. S. Suvorin
338)	1891, 10. 5.	A. S. Suvorin
339)	1891, 17. 5.	L. S. Mizinova
340)	1891, 20. 5.	A. S. Suvorin
341)	1891, 27. 5.	A. S. Suvorin
342)	1891, 12. 6.	L. S. Mizinova
343)	1891, Juni/Juli	L. S. Mizinova
344)	1891, Juni/Juli	L. S. Mizinova
345)	1891, Juni/Juli	L. S. Mizinova
346)	1891, 24. 7.	A. S. Suvorin
347)	1891, 29. 7.	A. S. Suvorin
348)	1891, 18. 8.	A. S. Suvorin
349)	1891, 28. 8.	A. S. Suvorin
350)	1891, 30. 8.	A. S. Suvorin
351)	1891, 8. 9.	A. S. Suvorin
352)	1891, 16. 9.	E. M. Šavrova
353)	1891, 30. 9.	M. N. Albov
354)	1891, 5. 10.	E. P. Egorov
355)	1891, 13. 10.	A. S. Suvorin
356)	1891, 19. 10.	A. S. Suvorin
357)	1891, 22. 10.	M. N. Albov
358)	1891, 25. 10.	A. S. Suvorin
359)	1891, 22. 11.	A. S. Suvorin
360)	1891, 30. 11.	A. S. Suvorin
361)	1891, 3. 12.	A. S. Suvorin
362)	1891, 8. 12.	V. A. Tichonov
363)	1891, 11. 12.	E. P. Egorov
364)	1891, 14. 12.	V. A. Tichonov
365)	1891, 14. 12.	E. P. Egorov
366)	1891, 17. 12.	A. S. Suvorin
367)	1891, 25. 12.	A. N. Pleščeev

368)	1891, 31. 12.	Familie Čechov
369)	1892, 10. 1.	A. S. Suvorin
370)	1892, 22. 1.	A. S. Suvorin
371)	1892, 26. 1.	E. P. Egorov
372)	1892, 2. 2.	A. S. Lazarev-Gruzinskij
373)	1892, 6. 2.	E. P. Egorov
374)	1892, 9. 2.	M. P. Čechova
375)	1892, 21. 2.	L. A. Avilova
376)	1892, 22. 2.	V. A. Tichonov
377)	1892, 23. 2.	Al. P. Čechov
378)	1892, 3. 3.	A. S. Suvorin

Verzeichnis der Adressaten

2) alphabetisch

Kurze Chronologie

März 1889–März 1892

1889 *März:* Čechovs Bruder Nikolaj ist erkrankt, gemeinsam mit dem Arzt N. N. Obolonskij stellt Čechov Lungentuberkulose fest. Čechov behandelt seinen Bruder.

April: Čechov arbeitet an seinem neuen Theaterstück, der Komödie ›Der Waldschrat‹.

10. April: Čechov wird ins Komitee der Gesellschaft der russischen dramatischen Schriftsteller gewählt.

23. April: Čechov fährt mit seinem Bruder Nikolaj nach Sumy in die Sommerferien.

3. Mai: Im ›Novoe vremja‹ erscheint ›Der Heiratsantrag‹.

Ende Mai: A. S. Suvorin zu Besuch bei Čechov in Sumy.

31. Mai: Der Schauspieler P. M. Svobodin kommt für drei Wochen zu Gast nach Sumy.

17. Juni: Nikolaj P. Čechov gestorben.

1. Juli: Čechov fährt nach Odessa, um von dort zu Suvorin nach Tirol zu fahren, fährt aber stattdessen für sechs Wochen nach Jalta. Schreibt dort an der ›Langweiligen Geschichte‹.

11. August: Rückkehr nach Sumy.

5. September: Rückkehr nach Moskau.

15. September: Wiederaufnahme des ›Ivanov‹ am Theater F. A. Korš in der korrigierten zweiten Redaktion.

24. September: Čechov schickt das Manuskript der ›Langweiligen Geschichte‹ nach Petersburg, an den ›Severnyj vestnik‹.

25.–26. September: Nimmt die Arbeit am ›Waldschrat‹ wieder auf.

6. Oktober: ›Der Waldschrat‹ ist abgeschlossen.

10. Oktober: ›Der Waldschrat‹ von der dramatischen Zensur genehmigt.

11. Oktober: Čechov wird von P. M. Svobodin benachrichtigt, das Alexandratheater habe den ›Waldschrat‹ abgelehnt.

Oktober: Čechov schreibt den Einakter ›Die Hochzeit‹.

1. November: In dem ›Severnyj vestnik‹ erscheint die ›Langweilige Geschichte (Aus den Aufzeichnungen eines alten Mannes)‹.

November: Kritik des ›Waldschrats‹ von A. P. Lenskij, V. I. Nemirovič-Dančenko, A. S. Suvorin.

Mitte November: Čechov gibt den ›Waldschrat‹ an das neugegründete Theater M. M. Abramova, wo N. N. Solovcov, Regisseur des ›Bären‹ bei F. A. Korš, seit Anfang der Spielzeit Regisseur ist.

27. Dezember: Uraufführung des ›Waldschrats‹ am Theater M. M. Abramova in Moskau. Das Stück fällt durch, wird von der Kritik einhellig als ›dramatisierte Novelle‹ bezeichnet.
28. Dezember: Čechov fährt über Neujahr nach Babkino und von dort weiter nach Petersburg.

1890 *Anfang Januar:* Čechov in Petersburg, wohnt bei Suvorin.
10. Januar: Čechov sieht Tolstojs Stück ›Macht der Finsternis‹.
19. Januar: P. M. Svobodin spielt im Alexandratheater zu seiner Benefizvorstellung den Einakter ›Schwanengesang (Kalchas)‹.
20. Januar: Čechov entschließt sich, die Sträflingsinsel Sachalin zu bereisen und wendet sich an den Direktor der Hauptgefängnisverwaltung um Hilfe. Beginnt noch in Petersburg, sich auf diese Reise vorzubereiten.
7. Februar: Čechov kehrt, in Begleitung Suvorins, nach Moskau zurück.
Februar–März: Intensive Vorbereitung auf die Sachalinreise.
Ende März: Im Verlag A. S. Suvorin erscheint der Erzählungsband ›Mürrische Menschen‹.
1. April: Im ›Novoe vremja‹ erscheint die Erzählung ›Teufel‹.
April: Die Zeitschrift ›Russkaja mysl‹ erhebt gegen Čechov den Vorwurf, ein ›Priester der prinzipienlosen Kunst‹ zu sein, den Čechov in einem Brief an den Herausgeber V. M. Lavrov zurückweist.
21. April: Abreise Čechovs nach Sachalin, zunächst mit der Eisenbahn bis Jaroslavl, von dort per Schiff nach Perm.
27. April: Ankunft in Perm. Von dort Reise nach Ekaterinburg am Fuß des Urals.
3. Mai: Ankunft in Tjumen.
15. Mai: Ankunft in Tomsk. In Tomsk einige Tage Aufenthalt, den Čechov benützt, um seine Reisenotizen abzuschreiben und an Suvorin zu schicken.
20. Mai: Čechov schickt 6 Kapitel seiner Reisenotizen mit dem Titel ›Aus Sibirien‹ nach Petersburg.
21. Mai: Weiterreise nach Irkutsk.
28. Mai: Ankunft in Krasnojarsk.
4. Juni: Ankunft in Irkutsk.
11. Juni: Weiterreise an den Bajkal. Überquerung des Bajkal.
20. Juni: Ankunft in Sretensk. Von dort Weiterreise mit dem Schiff auf der Šilka und dem Amur.
24. Juni: Im ›Novoe vremja‹ erscheint der erste Teil der Reisenotizen ›Aus Sibirien‹; die ersten sechs Kapitel erscheinen in Fortsetzungen bis 29. Juni.

27. Juni: Čechov schickt weitere ›Reisenotizen‹ an Suvorin.
30. Juni: Ankunft in Chabarovsk.
11. Juli: Ankunft in Fort Alexandrovsk auf der Insel Sachalin.
19. Juli: Der Generalgouverneur für das Amurgebiet, A. N. Korf erteilt Čechov die Erlaubnis, sämtliche Gefängnisse, Ansiedlungen und sonstige Einrichtungen des Strafvollzugs zu besichtigen, unter der einschränkenden Voraussetzung, daß Čechov keinerlei Kontakte zu politischen Gefangenen aufnimmt. Diese Erlaubnis erhält Čechov am 30. Juli schriftlich.
20. Juli: Im ›Novoe vremja‹ erscheinen weitere ›Reisenotizen‹.
Auf Sachalin führt Čechov eine Volkszählung durch, sammelt statistisches und anderes Material für seinen Bericht ›Die Insel Sachalin‹; er legt an die 10 000 Karteikarten an.
11. September: Čechov verläßt Nordsachalin per Schiff und fährt nach Fort Korsakov, auf Südsachalin.
13. September–10. Oktober: Čechov besichtigt Südsachalin.
13. Oktober: Čechov verläßt Südsachalin mit Ziel Odessa.
16. Oktober: Ankunft in Vladivostok.
12. November: Ankunft in Colombo auf der Insel Ceylon. Čechov schreibt die Erzählung ›Gusev‹, auf den 12. November datiert.
1. Dezember: Ankunft in Odessa.
8. Dezember: Rückkehr Čechovs nach Moskau.
25. Dezember: Im ›Novoe vremja‹ erscheint ›Gusev‹.

1891 *7. Januar:* Čechov fährt nach Petersburg. Begegnungen mit Suvorin, Grigorovič, Leontjev-Ščeglov, Lejkin, P. M. Svobodin, A. F. Koni.
30. Januar: Rückkehr nach Moskau.
Februar: Čechov sichtet die mitgebrachten Sachalin-Materialien. Schreibt an der Novelle ›Das Duell‹. Organisiert eine Büchersammlung für die Schulbibliotheken auf Sachalin.
11. März: Folgt einer Einladung Suvorins zu einer Reise nach Italien und Frankreich, Abreise nach Petersburg.
17. März: Abreise ins Ausland.
19.–21. März: Čechov und Suvorin in Wien.
21. März: Weiterreise nach Venedig, Ankunft dort am 22. März.
24. März: Begegnung mit D. S. Merežkovskij in Venedig.
27. März: Weiterreise nach Bologna.
30. März: Ankunft in Rom.
3. April: Ankunft in Neapel.
6. April: Čechov besichtigt Pompeji, besteigt den Vesuv.
11. April: Rückkehr nach Rom. Čechov besichtigt den Petersdom.
12. April: Ankunft in Nizza.

19. April: Ankunft in Paris.
27. April: Abreise nach Rußland.
2. Mai: Ankunft in Moskau.
3. Mai: Čechov und Familie fahren in die Sommerferien nach Aleksin. Čechov begibt sich an die Arbeit an seinem Sachalin-Manuskript. Besuch von I.I. Levitan und L.S. Mizinova.
18. Mai: Čechov wechselt das Sommerquartier, zieht auf das Gut Bogimovo um. Arbeit an der ›Insel Sachalin‹ und am ›Duell‹.
Ende Mai: Suvorin zu Gast in Bogimovo.
Mitte Juni: N.M. Lintvarëva zu Gast bei Čechov.
25. Juni: Im ›Novoe vremja‹ erscheint die Erzählung ›Weiber‹.
18. August: Schickt das Manuskript der Novelle ›Das Duell‹ an Suvorin nach Feodosija.
5.–7. September: Rückkehr nach Moskau.
Anfang Oktober: Im Verlag A.S. Suvorin erscheint eine zweite, beträchtlich überarbeitete Auflage des Bandes ›Bunte Erzählungen‹.
Oktober: Arbeit an der Erzählung ›Meine Frau‹. Die Mißernte des Jahres hat in einigen Gouvernements von Rußland eine Hungerkatastrophe zur Folge. Čechov organisiert private Hungerhilfe. Schlägt Suvorin eine Reise in das besonders betroffene Gouvernement Nižnij Novgorod vor.
22. Oktober–27. November: Im ›Novoe vremja‹ erscheint in 11 Fortsetzungen die Novelle ›Das Duell‹.
20. November: Čechov schickt die Erzählung ›Meine Frau‹ an den ›Severnyj vestnik‹. Liest Korrektur des ›Duells‹ für die Einzelausgabe bei Suvorin.
Mitte Dezember: ›Das Duell‹ erscheint als Buch.
26. Dezember: Čechov fährt nach Petersburg.

1892 *1. Januar:* Im Januarheft des ›Severnyj vestnik› erscheint Čechovs Erzählung ›Meine Frau‹.
5. und 12. Januar: In der Zeitschrift ›Sever‹ erscheint die Erzählung ›Flattergeist‹.
9.–10. Januar: Rückkehr nach Moskau.
14. Januar: Čechov reist ins Gouvernement Nižnij Novgorod.
22. Januar: Rückkehr nach Moskau, krank.
2. Februar: Čechov fährt mit Suvorin ins Gouvernement Voronež.
12. Februar: Rückkehr nach Moskau.
23. Februar: Čechov kauft das Gut Melichovo im Kreis Serpuchov, Gouvernement Moskau.
1. März: Čechovs Vater und Schwester ziehen nach Melichovo.
4. März: Čechov folgt der Familie nach Melichovo.

